PWNC LLOSG

gan yr un awdur:

Steddfod ym Meifod, anffawd Morwyn y Fro, trafferthion teuluol a digon o waith i Heddlu Dyfed Powys

“Dyma chwip o nofel garlamus, fyrlymus, gan un sydd â dawn dweud stori ddifyr ac sy’n nabod yr ardal a’i chymeriadau yn iawn.”
– Geraint Løvgreen

Gwasg Carreg Gwalch, £8

Pwnc Llosg

Myfanwy Alexander

Ffrwyth dychymyg yw plot a chymeriadau'r nofel hon. Cyd-ddigwyddiad llwyr yw unrhyw debygrwydd i bobl neu sefyllfaoedd go iawn.

Argraffiad cyntaf: 2016

Rhif Llyfr Safonol Rhyngwladol:
978-1-84527-561-7

Cyhoeddwyd gyda chymorth Cyngor Llyfrau Cymru

Cynllun y clawr: Siôn Ilar

Cyhoeddwyd gan Wasg Carreg Gwalch,
12 Iard yr Orsaf, Llanrwst, Dyffryn Conwy, Cymru LL26 0EH.
Ffôn: 01492 642031
Ffacs: 01492 642502
e-bost: llyfrau@carreg-gwalch.com
lle ar y we: www.carreg-gwalch.com

Argraffwyd a chyhoeddwyd yng Nghymru

I'm ffrindiau, yn bell ac agos

Pennod 1

Dydd Llun, Ebrill 11, 2016

A'i ail beint o Monty's yn ei law, roedd Daf Dafis yn mwynhau un o bleserau syml bywyd. Byth ers iddo rentu tŷ gyferbyn â'r dafarn roedd yn ddigon hawdd iddo bicio draw yno, jyst am awr, i hel holl glecs y dydd i Gaenor ac ymlacio ar ôl diwrnod heriol yn ei swydd fel Arolygydd yn Heddlu Dyfed Powys. Ond os oedd Daf yn hollol onest, roedd rheswm penodol arall dros ei ymweliadau â'r Goat, sef dangos i'r byd i gyd – wel, trigolion Llanfair Caereinion o leia – nad oedd o'n cuddio yn dilyn ei benderfyniad wyth mis ynghynt i adael Falmai, ei wraig, i gyd-fyw â Gaenor, oedd yn digwydd bod yn wraig i John, brawd Falmai. Doedd teulu Neuadd, un o deuleodd parchusaf yr ardal, erioed wedi wynebu cystal sgandal. Dechreuodd y berthynas fel affêr rhwng dau o bobl ganol oed oedd wedi diflasu, ond tyfodd cariad angerddol rhwng Daf a Gaenor, ac yn y pen draw, doedd Daf ddim yn fodlon byw celwydd. Wrth gwrs, daeth Mali Haf i'r pictiwr hefyd. Gwenodd Daf wrth feddwl am wyneb ei ferch fach ddel, oedd yr un ffunud â'i thad. Hyd yn oed petai Gaenor wedi ceisio twyllo John mai ei blentyn o oedd hi, byddai wyneb Mali wedi datgan y gwir i'r byd.

Bu'r stori'n fêl ar fysedd trigolion yr ardal, ond er gwaetha'r holl helynt, roedd yn rhaid i Daf a Gaenor greu bywyd newydd iddynt eu hunain. Roedd Daf yn poeni ar y dechrau sut y byddai Rhodri, ei fab pedair ar ddeg oed, yn ymdopi â'r sefyllfa, ond ni chwynodd y cog unwaith.

'Paid poeni, Dadi,' cysurodd Rhodri ef un diwrnod. 'Mi ddechreuodd cog o Drenewydd ddeud rwbeth am Gaenor, ond rhoddodd Rob Berllan ben y boi o dan y dŵr yn y toiled am chydig, a dwi ddim wedi clywed gair am y peth gan neb wedyn.'

'Ddylai Rob ddim gwneud y ffasiwn beth,' wfftiodd Daf, gan guddio'i falchder. 'Mi allai o gael ei wahardd am rywbeth fel'na.'

'Dim a tithe'n cadeirio Pwyllgor Ymddygiad Disgyblion y Llywodraethwyr, Dadi,' ymatebodd Rhodri efo winc.

Pan oedd Daf yn ifanc, roedd o'n treulio llawer iawn o'i amser rhydd efo'i Wncwl Mal, brawd ei dad. Roedd Mal yn ddyn mawr gydag ysgwyddau llydan, ond ag oedran meddyliol bachgen saith oed; thyfodd o erioed i fod yn oedolyn. Roedd Mal yn hoff iawn o chwarae gemau syml fel Ludo neu Snakes and Ladders ond ei hoff gêm oedd Spilikins. Yn aml iawn ar bnawn dydd Sul, byddai Mal yn estyn am y bocs bach pren a gedwid ar y pentan, a gofyn i Daf:

'Beth am go o'r Spils, *Surree*?'

Yn y bocs, roedd deugain o ffyn bach pren, ac ar ôl iddyn nhw gael eu gollwng ar y bwrdd, amcan y gêm oedd eu codi nhw, fesul un, heb symud y lleill. Ers iddo adael Falmai, gwelodd Daf debygrwydd sawl tro rhwng bywyd a gêm o Spilikins – roedd bron yn amhosib newid un peth heb i hynny effeithio ar rywbeth arall. Ond rhywsut, drwy'r anhrefn, crewyd patrwm newydd. Penderfynodd Rhodri a Carys, ei chwaer, symud at Daf a Gaenor, ond y sioc fwyaf oedd agwedd Siôn, mab deunaw oed Gaenor. Copi carbon o'i dad oedd o – mab fferm i'r carn – ac er bod Gaenor wedi disgwyl cael trafferth i esbonio ei phenderfyniad i adael iddo, cafodd ei synnu ar yr ochr orau.

'Paid â meddwl ddwywaith amdana i,' dywedodd yn sionc wrth ei fam pan glywodd y newyddion. 'Mae hyn yn esgus perffaith i mi beidio mynd i goleg. A wyddost ti be, Mami, ti'n haeddu bod yn hapus. A dweud y gwir, os oes raid i ti adael Dad, mae'n well gen i dy fod di'n cyd-fyw efo Wncwl Daf – fydd dim rhaid i mi ddod i nabod rhyw foi dierth wedyn.'

Ond roedd Daf wedi sylwi fod rhai pobl yn dal i dewi'n sydyn ar ganol sgwrs wrth ei weld, neu'n osgoi ei lygaid am eiliad. Gan nad oedd o a Gaenor, fel y rhan fwya o rieni i fabi ifanc, yn mynd allan i gymdeithasu'n aml, roedd Daf yn benderfynol o ddangos ei wyneb yn y dafarn bob hyn a hyn er mwyn pwysleisio'r ffaith nad oedd ganddo ddim i fod â chywilydd ohono. Hefyd, roedd y dafarn mor gyfleus – fel dyn a gafodd ei fagu yng nghanol y pentre, doedd o ddim yn hiraethu am dawelwch cefn gwlad pan oedd modd mwynhau dau, neu hyd yn oed dri pheint a cherdded adre'n ddi-ffwdan. Roedd cwmni da wastad yn y Goat, ond heno cafodd Daf y pleser o gwrdd â Huw Mansel, un o'i ffrindiau gorau, wrth y bar.

Dyn tawel, deallus oedd Dr Mansel, ond roedd ei hiwmor fel y fagddu. Doedd dim byd chwerw yn natur Daf, ond bob tro roedd o'n treulio amser yng nghwmni Dr Mansel roedd o'n falch iawn ei fod o wedi gadael Falmai. Yn ei llygaid hi, roedd gan Huw Mansel y potensial i fod yn berffaith, gyda'i Gymraeg graenus, ei dras boneddigaidd a'i statws yn y gymuned, ond yn anffodus, doedd o ddim yn ddigon snobyddlyd. Bu Falmai'n ceisio dod o hyd i wraig iddo am flynyddoedd, a bu'n rhaid i Daf a Huw ddioddef sawl barbeciw yn Neuadd er mwyn ei gyflwyno i'r athrawes ifanc ddiweddaraf i gyrraedd yr ysgol gynradd leol. Yn y pen draw, heb fath o gymorth gan Falmai, cyfarfu Dr Mansel â Dana yn y bar yn stand Gwladys Street, Goodison Park. Roedd hi'n wrthgyferbyniad llwyr i ddelwedd Falmai o wraig i feddyg yn Llanfair Caereinion – Saesnes gomon a dim clem ganddi sut i fihafio'n barchus. Gwahoddodd Falmai'r ddau i rannu bwrdd efo teulu Neuadd mewn cinio elusennol un tro. Y noson honno yfodd Dana botel lawn o Apple Sourz a chyfaddef pob math o bethau am ei pherthynas â Huw Mansel. Chafodd hi'r un gwahoddiad arall gan Falmai.

'Be ydi'r sefyllfa efo moch meicro?' gofynnodd Dr Mansel. 'Oes 'na lot o waith papur cyn prynu un?'

'Be ddiawl wyt ti'n mynd i'w wneud efo mochyn meicro? Sgen ti ddim fferm.'

'Mae'r cliw yn yr enw, Daf. Moch bach ydyn nhw, fel anifeiliaid anwes. Mae 'na hen ddigon o le yn ein gardd ni.'

'Rhaid i ti gael *holding number* gan y Rural Payments Agency.'

'Dwi'm isie cymhorthdal, dim ond prynu anrheg bach i Dana.'

'Mae'n ddigon hawdd i foch heintio anifeiliaid eraill, waeth pa mor fach ydyn nhw. Rhaid i ti gofrestru, rhag ofn.'

'Ocê, mi wna i.'

'Pam mae Dana isie mochyn meicro, eniwê?'

Cododd Huw Mansel ei ysgwyddau.

'Sgen i ddim syniad. Ond mae ei phen-blwydd yn reit fuan, a does gen i ddim amser i fynd â hi i ffwrdd i rywle poeth, felly mochyn meicro amdani.'

Gwenodd Daf wrth ddychmygu Dana'n mynd â'i mochyn am dro ar dennyn drwy'r dre. Ar fore Sul, efallai, pan oedd pobl yn dod allan o gapel Moriah. Allai o ddim aros.

'Dwyt ti ddim wedi blasu'r Mischief, Daf,' sylwodd Huw.

Rhan o apêl y Goat oedd y dewis eang o gwrw lleol. Doedd Daf yn sicr ddim yn arbenigwr, ond roedd yn well ganddo flasu cwrw go iawn na choctel o gemegion. Mentrodd i Ŵyl Gwrw Bishops Castle efo Huw Mansel gwpl o weithiau, ac er na ddysgodd lawer gallai adnabod peint da pan oedd un o'i flaen.

'Tro nesa,' addewodd, gan wagio'i wydr.

'Un bach arall slei?'

'Na, rhaid i mi fynd.'

Nid oedd Daf yn fodlon cyfaddef pam y bu iddo wrthod: drwy ffenest y dafarn gwelodd fod Land Rover Neuadd wedi'i barcio o flaen ei dŷ. Fel arfer nid oedd cenfigen yn poeni Daf, ond roedd o'n amheus o John Neuadd. I fod yn deg â Falmai, roedd hi wedi derbyn fod eu perthynas wedi dod i ben, ond roedd John yn daer eisiau temtio Gaenor yn ôl i Neuadd. Roedd Daf wedi disgwyl tipyn bach mwy o hunan barch gan ei gynfrawd yng nghyfraith, ond roedd John yn dorcalonnus – yn barod i newid, yn cynnig pob dim dan haul i geisio bachu ei wraig yn ôl. Wrth gwrs, roedd Daf yn trystio Gaenor i'r carn ond ...

Roedd drws y tŷ yn agor yn syth o'r stryd i'r lolfa felly dim ond eiliad gymerodd hi i Daf ddarganfod pwy oedd yr ymwelydd o Neuadd. Roedd Siôn yn eistedd wrth y stôf a'i hanner chwaer fach yn ei freichiau cadarn.

'Helô Daf! Sut hwyl yn y Goat?' gofynnodd, wrth gynnig un o'i fysedd mawr coch i Mali Haf ei sugno.

'Reit dda, diolch. Sut mae'r ŵyn?'

'Wedi cyrraedd i gyd.'

Daeth Gaenor o'r gegin gyda dau fŵg o de a phecyn o fisgedi. Wrth sylwi am y canfed tro mor hardd oedd ei hwyneb ac mor dyner oedd ei llygaid, teimlodd Daf ias oer yn rhedeg i lawr ei gefn. Y gwir oedd ei fod yn byw gyda'r ofn o'i cholli hi, a dyna oedd y tu ôl i'w genfigen di-sail.

'Helô cariad,' meddai Gaenor wrth ei weld yn sefyll yn y drws. 'Cymera di'r coffi yma – mi wna i un arall i mi fy hun.'

'Well gen i joch bach o Bushmills ar ôl peint. Stedda di i lawr.'

Cyn eistedd, aeth Gaenor draw at Siôn, i sicrhau fod Mali Haf yn iawn yng nghôl ei brawd mawr hollol ddibrofiad. Roedd hi'n hapus fel y gog, yn syllu i fyny ar ei wyneb mawr brown. Ystyriodd Daf fod rhyw hud yn perthyn i'w ferch oedd yn swyno pawb o'i chwmpas. Ceisiodd gofio oedd o'n teimlo'r un fath pan oedd Rhodri a Carys yn fabanod, ond methodd.

Wrth ddod yn ôl o'r gegin â gwydryn yn ei law, gwelodd Daf ryw olwg ryfedd ar wyneb Gaenor, fel petai embaras yn gymysg â'i charedigrwydd arferol.

'Chwarae teg iddo fo,' dywedodd wrth Siôn.

Trodd Siôn ei ben tuag at Daf.

'Ro'n i jyst yn dweud wrth Mam fod Dad 'di mynd ar ddêt heno.'

Er iddo archwilio llygaid Gaenor, ni welodd Daf yr un arwydd o hiraeth o glywed y newydd. Rhododd ei fraich ar ei hysgwydd.

'Chwarae teg iddo fo, wir! Rhywun den ni'n ei nabod?

'Na – dynes o ochrau Llansantffraid. Mi gwrddon nhw yn ryw digwyddiad CLA yr wythnos dwetha.'

'Country Landowners? Ma' hi'n ddynes posh, felly?'

''Sen i ddim yn meddwl. Alla i ddim dychmygu Dad efo rhywun sy ddim wedi arfer efo arogl tail.'

Collodd Daf gryn dipyn o gwsg cyn penderfynu chwalu seiliau ei deulu – oedd o a Gaenor yn hunanol yn dewis hapusrwydd personol yn hytrach na blaenoriaethu eu dyletswyddau tuag at eu plant? Ond erbyn gweld, doedd dim rhaid iddo boeni. Yn y misoedd ers iddo adael y byngalo ar dir Neuadd roedd pob un wedi blodeuo, rhywsut. Roedd Carys mewn cariad, dechreuodd Rhodri arddangos yr hyder naturiol hwnnw sy'n datblygu mewn plentyn sy'n cael ei fagu mewn cartref llawn cariad, ac roedd Siôn, hyd yn oed, wedi aeddfedu cymaint. Am y tro cyntaf yn ei fywyd roedd yn rhaid i Siôn ofalu amdano'i hun, coginio prydau o fwyd a threfnu apwyntiadau angenrheidiol. Roedd o'n dal yn anaeddfed o'i gymharu â Carys, ei gyfnither o'r un oed, ond roedd Daf yn falch iawn o'i weld yn datblygu – wedi'r cyfan, byddai'n dipyn o straen bod yn llystad i rywun oedd yn mynd ar ei nerfau.

'Welsoch chi newyddion chwech o'r gloch?' gofynnodd Gae, gan dorri ar yr awyrgylch tawel, hamddenol. 'Mi oedd hen ffrind i mi, Rhys Bowen, arno fo, yn edrych yn smart iawn yn ei siwt, yn malu awyr am yr economi leol.'

'Paid â dweud dy fod di'n ffrind i'r blydi Tori 'na!' ffrwydrodd Daf. 'Dim ond oherwydd ffwdan y melinau gwynt y cafodd o ei ethol tro diwetha – wnaiff Sir Drefaldwyn byth ei ddanfon yn ôl i'r Cynulliad.'

'Mae Rhys yn foi lyfli,' mynnodd Gaenor â golwg hiraethus ar ei hwyneb. 'Roedd o ddwy flynedd yn hŷn na fi yn yr ysgol ... roedd gen i andros o grysh arno fo ar y pryd!'

'Dduw annwyl, mae'n amlwg fod 'na bobl hyll draw yn Llanfyllin os mai Rhys Bowen oedd pishyn yr ysgol.'

'Doedd o ddim mor *chunky* yr adeg hynny,' chwarddodd Gaenor, yn falch o'r cyfle i bryfocio Daf.

'Waeth faint o *pin-up* oedd o, mae Rhys Bowen yn gwybod lot am stoc,' cyfrannodd Siôn at y drafodaeth. 'Pan mae o'n dod i'r Smithfield, dim ond y gorau mae o'n ei brynu. Dwi'n meddwl y gwna i bleidleisio drosto fo.'

'A finne hefyd,' cytunodd Gaenor, 'for old time's sake.'

Cododd Daf ar ei draed, yn smalio bod yn flin.

'Nyth o Geidwadwyr dan fy nho fy hun!' ebychodd. 'Anhygoel!'

'Ocê, 'ta, Daf, pwy ydi dy ddewis di?' gofynnodd Siôn.

'Dwi wastad wedi bod yn driw i'r Blaid.'

Gwnaeth Gaenor sŵn dirmygus.

'Well gen i Rhys Bowen na'r blydi Heulwen Breeze-Evans 'na. Y wraig ffarm berffaith.'

'Jyst oherwydd ei bod hi'n ennill y cwpan coginio yn y Sioe bob blwyddyn a chithe ond yn cael *highly commended*, Mam.'

'Na. Wel, ie, ond pethau eraill hefyd. Mae hi'n snob.'

'Mi oedd hi'n hen bryd i'r Blaid gael ymgeisydd lleol,' datganodd Daf, 'ac mae Mrs Breeze-Evans wedi bod yn weithgar iawn yn yr ardal dros y blynyddoedd rhwng yr ysgolion, y Fenter, yr ysgol Sul a'r Cyngor Sir.'

'Digon teg,' atebodd Siôn, 'ond wyt ti erioed wedi cwrdd â rhywun sy'n ffrind iddi hi?'

'Ocê, dwi'n cyfadde nad ydi hi'n ysgwyd llaw a mynd â ti i'r dafarn am beint fel Rhys Bowen, ond mae hi wedi cyflawni dipyn yn lleol.'

'Be am y Liberals?' gofynnodd Gaenor.

'Rhyw *chap* bach o bell. Na, rhwng Mrs Breeze-Evans a Rhys Bowen fydd yr etholiad yma. Dwi'n flin na alla i fynd allan i helpu efo'r ymgyrch, ond fel heddwas, dwi ddim yn cael.'

'Ac fel tad i fabi chwe wythnos oed dwyt ti ddim yn cael mynd allan i gnocio drysau,' mynnodd Gaenor.

'Do'n i ddim wedi sylweddoli cymaint o Blaidi wyt ti, Daf,' sylwodd Siôn. 'Den ni wastad wedi bod yn Liberals mawr yn Neuadd, ond i mi, fel ffarmwr, mae'n gwneud synnwyr i gefnogi cigydd, ac os ydi'r cigydd yn digwydd bod yn dipyn o *fair chap*, dim ots i ba blaid mae o'n perthyn.'

Agorodd Daf ei geg i ddechrau darlithio i Siôn ar fantesion hunanreolaeth i wledydd bychain, ond canodd ei ffôn. Yr orsaf.

'Sorry, Steve, I'm not on duty.'

Dim ond dwy frawddeg o'r hanes roedd yn rhaid i Steve eu hadrodd cyn i Daf newid ei feddwl.

'Ok, I'll be down with you right away.'

Wrth roi ei ffôn yn ôl yn ei boced roedd Daf yn ymwybodol o chwe llygad yn syllu arno.

'Rhaid i mi fynd. Mae 'na dân mawr yn y Trallwng.'

'Ti'n methu gyrru, Daf – roedd hwnna'n wisgi mawr, a ti wedi cael dau beint...' Dywedodd Gaenor yr union beth oedd ar feddwl Daf.

Cododd Siôn ar ei draed yn drwsgl, gan geisio peidio styrbio Mali Haf.

'Mi ro' i lifft i lawr i ti, Daf,' cynigiodd. 'Wedyn, mi all aelod o'r tîm dy yrru di adre yn nes ymlaen.'

'Diolch yn fawr iawn, cog ... ti'n barod i gychwyn yn syth bìn?'

'Dim probs.'

Ar y ffordd i lawr i'r Trallwng, derbyniodd Daf dair galwad ffôn ychwanegol, un gan WPC Nia, un arall gan Steve i gadarhau ei fod o ar ei ffordd a'r drydedd gan Joe Hogan.

'Daf, sut hwyl?'

'Iawn diolch, Joe. Tydi hi ddim braidd yn hwyr yn y nos ar gyfer galwad gymdeithasol?'

'Wyt ti'n gwybod fod 'na adeilad ar dân yn Stryd y Gamlas?'

'Dwi ar fy ffordd yno rŵan.'

'Falch o glywed, achos, mae 'na gwpwl o aelodau o 'mhraidd i'n byw yn y fflat i fyny'r staer. Dwi isie bod yn sicr y byddan nhw'n derbyn pob chwarae teg.'

Roedd Joe Hogan, offeiriad y plwy Catholig yn y Trallwng, yn ddyn deallus a chraff, yn llawn egwyddorion heb fod yn ddiniwed. Ym marn Daf roedd ei fywyd yn wastraff llwyr – dim teulu, dim pres, dim dyfodol a thomen o waith – ond Joe oedd y dyn mwyaf bodlon ei fyd i Daf ei gyfarfod erioed. Doedd o ddim yn byw mewn swigen o athroniaeth chwaith. Fel caplan yng ngharchar yr Amwythig cyn iddo gau ac fel arweinydd praidd llawn pechaduriad, roedd Daf a Joe wedi cydweithio sawl tro. Wrth ei glywed yn sôn am chwarae teg, gwyddai Daf beth i'w ddisgwyl: trafferth efo tincers neu lanciau o Wlad Pwyl.

Cyn cyrraedd y Trallwng, daeth arogl mwg i ffroenau Daf.

Uwchben y dref, yn y pellter, roedd lliw oren myglyd wedi heintio'r awyr.

'Dipyn o dân, felly,' meddai Siôn o dan ei wynt.

Hollol nodweddiadol o deulu Neuadd, meddyliodd Daf: dweud y peth mwyaf amlwg posib. Wedyn cofiodd mor garedig oedd Siôn yn cynnig lifft iddo a sut roedd Mali Haf yn cwtshio yng nghôl ei brawd, a dechreuodd deimlo'n euog.

'Gollwng fi wrth yr orsaf, os wnei di, Siôn,' gofynnodd. 'A diolch yn fawr unwaith eto am y lifft – mi bryna i beint i ti tro nesa gei di noson fawr yn Llanfair.'

Chwarddodd Siôn gan ddangos ei ddannedd gwyn, syth, oedd yn brawf o ofal Gaenor a blynyddoedd o frêsys drud.

'Den ni byth yn cael noson fawr yn Llanfair, Daf,' atebodd. 'Ond mi fyse hi'n braf tasen i'n cael crashio ar y soffa bob hyn a hyn. Mae'r tŷ newydd mor gyfleus.'

'Wrth gwrs. Gei di aros unrhyw dro, ond paid â meddwl y cei di lonydd yno – dydi Mals ddim yn un dda iawn am gysgu.'

Erbyn hyn, roedden nhw wedi cyrraedd y gylchfan wrth yr orsaf drenau. Cychwynnodd Siôn droi i'r chwith.

'Nage, nage, ddim fan hyn!'

'Ond, Daf, ddywedest ti dy fod di angen lifft i'r orsaf.'

'Gorsaf yr heddlu, Siôn bach! Dwi ddim angen mynd ar drên.'

Nid am y tro cyntaf, sylwodd Daf fod rhywbeth yn od am Siôn, fel petai'n methu gweld yr ystyr ehangach y tu ôl i eiriau pobl. Cofiodd drafod y peth efo Carys ryw dro. 'Mae teulu Neuadd i gyd ar ryw sbectrwm, Dadi, paid â meddwl ddwywaith am y peth,' oedd ei hymateb hi.

Roedd y maes parcio bach y tu allan i'r orsaf yn orlawn, felly neidiodd Daf o'r Land Rover i'r palmant.

'Diolch o galon, cog.'

'Unrhyw dro, Daf. Dwi wastad yn chwilio am dipyn bach o gyffro yn fy mywyd, wyddost ti.'

Yng nghyntedd yr orsaf, roedd cryn dipyn o fynd a dod. Gwelodd Daf WPC Nia Owen yn cerdded tuag ato.

'*Hell's bells*, Nia – ydan ni'n sôn am *major incident* yn fa'ma? Ti'm yn gadael dy soffa yn aml yr amser yma o'r nos.'

'Ro'n i yn gwely, os oes rhaid i ti gael gwybod. A dwi'n andros o flin efo Steve – mae o wedi colli'i ben yn gyfan gwbl a galw pawb i mewn. Does dim angen blydi Swyddog Cyswyllt Teulu jyst oherwydd fod rhyw siop ar dân.'

'Felly siop sy ar dân?'

'Am wn i. Newydd gyrraedd ydw i – wn i ddim mwy na ti.'

Fel arfer byddai Nia yn falch iawn o dderbyn ychydig o *overtime* felly synnwyd Daf gan ei hagwedd am eiliad, wedyn edrychodd ar y cloc uwchben y ddesg. Chwarter wedi deg. Noson gynnar i Nia, efallai?

'Cysgu oeddet ti, pan ffoniodd Steve?' gofynnodd yn ddigywilydd. 'Neu mwynhau dipyn o ... weithgareddau priodasol?'

'Cau dy ben, bòs. Ti'n drewi o wisgi. Well i ti gnoi dipyn o gwm cyn cwrdd â'r cyhoedd.'

Clywodd Nev eu sgwrs a chododd ei aeliau.

'Druan ohonat ti, Nia. Oeddet ti'n cael cwtch bach braf?'

'Mae'r lefelau *harassment* yn yr orsaf yma'n anghredadwy,' atebodd Nia ond gwenodd wrth ategu: 'A Nev, paid â gwneud môr a mynydd o'r peth. Mae gen bawb ei fywyd rhywiol ... heblaw amdanat ti, wrth gwrs.'

Agorodd y drws a daeth Steve drwyddo, a chwmwl o fwg o'i gwmpas.

'Can you get up there straight away, boss? A couple of big Polish lads have come out of the Wellington – it seems their flat is up above the fire and they're kicking off big style. There's a lot going on.'

Roedd Steve yn un o'r swyddogion gorau ym marn Daf, ond heno roedd nodyn newydd yn ei lais, tinc bach o ofn. Camodd Daf allan efo fo am eiliad.

'Be sy, lanc?' gofynnodd. Roedd Daf wastad yn dweud pethau syml wrth Steve yn y Gymraeg.

'My Taid's place went on fire when I was a kid, when I was staying there. Fires freak me out, to tell you the truth.'

Roedd ei law yn crynu, a doedd Daf erioed wedi ei weld yn y fath gyflwr o'r blaen. Ceisiodd Daf dynnu ei sylw oddi ar ei bryderon.

'You know what we need? An anchorman down here. Been onto the Trunk Road Agency? And Housing's 24 hour line? Get the Flash opened up for emergency accommodation. You man the fort here, ok? And don't mind Nia if she's sharp with you: you interrupted her and the other half on the job when you phoned.'

Cuddiodd Steve ei wendid o dan storm o chwerthin a chychwynnodd Daf gerdded i fyny tuag at y tân.

'I'll need Nia and Nev up there with me, I reckon.'

Nodiodd Steve ei ben a diflannodd i mewn i'r orsaf. Jyst cyn iddo fynd o'i glyw, clywodd Daf sŵn anarferol o gyfeiriad Steve; ochenaid ddofn, fel petai'n cymryd ei anadl cyntaf ar ôl bod o dan ddŵr. Teimlodd Daf braidd yn anniddig: un o'i gryfderau oedd ei fod yn deall ei dîm, ond ar ôl cydweithio gyda Steve ers bron i ddegawd, doedd ganddo ddim syniad ei fod ofn tanau.

Trawodd y gwres Daf fel wal. Trodd ei ben am eiliad a llanwodd ei ysgyfaint ag awyr iach, oer cyn cerdded i lawr y stryd fyglyd. Roedd lludw ym mhobman, ac arogl plastig yn toddi. Gwelodd fod tair injan dân yno, ac ymddangosai fel petai popeth dan reolaeth. Hen adeilad brics o oes Fictoria oedd ar dân, ac aeth ias drwy gorff Daf pan sylwodd mai swyddfa Plaid Cymru oedd ar lefel y stryd. Fel cŵn defaid, roedd y PCSOs wedi gwagio pob adeilad gerllaw'r safle, ac yn gofalu am eu preiddiau ar y palmant llydan ger yr amgueddfa. Roedd gormod o bobl o gwmpas, sylwodd Daf – doedd hanner cant o gyhoedd cegagored yn ddim yn help i'r gwasanaethau brys wneud eu gwaith. Cerddodd Daf at y PCSO agosaf.

'Mae'n amser i bawb fynd adre, Ted,' cyhoeddodd. 'Cer â'r rheini sy'n byw yma draw i'r Flash, iawn?'

Wrth astudio'r dorf, gwelodd Daf fod John Neuadd yn sefyll yn anghyfforddus iawn wrth ymyl dynes smart yn ei thri degau hwyr. Synnodd Daf fod John wedi llwyddo i fachu dynes o'r fath, ond wedyn sylwodd ar yr olwg gul a chaled ar ei hwyneb. Rhedodd rhuban o emosiynau drwy ben Daf, un ar ôl y llall: euogrwydd, dicter, cydymdeimlad. Roedd hi'n amlwg fod dêt John wedi clywed Daf yn siarad efo'r PCSO, a martsiodd draw i sefyll o'i flaen.

'Be sy'n digwydd fan hyn? Dech chi mynd i arestio'r rhein?' Pwyntiodd ei bys i gyfeiriad dau ddyn tal, un a chanddo ben moel. Roedd eu dillad rhad a'u hanesmwythder yn datgelu'n syth mai Pwyliaid oedden nhw.

'Newydd gyrraedd ydw i,' esboniodd Daf, gan lwyddo i guddio'r cryndod a wibiodd trwyddo wrth glywed llais a oedd mor debyg i lais ei gyn-wraig. 'Well i chi fynd i rywle saffach.'

'Mae gen i fusnes yna,' parhaodd y dynes. 'Dwi ddim yn bwriadu symud cam nes y bydda i'n sicr fod y siawns i anrheithio wedi pasio.'

Anrheithio! Doedd Daf ddim wedi clywed y gair hwnnw ers ei wersi Lefel A Hanes.

'Yn y Trallwng rydan ni, nid Stalingrad.'

'Dwi ddim mor sicr o hynny bellach,' atebodd, wrth hylldremio ar y dynion tal.

'Peidiwch â phoeni, mae popeth dan reolaeth,' cysurodd Daf hi heb goelio ei eiriau ei hun.

Roedd Darren yn falch iawn o'i weld o.

'Mae'r bois yma yn byw yn y fflat uwchben y swyddfa. Maen nhw eisiau mynd i mewn i moyn eu stwff.'

'Ond mae'r lle ar dân, yn enw rheswm.'

'Dydi hynny ddim i'w weld yn eu poeni nhw. Den nhw ddim yn trystio neb, mae'n amlwg.'

Dim ond fflachiau o olau oedd yn amlwg drwy'r ffenestri bellach gan fod y rhan fwyaf o'r fflamau wedi eu diffodd. Amneidiodd y dyn moel at ddrws yr adeilad.

'Fire is over. Now we go in.'

'No, sir, I'm afraid the building is still very dangerous,' atebodd Daf.

'My place. I pay rent. I go in.'

'No, that is not allowed,' mynnodd Daf yn bendant, gan feddwl pa mor od oedd y ffaith fod yn rhaid iddyn nhw gyfathrebu yn y iaith fain.

Ar ôl dros ugain mlynedd yn yr heddlu, roedd Daf wedi dysgu sut i wneud asesiad risg go sydyn, ac wrth edrych ar y ddau ddyn o'i flaen, roedd o'n poeni mwy am yr un tawel. Dyn cryf iawn oedd hwnnw, gydag ysgwyddau fel tarw a dwylo mawr, caled, fel pen gordd bren. Roedd ei wyneb yn atgoffa Daf o'r chwaraewr pêl fas enwog, Babe Ruth, oedd â thrwyn fel petai wedi lledaenu dros ei wyneb. Damwain, paffio neu eneteg anffodus – ni fyddai'n disgwyl gweld trwyn fel hwn ar weinidog neu athro ysgol gynradd. Roedd perchennog trwyn o'r fath wedi hen arfer â trafferthion, ac yn llygaid dyfnion, llwyd y dyn o'i flaen, gwelodd Daf rwystredigaeth. Roedd y dyn fel petai'n ymwybodol bod yn rhaid iddo gadw trefn ar ei hunan. Ni ddywedodd air ond cafodd Daf yr argraff anghyfforddus fod y llygaid yn tynnu lluniau o bawb a bopeth a'u cadw yn ei gof, i'w defnyddio pan ddeuai'r amser. Roedd o'n falch iawn o weld ffurf cyfarwydd Joe Hogan yn dod i'r golwg drwy'r mwg. Cafodd presenoldeb yr offeiriad effaith weledol ar y ddau Bwyliad hefyd – roedden nhw'n sefyll yn llai ymsodol ac edrychodd y dyn moel i lawr ar y palmant fel bachgen drwg wedi cael ei ddal gan athro.

'O co chodzi, chłopcy?' cychwynnodd Hogan.

'A Ojciec,' atebodd y dyn moel, ond torrodd yr offeiriad ar ei draws.

'Mi fydd y bois yma'n aros dros nos efo fi yn nhŷ'r eglwys heno, Daf. Dwi'n eu nabod nhw'n iawn.'

'Wyddwn i ddim dy fod di'n siarad Pwyleg, Joe.'

'Den ni'n *cosmopolitan* iawn yn Wrecsam. Daeth Taid Lech draw yma yn ystod y rhyfel, yn feddyg yn y fyddin, ac ar ôl 1945 mi ddaeth i Faelor, i'r Ysbyty Pwylaidd.'

Roedd Daf yn awyddus iawn i glywed mwy o'r hanes ond, ag adeilad mawr ar dân o flaen ei lygaid, penderfynodd beidio holi am y tro.

'Diolch o galon, Joe. Roedd y bois yma'n ysu i fynd i nôl eu pethau, ond mae'r lle'n dal i fod ar dân. Hefyd, rhaid i'r safle i gyd gael ei gadw fel mae o ar gyfer yr ymchwiliad i'r tân.'

'Dwi'n deall yn iawn.'

Roedd y dyn tawel wedi dechrau siarad efo Joe, ac roedd golwg bryderus ar ei wyneb. Edmygodd Daf y cysur roesai Joe i'w blwyfolion, a than ei ofal, tawelodd y llygaid llwyd rywfaint.

'Mae Milek yn poeni am ei chwaer,' esboniodd Joe. 'Mae hi'n byw yn y fflat hefyd.'

'Ble mae hi rŵan, felly?' Yn sydyn, roedd natur y digwyddiad wedi newid. Fel heddwas, roedd Daf yn ymwybodol o'i ddyletswydd i amddiffyn eiddo ond, iddo fo, helpu pobl oedd pwrpas ei swydd. Felly, yn y bôn, doedd tân fel hyn yn ddim ond trafferth, ond os oedd rhywun wedi cael ei fygu yn yr adeilad, roedd y niwsans yn troi'n drychineb. Gwelodd Joe y pryder yn wyneb ei ffrind.

'Na, na – paid â phoeni, Daf. Mae Basia wedi mynd allan am y noson, ond mae ei brawd isie iddi hi gael gwybod ble maen nhw, petai hi'n dod yn ôl yma cyn iddo gael siawns i siarad efo hi.'

'Does ganddi hi ddim ffôn symudol?'

Gwenodd Joe am eiliad.

'Mae hi wedi troi ei ffôn i ffwrdd. Dwi'n cael yr argraff nad ydi Milek yn hoff iawn o gariad ei chwaer.'

'Wel, os bydd hi'n dod yn ôl i fa'ma, mi ddyweda i wrthi hi.'

Am ryw reswm, efallai yr olwg yn llygaid Milek, roedd Daf yn chwilfrydig ac yn awyddus iawn i gwrdd â'r chwaer. Ond, cyn hynny, roedd cryn dipyn i'w wneud.

Bum llath o flaen Daf, yn siarad ar ei ffôn symudol, roedd Swyddog Tân Chubb Evans. Roedd Chubb yn yr ysgol efo Daf, ac yn ei farn o, roedd wastad wedi bod yn boen. Efo'i wallt crychlyd a'i wyneb tew roedd o'n debyg iawn i fochdew hunanbwysig.

'O. Daf,' meddai'n siomedig, fel petai'n disgwyl swyddog o statws uwch.

'Sori, Chubb, mae'r Prif Gwnstabl ar ei wyliau.'

'A plis paid â 'ngalw fi'n Chubb. Swyddog Tân Lewis John Evans ydw i.'

'Falch iawn i gwrdd â chi,' jociodd Daf gan ysgwyd ei law, yn ymwybodol nad oedd synnwyr digrifwch o fath yn y byd gan Chubb. 'Be sy gennon ni fan hyn, lanc?'

''Swn i'n dweud bod y tân braidd yn amheus. Dwi wedi tshecio'r gofrestr HMOs a'r statws HHSRS, ac mae popeth yn iawn efo'r fflatiau lan staer.'

'Be ddiawl ydi'r ... HHSRS a ... beth oedd o?'

Gwelodd Daf wyneb tew'r swyddog tân yn chwyddo gyda'r pleser o feddu ar wybodaeth dechnegol oedd yn rhoi mantais iddo dros Daf.

'Housing health and safety rating system, a houses in multiple occupation.'

'Pwy ydi'r landlord?'

'Rhys Bowen, y cigydd.'

'Ein Haelod Cynulliad? Rhyfedd iawn.'

'Pam hynny?'

'Mae'n od meddwl fod Tori yn gosod swyddfa i Blaid Cymru.'

'A, felly dyna be oedd ar y llawr gwaelod. Does gen i ddim gwybodaeth benodol am y swyddfa, ond mi gafodd yr adeilad i gyd ei ailweirio dair blynedd yn ôl. Mi wyddon ni'n bendant mai yn y swyddfa ddechreuodd y tân.'

'Sut wyt ti'n gwybod hynny?'

'Achos, Daf Dafis, 'mod i'n swyddog tân.'

Ochneidiodd Daf o dan ei wynt. Roedd tân amheus fel hyn yn golygu, mwy na thebyg, wythnosau o gydweithio rhwng yr heddlu a'r frigâd dân, ac os mai fel hyn roedd Chubb heno, nid oedd Daf yn edrych ymlaen at y bartneriaeth o gwbl. Roedd fframwaith ffurfiol wedi ei osod i'r cydweithio, ac nid oedd Daf yn ffansïo rhes o gyfarfodydd yng nghwmni Chubb.

Daeth pedwar dyn allan drwy ddrws ffrynt yr adeilad a phan dynnodd yr un cyntaf ei fwgwd gwyddai Daf pa dîm oedden nhw: dynion tân ar alwad Llanfair. Nid oedd Daf yn sentimental o gwbl am ei filltir sgwâr, ond pan feddyliodd am griw tân Llanfair, arwyr oedd yn fodlon peryglu eu hunain i wasanaethu eu cymuned, roedd o'n teimlo'n falch tu hwnt. Dro ar ôl tro roedd Daf wedi eu gweld yn gweithio mewn sefyllfaoedd peryglus efo proffesiynoldeb, dewrder ac, yn fwy na dim, hiwmor. Yn eu plith roedd tri ffermwr, chwarelwr, ceidwad warws Wynnstay, contractwr, peiriannydd o Top Garej, perchennog maes carafanau, meddyg coed a Roli. Mae 'na Roli ym mhob pentre – dyn sy'n gwneud dipyn o bopeth: garddio, peintio, gwarchod y groesfan efo'i lolipop, tacsi anffurfiol. Hen lanc busneslyd yn ei dri degau hwyr oedd o, a fo oedd y cyntaf o'r criw i ddod draw i wneud dipyn o hwyl am ben Daf.

'Dyma fo, bois,' galwodd dros ei ysgwydd wrth ddatod strap ei danc ocsigen. 'Yr heddwas sy'n lladrata!'

'Cer i grafu, Roli, dwi'm yn lladrata.'

'Ti 'di dwyn gwraig John Neuadd.'

Erbyn hyn, roedden nhw i gyd wedi ymgasglu i aros am orchymyn nesaf y Bochdew, ond roedd hwnnw'n rhy brysur ar ei ffôn symudol i sylwi arnynt.

'Sut mae pethau tu mewn?' gofynnodd Daf, yn anwybyddu'r jôc gyda gwên oedd yn ddangos nad oedd Roli wedi achosi tramgwydd.

'Mi wnaethon ni ddiffodd y fflamau yn reit sydyn, gan ein bod ni wedi cyrraedd mewn da bryd,' atebodd Mart, y meddyg coed. Fel dyn dewraf y giang, roedd Mart wastad ar y blaen, yn rhoi hyder i'r lleill.

'Mae hen adeiladau fel hyn yn andros o gryf,' meddai Roli. 'Hen drawstiau fel concrit.'

'A dech chi'n hollol sicr nad oedd unrhyw un y tu mewn?' gofynnodd Daf.

'Den ni ddim wedi mynd drwy'r lle i gyd eto,' eglurodd Mart. 'Tu ôl i'r stafell fawr yn y swyddfa roedd stafell arall efo drws sy wedi'i gloi.'

'Ond does na ddim rheswm i neb fod yn y swyddfa yr amser

yma o'r nos beth bynnag,' ategodd Roli. 'Pobl naw tan bump ydi pobl offisys.'

'Y drws sy ar glo,' parhaodd Daf. 'Faint o ddrws ydi o? Achos mi fydd raid i ni fynd drwy'r adeilad cyfan.'

''Sen i ddim yn ffansïo rhoi fy ysgwydd iddo fo,' atebodd Mart. 'Er bod y strwythr yn go sownd, fel ro'n i'n dweud, tydi o ddim yn syniad da i fforsio dim byd mewn adeilad sy wedi bod ar dân.'

'Digon teg. Be am y clo? Ti'n meddwl y gallwn ni ei agor o efo allwedd, os ddaw o i law?'

Cododd Mart ei ysgwyddau llydan.

'Werth ceisio.'

'Ble ddechreuodd y tân? Ar y llawr gwaelod, ti'n meddwl?'

Torrodd Chubb ar ei draws.

'Alla i ddim caniatáu dyfaliad mewn achos fel hyn, ti'n deall, Dyn Tân Parry?'

Ciledrychodd Mart ar Daf cyn ei ateb.

'Iawn, bòs. Mae'n rhy boeth o lawer i feddwl am agor y drws yna beth bynnag.'

Dros y blynyddoedd, heb ddatblygu unrhyw fath o arbenigedd yn y maes, dysgodd Daf am waith y dynion tân. Un o'r pethau oedd wastad yn peri gofid iddyn nhw oedd gwynt o'r tu allan neu hyd yn oed ddrafft y tu mewn i adeilad – gallai marwydos fod yn wenfflam ymhen hanner munud petaen nhw'n cael eu bwydo gan awyr iach. Cododd Chubb ei lais.

'Well done boys; da iawn criw Llanfair.'

'Be am y lleill?' gofynnodd Roli, gan bwyntio'i fys yn ei faneg drwchus i gyfeiriad y ddwy injan dân arall.

'Mae pawb wedi gwneud yn dda,' ategodd Chubb, ei amynedd yn amlwg yn pallu.

Roedd Daf yn falch iawn o weld wyneb newydd yn y tîm, sef ffermwr ifanc gafodd dipyn o helynt yn ystod Steddfod Meifod. Ar y pryd, roedd Daf wedi ystyried ei gyhuddo â 'possession with intent to supply' ond bu rhybudd go gadarn yn ddigon i newid cyfeiriad bywyd Ed Mills. Wedi'r cyfan, meddyliodd Daf, prin yw'r bobl nad ydyn nhw wedi ildio i ryw demtasiwn neu'i gilydd yn ystod y Steddfod. Pan ddaeth Ed yn nes gwelodd Daf fod ei wyneb, o dan yr huddygl, braidd yn welw.

'Alla i gael gair, Mr Dafis?' gofynnodd.

'Chei â chroeso, cog.'

Camodd Daf yn ôl i'r cysgodion rhwng siop Achub Cathod Cymru a siop yn gwerthu dillad smart, ac arhosodd i Ed ei ddilyn.

'Fy nhân mawr cyntaf, Mr Dafis. Dipyn o brofiad, dwi'n dweud wrthoch chi.'

'A sut mae'r job newydd yn siwtio?'

'Y job yma 'ta ffarmio Dolau ti'n feddwl?'

'Y ddau.'

Gwgodd Ed.

'Dech chi'n nabod Missus Dolau, Mr Dafis. Dynes go galed ydi hi. Ond mae 'na ddigon o waith i'w wneud yno, a dwi wedi dweud wrthi hi; os ydi hi'n cwyno gormod, mi gaiff hi chwilio am help gan rywun arall.'

'Digon teg.'

'Ond mae'r busnes tân yn wych. A'r hyfforddiant – sôn am agoriad llygad! Dwi'n cael dwy fil y flwyddyn jyst am fod ar alwad.'

'Felly hwn ydi'r tân mawr cynta i ti.'

'Tân tŷ, ie, ond roedd 'na dipyn o sioe lawr yn Berriew bythefnos yn ôl. Pedair injan i sgubor fawr o wellt.'

'A ti'n ymdopi gyda gwaith Dolau a bod yn Sam Tân?'

'Mae'r Clwb Ffermwyr Ifanc wedi gorffen dros y tymor wyna, sy'n helpu. Mae'n well gen i fod yn brysur beth bynnag, Mr Dafis. Ond sgen i ddim clem am y job yma eto, wyddoch chi.'

'Ti'n edrych fel taset ti wedi dechrau ar y trywydd iawn, lanc.'

'Debyg iawn ... Dwi ofn siarad fel ffŵl dibrofiad rŵan, ond dech chi'n gwybod bod raid i ni wisgo mygydau cyn mynd i mewn i lefydd fel'na?'

'Ydw, wrth gwrs.'

'Wel, doedd fy mwgwd i ddim cweit yn gyfforddus felly mi arhosais i tu allan am eiliad i'w sortio, ac mi es i mewn drwy'r drws cefn.'

'A?'

'A phan dynnais y mwgwd am hanner eiliad, jyst i'w roi o 'mlaen yn well, mi wyntais y peth.'

'Be?'

'Fel cig yn llosgi, porc falle, neu gig eidion, ond hefyd roedd elfen gref o haearn yn y peth. Mi gofiais rwbeth ddywedodd athro yn yr ysgol ryw dro – fod arogl cnawd ... cnawd pobl yn llosgi ... yn debyg i borc yn rhostio.'

Agorodd Daf ei ffroenau fel adwaith, ond dim ond mwg allai o ei arogli.

'Wyt ti'n awgrymu bod rhywun y tu mewn, lanc?'

'Sgen i ddim syniad. Ond dwi'n gwybod be wyntais i.'

'Ocê, cog, chwarae teg i ti. Cer i nôl diod rŵan, a cheisia beidio siarad am dipyn. Mae'r mwg yna'n gallu achosi andros o ddolur gwddf.'

Pan oedd Ed allan o glyw, tynnodd Daf ei ffôn o'i boced. Roedd ei law yn crynu.

'Joe, wnei di ofyn i'r boi 'na am rif ffôn ei chwaer? A rhif ffôn ei chariad hefyd os yn bosib?'

'Be sy'n bod, Daf?'

'Dim byd. Jyst isie bod gant y cant yn siŵr nad oedd neb yn y tân.'

Ar ôl llai na thri munud, derbyniodd neges destun gan Joe: dau rif a dau enw: Basia a Phil. O leia roedd Milek yn cydweithio. Roedd nodyn hefyd gan Joe.

'Mae Milek yn bendant fod Basia wedi mynd am bryd o fywyd efo'i chariad.'

Mewn deg eiliad, daeth stori glir i ben Daf. Brawd a chwaer yn ffraeo dros ei pherthynas, ergyd – efallai mai ond un ergyd oedd ei hangen. Wedyn, tân i guddio'r dystiolaeth. Fel synopsis un o benodau *Y Gwyll* roedd popeth yn ffitio'n dwt i'w le, ond roedd bywyd go iawn wastad yn fwy cymhleth, rhywsut. Yn bendant, gwyddai Daf fod perygl yn llygaid Milek, ond perygl i bwy?

Ffoniodd Daf y rhif cyntaf. Dim ateb. Roedd yr ail rif yn mynd yn syth i'r peiriant ateb.

'Helô, Phil Evans sy 'ma. This is Phil Evans. Please leave a message after the tone.'

Llais digon cyfarwydd i Daf. Doedd dim llawer o bobl yn crafu dros y llythren 'r' cystal â Phil Evans, ffermwr o Ddyffryn Banw. Nodwedd deuluol, yn ôl pobl yr ardal, oedd yn gwaethygu o ganlyniad i nerfusrwydd. Roedd gan Phil Evans sawl rheswm i fod yn nerfus, meddyliodd Daf. Heblaw am y ffaith nad oedd Milek yn ffan mawr ohono, roedd mater ei statws priodasol hefyd. Efallai fod Phil yn gariad i Basia o Wlad Pwyl, ond roedd o, yn ogystal, yn ŵr i Heulwen Breeze-Evans, ymgeisydd Plaid Cymru yn Etholiad y Cynulliad.

Pennod 2

Nos Lun, 11 Ebrill 2016 ... yn nes ymlaen

Brysiodd Daf draw at Chubb, oedd yn siarad efo dyn tal yn gwisgo iwnifform y gwasanaeth tân. O sylwi ar ymddygiad corfforol Chubb, roedd yn amlwg pwy oedd y bòs.

'Mr Richards, dyma Daf Dafis o'r heddlu.'

Nodiodd y dyn ei ben ond estynnodd Daf ei law ato.

'Arolygydd Daf Dafis.'

'Quentin Richards. Pennaeth Ymateb Gogledd Powys.'

Doedd dim amser i sgwrsio, felly gofynnodd Daf yn swta:

'Chubb, wyt ti'n siŵr nad oedd neb yn yr adeilad?'

'Wrth grws. Roedd y swyddfa wedi cau, a phan ofynnais i'r ... i'r dynion o Wlad Pwyl, mi ddywedon nhw mai dim ond nhw a'r ferch oedd yn byw lan staer. A paid â 'ngalw fi'n Chubb!'

Roedd Daf yn bendant y bu bron iawn i Chubb ddefnyddio iaith hilliol ond ei fod wedi rhwystro'i hun jyst mewn pryd.

'Ydech chi wedi tshecio?'

'Roedd y lle'n wenfflam, Dafis – doedd 'na ddim pwrpas sefyll tu allan a gweiddi "Anybody there?" Mi aethon ni i mewn yn ofalus, fel y byddwn ni'n gwneud bob tro.'

Rhedodd Daf nerth ei draed i gyfeiriad y bont. Cyn iddo ddod at y gamlas, roedd wtra fach gul yn rhedeg heibio cefnau adeiladau'r stryd. Tynnodd ei dortsh fach o'i boced – roedd hi'n dywyll yn y mwg ac yng nghysgod y waliau brics uchel. Yn y pellter, y tu ôl iddo, clywai lais Chubb, allan o wynt, yn ceisio gweiddi:

'Dydi hi ddim yn saff yna!'

Gwelodd ddrws bach pren yn y wal wedi'i orchuddio â'r lludw a'r huddygl oedd yn disgyn fel eira du o'i gwmpas. Roedd ynghlo. Hyrddiodd Daf ei ysgwydd yn ei erbyn yn ddigon caled i dorri'r bollt, a disgynnodd i mewn i iard fach yn llawn biniau ailgylchu. Roedd gwydr ym mhobman ar ôl i'r ffenestri chwalu yn y gwres. Stryffagliodd Daf i lenwi ei ysgyfaint, ac yn gymysg ag arogleuon y tân, gwyntodd rywbeth arall. Yn wahanol i Ed, roedd Daf wedi arogli cnawd yn llosgi sawl tro, ar ôl damweiniau car gan fwyaf. Nesaodd Daf at yr unig ffenestr ar y llawr gwaelod oedd yn wynebu'r iard, a chododd ei dortsh. Gan nad oedd gwydr yn y ffrâm mwyach, gallai weld i mewn i'r swyddfa fawr yn weddol rhwydd. Roedd ynddi fwrdd digon mawr i gynnal cyfarfod, sawl cwpwrdd ffeilio a desg lydan. Yn y gadair wrth y ddesg roedd corff.

Camodd Daf yn ôl oddi wrth yr adeilad er mwyn cael ei wynt cyn ffonio'r orsaf, a gwelodd fod Chubb yn sefyll yn y drws rhwng yr iard a'r wtra, a golwg eithriadol o flin ar ei wyneb.

'Be ti'n feddwl ti'n wneud, Dafydd Dafis? Dwi 'di bod yn gweiddi nes 'mod i'n gryg. Mae'r adeilad yma'n beryglus – ddylai neb fynd i mewn iddo.'

'Ond mae 'na rywun yna'n barod.'

'Be?'

'Yn yr ystafell gefn. Mae 'na gorff.'

'Amhosib. Mae'r bois wedi bod drwy'r lle.'

'Ddywedodd Martin wrtha i fod y drws i'r swyddfa gefn wedi'i gloi. Roedd o'n poeni am strwythr yr adeilad felly penderfynodd beidio'i wthio i mewn.'

'Penderfyniad call yn y sefyllfa.'

'O, cau dy ben am eiliad, Chubb,' ffrwydrodd Daf, yn anfodlon defnyddio'r ychydig iawn o anadl oedd ganddo i falu awyr efo dyn oedd yn gwneud dim ond gwylio'i gefn ei hun. 'Dwi'm yn beio neb, ond mae hyn yn newid yr achos. Mae rhywun wedi cael ei ladd, felly os oedd hwn yn dân bwriadol, den ni'n sôn am ddynladdiad, neu hyd yn oed lofruddiaeth.'

Pesychodd Daf ac am eiliad meddyliodd ei fod ar fin chwydu, ond pasiodd y teimlad a phoerodd ar lawr. Teimlai'n fudr i gyd. Ffoniodd yr orsaf a chlywodd lais anisgwyl: Sheila.

'Be ti'n wneud, lodes? Ti ddim i fod ar ddyletswydd.'

'Na Nia chwaith, ond mae hi wedi cael ei galw i mewn.'

'Ond tydi Nia ddim yn *newlywed* – be mae Tom yn feddwl?'

Chwarddodd Sheila.

'Mae Tom yn ddyn lwcus iawn, ac mae o'n gwybod hynny. Mi briododd o blismones felly rhaid iddo fo ddisgwyl 'mod i'n cael fy ngalw i argyfwng bob hyn a hyn.'

'Wel, mae 'na argyfwng go iawn yn y fan hyn rŵan, lodes – roedd rhywun yn yr adeilad.'

'Pwy?'

'Dwi'm yn sicr, ond dwi'n meddwl mai dynes o'r enw Basia Bartoshyn ydi hi.'

'Dynes dal, gwallt melyn, llygaid mawr llwyd?'

'Debyg iawn. Wyt ti'n ei nabod hi?'

'Dwi'n ei nabod hi rŵan. Mae hi newydd gerdded drwy'r drws gyda Phil Dolfadog, o bawb.'

Roedd gan Daf ddau reswm i wenu. Roedd yn rhaid iddo ganmol Sheila – ers iddi ddechrau canlyn Tom Francis roedd hi wedi dod i adnabod pob un o ffermwyr yr ardal a ble roedden nhw'n ffermio. A'r ail reswm i wenu? Ei orhyder ei hun: ar ôl siarad efo Ed Mills, roedd Daf wedi creu stori gyflawn a chyfleus i egluro'r tân, y corff a'r troseddwr, a phob manylyn yn ei le, ond yn anffodus, gan fod y corff tybiedig newydd gerdded i mewn i'r orsaf roedd o angen theori arall.

'Dwi isie siarad efo nhw.'

'Poeni am ei brawd sy'n byw yn y fflat mae hi, yn dweud ei fod o'n goryfed weithiau.'

'Dyweda di wrthi fod Milek yn saff, a'i fod o'n aros dros nos yn nhŷ'r offeiriad.'

'Offeiriad?'

'Priest. Joe Hogan.' Er bod Cymraeg Sheila wedi gwella'n aruthrol, ac yn ddigon da i'w ddefnyddio o ddydd i ddydd, roedd ambell air yn dal yn anghyfarwydd iddi.

'Mi ddyweda i wrthi hi rŵan – fydd hi'n falch iawn.'

'Ac ar ôl hynny, ffonia di'r Pencadlys i ddweud ryw fersiwn Sir Gâr o "Houston, we have a problem". Mae Derek Bright o'r Drenewydd ar ei wyliau a Simon Harris yn Aber heb ddod yn ôl o'i absenoldeb salwch, felly mi fydd yn rhaid iddyn nhw ddanfon un o'r *big chiefs* i fyny o'r de i fod yn SIO. Gan mai yn swyddfa Plaid Cymru oedd y tân, bydd yn rhaid cael SIO sy'n siarad Cymraeg.'

'Alli di ofalu am yr achos, bòs – ti'n heddwas da.'

'Rhaid bod yn brif arolygydd i arwain ymchwiliad mawr fel hyn, Sheila, ti'n gwybod hynny.'

'Am lol.'

'Eu problem nhw ydi hynny, beth bynnag.'

Bu i newyddion Daf newid agwedd y dynion tân. Doedd neb mwyach yn tynnu coes, neb yn siarad yn uwch na sibrydiad. Sylwodd Daf fod wyneb Ed Mills fel y galchen.

'Roeddet ti'n iawn, cog. Mae rhywun wedi marw yma,' meddai wrtho, yn isel.

'*Shit*, Mr Dafis. Allen ni ddim bod wedi gwneud mwy – roedd y tân wedi gafael cyn i ni gyrraedd.'

'Dech chi i gyd wedi gwneud yn iawn, y tîm cyfan. Dwi'm yn dweud wrthat ti am beidio meddwl am y peth, ond paid â theimlo'n euog. Doedd dim allech chi fod wedi'i wneud, reit?'

'Diolch, syr. Ond, wel, dech chi'n nabod y bois 'ma. Hyd yma, mae'r peth wedi bod yn hwyl. Dipyn o sbort, bron. Ond rŵan ... dwi'n cofio faint oedden ni'n jocian ar y ffordd yma, a rŵan, dwi'n teimlo fel ... fel petaen ni wedi sarhau pwy bynnag sy' wedi marw.'

'Na, lanc, ti'n anghywir – mae jocian yn bwysig i bobl fel ni, sy'n dewis delio efo sefyllfaoedd hollol *crap* fel hyn, yn ein helpu ni i oroesi. Heb yr hiwmor, mi fydden ni i gyd yn hollol wallgo erbyn hyn, a fyddai hynny ddim yn helpu neb.'

'Ocê.'

Daeth Daf ar draws Mart pan oedd ar ei ffordd draw i siarad gyda Nev.

'Cadw lygad ar y cog 'na, wnei di, Mart?' gofynnodd.

'Mi wna i. Den ni i gyd yn stryglo efo'n *stiff* cyntaf. Pwy oedd o?'

'Sgen i ddim syniad eto.'

'Ai swyddfa oedd y stafell gefn 'na?'

'Ie.'

'Braidd yn hwyr i rywun fod yn gweithio, doedd?'

'Dim swyddfa arferol oedd hon, ond pencadlys ymgyrch etholiad Plaid Cymru.'

'O. Dwi'm yn dilyn pethe fel'na, Daf. Dwi'n pleidleisio am 'rhen Bowen achos mae o'n *good bloke* a dyna'r cyfan.'

Roedd rhaid i Daf guddio ei siom. Roedd yn dod yn amlwg iddo fod etholwyr Sir Drefaldwyn angen bod yn fwy ymwybodol o'u gwleidyddiaeth leol, ond roedd pethau mwy enbyd yn crefu ei sylw.

'Hei, Nev, ti 'di clywed?'

'Do, bòs. Dwi'n dechrau efo'r tâp diogelwch, yn y ffrynt a'r cefn. Pwy sy'n mynd i logio pobl i mewn ac allan?'

'Ti, plis ... tan hanner nos, ocê?'

'Dim probs. Ydi SOCOs ar eu ffordd?'

'Dwi ddim yn disgwyl eu gweld nhw tan bore fory. Rhaid i'r lle fod yn saff cyn iddyn nhw fynd i mewn.' A gwyddai Daf yn iawn na fyddai'r swyddogion lleoliad trosedd yn fodlon teithio'r holl ffordd o Gaerfyrddin yng nghanol y nos heb reswm arbennig iawn.

'Be am y CSM? Gobeithio na fydd raid i ni gael y ferch 'na o Dregaron eto – roedd ei llais hi'n mynd drwydda i fel cyllell.'

Gwenodd Daf. Roedd wedi bod yn bendant fod Nev yn ffansïo'r rheolwr lleoliad trosedd honno. Roedd hi'n ddynes olygus ond roedd Nev yn llygad ei le – siaradai fel petai wedi treulio gormod o amser yn Seland Newydd gan fod tôn ei llais yn codi fel cwestiwn ar ddiwedd pob brawddeg.

'Ddim wedi meddwl am y peth eto.'

'Cofia, bòs, mae Steve newydd orffen y cwrs 'na ... y peth *operational policing and forensics* 'na. Den ni wedi clywed dipyn am y peth ganddo dros y ddwy flynedd ddiwetha, beth bynnag.'

'Syniad da. Fyddi di'n iawn fan hyn os ydw i'n picio'n ôl i'r orsaf?'

'Byddaf. Be os ydi'r wasg yn dod draw?'

'*Get real*, Nev – mae hi ar ôl amser gwely iddyn nhw. Heblaw bod corff y Tywysog Siarl ei hun yn y stafell gefn 'na, welwn ni mohonyn nhw cyn deg o'r gloch bore fory.'

Chwarddodd Nev, ond roedd tamaid bach o siom yn ei lais gan ei fod yn hoff iawn o syniad Warhol fod pawb yn haeddu ei chwarter awr o enwogrwydd.

'Mi ddanfona i Steve fyny beth bynnag, CSM neu beidio, ocê?'

'Iawn, bòs. Be alla i wneud efo dynes y siop emwaith? Mae hi'n andros o niwsans, hithe draw fan'cw efo dy ... dy ...'

'Fy nghyn-frawd yng nghyfraith? Dweda di wrthi fod yn rhaid iddi fynd achos ei bod hi y tu mewn i'r cordres allanol, ac os bydd smotyn o'i DNA hi'n cael ei ddarganfod yno, mi fydd hi dan amheuaeth.'

'A wnaif hi dderbyn hynny?'

'Rho'r dewis iddi hi o fynd o'na neu ddod lawr i orsaf yr heddlu am lwyth o brofion. Fydd hi'n diflannu'n syth bìn, fetia i di.'

Roedd yn rhaid i Daf adael ei fanylion efo bòs y dynion tan. Erbyn hyn, roedd injan Llanfair wedi mynd gan adael neb ond criw'r Trallwng a'r pennaeth ymateb.

'Dech chi'n meddwl y bydd yr adeilad yn saff ben bore, Mr Richards?' gofynnodd iddo.

'O ran y tân neu o ran strwythr y fframwaith tu mewn?'

'Y ddau.'

'Bydd aelodau'r tîm yn gwarchod y lle dros nos rhag *hotspots*, ond mae'r ffaith fod cymaint o'r ffenestri wedi torri yn lleihau'r broblem *compartment*. Mi ddaw peiriannydd adeiladu o'r Cyngor Sir draw ben bore i asesu'r niwed.'

'Wrth gwrs, ond ben bore mi fydd tîm o arbenigwyr yn cyrraedd – y SOCOs, patholegydd, ffotograffydd fforensig ac ati, ac mae'n bwysig iddyn nhw allu dechrau cyn gynted a phosib.'

'Dwi'n deall yn iawn, Arolygydd Dafis, ac os fyswn i yn eich sefyllfa chi, mi fysen i'n gofyn am y cŵn carbon hefyd.'

'Cŵn carbon?'

'Cŵn sy wedi cael eu hyfforddi i wynto catalyddion, neu *accelerants* fel den ni'n eu disgrifio.'

'*Accelerants*?' ailadroddodd Daf, yn teimlo fel parot.

'Unrhyw beth sy wedi cael ei ddefnyddio i wneud i dân bwriadol losgi'n gyflymach neu'n boethach. Maen nhw'n effeithiol tu hwnt, y cŵn yma.'

'Diolch am yr awygrym. Dyma fy ngherdyn i, ac mi fydda i'n danfon eich manylion chi ymlaen at brif swyddog yr ymchwiliad.'

'Diolch i chi, Arolygydd Dafis.'

Efallai mai paranoia oedd o, ond credai Daf ei fod wedi clywed nodyn coeglyd yn llais Richards, fel petai o'n defnyddio'r rheng fel sarhad. Roedd o'n synnu, felly, pan ofynnodd Richards un cwestiwn olaf.

'Pam dech chi'n galw Swyddog Tân Evans yn "Chubb"?'

'Llysenw ers amser ysgol. Roedd o wastad yn tueddu i fod yn *chunky monkey* ac roedd o'n hoff iawn o bysgota. Felly, Chubb.'

Nodiodd Richards ei ben heb wenu o gwbl.

'Ffraeth iawn, Arolygydd Dafis, ffraeth iawn. Maen nhw'n dweud eich bod chi'n un o'r dynion mwyaf digri yng ngwasanaethau brys y canolbarth.'

Ni allai Daf feddwl am ymateb i'w sylw olaf. Sôn am ei ddryllio efo canmoliaeth wan! Penderfynodd na fyddai byth eto'n gwneud jôc yng nghlyw'r pennaeth hwn.

Wrth gerdded i lawr i'r orsaf, ystyriodd Daf corff pwy allai'r un yn y swyddfa fod. Doedd Daf ddim yn aelod o unrhyw blaid, ond yn ystod ei gyfnod yn Aberystwyth cymerodd ran mewn sawl gwrthdystiad yn erbyn Tony Blair a'i ryfel yn Irac, ac o blaid yr iaith Gymraeg. Cafodd fraw pan sylweddololodd ei fod bellach wedi anghofio'r rhan fwyaf o'r rhesymau pam y bu iddo godi'n gynnar ar foreau Sadwrn i ddal bws mini er mwyn teithio i rywle i ddweud rhywbeth pwysig yn erbyn rhywun. Sylweddolodd hefyd nad oedd ganddo syniad am y broses ymgyrchu na threfn yr etholiad, felly byddai'n rhaid iddo siarad gyda'r ymgeisydd seneddol ei hun, ond cyn hynny, roedd gŵr yr ymgeisydd yn aros yr yr orsaf yng nghwmni dynes o Wlad Pwyl.

Porodd Daf drwy ei gof am wybodaeth ynglŷn â Phil Evans. Hŷn na Daf, ffermwr, ddim yn un o'r heolion wyth nac yn adnabyddus am ddim byd. Na, doedd hynny ddim cweit yn wir. Cofiai sut roedd Falmai a'i ffrindiau, flynyddoedd yn ôl, yn ferched yn eu harddegau, yn trafod rhinweddau dynion yr ardal – roedd Phil Evans ar frig pob rhestr o pwy oedd yn ffansïo pwy. Cofiodd un o'r merched yn dweud, gan chwerthin: 'Dim ots be sy tu ôl i'w wyneb – mae'r wyneb ei hun yn ddigon!' Hyd yn oed ar ôl iddo briodi wnaeth Phil ddim setlo: roedd o'n dal i fynd i lawr i'r Goat ar nos Wener ac yn diflannu yn ddigon aml gyda rhyw ddynes neu'i gilydd. Roedd digon ohonyn nhw o gwmpas – dynion ffyddlon yn ystod yr wythnos ond godinebwyr nos Wener – a digon o ferched oedd yn fodlon chwarae'r un gêm. Gwyddai Daf am nifer a ffitiai i'r un categori â Phil, ac o safbwynt heddwas roedd yn well ganddo fo ffermwyr anniddig yn chwilio am ffwc bach slei na'r rheini a fwriadai yrru adre ar ôl deg peint. Ceisiai gofio pwy yn union oedd cariadon Phil ond methodd.

Doedd yr olygfa a wynebai Daf yng nghyntedd gorsaf yr heddlu ddim yn cyd-fynd â'r darlun yn ei feddwl. Roedd Phil Evans yn sefyll efo'i fraich o gwmpas gwasg dynes ifanc, ac roedd yr olwg yn ei lygaid yn cadarnhau nad perthynas dros dro oedd hon. Cyn hyn, doedd Daf ddim wedi deall brwdfrydedd merched ei filltir sgwâr ynglŷn â Phil Dolfadog, ond heno, a chariad yn llewyrchu o'i wyneb, roedd o'n ddyn deniadol tu hwnt. Bu'r blynyddoedd yn garedig – doedd dim llawer o lwyd yn ei wallt melyn, a phan agorodd ei geg i siarad roedd ei ddannedd yn dal i fod yn syth ac yn wyn. Ond os oedd Phil yn ddyn golygus, roedd y ddynes wrth ei ochr yn dywysoges. Yn dal ac yn fain, roedd ei gwallt yn sgleinio fel aur. Cawsai ddigon o liw haul ar ei bochau i edrych yn iach heb help colur ac roedd siâp ei gwefusau yn gorfodi Daf i feddwl am eu cusanu, ond yn fwy na dim, roedd ei llygaid yn crisialu ei harddwch; llygaid mawr, dwfn, llwyd, gyda rhyw fymryn o bryder ynddyn nhw fel petai hi'n ymbil ar i farchog ar geffyl gwyn ei hachub rhag perygl. Deallodd Daf bryder ei brawd – roedd Basia yn werth ei gwarchod, rhag pawb a phopeth yn y byd.

'Blydi hel, Daf Dafis, dwi mor falch o dy weld di,' meddai Phil. 'Mae Basia'n poeni'n ofnadwy am ei brawd.'

'Mae Milek yn saff. Mae o'n aros dros nos efo'r offeiriad.'

'Diolch byth,' anadlodd Basia. 'On i'n ... wel, mae o'n goryfed weithiau ac yn cygsu yn drwm. Ydi Wiktor yn saff hefyd?'

Roedd ei hacen egsotic a'i hiaith raenus yn swyno Daf, a theimlai'n falch iawn ei fod mewn perthynas gariadus, sefydlog, oherwydd roedd rhywbeth apelgar iawn am Basia.

'Dech chi'n siarad Cymraeg?' gofynnodd, heb feddwl.

'Ydw, dwi wedi dysgu,' atebodd hi, gyda gwên lydan. 'Mae'n anghwrtais byw mewn gwlad heb ddysgu'r iaith, yn tydi?'

'Anghwrtais iawn. Biti nad ydi'r rhan fwya o'r Saeson sy'n dod i'r fan hyn yn cyd-weld â chi.'

'Ond cofiwch,' ymatebodd Basia, 'maen nhw dan anfantais hefyd. Dyw rhai sy wedi eu magu yn siarad un o ieithoedd mawr y byd, megis Saesneg, Mandarin neu Rwsieg, ddim yn gwerthfawrogi'r perlau sy ar gael yn ieithoedd y gwledydd bychain. Maen nhw'n tueddu i fod yn ddiog achos bod pawb yn siarad eu hieithoedd nhw.'

Gwasgodd Phil hi'n dynn mewn ystum o falchder yn ogystal â pherchnogaeth.

'Mae Basia'n siarad saith iaith yn rhugl,' broliodd.

'Ond dim ond chwech dwi wedi eu dysgu,' cywirodd Basia ef yn ddiymffrost. 'Allwn ni ddim cyfri Pwyleg.'

'Dewch drwodd i eistedd am eiliad, os gwelwch yn dda,' gofynnodd Daf iddyn nhw. 'Mae'n rhaid i ni geiso dysgu dipyn bach mwy am yr adeilad.'

Pasiodd sawl cipedrychiad rhwng Phil a Basia, a cheisiodd

Daf beidio meddwl fod merch fel hon yn haeddu rhywbeth gwell na bod yn rhicyn ar bostyn gwely Phil Dolfadog.

'Byddai'n well gen i fynd i siarad efo 'mrawd cyn cynted â phosib,' protestiodd Basia.

'Sori, ond mae'r mater yma'n un difrifol.'

Gwelodd Phil yr olwg yn llygaid Daf a phenderfynodd gydweithio.

'Den ni ddim ar hast mawr, Daf,' datganodd. 'Ond tybed gaiff Basia wneud galwad ffôn cyn i ni ddechrau?'

'Â chroeso.'

Tra oedd Basia'n siarad efo Milek cafodd Daf gyfle i drefnu'r ystafell a gofyn i Nia gymryd nodiadau.

'O'n i ar fin mynd adre am y noson, bòs.'

'Does neb arall yma efo digon o Gymraeg i ddilyn y sgwrs, lodes.'

'Cymraeg? Pwyleg ti'n feddwl, ie? *Gosh*, mae'r *miss* yna wedi cael ei chrafangau yn go ddwfn yn Phil Evans, mae'n ymddangos.'

'Dwi'n meddwl mai Phil oedd yr un ffodus.'

Gwnaeth Nia sŵn amheus yn ei chorn gwddf ac roedd Daf yn falch o'r rhybudd: roedd yn rhaid iddo geiso cuddio'r argraff ffafriol roedd Basia wedi ei chreu arno er mwyn osgoi sylwadau damniol gan aelodau'r tîm, yn enwedig Nia a Sheila. Roedden nhw o'r farn fod Daf yn tueddu i fod yn rhy feddal gyda merched, yn enwedig rhai oedd yn digwydd bod yn ddeniadol. Agorodd Daf ddrws swyddfa Steve.

'I know you only did that forensics course because you're a weirdo with no life, Steve, but do you fancy being CSM on this one? We've got a body in the building.'

'If you reckon I could, boss ...'

'No worries. You know the drill – keep the paperwork sharp and take no shit from the experts or the press.'

Roedd Daf yn falch iawn o weld y wên ar wyneb Steve. Roedd o'n swyddog da, ond roedd bywyd yn Sir Drefaldwyn braidd yn dawel i ddyn ifanc uchelgeisiol fel fo.

'Oh, and Steve?'

'Yes?'

'Now you're not doing the forensics course, you'll have time to get back to your Welsh lessons. We've got a witness on this case who puts you to shame.'

Ochneidiodd Steve wrth glywed y gŵyn gyfarwydd iawn, a chaeodd Daf y drws. Roedd Basia y tu ôl iddo.

'Corff?' dywedodd, ei llygaid yn llydan agored.

'Ie. Dyna pam ei bod mor bwysig darganfod pwy oedd yn yr adeilad heno. Dewch i mewn ac eisteddwch i lawr, i ni gael sgwrs go iawn.'

Sylwodd Daf pa mor aml roedd llygaid Basia yn troi i gyfeiriad Phil ac, yn hollol groes i'r disgwyl, roedd agwedd Phil yn gefnogol ac yn llawn gofal. Fel dyn dros ugain mlynedd yn hŷn na Basia roedd ei rôl braidd yn dadol, ond doedd dim byd tadol yn y ffordd roedd ei lygaid yn rhedeg dros ei chorff. Rhywsut, doedd hi ddim yn dod drosodd fel dynes sy'n cael affêr gyda dyn priod, ond roedd hi'n amlwg mai ar ddêt roedden nhw'r noson honno.

'Ocê, dyma ni. Mae WPC Nia Owen yn mynd i wneud chydig o nodiadau, ond nid cyfweliad ffurfiol yw hwn, dech chi'n deall?'

'Iawn,' atebodd Basia, wrth symud ei chadair yn agosach i Phil cyn eistedd. Roedd Nia yn amlwg wedi'i synnu.

'A dech chi'n berffaith hapus i siarad Cymraeg?'

'Ydw,' ymatebodd Basia gyda gwên, 'os nad ydech chi'n rhugl yn y Bwyleg, Mr Dafis. Erbyn hyn, mae fy Nghymraeg yn well na'm Saesneg, a dweud y gwir. Dim ond mewn siopau dwi'n defnyddio'r Saesneg.'

'O'r gorau. Ymlaen yn y Gymraeg, felly. Pwy ydech chi, i ddechrau?'

'Basia Bartoshyn ydw i. Dwi'n dri deg oed ac yn byw yn y fflat uwchben swyddfa Plaid Cymru yn y Trallwng, efo 'mrawd, Milek. Ges i fy ngeni yn Czestochowa, yng Ngwlad Pwyl, a dwi wedi byw yng Nghymru ers pum mlynedd. Dwi'n glanhau swyddfa'r Blaid, swyddfa Cyfreithwyr Bebb, Jones Hamer, ysgol y babanod a hefyd ffatri Cig Canolbarth, ond dim ond y swyddfeydd yna.'

Chwarae teg iddi hi, meddyliodd Daf, am ddysgu treiglo a lluosog geiriau fel 'swyddfa'.

'Ac mi wyt ti'n fy nabod i'n iawn,' ategodd Phil. 'Phil Evans, a dwi'n ffarmio Dolfadog ers o'n i'n ugain oed.'

'Ai dy fferm di yw Dolfadog?' gofynnodd Daf.

'Nace, nace, Daf; etifeddiaeth y wraig ydi hi. Ac erbyn hyn, mae'r mab yn fwy o fòs yna na finne.'

'Mae'n amlwg bod ddiddordebau eraill gen ti erbyn hyn, Phil.' Roedd yn rhaid i Daf gyfaddef i ryw fymryn o genfigen: doedd o ddim wedi gwneud llawer o ddim o'i fywyd, ac eto llwyddodd i ddenu dynes fel Basia. 'Beth bynnag, pwy arall sy'n byw yn y fflat?'

'Dim ond Milek a finne. Ond mae 'na stafell arall lan staer, dim fflat go iawn ond llofft gydag oergell wrth y gwely a ffwrn yn y gawod, bron â bod, a dyma ble mae Wiktor yn cysgu. Efo ni mae o'n bwyta neu wylio teledu neu chwarae cardiau.'

'A phwy ydi Wiktor, felly?'

Ochneidiodd Basia.

'Wn i ddim. Os dech chi'n byw fel den ni'n byw yn y fan hyn, fel dieithriaid, dech chi'n clymu at unrhyw un sy'n debyg i chi. O adral Bialystok mae o'n dod yn wreiddiol, ddim yn bell o ffin Belorwsia. Ffrind gwaith Milek ydi o.'

Gwelodd Daf gyfrinach yn ei hwyneb, fel petai ond yn fodlon dweud hanner y gwir.

'A sut ydech chi'n gyrru ymlaen, y tri ohonoch chi?'

'Dylanwad drwg ydi Wiktor. Wastad isie gwastraffu pres yn y tafarndai ac yn perswadio Milek i fynd efo fo. Den ni'n cyd-fyw yn iawn, ond tydi o ddim yn ffrind i mi, 'sen i'n dweud.'

Efallai ei fod yn dychymygu'r peth, ond gwelodd Daf damaid bach o falchder yn llygaid Phil.

'Ydi Wiktor yn boen i chi, Basia?'

Meddyliodd am sbel hir cyn ateb.

'Mi all o fod, ond ddim fel arfer.'

'Ydi o'n eich ffansïo chi?'

Tynhaodd Phil ei afael yn llaw Basia am eiliad.

'Ydi hyn yn berthnasol, Daf?' gofynnodd.

'Mae rhywun wedi marw yn y tân, ac mae'n digon posib ei fod wedi cael ei ladd. Felly mae gen i ddiddordeb ym mhopeth sy wedi digwydd o dan y to 'na.'

'Mae'n iawn, Phil,' datganodd Basia, gyda gwên fach ddewr. 'Mae o'n hen hanes erbyn hyn. Doedd Milek ddim yn hapus am ... wel, roedd o'n meddwl 'mod i angen gŵr. Felly, rhyngddyn nhw, ceisiodd Milek a Wiktor roi pwysau arna i. Ro'n i'n ceisio sefyll yn eu herbyn ar ben fy hun, ond yn y pen draw, roedd yn rhaid i mi ofyn am gymorth.'

'Gan Phil?' gofynnodd Daf, gan ddychmygu faint o iws fyddai Phil Dolfadog yn erbyn dau ddyn mawr penstiff.

'Phil? Pam hynny? Na, dydi Milek ddim yn hoffi Phil felly fyddai o byth yn gwrando arno fo. Na, mi alwais ar y Tad Hogan. Ers hynny, mae popeth wedi bod yn iawn.'

'Y Tad Hogan?'

Cynigodd Phil esboniad.

'Rhaid i ti ddeall, Daf, mae crefydd yn bwysig iawn iddyn nhw - nid jyst lleoliad angladdau ac ati ydi'r eglwys, ac mae'r offeiriad yn ddyn mawr, efo cryn dipyn o ddylanwad - hyd yn oed dros ddynion fel Milek a Wiktor.'

'Pam nad ydech chi wedi symud allan, Basia? Os ydi'ch brawd a'i ffrind yn gwneud pethau'n anodd i chi?'

'Mae Milek yn dal yn frawd i mi. Ac yn y bôn, mae o'n iawn – mi fydden i wth fy modd yn cael gŵr, a phlant, efallai, ond nid efo Wiktor.'

'Dech chi'ch dau ddim wedi ystyried cyd-fyw efo'ch gilydd? Mae'n amlwg eich bod chi'n agos.'

Cochodd Basia.

'Mae gan Phil wraig. Waeth beth dwi'n deimlo amdano fo, mae o'n ddyn priod.'

'Ac, i siarad yn blwmp ac yn blaen, gan dy wraig mae'r holl arian, ie Phil?'

Cochodd Phil yn ei dro.

'Dydi hyn yn ddim byd i wneud efo pres, Daf. Mi fysen i'n cysgu ar drothwy siop tships os fyddai hynny'n clirio'r rhwystrau sy rhyngddon ni. Dydi'r pres yn cyfri dim.'

Fel arfer byddai Daf yn llawn amheuon pan oedd pobl yn gwadu diddordeb mewn materion ariannol, ond rywsut roedd nodyn didwyll yn llais Phil.

'Pam nad wyt ti'n mynd am ysgariad, felly? Dim ond mater o lenwi ffurflenni ydi o, os nad ydi arian yn broblem.'

'Mr Dafis,' datganodd Basia, ei llais yn llawn urddas, 'does gen i ddim syniad be dech chi'n feddwl amdana i, ond mi alla i ddyfalu. O'r ochor acw i'r ddesg, dech chi'n gweld dynes o dramor sy'n glanhau, mewn perthynas efo dyn dipyn bach yn hŷn na hi, sy'n digwydd bod yn ddyn cyfoethog. Hen, hen stori. Dech chi'n meddwl 'mod i'n chwilio am fywyd hawdd, moethus a 'mod i'n defnyddio fy harddwch, os ydw i'n hardd, i ddal Phil cyn darganfod bod pob ceiniog yn eiddo i'w wraig.'

'Hei, lodes, dwi ddim yn rhagfarnllyd. Jyst isie deall sut mae pawb yn ffitio mewn ydw i, fel darn o jig-so.'

'Fi aeth ar ei hôl hi, Daf. Ti'n gwybod yn iawn 'mod ... 'mod i'n mwynhau cwmni merched.'

'Mae pawb yn yr ardal wedi sylwi ar hynny, Phil.'

'Ond efo Basia, mae'n hollol wahanol.'

'Alla i ddim caru efo dyn y tu allan i briodas, Mr Dafis. Ac alla i ddim priodi dyn sydd â gwraig yn barod. Dyna'r cyfan.'

Roedd Daf yn ymfalchïo yn ei agweddau aeddfed tuag at ferched, ond roedd y syniad o ddynes mor ddeniadol â Basia yn dal i fod yn forwyn yn feddwol. Dechreuodd feddwl mor arbennig fyddai unrhyw ddyn yn teimlo petai Basia'n penderfynu rhoi ei hun iddo. Wedyn cofiodd sgwrsio am reolau gwirion y ffydd Gatholig efo Joe Hogan un tro. Roedd Daf wastad wedi ystyried unrhyw reol oedd yn sefyll rhwng pobl a'u hapusrwydd yn dwp a chas, ond yn ôl Joe, rhoi pwyslais ar y pethau pwysig oedden nhw, yn hytrach na gwneud dewisiadau rhywiol ar hap, fel y byddai rhywun yn dewis math o iogwrt mewn siop. O'i flaen, gwelai Daf ddynes oedd yn fodlon aberthu ei hapusrwydd er mwyn dilyn rheolau ei chrefydd, hen ffasiwn neu beidio, ond wedyn cofiodd faint o ferched fu mewn perthynas rywiol efo Phil dros y blynyddoedd. Efallai, o safbwynt Basia, fod y rheolau yn fanteisiol iddi – beth bynnag arall fyddai'n digwydd, fyddai hi ddim yn bennod arall yn hanes *hump and dump* Phil Dolfadog.

'Ocê, yn ôl at bethau ymarferol. Mae 'na stafell yn y cefn ar y llawr isaf, a'r drws ar glo.'

'Swyddfa Heulwen,' cadarnhaodd Phil.

'Pwy sy efo goriad?'

'Fi, wrth gwrs,' atebodd Basia. 'Heulwen ei hunan, Milek, achos ei fod o'n gwneud rhyw jobsys bach, pethau rhy fach i'r perchennog, y ferch sy'n helpu efo'r ymgyrch ... dwi'n methu cofio ei henw ... a'r perchennog ei hun, Mr Bowen.'

'Peth od, fod yr AS Torïaidd yn rhentu swyddfa i Blaid Cymru, yn tydi?'

Cododd Phil ei war.

'Dyn busnes ydi Rhys Bowen, ac os ydi'r rhent yn cael ei dalu, dim bwys ganddo fo.'

'Dim ond ers tair blynedd mae'r lle wedi bod yn swyddfa,' cyfrannodd Basia. 'Cyn i Plaid ddod yno, roedd Menter Maldwyn yno am flwyddyn, a chyn hynny, roedd y lle yn siop ddillad.'

'Dwi'n cofio. Am faint dech chi wedi bod yn y fflat?'

'Ers i ni ddod o Czestochowa. Dros bum mlynedd erbyn hyn. Cafodd Milek gynnig y fflat oherwydd ei fod o'n gweithio yn ffatri Mr Bowen.'

'Dech chi wedi crybwyll merch sy'n gweithio yn y swyddfa.'

Cliriodd Phil ei wddf.

'Anwen ydi ei henw hi.' Roedd tôn ei lais yn ddihidio.

'Anwen pwy?'

'Wn i ddim. Does gen i ddim llawer o ddiddordeb yn y busnes gwleidyddiaeth 'ma, a dweud y gwir. Sedd darged yw Sir Drefaldwyn, yn ôl y sôn, felly mae'r Blaid wedi danfon y ferch yma i helpu Heulwen.'

'Merch leol?'

'Na – o ochrau Mach.'

Chwarddodd Daf yn fewnol – roedd Phil Dolfadog yn ddigon plwyfol i ddisgrifio lodes o Fachynlleth fel petai hi'n dod o blaned arall, ac yntau wedi syrthio dros ei ben a'i glustiau am ddynes o ddwyrain Ewrop efo hanes, iaith a diwylliant hollol wahanol iddo fo.

'Oes rhif ffôn gen ti ar ei chyfer hi?'

'Rhif ffôn Anwen? Na, sori. Gwranda, Daf, dwi'n meddwl ei bod hi'n hen bryd i ti siarad efo Heulwen – allwn ni ddim helpu mwy arnat ti.'

'Ble mae Heulwen?'

'Sgen i ddim syniad. Acw, falle, neu yn rhyw gyfarfod.'

Sylwodd Daf ar y pellter a'r diflastod yn llais Phil pan oedd o'n trafod ei wraig. Fel petai'n gallu darllen ei feddwl, ymhelaethodd Phil:

'Well i mi fod yn onest, Daf. Penderfynodd Heulwen fod angen gŵr arni hi pan o'n i ond yn ugain oed – mae hi wyth mlynedd yn hŷn na fi. Wrth gwrs, ro'n i wedi cael fy seboni. Gwas ffarm o'n i ar y pryd, cofia, a merch fy mòs i oedd hi. Wedyn, mi farwodd ei brawd hi, How, a phan aeth yr hen ddyn, fi oedd meistr Dolfadog, a hynny cyn i mi fod yn bump ar hugain oed. Ond nid fi oedd y meistr go iawn – hi oedd yn rheoli bob dim. O'n i ddim yn poeni llawer am y peth nes oedd y plant yn ddigon hen i sylwi ar y diffyg parch yn ei llais ac ar y dirmyg yn ei llygaid. Den ni 'di byw ar wahân o dan yr un to ers degawd. Den ni'n cwrdd yn y gegin weithiau a dyna'r cyfan. Mae hi'n brysur efo'i phethau ei hun, a dwi'n cario 'mlaen o ddydd i ddydd.'

'A'r plant?'

'Wedi mynd. Wel, mae Jac wedi trawsnewid yr hen helm ac yn byw yno gyda'i wraig.'

Gwelodd Daf olwg flinedig iawn yn llygaid Basia. Roedd o'n cydymdeimlo â hi unwaith eto, ac ni welai reswm i'w cadw nhw yn yr orsaf ddim hwy.

'Ble fyddwch chi'n aros heno, Basia?' gofynnodd.

'Efo 'mrawd, gobeithio. Mae 'na ddwy stafell sbâr yn nhŷ'r eglwys.'

'Wel, dwi'n meddwl eich bod chi wedi cyfrannu digon am heno. Gwnewch yn siŵr eich bod chi'n dau yn gadael eich manylion cyswyllt wrth y ddesg.'

'Os oes gennych chi fwy o bethau i'w gofyn, allwch chi eu gofyn nhw rŵan, os gwelwch yn dda? Fe fydda i'n dechrau gweithio tua phump bore fory.'

'Na, dech chi'n iawn, Basia. Be am eich holl bethau ... dillad ac ati?'

'Mae 'na wastad bethau sbâr yn nhy'r eglwys. Fydd raid i mi fynd i Tesco rywbryd bore fory.'

Torrodd Phil ar ei thraws.

'Gas gen i feddwl amdanat ti'n gwisgo hen stwff ail law, neu'n prynu dy ddillad o *supermarket*.'

Roedd hyn yn swnio fel y rownd ddiweddaraf mewn dadl hir-dymor.

'Dynes dlawd ydw i, Phil, felly o siopau elusen neu'r archfarchnad dwi'n prynu dillad yn aml iawn. A does gen ti ddim hawl i ddefnyddio pres dy wraig i brynu unrhyw beth i mi. Nid dy butain di ydw i, Philip Evans, cofia di hynny.'

Am y tro cyntaf, gwelodd Daf yr un fflach yn llygaid Basia ag a welodd yn llygaid ei brawd, fflach llawn dewrder a pherygl. Dynes a hanner oedd Basia Bartoshyn, meddyliodd Daf, ac roedd Phil yn amlwg yn cytuno gan na cheisiodd ymateb â dim byd mwy nag ochenaid oedd yn llawn edmygedd.

Ar y wal yn swyddfa Daf roedd yr hen gloc a arferai hongian uwchben y cownter yn siop ei dad. Cloc mawr oedd o, efo 'Nearly Horlicks o'clock' ar ei wyneb mawr gwyn. Bob tro roedd Daf yn edrych arno roedd yn ôl yn y siop, yn estyn am focs bach o fwstard oddi ar silff uchel neu'n agor parsel mawr o Benson and Hedges. Roedd Daf yn casáu dylanwad crefydd o bob math, ond ar yr un pryd parchai iaith y Beibl – roedd y cloc yn ei atgoffa o'r bennod yn llyfr Eseia: 'Ystyriwch y graig y cawsoch eich naddu ohoni,' ac iddo fo, siop y teulu oedd y graig. Ugain munud wedi un ar ddeg. Meddyliodd am ei wely, am freichiau croesawgar Gaenor ac arogl croen Mali ar ei gobennydd, ond cyn troi am adref, roedd yn rhaid iddo ddarganfod pwy oedd y corff yn yr ystafell gefn. Ar ôl croesi Basia oddi ar y rhestr o ddioddefwyr posib, roedd un enw'n amlwg.

'Nia!' galwodd. 'Ydi rhif ffôn Dolfadog gen ti?'

'Ydi,' atebodd. 'Ac mae Mr Rhys Bowen ar ei ffordd i dy weld di, yn amlwg wedi cael swper go dda yn rhywle.'

Daeth Nia drwodd ato a nodyn Post It yn ei llaw, a thri rhif arno – rhifau ffôn symudol Phil a Heulwen, a rhif y tŷ. Ffoniodd Daf y tŷ. Canodd y ffôn am oes cyn i'r peiriant ateb ddechrau ar ei lith.

'Dolfadog. Heulwen Breeze-Evans sy 'ma, gadewch neges ar ôl y sŵn, os gwelwch yn dda.'

Doedd dim ateb i'w gael ar ei ffôn symudol chwaith. Doedd hwnnw ddim hyd yn oed yn canu.

'Sheila, wnei di ffeindio manylion car Heulwen-Breeze Evans, plis? A gofyn i'r CPSOs jecio'r meysydd parcio a strydoedd y dre. Mae'n bosib mai hi ydi'r corff yn y swyddfa.'

Tynnodd ei ffôn allan o'i boced: tecst gan Gaenor. 'Os wyt ti angen lifft adre, mi alla i bicio draw i nôl di. Fydd Mals yn iawn efo Rhodri am hanner awr pan mae hi'n cysgu.'

Gwenodd wrth feddwl am y gofal roedd hi'n ei roi iddo fo ... iddyn nhw i gyd. O dan ei dylanwad caredig, roedd Siôn, hyd yn oed, wedi tyfu'n ddyn ifanc solet. Atebodd y tecst:

'Paid poeni, cariad. Gen i gwpwl o bethau i'w gwneud yn fan hyn. Fydd un o'r trŵps yn rhoi lifft i fi. Ti'n haeddu pob eiliad o gwsg. xxx'

Ceisiodd ffonio Dolfadog eto, ac ar ôl amser hir, cododd Phil y ffôn.

'Ydi dy wraig yna, Phil?'

'Na. Dwi ddim wedi'i gweld hi ers heddiw bore.' Bu saib, a phan siaradodd Phil eto, roedd tinc newydd yn ei lais, rhyw ysgafnder. 'Ti isie i fi jecio'i dyddiadur hi?'

'Plis.'

Roedd Daf yn flin efo'i hun: petai o wedi crybwyll i Phil mai ei wraig oedd y corff yn y swyddfa, byddai ei ymateb yn amlwg ar ei wyneb. Cyfle wedi cael ei wastraffu. A pham hynny? O achos Basia. Cafodd ei phresenoldeb gystal effaith ar Daf, wnaeth o ddim meddwl yn ddigon trylwyr am sefyllfa Phil – y dyn oedd wedi cyfaddef sut roedd pethau rhyngddo fo a Heulwen, y dyn oedd yn methu meddiannu Basia, ac a oedd wedi cael ei fychanu gan Heulwen ers degawdau.

'Dim byd ar ôl pump o'r gloch. Roedd hi'n cwrdd ag Undeb Athrawon Cymru bryd hynny i drafod cyllid addysg y sir yn ei swyddfa, wedyn dim byd.'

'Iawn, diolch. Den ni ddim yn bendant eto, ond mae'n well i ti baratoi am newyddion drwg, dwi'n amau. Fydd raid i mi ddod draw i Dolfadog yn y bore.'

'Dim fory, sori Daf. Mae gennon ni ieir newydd yn dod.'

'Ieir newydd?'

'Ie. Cododd Jac uned ddodwy tua tair blynedd yn ôl, a fory den ni'n disgwyl un fil ar bymtheg o ieir newydd.'

'Sori, Phil, o'n i'n meddwl dy fod di wedi dweud un fil ar bymtheg.'

'Dyna'n union faint sy'n dod yma fory. Mi fydd yn andros o ddiwrnod prysur.'

'Ti'm yn deall, Phil – nid galwad gymdeithasol fydd hi. Os ydi Heulwen wedi marw, rhaid i ni siarad efo'i theulu hi, hyd yn oed os oes 'na un filiwn ar bymtheg o ieir ar y buarth, iawn?'

'Iawn.'

Ar ôl rhoi'r ffôn i lawr, porodd Daf drwy'i gof eto am wybodaeth am Phil Evans. Cymdeithasol, digon hael, ar y ffin rhwng fflyrtlyd a chwantus gyda phob merch, ond byth yn fygythiol. Arwynebol, diog a smala, y math o ddyn sy'n delio â phopeth yn ei fywyd fel petai'n jôc. O brofiad Daf, o ddyfnder natur pobl anesmwyth y deuai teimladau sy'n sbarduno llofruddiaeth, nid o gymeriadau dynion bas fel Phil Dolfadog. Ond gan ei fod o wedi newid oherwydd dylanwad Basia, penderfynodd Daf anwybyddu cefndir Phil a'i drin fel y buasai'n trin unrhyw ddieithryn o dan amheuaeth.

Dyn nad oedd wedi newid digon, ym marn Daf, ddaeth drwy ddrws ei swyddfa nesa: Rhys Bowen AC. Dyn mawr oedd o, wastad yn gwisgo dillad braidd yn dynn, fel petai'n anfodlon cyfaddef faint o gnawd oedd ar ei sgerbwd. Roedd ei fochau'n goch o ganlyniad i'w fwynhad o'i fywyd moethus: sawl stêc a sawl potel o win coch. Roedd ei ddwylo fel rhawiau a'r sêl-fodrwy swmpus ar ei fys bach yn edrych yn gain ar y ffasiwn bawen. Fel arfer, roedd gwên lydan ar ei wyneb a'r rhychau yng nghorneli ei lygaid gwinau yn dyst i'w natur lawen, neu, ym marn sinigaidd Daf, y natur lawen roedd o eisiau i bobl ei gweld. Am ddyn mawr, roedd o'n ysgafndroed, hyd yn oed yn sionc, a phan frasgamai i mewn i unrhyw ystafell neu grŵp, cyn bo hir, fo fyddai â'r llaw uchaf. Hwn oedd y math o ddyn, meddyliodd Daf, sy'n mwynhau gorchymyn pobl a gwneud elw o'u llafur. Roedd y gwynt sur ar ei anadl yn dystiolaeth o ginio da oedd yn cynnwys gwin a garlleg, a ffieiddiai Daf at y syniad fod Gaenor wedi cael crysh ar y creadur pan oedden nhw yn yr ysgol, waeth faint o flynyddoedd oedd wedi mynd heibio ers hynny.

'Inspector Dafis?' Estynnodd Rhys Bowen ei law dros y ddesg cyn eistedd i lawr heb wahoddiad. 'Dyma be sy'n digwydd os dwi'n rhentu lle i'r blydi nashies, hei? Be ddigwyddodd – sesiwn ymarfer gan Meibion Glyndwr, ta be?'

'Does ganddon ni dim theori o gwbwl ar hyn o bryd, ond mae'n achos difrifol, yn enwedig ers i ni ddarganfod corff yn yr ystafell gefn.'

Chwibanodd Bowen drwy wefusau oedd braidd yn welw o'u cymharu â'i wyneb cochlyd.

'Ffycin hel,' hisiodd. 'Heulwen?'

'Digon posib.'

'Ei lle hi oedd y stafell gefn. Doedd y ferch ddim yn cael mynd yna, yr Anwen 'na. Dynes am gadw cyfrinachau yw Heulwen. Neu *oedd* hi. Ffycin hel!' Daeth perlau bach o chwys i'r golwg ar dalcen Bowen.

‘Pa mor dda oeddech chi’n nabod Heulwen Breeze-Evans, Mr Bowen?’

‘O, paid â galw Mistar arna i, lanc: Rhys ydw i i bawb.’ Cymerodd wynt mawr cyn gofyn: ‘Ai ti ydi’r plismon sy ’di dwyn gwraig John Neuadd? Pishyn bach smart oedd Gaenor Morris yn yr ysgol, dwi’n ei chofio hi’n iawn.’

Roedd dicter bron â thagu Daf, felly ddywedodd o ’run gair. Llyfodd Bowen ei wefusau.

‘Tast da gen ti, boi, tast da. Dipyn o newid iddi hi, ’sen i’n dweud, ond falle fod yr hyn sy gan ddyn yn ei focsars yn bwysicach i Gae na be sy ganddo fo yn ei gyfrif banc ...’

Roedd amynedd wedi bod yn rhinwedd werthfawr i Daf yn ei swydd ond fu o erioed yn nes at bwnio tyst. Roedd y ffaith fod Gaenor wedi ei edmygu, hyd yn oed yn ei hieuenctid, yn gwneud ei eiriau yn anoddach i’w hanwybyddu.

‘Allwn ni fynd yn ôl at yr achos, Mr Bowen?’

‘Mi gawson ni aduniad ysgol jyst ar ôl Dolig – doedd neb yn trafod dim byd arall, bron. Rhai yn methu deall, wrth feddwl gystal ffarm sy ganddo fo, ond ddwedes i wrthyn nhw: ‘All rhywun fel John Neuadd fod yn ddyn mawr iawn yn y Smithfield ond yn ddyn bach yn y gwely.’

‘Dech chi angen paned o goffi, Mr Bowen?’ gofynnodd Daf, wrth wagu ei stordy o gwrteisi yn gyfan gwbl. ‘I glirio’ch pen ryw fymryn?’

‘Mae fy mhen i’n iawn, diolch, Inspector,’ atebodd Bowen gan dynnu fflasg fach o boced ei siaced a llowcio ohoni. ‘Dwyt ti ddim yn cael brandi bach pan wyt ti *on duty*, Inspector?’

‘Dim diolch. Gobeithio nad ydech chi’n bwriadu gyrru adre, Mr Bowen?’

‘Na, na – mae gen i ryw Tori Boi bach o gwmpas i helpu.’

Cydymdeimlodd Daf â’r Tori Boi, druan.

‘Oeddech chi’n nabod Mrs Breeze-Evans yn dda, Mr Bowen?’

‘Dwi’n nabod Heulwen ers dros ugain mlynedd, rhwng un peth a’r llall. O’n i’n nabod Phil, wrth gwrs, o’r Smithfield, a dwi ’di bod ar gwpwl o bwyllgorau efo Heulwen.’

'Pa bwyllgorau?'

'Datblygu busnes, Chamber of Commerce, pethau fel'na. Ac ro'n i'n cael gwahoddiad ganddi hi bob hyn a hyn i sgwrsio efo Merched y Wawr a ballu.'

'Ar ba bwnc?'

Chwarddodd Bowen yn uwch.

'Wel, does neb yn mynd i ofyn i mi am ddarlith ar ddyfodol democratiaeth yng Nghymru – cig yw fy musnes i. "O'r trwyn i'r cynffon" yw'r pwnc mwya poblogaidd, yn enwedig os dwi'n darparu cwpwl o becynnau o *scratchings* iddyn nhw hefyd.'

Am y tro cyntaf, gwelodd Daf dipyn o'r swyn a ddenai bobl at Bowen: hyd yn oed fel dyn o statws uchel, roedd ei draed ar y llawr. Ac, yn amlwg, roedd o'n barod i chwerthin am ei ben ei hun, oedd yn arwydd da.

'Ac ers i'r ymgyrch ddechrau ...?'

'Am folycs llwyr,' ffrwydrodd Bowen, wrth yfed dipyn bach mwy o'i frandi. 'Nid dynes unrhyw blaid ydi Heulwen, ond dynes ei chynefin.'

'A chithe, Mr Bowen?'

'Ti wedi clywed y stori, siŵr o fod. Tua saith mlynedd yn ôl, mi brynais glamp o dŷ clên uwchben Dyffryn Meifod, ac ar ôl mwynhau'r lle am lai na blwyddyn, ges i neges gan y bastards yn y Grid Cenedlaethol. Dwi'n dweud wrthat ti, Inspector, dwi'm yn talu dros filwn i edrych dros res o beilonau.'

'Dwi'n cofio: roeddech chi'n flaengar yn yr ymgyrch.'

'Wrth gwrs 'mod i. A dim ond gan y Toris gawson ni gefnogaeth, felly pan wnaethon nhw ofyn i mi sefyll, pam lai?'

Dipyn o lwc i'r Ceidwadwyr, meddyliodd Daf, ond nid oedd ei farn o'n berthnasol.

'Ond doeddech chi ddim wedi gwneud unrhyw beth tebyg o'r blaen?'

'Nag oeddwn wir. Dwi'n cefnogi'r Toris, wrth reswm, achos dyn busnes ydw i, a dwi'm yn hoffi talu gormod o drethi, ond doedd gen i ddim smic o ddiddordeb yn y broses ei hunan tan y busnes peilonau. Dweud y gwir, ro'n i wedi clywed bod

Heulwen yn disgwyl galwad ffôn gan y Toris, i holi oedd hi'n ffansïo ymgeisio.'

'Ond mae hi'n aelod o Blaid Cymru.'

'Dim ond ers i mi gael fy newis i'r Ceidwadwyr. Be mae'r Sais yn ddweud? "Hell hath no fury like a woman scorned." Wythnos ar ôl clywed 'mod i wedi cael y cyfle – a chofia, roedd hyn ar ôl bod yn gynghorydd sir annibynnol ers pymtheng mlynedd – penderfynodd ein hannwyl Heulwen ffonio Plaid Cymru, ond roedd hi'n rhy hwyr i sefyll yn f'erbyn i y tro hwnnw achos roedden nhw wedi dewis eu hymgeisydd yn barod.'

'Ai dyna sut mae'r system yn gweithio?'

'Dim ym mhob man, ond yma, yn Sir Drefaldwyn, mae'n bwysig iawn ffeindio wyneb cyfarwydd i gynrychioli unrhyw blaid. Gallai Iesu Grist ei hun sefyll, ond fyse fo ddim yn cael ei ethol achos dydi o ddim yn ddyn lleol.'

'Yden ni wir mor blwyfol â hynny?' gofynnodd Daf, yn mwynhau'r sgwrs yn anfoddog.

'Dwi'n meddwl bod pethau rownd fan hyn wedi gwaethygu ers y blydi busnes datganoli. Dwi'n Gymro i'r carn, Inspector, ond dwi'n frodor o Sir Drefalwyn gynta, a dyden ni byth yn cael chwarae teg gan yr hwntws a'r pinkos lawr yng Nghaerdydd. Mae angen llais cryf o'n hardal ni er mwyn gwrthsefyll pobl y Bae.'

Doethineb y dafarn oedd hyn, a dechreuodd Daf ddeall sut roedd Bowen wedi perswadio digon o bobl i'w gefnogi.

'Roedd 'na dipyn o ddrwgdeimlad rhwng Mrs Breeze-Evans a chithe, felly?'

Sylwodd Daf ar batrwm yn chwerthiniad Rhys Bowen. I ddechrau, roedd o'n hisian drwy ei ddannedd, wedyn piff bach fel petai'n ceisio peidio â chwerthin ond yn methu ei atal ei hun. Yn y pen draw, roedd sŵn uchel yn byrstio allan ac wedyn roedd o'n rhuo am hanner munud neu fwy, a dagrau yn llenwi ei lygaid. Os mai cogio oedd o, roedd o'n effeithiol – ar ôl chwarter awr yng nghwmni Bowen roedd Daf wedi ymlacio, a hyd yn oed wedi maddau iddo am siarad am Gaenor. Ie, Tori oedd o. Ie, dyn busnes oedd o, yn edrych fel petai rhywun wedi ei wthio i mewn i groen un o'i selsig ei hunan; ond hefyd roedd o'n gymeriad rhwydd, agored a heb smic o rodres.

'Nag oedd, nag oedd ... dwi'n ffrind i bawb. Ond roedd yn anodd i Heulwen, dwi'n meddwl, i dderbyn y syniad bod rhywun fel fi yn gallu mynd lawr i Gaerdydd i gynrychioli'r ardal. Mae hi'n meddwl 'mod i'n andros o gomon, a falle'i bod hi'n iawn hefyd. Mae hi wastad wedi hoffi swyddi mawr gyda theitlau crand – dwi'n cofio cwrdd â hi pan oedd hi'n gadeirydd y Cyngor Sir, wastad yn gwisgo'n ffurfiol, ac mi ddwedais wrthi: 'Hei Heul, ti'n smart; dwi ddim wedi weld cymaint o tshaen ers sêl Bogs-R-Us!' Welodd hi mo'r ochor ddoniol o gwbwl.'

Pan lonyddodd y dymestl o chwerthin, a daniwyd gan gegaid arall o frandi, penderfynodd Daf ofyn un cwestiwn arall i'r Aelod Cynulliad er mwyn gweld beth ddywedai dan ddylanwad y ddiod.

'Ond mi wnaethoch chi rentu'r swyddfa iddi hi.'

Estynnodd Bowen ei law drom dros y ddesg i fwytho braich Daf fel petai'n gi anwes.

'Den ni'n deall ein gilydd yn iawn, Inspector,' datganodd Bowen. 'Dwi 'di clywed digon o dy hanes di i wybod bod gen ti lygad am y merched, a rhai smart hefyd. Alla i ddim enwi dwy smartiach yn y fro na Gaenor Morris a Chrissie Berllan, chwarae teg i ti. Mi brynais yr adeilad i roi cyfle i *lady friend* i mi agor siop fech, ond fel maen nhw'n dweud, peth drwg ydi cymysgu pleser a busnes, a chyn bo hir roedd y lle'n wag. Roedd tenant y fflat, merch arall smart, yn ffansïo agor siop yna, Polski Sklep, dech chi'n gwybod, ond roedd rhai o'r cymdogion yn mynd yn *mental* am y peth, fel petai hi wedi awygrymu agor puteindy yn hytrach na siop yn gwerthu bisgedi Jezyki.'

'Y tenant dech chi'n sôn amdani ydi Basia Bartoshyn?'

'Ie, tad, a dwi'n teimlo'n ddigalon iawn am Basia fech. Mi glywais nad oedd pwynt i mi redeg ar ei hôl hi o achos ei safonau moesol, wedyn dwi'n clywed ei bod hi'n cael affêr efo Phil Dolfadog. Blydi annheg, dyna dwi'n 'i alw fo.'

Roedd yn rhaid i Daf ddweud rhywbeth.

'Dwi'm yn meddwl eich bod chi wedi camddeall Ms Bartoshyn o gwbwl, Mr Bowen. O be dwi 'di weld, mae hi'n ddynes egwyddorol iawn.'

'Siom felly fod ganddi hi din mor siapus! Beth bynnag, o'n i ddim isie cadw'r lle'n wag. Daeth Menter Maldwyn i mewn am chydig ond, wrth gwrs, mi gollon nhw'u grant, felly mi gymerais y cynnig gan Blaid Cymru. Chwarae teg, maen nhw'n talu'n brydlon, hyd yn oed os ydyn nhw'n nytars.'

'Dwi'n deall. Gwrandewch, Mr Bowen,' cychwynnodd Daf, yn chwilio am eiriau addas i egluro nad oedd pwrpas parhau â'r sgwrs ac yntau wedi meddwi cymaint, ond agorodd y drws yn sydyn.

'Den ni wedi dod o hyd i gar Heulwen Breeze-Evans, bòs,' dywedodd Nia. 'Yn y gamlas, ger Ardlîn.'

Ers bron i ddegawd, roedd polisi Heddlu Dyfed Powys wedi gwahardd unrhyw fath o sedd yn nerbynfeydd gorsafoedd yr heddlu, ond i Daf roedd y rheol yn anymarferol ac yn anghwrtais. Yn fuan wedyn, piciodd draw i'r feithrinfa blanhigion yn Guilsfield a phrynodd fainc dderw soled, a gwnaeth mam Sheila dri chlustog i'w gwneud yn fwy cyfforddus. Os galwai aelod o'r *top brass* heibio i orsaf y Trallwng, cuddiai Sheila y clustogau yng nghist ei char a chariai Steve a Daf y fainc i'r sgwaryn bach o laswellt y tu allan. Ar noson y tân, roedd dyn ifanc yn falch iawn o'r fainc – eisteddai yno'n dawel a llyfr yn ei law a phaned wrth ei ochr. O deitl y llyfr, *Sex, Lies and the Ballot Box* ac o'i *chinos* coch, dyfalodd Daf mai hwn oedd y Tori Boi. Cododd y bachgen ar ei draed wrth weld Daf ac estynnodd ei law tuag ato.

'Arolygydd Dafis? Ydi Mr Bowen efo chi?'

'Newydd bicio i'r tŷ bach. Ti sy'n ei yrru fo, ie?'

'Ie, dwi'n gynorthwyydd etholaeth i Mr Bowen.'

'Dipyn o job, 'sen i'n dweud?'

I Daf, roedd rhywbeth annwyl iawn am y dyn ifanc cwrtais.

Roedd o'n ddiffuant a'i ddull o siarad braidd yn swil, ac wrth edrych ar ei wddf main uwchben coler y crys oedd dipyn bach yn rhy fawr iddo fo, roedd o'n atgoffa Daf o jiraff ifanc. Fel tad, roedd Daf isie cynnig sgarff iddo fo cyn ei yrru allan i oerni'r noson ffres o wanwyn. Roedd yn gyferbyniad llwyr i'w fòs, oedd erbyn hyn yn bownsio drwy'r drws.

'Swydd ddiddorol iawn,' atebodd y bachgen, yn gostwng ei amrannau ryw ychydig i osgoi llygaid Daf.

'Aha, dech chi wedi cwrdd â'r Tori Boi, Inspector?' dywedodd Bowen. 'Does dim byd iddo fo, rywsut, ond mae o'n handi iawn weithiau.' Ategodd, mewn llais is ond a oedd yn dal i fod yn ddigon uchel i gael ei glywed dros erw o dir, 'Sbïwr bach ydi o yn y bôn, Inspector – mae Central Office wedi ei ddanfon i gadw llygaid arna i yn ystod yr ymgyrch.'

'Dech chi gwybod nad yw hynny'n wir, Mr Bowen,' protestiodd y dyn ifanc. 'Dwi angen dysgu gan ddyn sy'n gwybod sut i gysylltu efo etholwyr, a dyna pam dwi yma.'

Chwarddodd Bowen eto.

'Wel, o leia, ti 'di dysgu ble mae rhai o etholwyr hardda'r sir yn byw ... mae'n reit handi cael *chauffeur* os wyt ti'n bwriadu "canfasio" fin nos, ac yn ffansïo gwydryn neu ddau wedyn.'

Penderfynodd Daf y dylai gael gair gyda'r cynorthwyydd ar ei ben ei hun yn fuan. Ys dywed yr hen air, does neb yn arwyr i'w gweision.

'Be ydi dy enw di, lanc?'

'Einion Vaughan, syr.'

'Gwna'n siŵr nad ydi Mr Bowen yn gyrru ar ôl swper da, wnei di, Einion?'

'Dwi'm yn dwp, Dafis,' ebychodd Bowen. 'Dwi 'di mwynhau bod lawr yn y Cynulliad yn fawr iawn, ac wedi wneud job dda ar ran pobl Sir Drefaldwyn hefyd. Dwi'm yn mynd i golli'r siawns i fynd yn ôl yno ar gownt glasiad o Shiraz, no wê!'

Nid oedd Daf yn hollol hyderus o hynny gan fod Bowen yn aelod o grŵp niferus iawn yn yr ardal: yfwyr mawr sy'n meddwl nad ydi hynny'n broblem. Roedd y patrwm yn ddigon cyfarwydd – wisgi bach efo'r geiniog lwcus yn y Smithfield, wedyn peint neu ddau i dreulio'r cinio, diferyn o frandi jyst i gynhesu'r coffi ar ôl dod i mewn o'r buarth, gwydraid neu ddau o win efo'r wraig dros y bwrdd swper, wedyn sesiwn yn y dafarn. Fel rhai sy'n cerdded yn eu cwsg, nid oedd yr un ohonyn nhw'n sylwi faint o afael oedd gan y ddiod arnyn nhw, ac un o ddyletswyddau pwysicaf yr heddlu lleol oedd ceisio sicrhau nad oedden nhw'n achosi niwed mawr iddyn nhw eu hunain na phobl eraill, cyn iddyn nhw gallio.

'Mi fydda i'n cysylltu efo chi yn ystod y dydd fory, Mr Bowen. Fydd dipyn o waith i'w wneud efo'ch siwrans, siŵr o fod, ond ar hyn o bryd, mae'r adeilad yn leoliad trosedd, dech chi'n deall?'

'Deall yn iawn, Inspector. Dwyt ti ddim isie rhyw aseswyr gyda'u bŵts mawr yn martsio drwy dy dystiolaeth di. Tan fory, felly?'

Roedd Sheila yn aros amdano â goriadau ei char yn ei llaw. Oedodd Bowen am eiliad wrth y drws.

'Ai missus newydd Tom Glantanat ydech chi?'

'Ie,' atebodd Sheila: roedd Daf yn falch fod ei hyder wedi datblygu digon iddi hi defnyddio'r iaith, hyd yn oed gyda phobl ddierth. Disgwyliodd Daf am ryw sylw profoclyd neu rywiol ond roedd Bowen yn rhy gall i gythruddo gwraig i gyflenwr pwysig.

'Mae'r bustych Charlie croes ges i ganddo fo 'di lladd yn hyfryd. Rhai o'r carcasau gorau dwi wedi'u gweld ers sbel.'

'Falch o glywed, Mr Bowen,' atebodd Sheila gyda gwên fawr. 'Mae ganddon ni dipyn o ffydd yn y tarw gawson ni yn Ballymena llynedd.'

Gwelodd Daf y demtasiwn yn llygaid Bowen, y cyfle i ddweud jôc am darw wrth ddynes sy newydd briodi, ond rhwystrodd ei hun. Ysgydwodd law Sheila a dilynodd Einion drwy'r drws.

'Fyset ti'n fodlon rhoi lifft adre i mi wedyn, Sheila?' gofynnodd Daf. 'Dydi'r car ddim gen i heno.'

'Dim problem. O'n i'n bwriadu jyst tshecio fod popeth yn saff efo car Mrs Breeze-Evans a mynd adre wedyn.'

'Iawn, diolch.' Ar eu ffordd allan, roedd yn rhaid i Daf ofyn barn ei gydweithiwr.

'Be wyt ti'n feddwl o'n Haelod Cynulliad ni, Sheila?'

'Wn i ddim. Mae'n amlwg ei fod o'n ddyn llwyddiannus ac, yn ôl y sôn, mae o'n gwneud job dda i ni yng Nghaerdydd, ond ...'

'Ond be?'

'Dwi'n gwybod 'mod i braidd yn hen-ffasiwn, ond mae'n well gen i ddynion sy'n gallu cadw eu *flies* ar gau.'

'Copis.'

'Beth bynnag. Ond dim fy musnes i ydi o, *I suppose*.'

'Wel, mae gen ti bleidlais. Vote yw pleidlais.'

'Dwi'n gwybod yn iawn beth yw pleidlais, bòs. Dwi heb benderfynu pwy i'w gefnogi y tro yma.'

'Mae Bowen ynghlwm efo'r achos 'ma, yn bendant, Sheila. Mi ddwedodd o fod Heulwen Breeze-Evans yn disgwyl cael ei henwebu fel ymgeisydd i'r Ceidwadwyr y tro diwetha, pan ddewison nhw Bowen.'

'Faswn i'n synnu dim. Un o'r bobl fawr oedd hi, wastad yn hobnobio gyda'r hoelion wyth.'

'Dwi'm cweit yn sicr fod hobnobio yn air Cymraeg go iawn, Sheila.'

'Cer di adre at dy Bruce, bòs, mae o'n air iawn. Wir Dduw.'

Syllodd Daf ar yr edrychiad ar ei hwyneb a theimlodd braidd yn anesmwyth – efallai fod hyder ieithyddol Sheila yn datblygu dipyn bach yn rhy gyflym. Fel hyn roedd Dr Frankenstein yn teimlo, meddyliodd Daf, gan sylweddoli ei fod, efallai, wedi creu bwystfil.

Pan gyrhaeddodd Daf a Sheila y gamlas, gwelsant ddau gar Highway Patrol, ac yng ngolau eu lampau gwelodd Daf du ôl car lliw arian uwchben y dŵr. Roedd y tu blaen, gan gynnwys y drysau blaen, dan y dŵr tywyll.

'Wel, wel,' meddai Daf wrth Colin Traffig.

'You said to look for a silver Discovery Sport and we found it for you in no time, Inspector. Just a shame we found it in the canal.'

Symudodd y tinbren ryw fymryn.

'Whoever drove it in got out through the back, we reckon,' eglurodd Colin. 'Don't normally get that with kids joyriding.'

'Whatever else, Colin,' datganodd Daf, 'this isn't anything to do with a joyride.'

Trodd i weld Sheila yn gorffen galwad ffôn.

'Dwi newydd siarad â'r Drenewydd – maen nhw'n gallu danfon cwpwl o fois draw i ofalu am y safle 'ma tan y bore. Mae Nev angen pawb sy efo fo i ddiogelu'r ardal o gwmpas safle'r tân.'

'Diolch, Sheila. Mae'r ymchwil yma yn mynd i roi straen ar ein hadnoddau ni.'

'Bendant.'

Ar ôl gofyn i Colin geisio diogelu glannau meddal y gamlas roedd Daf yn falch o gael ymlacio yng nghar Sheila am ugain munud.

'Nes i anghofio dweud, bòs, ffoniodd HQ. Mae'r Dirprwy Chief Constable yn gofyn am air, peth cynta yn y bore.'

'Iawn.' Roedd yn rhaid iddo geisio peidio swnio fel petai wedi blino, a hynny ar ddechrau'r ymchwiliad, meddyliodd Daf.

'Hefyd, maen nhw wedi rhoi enw i'r ymgyrch, sef "Operation Green Fuse".'

'Pam hynny?'

'Yn ôl y sôn, mae ganddyn nhw restr o enwau.'

' "The force that through the green fuse drives the flower" – llinell o farddoniaeth Dylan Thomas. Well gen i R.S. fy hun.'

Ochneidiodd Sheila, ac nid am y tro cyntaf, sylwodd Daf pa mor agos oedden nhw, fel brawd a chwaer.

'Dydyn nhw ddim yn gallu creu rhestr o enwau jyst i siwtio dy dast ti, bòs.'

'Dwi'm yn gweld pwrpas i'r enwau beth bynnag.'

'Dyweda di fod rhywun arall yn cael ei ladd yn y Trallwng heno, a dim cysylltiad efo'r achos hwn. Sut allwn ni sortio cyllid ac ati heb wybod pa ymchwil sy wedi defnyddio pa adnoddau?'

Roedd hi'n iawn, wrth gwrs. Dylyfodd Daf ei ên.

'Sut mae Mali Haf yn cysgu erbyn hyn?'

'Mae'n od iawn. Yn ystod y dydd, mae hi'n gallu para am bedair, pump awr. Dros nos, ugain munud, *tops*.'

'Ydi Gaenor yn ... yn ei bwydo hi ei hun?'

Clywodd gymysgedd o swildod a diddordeb yn llais Sheila. Am y tro cyntaf, meddyliodd am gynlluniau Tom a Sheila – byddai'r teulu Francis yn disgwyl aer cyn hir, ac i ddynes dros ei thri deg pump, fel Sheila, roedd ychydig o frys.

'Ydi, ac mae'r lodes fach yn tyfu fel dwn i ddim be. Rhaid i ti ddod draw i gael paned efo ni ddydd Sul.'

'O'n i ddim isie dod ar eich traws chi, ti'n gwybod.'

Roedd rhywbeth annifyr am y sefyllfa: roedd gŵr Sheila yn ffrindiau mawr efo cyn-ŵr Gaenor ac, am gyfnod, bu Sheila a Falmai'n agos. Ond, fel y digwyddodd i bob un o ffrindiau Falmai, cafodd Sheila ei gollwng.

'Dwi'n ysu i ddangos Mals i ti, Sheila, a falle ei bod hi'n hen bryd i Tom arfer efo babis, hei?'

Cochodd Sheila a sylweddolodd Daf fod ei ddamcaniaeth yn reit gywir a bod Sheila'n ceisio beichiogi. Am un eiliad hunanol suddodd calon Daf – Sheila oedd un o'i swyddogion gorau.

Roedd Daf yn awyddus iawn i weld goleuadau Llanfair yn agosáu: roedd angen cwsg arno ar ôl effaith y wisgi. Baglodd o'r car, bron heb ffarwelio â Sheila, ac agorodd ddrws y tŷ. Roedd Gaenor yn eistedd ar y soffa, yn welw ond yn gwenu, ac yn ei chôl, yn gwbl effro a'i llygaid bach mor löyw â llygaid robin goch, roedd Mali Haf. Unwaith yn rhagor, rhyfeddodd Daf sut roedd ei gorff yn ymateb i bresenoldeb babi bach. Diflannodd pob tamaid o flinder ac roedd o'n hollol barod i wneud ei ran.

'Helô cariad. Sut mae angel bach Dadi heno?'

Roedd llygaid Gaenor mor dyner, roedd yn rhaid iddo roi cusan fawr iddi hi wrth godi'r babi o'i chôl.

'Mae hi'n iawn, o ystyried ei bod hi'n *insomniac* llwyr.'

'Rhaid i ti wneud yr un fath hefyd am sbel, Gae. Cer i'r gwely yn ystod y dydd, bob tro mae hi'n cysgu.'

'Dwy broblem. Pwy sy'n mynd i lanhau, golchi'r dillad a choginio? Ac mi fydd hynny'n golygu na fydda i byth yn y gwely ar yr un adeg â tithe, Daf.'

'Dwi'n addo picio adre am hoe fach efo ti bob hyn a hyn,' atebodd Daf, efo winc. 'Ond rhaid i ti gael ychydig o gwsg rŵan, ti'n edrych yn *shattered*.'

'Be amdanat ti? Be ddigwyddodd lawr yn y Trallwng? Ffoniodd Siôn i ddweud 'i fod o'n andros o dân.'

'Oedd, ac yn anffodus roedd rhywun yn yr adeilad ar y pryd.'

'O na! Ydyn nhw wedi brifo?'

'Wedi marw. Rŵan, mae'n rhaid i ni ddarganfod oedd y tân yn un bwriadol ai peidio.'

'*Shit*, Daf – rhaid i ti fynd yn syth i'r gwely. Rhaid i ti fod ar *top form* ben bore fory.'

'Dwi'n rhy llawn o adrenalin i gysgu, cariad. Mi fydda i'n iawn am dipyn, ac os ydi Miss yn penderfynu pendwmpian am eiliad, mi fyddwn ni'n dau yn dod fyny.'

Gwelodd Daf y gwerthfawrogiad yn ei llygaid. Roedd o'n sylweddoli i'r dim pa mor ffodus oedd o i rannu ei fywyd gyda chystal person. Cododd Gaenor ar ei thraed yn araf. Roedd hi'n dal mewn dipyn o boen ar ôl derbyn dros ddeg ar hugain o bwythau ond fyddai hi byth yn cwyno.

'Ti'n iawn, del?'

'Well i mi gadw pecyn o bys wedi'u rhewi yn fy mhants am wythnos arall, dwi'n meddwl.'

'Atgoffa fi i beidio mentro gofyn am *Spanish omlette* am chydig, wnei di?'

Fel y digwyddai'n aml iawn rhyngddyn nhw, achosodd y jôc fach wantan storm o chwerthin. Hyd yn oed dan straen wythnosau cyntaf eu plentyn, roedden nhw'n fodlon iawn efo'i gilydd. Llwyddodd Daf i gofleidio Gaenor er bod Mali ar ei hysgwydd. Roedd o ar fin dweud pa mor ffodus oedd o, ond penderfynodd beidio rhag ofn iddi feddwl ei fod o'n rhyfygu. Rhoddodd gusan iddi hi, i geisio dweud y cyfan. Estynnodd Mali ei llaw fach i gyffwrdd wyneb ei mam tra oedden nhw'n cusanu.

Am hanner awr ar ôl i Gaenor fynd i'w gwely, wnaeth Daf ddim byd ond edmygu ei ferch fach berffaith. Gan fod cymaint o amser wedi pasio ers geni Rhodri a Carys, roedd o wedi anghofio pa mor berffaith oedd pob gewin, pob blewyn, pob modfedd o groen babi newydd. Claddodd ei wyneb yng ngholer ei *babygro* ac yfed arogl llaethog, melys ei chroen. Ar ôl saith dehongliad o 'Dacw Mam yn Dwâd' a phedwar 'Si Hei Lwli', penderfynodd agor llyfr. Ffantasi llwyr, ond roedd Daf yn bendant fod llygaid Mali wedi agor yn llydan wrth ei weld ac ar ôl iddo ddarllen tair tudalen, roedd y fechan yn cysgu'n sownd ar ei fraich. Methai symud rhag ofn ei deffro hi, felly tynnodd Daf y garthen oddi ar gefn y soffa drostyn nhw'u dau, a dyna sut y gwelodd Rhodri nhw am hanner awr wedi chwech y bore.

Pennod 3

Bore Mawrth, 12 Ebrill 2016

Ar ôl llenwi'r tanc yn Londis, eisteddodd Daf yn ei gar yn ceisio asesu'r achos. Y flaenoriaeth oedd penodi'r SIO, wedyn sicrhau bod Steve yn gyfforddus â'i rôl newydd – roedd bod yn gyfrifol am leoliad trosedd am y tro cyntaf yn dipyn o her, waeth faint o gymwysterau oedd ganddo ar bapur. Ystyriodd faint o broblem fyddai agwedd Steve tuag at danau, a gobeithiai y byddai'r broses o ofalu am y safle yn rhoi cyfle iddo ddod i arfer â chanlyniadau tân. Byddai cefnogaeth tîm braf ymhlith yr holl lwch a lludw ac arogl mwg yn ei helpu i chwalu'r hen atgofion oedd yn peri gofid iddo. Dyna oedd gobaith Daf, beth bynnag. Y gwir oedd nad oedd neb arall yn gymwys i wneud y gwaith – doedd gan Daf ddim clem am bethau technegol, cyfaddefodd Sheila iddi fethu ei TGAU Bioleg, ac os fyddai'n rhaid iddyn nhw anfon am y ferch o Dregaron efo'r llais diflas, fyddai dim siâp ar Nev.

Un drwg am garu yn y gweithle oedd Nev. Dwy swyddog prawf, sarjant celloedd gorsaf heddlu Croesoswallt, sawl CPSO o West Mercia a merch glên iawn o'r gwasanaeth cyfiawnder ieuenctid – roedd pob un wan Jac, neu Jill, wedi torri calon Nev ers Steddfod Meifod. Roedd Daf wedi ceisio rhoi cyngor iddo ambell waith ond heb fawr o lwyddiant gan nad oedd y cyngor hwnnw, gan amlaf, yn ddwfn nac yn ddoeth. Yn aml iawn, doedd Daf ddim yn gwneud llawer mwy nag ailadrodd geiriau'r gân honno o'r ffilm *Frozen*: 'Let it go, let it go ...', oedd ddim yn help o gwbl. Rhy cîn, dyna oedd gwreiddyn problem Nev; ar ôl dau ddêt roedd o'n dechrau meddwl am roi blaendal ar dŷ neu'n mesur bys y cariad newydd am fodrwy.

'Ti'n dod drosodd fel taset ti'n desbret,' dywedai Daf wrtho, dro ar ôl tro, dros y pizza adeiladu tîm misol yn y Smithfield Bell. 'Jyst cymera un cam ar y tro.' A bob tro y rhannai'r doethineb hwnnw efo Nev, byddai Sheila neu Nia yn barod iawn i dorri ar ei draws gyda sylw megis: 'Nev bech, paid â gwrando arno fo. "Un cam ar y tro" gan ddyn sy wedi rhedeg i ffwrdd efo'i chwaer yng nghyfraith?' Ar ôl hynny, Daf, yn hytrach na Nev, fyddai testun eu gwawd, ond doedd hynny ddim yn poeni Daf gan fod ei gefn yn ddigon llydan. Gobeithiai Daf y gallai Steve oresgyn ei broblem efo tanau, fel na fyddai'n rhaid iddo ddelio â thorcalon Nev am sbel eto.

Taniodd Daf y car a chychwyn tua'r orsaf. Doedd o ddim wedi mynd yn bell iawn pan ganodd ei ffôn. Trodd i mewn i gilfan i'w ateb.

'Daf Dafis.'

'Daf, Dilwyn Puw sy 'ma.'

'Bore da, syr.' Doedd y Dirprwy Brif Gwnstabl erioed wedi ffonio Daf o'r blaen.

'Fel maen nhw'n dweud yn y fflims, "Houston, we have a problem...".'

Rhyfedd, meddyliodd Daf, iddo ddyfynnu'r un geiriau â fo.

'Mae gen i sawl problem ar fy mhlât ar hyn o bryd, Syr: am ba un ydach chi'n sôn?'

'Wyt ti'n meddwl mai Heulwen Breeze-Evans ydi'r corff yn y swyddfa yn y Trallwng?'

'Bron yn sicr, syr.'

'Felly mae'n rhaid i ni gael SIO sy'n siarad Cymraeg?'

'Yn bendant. Hi oedd ymgeisydd Plaid Cymru yn yr etholiad.'

'Dydi Derek ddim yn siarad Cymraeg yn ddigon da ac mae Simon yn dal i ffwrdd. Does neb arall all wneud y gwaith, heblaw ti a finne, Daf.'

'A dwi ddim yn chief inspector, syr.'

'Rwyt ti'n *acting* chief inspector, Daf, ers y cyfarfod HR brys heddiw bore. Dwi'n ddigon ffyddiog fod y sgiliau iawn gen ti, ond dwi isie derbyn adroddiad yn rheolaidd, iawn?'

'Iawn, syr, a diolch yn fawr.'

'Paid â diolch yn rhy gynnar, Daf. Ma' hi'n uffern o dasg. Ac alla i ddweud gair bach?'

'Cewch â chroeso, syr.'

'Roedd Heulwen Breeze-Evans yn ddynes efo llawer iawn o ffrindiau pwysig. Dwi'n gwybod dy fod ti'n gallu bod yn ddiplomataidd iawn weithiau, Daf ...'

'Dwi'n deall, syr.'

'Hefyd, den ni'n gwybod i ti fod dipyn yn benboeth pan oeddet ti'n ifanc, ond ceisia gadw'r ddysgl yn wastad rŵan, hei?'

'Dwi'n deall 'i fod o'n achos go sensitif, bòs.'

'Chwarae teg i ti. Pwy sy gen ti fel CSO?'

'Steve. Mae o newydd wneud y cwrs yna, dech chi'n cofio? Fforensics ac ati.'

'Falch iawn o glywed. Popeth *in-house* os yn bosib, Daf. Adnoddau'n go brin, ti'n deall.'

'Dwi'n deall yn iawn, syr, ond bydd angen cŵn carbon arnon ni, dwi'n meddwl.'

'Go drapia. Mae'n cŵn carbon ni'n brysur efo sefyllfa yn y burfa olew yn Aberdaugleddau. Mae 'na gwmni yn y gogledd yn rhywle ...'

'Ein cŵn carbon ni, syr?'

'Wel, y frigâd dân sy piau nhw, wrth gwrs. Loopy a Mr Smot ydi'u henwau nhw, a chŵn bach hyfryd ydyn nhw hefyd. Dwi'n swyddog cyswllt iddyn nhw ...'

Doedd Daf erioed wedi clywed cystal egni yn llais y Dirprwy Brif Gwnstabl: yn amlwg, roedd o'n hoffi cŵn.

'Mae'n iawn i mi ddod o hyd i gŵn carbon yn y sector breifat, felly, syr?'

'Dim problem. Cadw fi yn y lŵp, cofia?'

'Mi wna i, Syr.'

'Pob lwc, Daf.'

'Diolch, syr!'

'Sori, anghofiais i ofyn i HR, ti wedi gwneud dy OSPRE Rhan Dau, yn dwyt ti?'

'Do, syr.'

'Mae hynny'n gwneud pethau'n llawer haws fan hyn. Ocê – i'r gad, Daf!'

Roedd Daf yn falch iawn ei fod, ddeunaw mis yn ôl, yn ystod cyfnod go anodd yn ei berthynas â Falmai, wedi penderfynu trio'r arholiad nesaf yn fframwaith dyrchafiadau'r heddlu. Cam i fyny! Blydi hel. Fyddai dim rhaid iddo ddibynnu ar neb arall oherwydd fo fyddai'r SIO! Agorodd y ffenest. Hyd yn oed mor gynnar yn y dydd ac mor gynnar yn y flwyddyn, roedd arogl arbennig cilfan Sylfaen yn llenwi ei ffroenau: tar, creosôt a hen fwg glo o drac y trên stêm, diesel o'r ffordd, dolydd llawn silwair fyddai'n barod i'w cynaeafu ymhen y mis, tail o fuarth y fferm gyferbyn. Roedd pob elfen yn gyfarwydd iddo, ac efallai mai dyna fyddai o fantais iddo yn SIO yn yr achos hwn. Yn ogystal â bod yn swyddog profiadol roedd ganddo drysorfa o wybodaeth am ei filltir sgwâr.

Gwelodd ddwy neges ar ei ffôn: Gaenor yn gofyn iddo ddod â phecyn arall o Pampers adre efo fo, a Sheila yn dweud bod merch yn aros i'w weld o yn yr orsaf. 'Pa ferch?' gofynnodd Daf iddo'i hun yn uchel.

Pan gyrhaeddodd yr orsaf, roedd ei dîm yn edrych yn llawn egni a brwdfrydedd. Estynnodd Darren ei law tuag ato.

'Llongyfarchiadau, Chief. Mae'r pencadlys yn gofyn wyt ti'n rhydd i wneud cynhadledd i'r wasg nes ymlaen? Mae'r swyddog materion cyhoeddus ar ei ffordd.'

'Dim yr un hen drwyn oedd yn boen i ni yn ystod achos Plasmawr?'

'Ie, yn anffodus, bòs. Ond, i fod yn bositif, mae hi'n gymaint o niwsans fel na fydd Nev yn syrthio dros ei ben a'i glustiau amdani. A den ni'n methu dweud hynny'n aml iawn.'

'Pwynt dilys iawn, PC Morgan. Ddywedodd Sheila fod rhywun yn aros i 'ngweld i?'

'Oes. Merch o'r enw Anwen Smith. Cyd-weithiwr i Heulwen Breeze-Evans.'

'Iawn. Fyddai paned yn wych ...'

Roedd Darren yn edrych braidd yn syn ar Daf ond roedd gwên fawr ar wyneb Nia. Roedd gan Daf bolisi bach i geisio mynd yn groes i arferiad drwg oedd wedi datblygu mewn sawl gorsaf heddlu dros y blynyddoedd: byddai wastad yn gofyn i aelod gwrywaidd o staff am baned os oedd dynion a merched yn bresennol. Roedd tri chwarter o'r paneidiau yn dal i gael eu gwneud gan Nia, ond roedd hi gwerthfawrogi'r ffaith fod yn rhaid i Darren, Nev a Steve wneud eu siâr.

Yn yr orsaf, roedd tair ystafell ymholi – un fawr ffurfiol gyda pheiriannau tâp a phob dim, un fach glawstroffobig a ddefnyddiai Daf pan fyddai'n rhaid iddo roi rhybudd i rywun nad oedd wedi sylwi pa mor ddifrifol oedd ei sefyllfa, ac un gyfforddus efo bocs o deganau yn y gornel, soffa fawr a lluniau o Gastell Powys ar y waliau. Dyna lle roedd Anwen yn aros amdano. Roedd hi'n brysur ar ei ffôn pan agorodd Daf y drws felly cafodd gyfle i greu ei argraff gyntaf. Lodes ifanc oedd hi, dim llawer dros ei hugain oed, gyda chroen clir heb golur a gwallt brown wedi ei dorri i siâp nad oedd yn siwtio ei hwyneb o gwbl. Roedd hi'n gwisgo fel myfyrwraig oedd yn gwneud tipyn o ymdrech: jîns a chrys chwys glân, un o'r rheini efo slogan ar y blaen. Disgwyliai Daf weld rhywbeth fel 'Trafferth Mewn Tafarn' neu slogan yn cyfeirio at Dryweryn, ond yn hytrach, 'Free Syria' oedd ar ei brest. Pan gododd ei phen roedd yn amlwg iddi fod yn llefain – roedd y croen yn goch o gwmpas ei llygaid mawr brown.

'Anwen, Daf Dafis ydw i. Paid â chodi, ti'n edrych braidd yn *shattered*. Ti 'di cael brecwast?'

Ysgydwodd ei phen. Doedd hi ddim yn edrych fel merch fyddai'n methu brecwast yn aml. Fel tad i ferch yn ei harddegau roedd Daf yn casáu'r syniad fod raid i lodes fod yn fain fel cangen haf i fod yn ddeniadol, ac roedd Anwen fel chwa o awyr iach. Roedd y disgrifiad cyfoes 'all the right junk in all the right places' yn ei disgrifio i'r dim.

'Be am gael cwpwl o Danish Pastries, hei?'

'Dim diolch. Dwi ar ddeiet.'

Suddodd calon Daf.

'Wel, dwi'n mynd i ordro tri ac os oes raid i mi eu bwyta nhw i gyd ar fy mhen fy hun, arnat ti fydd y bai os ga i glefyd y siwgr.'

Dechreuodd Anwen biffian yn isel a diolchodd Daf ei fod wedi darllen y sefyllfa yn go gywir.

'Reit te, Anwen,' dechreuodd, gan eistedd yn y gadair gyferbyn â hi, 'ti 'di clywed am y tân yn swyddfa Mrs Breeze-Evans?'

Nodiodd ei phen a dechreuodd y dagrau lifo unwaith eto. Cynigiodd Daf hances iddi.

'Wyt ti'n ddigon da i siarad efo fi, Anwen? Ti isie aros nes bydd rhywun efo ti – dy fam neu dy dad, falle?'

'Na, dwi'n iawn. Sori ... dwi erioed wedi delio gyda rwbeth fel hyn o'r blaen.'

'Na finne chwaith. Den ni bron yn bendant fod Mrs Breeze-Evans wedi marw yn y tân ond allwn ni ddim agor y swyddfa yn y cefn nes bydd yr adeilad yn hollol saff, ti'n deall?'

'Os oedd rhywun yn yn stafell gefn, Heulwen fyddai yno. Den ni'n cwrdd â phobl a chynnal cyfarfodydd yn y stafell flaen – dyna lle oedd fy nesg i.'

'Pa mor dda oeddet ti'n nabod Mrs Breeze-Evans?'

'Cyn yr ymgyrch, ddim o gwbwl – ro'n i wedi ei gweld hi o bell mewn sawl cyfarfod Plaid, dyna'r cyfan. Ond ers iddi hi ennill yr enwebiad, ryden ni wedi gweithio'n agos iawn efo'n gilydd.'

'A ffasiwn ddynes oedd hi?'

Cochodd y ferch ac oedodd er mwyn dewis geiriau addas.

'Dynes fedrus iawn, 'sen i'n dweud. Da iawn am bolisïau.'

'Ond?'

'Ond be?'

'Roedd yr "ond" yn dy lais di, lodes. Dwi ddim isie i ti fod yn fradwrol ond mae 'na bosibilrwydd fod rhywun wedi lladd Mrs Breeze-Evans yn fwriadol. Os ydi hynny'n wir, rhaid i mi gaslu pob tamaid o wybodaeth amdani hi, er mwyn dod o hyd i'r troseddwr.'

Ddywedodd Anwen ddim gair. Roedd yn amlwg ei bod hi'n anfodlon iawn lladd ar Heulwen, ond roedd yn amlwg hefyd fod ganddi rywbeth arall i'w ddweud. Byddai'n rhaid i Daf roi cynnig ar ddull arall o'i holi.

‘Dwi wedi cwrdd â rhai sy’n ei disgrifio fel dipyn o *bossy-boots* ac, ar ôl bßod ar gwpwl o bwyllgorau efo hi, dwi’n barod i gytuno efo nhw. Be ti’n feddwl, Anwen?’

Am hanner eiliad, daeth gwên fach wan i wyneb gwelw Anwen, ond diflannodd yn go sydyn.

‘Ti ’di bod yn gweithio’n agos iawn efo hi dros y misoedd diweddar ’ma. Sut oedd hi ar stepen y drws, yn sgwrsio gyda phobl?’

Gwgodd y ferch a sylwodd Daf ei bod, drwy drafod yr ymgyrch, yn bosib dysgu llawer am bersonoliaeth Heulwen.

‘O ran ffeithiau a pholisïau’r Blaid, roedd hi’n wych, Mr Dafis. Ond weithiau ...’

‘Weithiau be, lodes?’

‘Wel, bythefnos yn ôl, roedden ni’n digwydd bod yn y Drenewydd ar yr un pryd â’r Ceidwadwyr, yn cnocio drysau ar stad o dai mewn ardal ddifreintiedig iawn. Byddai’r bobl sy’n byw yno yn elwa o’n polisïau ni yn fwy na neb ond, pan o’n i’n siarad efo’r trigolion, roedden nhw i gyd, bron, wedi cael eu swyno gan Rhys Bowen, y Tori. Penderfynais wneud dipyn o waith ysbïo – roedd Bowen yn siarad gyda grŵp o famau ifanc o flaen y siop tships. Roedd o’n trafod polisi gofal plant am ddim, cymorth i bobl i brynu tai a ballu, ond yn fwy na hynny, roedd o’n canmol y babis, yn siarad yn wych efo’r plant ysgol gynradd a bron yn fflyrtian efo’r mamau. Ar ôl deng munud roedd o wedi casglu pump o gefnogwyr newydd selog a dwsin sy’n debygol iawn o’i gefnogi. Es i ’nôl i weld Heulwen – yn ystod yr un cyfnod, doedd hi ddim wedi cyflawni dim byd ond rhoi pryd o dafod i hen ddynes am addysg. Nid trio’i pherswadio, ond rhoi darlith go iawn iddi. Doedd Heulwen ddim yn fodlon gwrando o gwbwl, Mr Dafis, felly roedd llawer iawn o bobl yn troi yn ei herbyn. Ro’n i mor *frustrated* efo hi, a dweud y gwir. Oherwydd diffygion personol Heulwen, roedd pobl fyddai wedi gweld gwahaniaeth mawr yn eu bywydau o dan reolaeth Plaid wedi troi at sarff fel Bowen!’

Llwyddodd Daf i beidio gwenu ar ei disgrifiad o’r Aelod

Cynulliad. Dewisodd aros yn fud, gan adael i'r ferch barhau â'i chatharsis.

'Busnes pobl yw'r etholiad, Mr Dafis. Rhaid ceisio perswadio pobl efo dadleuon cryf, wrth gwrs, ond hefyd rhaid bod yn hoffus. Mae Bowen yn filiwnydd sy'n byw mewn plasty ond mae o'n llwyddo i smalio bod yn ffrind i'r werin. Ers degawdau, mae Heulwen wedi gweithio yn hollol ddiflino er lles ei chymuned, ond mae hi'n dod drosodd fel snob styfnig. Den ni ddim yn fodlon chwarae'n fudr, ond mae pawb yn yr ardal yn gwybod bod Bowen yn rhedeg ar ôl merched o hyd, eto maen nhw'n dal i'w gefnogi.'

Yn ei hwyneb gonest, egwyddorol, gwelodd Daf siom, a theimlodd yn euog am ei ymateb ei hun i Rhys Bowen. Rhywsut, er gwaethaf popeth, roedd Bowen yn gymeriad hoffus, yn wyneb cyfarwydd – y math o ddyn sy wastad yn awyddus i brynu rownd yn y dafarn.

'A sut un oedd Heulwen fel bòs?'

'Roedd hi'n gofyn llawer, ond dyna pam y gwnes i wirfoddoli i'w helpu, i sicrhau dyfodol gwell i Gymru, i wneud gwahaniaeth.' Roedd ei llygaid yn disgleirio ac, am y tro cyntaf yn ystod y sgwrs, roedd hi'n llawn egni.

'Ddylet ti sefyll dy hunan, lodes!'

'O na ... wel, ddim eto, beth bynnag.'

'Be ydi enw'r ferch o'r Alban? Mhairi Black? Mae hi 'run oed â ti, Anwen.'

O'i gwên lydan, sylwodd Daf ei fod o wedi llwyddo i ennill ei hymddiriedaeth.

'Peidiwch â sôn, Mr Dafis. Ond dwi'n bendant na fydd modd i ni dorri drwodd heb ymgeiswyr apelgar.'

'Felly, nid Mrs Breeze-Evans oedd yr ymgeisydd perffaith?'

'O, wn i ddim. Roedd hi'n weithgar tu hwnt ac yn wyneb cyfarwydd, sy'n hynod o bwysig mewn ardal fel hon, ond roedd hi'n ddynes oer rywsut, ac yn ystrywgar.'

'Sut hynny?'

'Roedd hi'n arfer cael ei ffordd ei hun bob amser, ac roedd

hi'n glyfar iawn yn gorfodi pobl i ddilyn ei gorchmynion.'

Yn sydyn, daeth cwmwl o ofn dros lygaid Anwen.

'Peidiwch â dweud wrth neb, Mr Dafis, ond roedd hi'n peri gofid i mi. Petai pobl yn gwybod 'mod i'n stryglo i weithio mewn lle mor dawel â swyddfa Plaid Cymru yn y Trallwng, fuaswn i byth yn cael cynnig swydd arall – ond roedd 'na rywbeth oer amdani hi. A weithiau, roedd hi'n argymell pethau od iawn.'

'Pa fath o bethau? A cofia di, mae popeth ti'n ddweud wrtha i'n hollol gyfrinachol, iawn?'

Yn anffodus, jyst cyn i Anwen agor ei chalon, agorodd y drws a daeth Darren i mewn i gynnig paned iddyn nhw.

'Ia plis, Dar. A tra mae'r tegell yn berwi, picia draw i Tesco i nôl Pecan Plait, Apricot Crown a beth bynnag ti'n galw'r rhai fanila 'na efo almonau arnyn nhw.'

'Heddwas ydw i, bòs, nid gweinydd.'

'Dwi'n ymwybodol o hynny – does dim rhaid i mi adael tip i ti.'

Fel arfer, roedd Daf wrth ei fodd yn tynnu coes aelodau ei dîm i ysgafnhau'r awyrgylch, ond y tro yma roedd yn amlwg fod ymweliad Darren wedi cael effaith arall ar Anwen, a sylwodd Daf ei bod wedi cilio'n ôl i'w chragen.

'Roeddet ti'n sôn am y pethau od roedd Mrs Breeze-Evans yn eu hawgrymu.'

'Ddylen ni ddim siarad fel hyn amdani hi. Den ni ddim yn sicr ydi hi wedi marw neu beidio, a dyma ni, wrthi'n pori dros ei hanes fel ... fel cigfrain.'

'Gwranda, lodes, os gafodd hi ei lladd, mae rhywun yn yr ardal yma sy'n llofrudd, rhywun sy'n fodlon cynnau tân peryglus iawn. Be am y bobl sy'n byw yn y fflat? Be am y teulu sy'n byw drws nesa, uwchben y siop emwaith? Mae ganddyn nhw bedwar o blant. Mae'n rhaid i ti fy helpu i ddeall pa fath o ddynes oedd hi, o dan yr wyneb, achos heb yr wybodaeth yna, allwn ni ddim dal pwy bynnag sy wedi ei lladd hi.'

Pesychodd Anwen, cyn mwmian:

'Dech chi'n ymwybodol bod Bowen yn rhedeg ar ôl

merched o hyd? Wel, roedd Mrs Breeze-Evans yn awgrymu ... wedi gofyn i mi ... roedd hi isie i mi roi fy hun yn ei ffordd o.'

'A be wnest ti?'

'Dim byd. Ddim fel'na ro'n i'n bwriadu gweithio dros y Blaid.'

'A sut wnaeth hi ymateb?'

'O, wnes i ddim mynd yn groes iddi, Mr Dafis, doedd neb yn gallu gwneud hynny. Ond mi ddywedodd hi, ar ôl sbel, na fyddai Bowen byth yn llygadu merch mor ddi-raen â fi, beth bynnag.'

Am ddisgrifiad creulon! Gwelodd Daf y boen a achosodd Heulwen yn llygaid Anwen. Roedd hi'n amlwg bod y ferch ifanc wedi bod yn myfyrio dros y sylw creulon am fisoedd.

'Wedyn, roedd hi'n trafod faint mae Bowen yn yfed a sut i'w ddal o'n gyrru ar ôl pum peint neu fwy. Atgoffais hi am y bachgen sy ganddo fo, y Tori Boi 'na ...'

'Einion,' torrodd Daf ar ei thraws, braidd yn flin efo hi am ddefnyddio'r disgrifiad hwnnw o gog tebyg iawn iddi hi ei hun ond mewn plaid wahanol.

'Fo, ie. Wel, awgrymodd Mrs Breeze-Evans ... petawn i'n tynnu sylw'r Eifion yna, mi fyddai Bowen yn bownd o neidio i'r car ar ôl yfed, a wedyn dyna ni – ymgyrch drosodd. Nid fel hyn ddylen ni fihafio, Mr Dafis, a wnes i ddim rhoi blwyddyn o 'mywyd i fod yn ... *distraction* i'r Toris, yn bendant.'

'Chwarae teg i ti, lodes. Dwi ddim yn gyfarwydd â sut i ennill etholiad, ond dydi hynna ddim yn swnio'n iawn i mi chwaith.'

'Nid ffŵl bach diniwed ydw i, Mr Dafis, ond ble mae'r weledigaeth? Nid mater o ddal rhyw gigydd ym maes parcio'r dafarn ydi hi – dwi isie perswadio pobl i frwydro i greu Cymru well, nid jyst ennill ond ennill yn iawn.'

'Ddylet ti sefyll, lodes – ti wedi fy ysbrydoli i, beth bynnag.'

Gwridodd Anwen at fôn ei gwallt.

'Dwi ddim yn uchelgeisiol o gwbwl,' mwmialodd, ond nid oedd Daf yn ei chredu.

'Pwy oedd yn agos i Mrs Breeze-Evans?'

'Yn agos iddi hi? Wel, nid ei gŵr, yn bendant, na'i phlant chwaith. Car Wat, dwi'n tybio, ond roedd o'n fwy o *sidekick* na ffrind.'

'*Sidekick*?'

'Ie. Cynghorydd sir ydi o, ac o be dwi 'di weld, petai Heulwen yn dweud wrtho am neidio ...'

'Dwi'n nabod Mr Watkin. Pwy ydi ei ffrindiau pennaf yn y Blaid?'

Tra oedd Anwen yn ystyried y cwestiwn, sylwodd Daf eu bod nhw'n neidio o'r presennol i'r gorffennol o hyd wrth siarad am Heulwen, fel petaen nhw'n ansicr oedd hi wedi marw ai peidio.

'Jan Cilgwyn. Roedden nhw'n gwneud dipyn efo'i gilydd. Dwi'n meddwl mai efo Jan y byddai Heulwen yn aros pan fyddai hi'n mynd i lawr i Gaerdydd, ar ôl iddi ffraeo efo'i merch.'

'Mae hi 'di ffraeo efo'i merch?'

'Roedd hi wastad yn ffraeo efo rhywun, Mr Dafis. A dweud y gwir, dwi erioed wedi ei gweld hi'n ymlacio, heblaw yng nghwmni Jan weithiau.'

'Am be oedden nhw'n ffraeo?'

'Sgen i ddim syniad. Ond mi ddywedodd Mrs Breeze-Evans rywbeth cas iawn am ŵr ei merch – mi ddefnyddiodd hi eirfa anweddus iawn, geirfa hiliol, a dweud ei fod o'n homoffôb.'

'Geirfa hiliol?'

'Roedd hi'n cyfeirio at y ffaith mai o'r Gambia mae o'n dod.'

'Pam homoffôb, felly?'

'Wel,' dywedodd Anwen yn ansicr, 'falle 'mod i'n hollol anghywir, ond yng Nghaerdydd mae ei merch yn byw. Ac yno mae Jan yn byw hefyd, efo'i phartner ...'

'Ydi Jan Cilgwyn yn hoyw? Yr Aelod Cynulliad?'

'Dydi'r peth ddim yn gyfrinach.'

Cofiai Daf weld wyneb Jan Cilgwyn ar raglenni teledu megis *Pawb a'i Farn* – dynes hollol normal yr olwg. Doedd Daf ddim yn ddyn rhagfarnllyd ond doedd o erioed wedi cwrdd â lesbiad, hyd yn oed yn y coleg. Roedd o'n amheus ynglŷn â thuedd rhywiol un o ffrindiau coleg Falmai oherwydd ei gwallt byr a'i brwdfrydedd am bêl rwyd ond dysgodd ei wers – cynigiodd lifft i Aber iddi hi ryw dro ac roedd hi wedi neidio arno cyn cyrraedd Dinas Mawddwy. Ers hynny, doedd Daf ddim wedi cwestiynu rhywioldeb neb. Bu iddo fynychu cwrs atal troseddau casineb, ac ers hynny llwyddodd i rwystro Darren rhag galw Nev yn 'WilJil' o hyd, a dyna hyd a lled ei brofiad o gymhlethdod rhywioldeb cyfoes.

'Be am elynion? Oedd rhywun yn genfigennus ohoni?'

'Faint o amser sy gennoch chi, Mr Dafis?'

'Rhywun penodol?'

'Na, alla i ddim meddwl am neb yn benodol.'

Cryfder heddwas da yw'r gallu i wahaniaethu rhwng y gwir a chelwydd noeth, a chafodd Daf ddim llawer o drafferth yn yr achos yma. Roedd Anwen yn symud ei phen yn gyflym, anadlu'n fas ac, yn waeth na dim, yn codi ei llaw i guddio'i cheg. Pwy oedd hi'n ceisio'i amddiffyn, dyfalodd Daf.

'Be sy wedi digwydd i'r cyfrifiaduron yn y swyddfa?' gofynnodd Anwen. Roedd golwg flinedig iawn arni erbyn hyn.

'Den ni ddim wedi cael cyfle i fynd drwy'r safle eto, lodes, ond does dim llawer o obaith – mae popeth wedi cael ei chwalu, 'sen i'n dweud.'

'Ond be am y bas data dwi wedi'i greu? A'r rhestr o'r ardaloedd den ni wedi eu canfasio a sut oedd pob polisi'n cael ei dderbyn a ... Dydi o ddim yn deg!'

Efo'i brawddeg blentynnaidd olaf, torrodd ei llais. Dim ond merch ifanc oedd hi, sylwodd Daf, ddwy flynedd yn hŷn na Carys, efallai.

'Cer di adre i orffwys, lodes. Falle cawn ni dipyn bach mwy o sgwrs nes ymlaen, ie?'

Nodiodd Anwen ei phen, ond wrth godi ar ei thraed, penderfynodd wneud datganiad.

'Mwy na thebyg eich bod chi'n meddwl 'mod i'n hanner call, yn gwastraffu f'amser efo'r *politics* yma. Ond Mr Dafis, dwi isie magu fy mhlant mewn Cymru decach, Cymru well. Ac os dwi wedi cael fy siomi efo'r ymgeisydd yma, dydi hynny'n golygu dim byd. Dwi'n dal yn barod i frwydro am ddyfodol gwell.'

Roedd ychydig o urddas yn ei cherddediad wrth iddi adael yr ystafell, ond ar ôl iddi gau'r drws ar ei hôl, ysgydwodd Daf ei ben. Anwen yn gwastraffu ei bywyd ar un ymgyrch ar ôl y llall, a Basia'n troi ei chefn ar gariad er mwyn dilyn rheolau afresymol. Diolch byth am y rhai sy'n byw yn y byd go iawn, meddyliodd. Danfonodd neges o gariad at Gaenor – pan na chafodd ateb, gwyddai ei bod wedi cadw at ei haddewid i gysgu tra oedd Mali Haf yn cysgu. Daeth delwedd glir i feddwl Daf: ei stafell wely gyda Mali Haf yn ei basged a Gaenor yn cysgu'n sownd wrth ei hymyl yn y gwely, ei gwallt yn llyfn ar y gobennydd. Roedd Daf yn dechrau dod i arfer â'r sŵn wnâi Gaenor yn ei chwsg – nid chwyrnu oedd o, ond sŵn fel petai hi'n cnoi cyflaith. Pan ddaeth y ddelwedd honno o'i deulu bach i Daf, clywai'r sŵn cnoi hefyd, ynghyd â llais bach murmurog o'r crud: sŵn bywyd go iawn a gododd o lwch ei briodas, nid sŵn breuddwyd. Meddyliodd yn syth am Phil Evans a'i ail siawns am hapusrwydd, yr hapusrwydd fyddai'n amhosib os oedd Heulwen yn dal yn fyw.

Pan gyrhaeddodd ddrws ei swyddfa, gwelodd fod rhywun wedi sticio darn o bapur wrth y plac oedd â'i enw arno, a'r gair 'Chief' arno fo. Tynnodd Daf feiro o'i boced a cheisiodd sgwennu ar y papur, ond doedd ei feiro ddim yn gweithio. Felly, mewn pensel, ategodd y geiriau 'Acting' a 'Dros Dro'. Roedd y tri Danish ar ei ddesg ger y ffôn, oedd yn fflachio i nodi bod neguseon yn aros amdano. Wrth fwynhau'r Apricot Crown, pwysodd y botwm i wrando arnyn nhw.

'Daf Dafis! Be yn enw rheswm sy'n mynd ymlaen yn Stryd y Gamlas? Dwi'n methu cyrraedd fy swyddfa. Ffonia fi yn ôl ar unwaith.' Y Cynghorydd Gwilym Bebb, cyfreithiwr pwysig, un o'r hoelion wyth a phoen yn nhin Daf.

'Got the structural engineers in now – they reckon we can get it acro-propped up by dinnertime, so the SOCOs can get in then and we'll recover the body. I was just wondering, boss, if there's any chance of us getting the hydrocarbon dogs in? It'll save a lot of time in the long run, if we're looking for accelerants.' Steve, yn swnio fel petai'n mwynhau ei rôl newydd fel rheolwr safle trosedd. Addawol iawn, meddyliodd Daf.

'Bore da, Arolygydd Dafis, Diane Rhydderch, Swyddog Cyfathrebu a Materion Cyhoeddus Heddlu Dyfed Powys. Dwi ar fy ffordd fyny i'r Trallwng i drafod eich strategaeth cyfryngau efo chi, yn cynnwys y cyfryngau cymdeithasol. Mi fydda i angen gwybod pwy yn eich tîm chi fydd yn gyfrifol am drydaru yn ystod yr ymchwil. Wela i chi'n nes ymlaen.'

Yn ôl bysedd y cloc Horlicks ar wal ei swyddfa, doedd gan Daf ddim amser i drafod strategaethau trydar efo Diane Rhydderch. Cododd y ffôn.

'Nia, wnei di gysylltu efo'r blydi ddynes sy'n dod fyny o'r Pencadlys a dweud wrthi na fydda i ddim yma i'w chyfarfod hi? Wedyn, ceisia gael gafael ar Gwilym Bebb i ddweud wrtho y bydd y ffordd ar gau tan bore fory yn bendant, hwyrach, falle. Oes unrhyw newyddion am y car?'

'Mae Nev wedi mynd i'r Ardlîn efo'r bobl *recovery* rŵan.'

'Ocê. Mi bicia i draw i'w weld o ar fy ffordd draw i Dolfadog. Dwi isie i rywun fynd draw i ffatri Rhys Bowen er mwyn dod o hyd i dipyn o wybodaeth gefndirol am Milek Bartoshyn, a'i chwaer hefyd.'

'Mi a' i – rhaid i Sheila ddal fyny efo holl ofynion Steve. Mae'r cog wedi mynd yn wallgo. Roedd 'na o leia bymtheg neges ganddo ar y system heddiw bore, yn gofyn am Wi-Fi gwell i lwytho rhifau'r bagiau tystiolaeth yn syth i'r Cloud, a phwy a ŵyr be arall.'

'Rhaid i mi gael gair efo fo, dwi'n amau. Un peth yw bod yn cîn, ond rhaid i ni feddwl faint fydd hyn i gyd yn gostio.'

'Ac mae'r wasg wedi cysylltu. Rhaid i ni drefnu cynhadledd, bòs.'

'Mi wn i. Oes 'na rywun o'r frigâd dân ar gael i roi cyngor i Steve? Wnei di jecio, a hefyd gwna'n siŵr ein bod ni'n gwybod i'r eiliad pryd y maen nhw'n bwriadu agor y stafell gefn 'na – dwi isie bod yno. O, ac mi fyddai'n help mawr petai goriad i'r drws 'na ganddon ni, felly os wyt ti'n digwydd gweld Rhys Bowen, gofynna amdano, iawn?'

'Iawn. A llongyfarchiadau mawr.'

'Dim ond dros dro mae o.'

Ond, yn nyfnder ei galon, roedd Daf yn falch. Dros y blynyddoedd, daeth ar draws cymaint o swyddogion hŷn oedd yn wancars llwyr, ac un o'r rhesymau y cafodd enw drwg am fod yn rebel oedd ei ddiffyg parch tuag at rai sy wedi llwyddo i esgyn i reng nad oedden nhw'n ei haeddu. Felly, roedd o'n benderfynol o geisio bod yn arweinydd fyddai'n ennill parch ei dîm drwy ei waith yn hytrach na'r pip ar ei ysgwydd.

Wrth y gamlas yn Ardlîn safai cerbyd Heulwen Breeze-Evans. I Daf, roedd rhywbeth yn drist ynglŷn â pha mor lân oedd y cefn, fel petai'r ymdrech i'w gadw'n dwt wedi bod yn wastraff llwyr.

'Be sy, Nev?' gofynnodd.

'Mae'n amlwg bod y car wedi cael ei ddwyn neithiwr.'

'Wedi ei hot-weirio?'

'Nage – roedd y goriadau'n dal ynddo fo. Mae rhywun wedi ei yrru o'n syth i mewn i'r dŵr, wedyn wedi dringo allan drwy'r cefn. Dwi heb gael cyfle i edrych yn fanwl, ond mae 'na gwpwl o olion traed ar yr *upholstery* a phan edrychais ar lan y gamlas, mi welais farciau go debyg yn y baw.'

'Da iawn, cog. Faint o'r gloch orffenest ti neithiwr?'

'O, cyn tri,' atebodd y dyn ifanc, fel petai'n beth lled gyffredin i'w shifft orffen am dri o'r gloch y bore. 'Gwraig ffarm oedd hi, y ddynes oedd biau'r car 'ma?'

'Ie. Ond roedd hi'n ymwneud â gwleidyddiaeth hefyd.'

'Achos roedd 'na gwpwl o boteli bach, y math dech chi'n eu cael gan y fet, yn y car hefyd.'

'Wel, mae ffermwyr wastad yn gofyn i bwy bynnag sy'n digwydd bod yn mynd i'r dre i nôl moddion gan y milfeddyg.'

'Dwi'n deall hynny'n iawn, bòs, ond poteli gwag oedden nhw.'

'Cysyllta efo'r fet a cheisia'u tracio nhw, ie?'

'Iawn. Dwi wedi danfon llun o'r olion traed i mewn yn barod.'

'Chwarae teg i ti, Nev – allai neb ddyfalu dy fod ti wedi colli bron i noson o gwsg.'

'Den ni i gyd isie gwneud ein gorau glas ar gyfer y Chief newydd.'

'Chief dros dro, cofia, ond diolch. Fyse'n syniad da i symud y car i'r orsaf. Allwn ni ofyn i'r SOCOs sy'n edrych ar safle'r tân i'w jecio fo tra maen nhw wrthi.'

'Iawn 'te, bòs.'

Estynnodd Daf i mewn i'w boced.

'Danish pastry i ti, cog. Dal ati.'

Pan lapiodd Daf y Pecan Plait yn y napcyn papur, roedd o'n edrych yn ddeniadol iawn, ond ar ôl taith o bedair milltir ym mhoced Daf, roedd o'n botsh o friwsion. Yn aml iawn, pan fyddai Daf yn gwneud ymdrech i fod yn garedig byddai'n cawlio'r cyfan, ond roedd Nev ar lwgu felly roedd o'n ddiolchgar tu hwnt amdano, er gwaetha'i olwg. Roedd y Danish pastry olaf ar sedd teithiwr car Daf, a'i arogl braf yn ei ffroenau yr holl ffordd fyny i Ddyffryn Banw.

Parciodd Daf yn y gilfach ger Cae Bachau i fwynhau'r olygfa a'r Danish olaf. Agorodd y ffenestr i deimlo'r awel ffres a chlywodd sŵn gylfinir, aderyn go brin erbyn hyn. Cofiodd yr hen ddihareb leol oedd yn dweud na fyddai ffermwr, ar ôl clywed y gylfinir am y tro cynta, yn colli anifail dros flwydd oed. Rhywsut, roedd popeth fel y dylai fod – yr adar yn canu, y mynyddoedd pell yn glasu a'r ŵyn yn prancio fflat owt. Doedd dim angen map na sat nav arno gan fod bron pob un o'r ffermydd lleol wedi archebu eu bwydydd o fan siop ei dad, a gwaith Daf ar ddyddiau Sadwrn oedd helpu ei Wncwl Mal ar y rownd. Fel arfer, roedden nhw'n cychwyn yn Nolfadog gan ddanfon dau focs llawn a sachaid o foron yno bob wythnos, a sach fawr o datws bob pythefnos. Roedd Daf yn dal i gofio sut y byddai ordor Dolfadog wastad yr un fath, haf a gaeaf ac o un flwyddyn i'r llall. Fel arfer, byddai pobl yn ffonio i newid pethau weithiau – ychwanegu bocs o fisgedi amser Dolig neu Salad Cream yn ystod yr haf, ond dderbyniodd tad Daf erioed alwad ffôn o Ddolfadog. Taniodd injan y car a throdd lawr yr wtra gyfarwydd, wrth feddwl am deulu a oedd yn bwyta'r un prydau bwyd wythnos ar ôl wythnos, fis ar ôl mis, flwyddyn ar ôl blwyddyn.

Roedd Dolfadog yn glamp o dŷ, neu, fel y disgrifiai Daf y lle pan oedd o'n fachgen, dau dŷ oedd wedi tyfu i mewn i'w gilydd. Yn y tu blaen, safai tŷ mawr brics, gyda thair rhes o ffenestri *sash* ac yn y canol, uwchben trothwy llydan gwyn, roedd drws mawr gwyrdd gyda dwrn pres – lleoliad perffaith i ffilmio addasiad o nofel Jane Austen. Ond y tu ôl i'r tŷ brics roedd rhes o hen adeiladau ffrâm derw wedi esblygu nes iddyn nhw uno efo'i gilydd ac efo'r tŷ mwy ffurfiol. Ar foncyn bach uwchben yr afon, yn wynebu'r de, roedd Dolfadog yn mwynhau safle delfrydol ond, i Daf, roedd 'na rywbeth ar goll. Cymharodd Dolfadog â Neuadd dan ofal Gaynor, lle bu hi'n treulio oriau yn yr ardd, a sylwodd beth oedd ar goll o gwmpas y tŷ yn Nolfadog: gofal. Curodd y drws ffrynt, a thynnodd tsiaen y gloch wrth y drws mawr derw: dim ateb. Cerddodd o gwmpas y tŷ ac wrth droi'r gornel i'r cefn, sylwodd pam nad oedd neb ar gael i ateb y drws. Yr ochr arall i giât fach roedd rhes o risiau yn ymestyn o'r ardd i'r buarth. Oddi tano, gwelodd Daf brysurdeb gwyllt – dwsin o bobl yn symud fel morgrug o gwmpas lorri enfawr. O gefn y lorri, deuai pentyrrau o gaetsys llawn ieir. Roedd y fforc lifft yn mynd a dod i mewn ac allan o'r sied fwyaf a welodd Daf erioed. I Daf, roedd y cyfan yn bedlam llwyr ond, yn amlwg, roedd y gweithwyr yn gwybod beth oedden nhw'n ei wneud. Drwy ddrws enfawr y sied gwelodd Daf fôr o ieir – un fil ar bymtheg ohonyn nhw, os cofiai Daf yn iawn be ddywedodd Phil y noson cynt – rhai yn clwcian, rhai yn sgrechian a'r gweddill yn cychwyn archwilio eu cartref newydd. Erbyn i Daf gyrraedd cefn y lorri roedd y wagen yn dadlwytho'r caetsys olaf. Cafodd gip ar Phil ymhlith y tîm oedd yn rhyddhau'r ieir, ac wrth ei ochr roedd dyn oedd yn siŵr o fod yn fab iddo. Roedd y ddau yn gwisgo boilars a welintons a'r ddau yn dal a gwallt melyn trwchus ganddynt, ond gwelodd Daf fod golwg dipyn callach ar y mab, a mwy difrifol. Penderfynodd Daf nad oedd yn ffansïo dadlau yn erbyn Jac Dolfadog – roedd pob symudiad o'i gorff yn dyst i'w natur ddiamynedd – ac ar ôl gwylio'r bwrlwm am dri munud gwyddai pwy oedd bòs fferm Dolfadog. Roedd y gweithwyr, y rhai parhaol a'r rhai dros dro, yn troi at Jac am y gorchymyn nesaf, a hyd yn oed Phil yn ufuddhau i'w fab yn hytrach na fel arall. Edrychodd Jac i fyny a gweld Daf, a chamodd yn benuchel ar draws y concrit.

'Inspector Dafis? Be dech chi'n wneud yn fan hyn? Ddywedodd Dad ddim wrthech chi fod heddiw'n ddiwrnod prysur?'

'A be am dy fam?'

'Heb ddod adre neithiwr. Mae Dad yn dweud eich bod chi'n meddwl mai hi oedd yn y swyddfa.'

'Ie, den ni bron yn sicr mai dy fam gafodd ei lladd yn y tân.' Ni welodd Daf fymryn o sioc na galar ar wyneb y dyn ifanc.

'Doedden ni ddim yn agos, Mr Dafis. A fel dech chi'n gweld, mae'n ddiwrnod prysur 'ma.'

O'r hyn a glywodd am hanes a natur Heulwen, doedd Daf ddim wedi disgwyl teulu cariadus, ond roedd oerni ei mab yn frawychus.

'Dwi ddim yn sicr ydech chi'n deall yn union be ydi'r sefyllfa, Mr Breeze-Evans ...'

'Evans. Mae'r "Breeze" wedi hen fynd. Darn arall o lol Mam.'

'Ocê, Mr Evans. Dwi'n ymchwilio i'r tân, sy'n amheus iawn, a marwolaeth eich mam – mae'n rhaid i mi siarad efo'i theulu mewn achos difrifol o'r math yma.'

'Dech chi gant y cant yn sicr mai hi oedd yno?'

'Ei swyddfa hi oedd ar dân. Den ni wedi darganfod ei char yn y gamlas wrth Ardlîn ac os nad ei chorff hi oedd yn y swyddfa, ble mae hi rŵan?'

Cododd y dyn ifanc ei ysgwyddau llydan.

'Sgen i ddim clem. Dydi hi byth yn dweud wrtha i ble mae hi'n mynd. Yn aml iawn, mi fydd yn mynd lawr i Gaerdydd, yn enwedig ers iddi hi gychwyn y lol Plaid 'na.'

'Dwyt ti ddim yn cefnogi uchelgais dy fam, felly?'

Gwenodd Jac yn wan.

'Mae unrhyw beth sy'n ei chadw hi o fy ffordd i yn fantais i mi, ac i'r ffarm. Ond dwi ddim yn ei chefnogi – mi fydda i'n pleidleisio i blaid sy'n caniatáu i bobl gadw eu pres eu hunain.'

'Mae'n rhaid i mi siarad efo'r teulu, Mr Evans.'

'Does gen i ddim amser i'w wastraffu. Falle mai rhywun arall sy wedi marw yna wedi'r cyfan.'

Roedd drws cefn y lorri ar gau erbyn hyn a'r fforc lifft wedi ei lwytho ar silff fach debyg i resel beic. Gwaeddodd gyrrwr y lorri ar Jac mewn acen gogledd Lloegr gref.

'That's us, then, Mr Evans.'

Sylwodd Daf am y tro cyntaf ar ddynes ifanc â gwallt melyn hir yn dod allan o'r sied. Edrychodd draw i gyfeiriad Jac a Daf, wedyn galwodd yn ôl ar yrrwr y lorri:

'Aren't you stopping for your dinner, Kev?'

Rhaid mai gwraig Jac oedd hi felly, i roi'r ffasiwn wahoddiad.

'All Mr Dafis gael pryd o fwyd efo ni hefyd, hei, Low?' awgrymodd Phil.

Gwelodd Daf yr hanes i gyd yn llygaid Lowri: roedd hi'n caru ei gŵr ond roedd Jac yn peri gofid iddi hefyd. Dyn golygus, aer i fferm fawr – roedd o'n dipyn o *good catch*, ond ar ôl ei ddal o roedd yn rhaid iddi fyw efo fo. Rhannodd Phil gipolwg â'i ferch yng nghyfraith, fel petai yntau hefyd yn amheus ynglŷn ag ymateb Jac. Mae'n rhaid bod dyn y lorri yntau wedi sylwi nad oedd llawer o groeso yn wyneb Jac.

'I'll get back up the road, thanks, Missus. I'll get back in the light if I'm off now.'

Llanwodd y buarth â sŵn yr injan bwerus. Aeth Jac i'r cab i lofnodi'r gwaith papur, ac ar ôl bip-bip cyfeillgar ar y corn, cychwynnodd y lorri ar ei thaith. Caewyd drws mawr y sied nes roedd y sŵn yn diasbedain dros y buarth. Torchodd Jac lewys ei foilars er mwyn edrych ar ei wats.

'Gawn ni eu setlo nhw i mewn pnawn 'ma. Cinio ymhen deg munud, ie?' bloeddiodd.

Gobeithiodd Daf fod Lowri druan wedi cael digon o amser i baratoi cinio i ddwsin o bobl – hi oedd y gyntaf o'r grŵp i fynd i fyny i'r tŷ – ond erbyn i Daf gerdded drwy'r drws efo Phil, roedd hi wedi tynnu ei boilars a gwisgo'i brat, ac roedd arogl braf yn dod o'r gegin. Dyma'r ddelwedd o wraig fferm berffaith, meddyliodd Daf. Roedd yn teimlo braidd yn anesmwyth gan nad oedd Jac wedi caniatáu ei bresenoldeb wrth y bwrdd yn ffurfiol, ond eisteddodd wrth ymyl Phil ym mhen pellaf y bwrdd. Daeth casserôl enfawr o'r ffwrn ac, yn amlwg, doedd y rheol 'ladies first' ddim yn cyfri yn Nolfadog: Jac gafodd ei fwyd gyntaf, wedyn Phil, Daf ac yn y blaen hyd at y ferch yn ei harddegau oedd yn eistedd gyferbyn â Phil. Fel gyda'r ieir, roedd trefn i'r pigo yn y tŷ.

'Dim dympling i fi, Mrs Evans,' dywedodd y ferch mewn llais bach swil.

'Paid â dweud dy fod di ar ddeiet!' jociodd Phil.

'Na, dwi'n mynd yn *gluten free*.'

'*Gluten free*? Be ydi nonsens felly, Emm? Rho dympling mawr iddi hi, Lowri – does neb yn mynd yn *gluten free* dan y to yma.'

Llais Jac oedd llais y bwli, llais dyn sy'n arfer cael ei ffordd ei hun. Cymerodd y ferch y bwyd, ond roedd yn amlwg i Daf pan edrychodd ar wyneb Lowri nad oedd hi'n hapus i fod yn rhan o'r bwlio. Roedd ganddi drefn aruthrol o dda, o gofio'i bod hi wedi gwneud ei siâr ar y buarth hefyd. Meddalodd ei hwyneb ryw fymryn pan safodd wrth ochr ei gŵr, a meddyliodd Daf pa mor od oedd teuluoedd fel hyn, yn rhannu cartref a gweithle.

'Dech chi wedi cadarnhau mai Heulwen ydi'r corff bellach?' gofynnodd Phil yn dawel.

'Den ni'n mynd i mewn i'r adeilad y pnawn 'ma – mi oedd yn rhaid sicrhau bod y safle'n saff gynta.'

'Mr Dafis,' galwodd Jac i lawr y bwrdd. 'Be am i ni fwyta'n pwdin yn y swyddfa? Allwn ni gael sgwrs fech sydyn, ie?'

Felly, efo powlen llawn tarten afal a chwstard yn ei law, dilynodd Daf y dyn ifanc drwy'r ddrysfa o ystafelloedd o'r hen dŷ i'r stafell yng nghornel y tŷ mawr. Edrychodd Daf o'i gwmpas ar y nenfwd uchel, y ffenestri *sash* gwreiddiol, y lle tân mawr marmor a'r llenni melfed moethus. Dipyn o wastraff o stafell grand, meddyliodd Daf. Roedd desgiau plaen, cyfrifiaduron a chypyrddau ffeilio lond y lle, yn union fel petai'r stafell wedi cael ei meddiannu dros dro ar gyfer ymgyrch filwrol.

'Mae angen stafell ddigon mawr i bedwar ohonon ni weithio ar yr un pryd,' esboniodd Jac, gan setlo wrth y ddesg fwyaf. 'Finne, Low, Marion sy'n cadw'r *books* yn syth a Dad ... ond dydi o ddim yn ddyn mawr am waith papur. Doedden ni byth yn defnyddio'r stafell 'ma, heblaw ar gyfer parti neu ddau dros y Dolig, falle.'

'Oedd dy fam yn hapus efo'r newid?'

'Dech chi ddim yn deall. Roedd ganddi wastad un rheswm ar ôl y llall i fynd o'ma, i wneud rwbeth mwy diddorol. Mi gafodd hi gwpwl o bartïon yma pan oedd y Cyngor Sir yn flaenoriaeth iddi, ond erbyn hyn mae hi'n entertainio'r bobl fawr yng Nghaerdydd. Dwi'n falch, a dweud y gwir – roedd hi'n ein gorfodi ni i fynd o gwmpas efo'r *nibbles* ar blatiau mawr, a dwi'm yn hoff iawn o fod yn was bach i neb.'

'Oedd dy dad yn hoffi'r partïon?'

'Ddim yn sbesial – doedd dim digon o gyfleoedd i fflyrtio i'w siwtio fo. Ond beth bynnag, dydi hi ddim wedi boddran ers ... ers bron i ddegawd rŵan. Ers iddi hi sylwi nad oedd ganddi siawns i fod yn arweinydd y Cyngor. Wastad isie bod yn fòs, dyna Mam.'

'Oedd dy fam a dy dad yn agos?'

'Doedd hi ddim yn agos at neb. Ast oer oedd hi, ac os mai hi sy wedi cael ei llosgi, mi fydda i'n falch.'

'Pam hynny?'

'Doedd ganddi hi ddim smic o ddiddordeb ynddan ni. Mae

Gruff a Nans wedi hen fynd, a dyma fi yma o hyd, yn gweithio fflat owt.'

'Ond mae busnes reit dda fan hyn, 'sen i'n dweud.'

'Ddim yn rhy ddrwg erbyn hyn, ond pwy greodd gystal ffarm? Doedd neb wedi gofalu'n iawn am Dolfadog ers i Wncwl How farw, cyn fy ngeni i. Pwy gododd y *laying unit*? Finne. Pwy benderfynodd gael gwared â'r buchod llaeth a symud i fagu eidion? Finne. A phwy aeth ar ofyn y rheolwr banc am fenthyciad o hanner miliwn i roi'r lle ar ei draed? Roedd yn iawn i Mam smalio bod yn wraig ffarm berffaith o flaen ei ffrindiau ar y pwyllgor hyn a'r llall, ond pwy oedd yn bwydo'r ŵyn swci? A phan ddiflannodd y cynorthwyydd wyna ar ôl gormod o *hassle* gan Dad, pwy gollodd fis o waith ysgol i sortio'r llanast? Dwi'n dweud wrthech chi, Mr Dafis, mae Low a finne'n ysu i gael plant, ond den ni ddim yn mynd i'w cael nhw nes y byddwn ni'n sicr bod gennon ni'r amser i'w magu'n iawn. Ches i ddim ieuenctid, Mr Dafis, dim cyfle i fynd i'r coleg, dim siawns i wneud unrhyw gamgymeriad. Ges i fy magu gan ast a thwpsyn gwan, a dwi'n tynnu baich mawr o ddyled ar f'ôl bob blydi bore. A rŵan, mae gen i un deg chwech o filoedd o ieir i'w setlo, eu cael nhw i ddodwy'n iawn, er mwyn talu'r morgais ar y sied fawr, i gael pres i'w fuddsoddi yn y ffarm gyfan.'

Newidiodd Daf ei feddwl – nid bwli oedd Jac ond dyn ifanc ar ben ei dennyn.

'Pryd welest ti dy fam ddiwetha?'

'Cyn y penwythnos. Dydd Iau, dwi'n meddwl, achos mi ddaeth y ffariar draw i weld y lloi. Roedden nhw'n sgowrio'n ddifrifol.'

'Aeth hi at y fet i nôl presgripsiwn?'

'Hithe? Dim ffiars o beryg. Beth bynnag, dim ond *rehydration* oedden nhw'i angen yn y pen draw, ac mae gen i ddigon o Elanco i'w roi iddyn nhw. Roedd rhaid cael profion, rhag ofn bod 'na rwbeth gwaeth, ond daeth yr *all-clear* drwodd fore dydd Llun, pan o'n i yn y Trallwng.'

'Biciest ti i mewn i weld dy fam o gwbwl?'

Cododd y dyn ifanc ar ei draed.

'Sgen i ddim ddigon o amser i fynd drwy bopeth. Mi weles i hi ddydd Iau.'

'Ond est ti i'r swyddfa?'

'Do, ond doedd y ferch fech ddim wedi ei gweld hi, a doedd gen i ddim ddigon o amser i falu awyr efo llond treiler o *stores* yn brefu tu allan.'

Cododd Daf hefyd – roedd o'n digwydd bod yn sefyll rhwng Jac a'r drws.

'Pam oeddet ti isio ei gweld hi?'

'Angen iddi lofnodi dogfen, dyna'r cwbwl. Mae hi'n dal yn bartner yn y busnes, hyd yn oed os nad oedd hi'n cymryd smic o ddiddordeb.'

'Pa ddogfen oedd honno, Jac?'

'Dim byd pwysig. Ynglŷn â phrydles sy gennon ni, ochor Llangadfan. Mae dros ddau gan erw ar tac yno, ac mae'r brydles yn dod i ben. Rhaid i bob partner lofnodi'r ddogfen, y brydles newydd, dyna'r cwbwl.'

'Ond, roedd dipyn o frys arnat ti?'

'Mae o'n dir da, Mr Dafis. Dwi ddim isie'i golli o. Mae pobl eraill ar ei ôl o, yn bendant.'

'Dwi'n deall.'

'Mae'r lle 'ma yn ffarm dda ond duwcs, mae costau'n uchel hefyd. Rhaid cadw'r *turnover* yn ddigon uchel, ac mae gormod o *passengers* yn y busnes yma. Felly, fel jig-so, mae pob menter sy gennon ni'n ddibynnol ar ddarnau eraill o'r ffarm.' Camodd Jac yn nes i'r drws. 'Dech chi wir yn meddwl mai hi oedd yn y swyddfa, ei bod hi wedi marw?'

'Mae'n edrych yn debyg, dwi'n amau.'

Bu Jac yn dawel am eiliad hir, fel petai angen amser i feddwl.

'Hm,' dywedodd o'r diwedd. 'Mae Low a finne'n byw yn yr helm ac mae o'n lle bach teidi, ond os ydi *hi* wedi mynd, allwn ni symud i mewn fan hyn. Sen ni'n gallu rhentu'r helm allan ar gyfer gwyliau, a byddai'r elw'n gallu talu am bymtheg o loi sugno newydd.'

Gwelodd Daf sefyllfaoedd tebyg o'r blaen – pobl yn ymateb i golled drwy ganolbwyntio ar bethau ymarferol – ond roedd rhywbeth oeraidd iawn yn llais y dyn ifanc.

'Be am dy dad?'

'Mi all o wneud fel mae o'n mynnu. Dwi ddim yn rhagweld y bydd o'n aros yn sengl am hir iawn.'

'Wyt ti'n nabod Basia Bartoshyn?'

'Tarten ddiweddara Dad? Wedi cwrdd â hi gwpwl o weithiau.'

'Wyt ti'n gwybod bod dy dad wedi cynnig gadael dy fam amdani hi?'

Cododd Jac ei aeliau.

'Wastad rwbeth newydd. Pam fyddai o'n mentro'r ffasiwn beth?'

'Achos mae o'n meddwl y byd o Basia.'

Roedd chwerthiniad Jac yn chwerw.

'Mae o wastad yn meddwl y byd o ryw lodes neu'i gilydd. Ro'n i wedi arfer efo hynny cyn gadael yr ysgol gynradd.'

'Sori, cog: nid busnesa ydw i, ti'n gwybod hynny.'

'Dwi'n deall yn iawn, ond rhaid i chi ddysgu ffasiwn deulu ydi Evans Dolfadog. Does gan neb smic o barch na hoffter at ei gilydd, a den ni'n cyd-fyw o dan yr un to achos bod rhaid. Mae Nans a Gruff wedi mynd, ond dwi'n benderfynol o aros – dwi'n haeddu'r ffarm yma ar ôl yr holl waith dwi wedi'i wneud. A rŵan, rhaid i mi fynd.'

Ar ei ffordd i lawr y wtra, a ffenest y car ar agor yn yr heulwen braf, clywodd Daf lais Jac yn gweiddi y tu ôl iddo:

'Switsha'r ffycin ffan mlaen, nei di, Dad? Mi fyddan nhw'n rhostio cyn dodwy yn y gwres 'ma.'

Cofiodd Daf y lluniau fu yn y papur bro dros y blynyddoedd: 'Rhodd hael gan deulu Dolfadog', 'Teulu Breeze-Evans yn mwynhau Ffair Llanerfyl' ac ati. Roedd y lluniau i gyd yn debyg: gwên fawr ar wyneb Heulwen, diflastod ar wyneb ei gŵr, ond be am y plant? Dim byd, dim ond llygaid gwag yn wynebu'r byd, actorion ifanc yn cerdded drwy rôl oedd wedi cael ei chyfarwyddo gan eu mam. Edrychodd Daf ar gloc y car, oedd yn dangos ei bod yn ddau o'r gloch – hen bryd i Steve agor y swyddfa gefn. Brysiodd Daf i lawr y briffordd i'r Trallwng, ei ben yn llawn o wynebau gwahanol Heulwen Breeze-Evans.

Pennod 4

Pnawn Mawrth, Ebrill 12, 2016

Chwarae teg i Steve, roedd y lleoliad trosedd yn drefnus tu hwnt. Roedd tarpolin enfawr ar y palmant, yn barod i'w roi dros yr adeilad rhag y glaw, a sawl acroprop wedi cryfhau'r strwythur. Roedd pedwar SOCO, yn eu siwtiau gwyn, yn barod i fynd i mewn. Roedd Steve ar y ffôn felly daeth Nev draw at Daf gyda'r newyddion diweddaraf.

'Mae goriad y drws ganddon ni, bòs,' cychwynnodd yn awyddus. 'Mi gafodd Nia fo gan Rhys Bowen pan aeth hi draw i'r ffatri heddiw bore. Ac wrth edrych arno fo, dwi bron yn bendant bod un tebyg ar y *keyring* ffeindiais i yn y Discovery.'

'Hen bryd i ni fynd i mewn, felly. Oes siwt wen sbâr yn rhywle?'

Daeth Nia i'r golwg gyda bocs o ddillad priodol a chwiliodd drwyddo.

'Ti'n lwcus, bòs: dim ond un siwt maint *chubster* sydd ar ôl.'

Gwenodd Daf ei ymateb, ac roedd yn rhaid iddo gyfaddef ei bod yn dipyn o frwydr i dynnu'r defnydd tenau dros ei gorff heb ei rwygo. Rhoddodd y sanau plastig dros ei esgidiau ond arhosodd tan y munud olaf cyn tynnu'r cwfl i fyny. Clustfeiniodd ar ychydig o sgwrs Steve ar y ffôn:

'If you could get your team with the 360 degree cameras over here first thing in the morning ...'

Teimlodd Daf ei ffôn yn canu yn ei boced, ond heb ddadwisgo, allai o mo'i ateb. A dau bâr o fenig amdano, cymerodd y goriad o gledr llaw Nev a chamodd i'r adeilad. Brysiodd Steve ar ei ôl.

'Make sure you stick on the common approach path, boss, and do you want a mask?'

'I'm good for a mask, thanks, Steve. You come right behind me with the tape and we'll mark out the path in that back room.'

Tu ôl i'r drws ffrynt, oedd wedi stumio yn y gwres, roedd coridor cul gyda grisiau a dau ddrws, un i'r chwith a'r llall yn syth ymlaen.

'Tread very carefully here, boss,' rhybuddiodd Steve.

Trodd Daf y goriad yn y clo a chlywodd glic. Roedd pren y drws yn ddu i gyd ond, yn amlwg, doedd y tân ddim wedi toddi'r metal yn y clo. Gwthiodd y drws yn ofalus iawn ac agorodd, gan ryddhau cwmwl tew o lwch a mwg. Camodd Daf i mewn yn ofalus, yn falch o weld yr acroprop oedd wedi ei godi y tu allan i gryfhau'r trawst uwchben y ffenest. Roedd yr arogl cyfarwydd yn gryf er nad oedd gwydr yn y ffenest, a synnodd Daf pan welodd fod cymaint o'r corff ar ôl heb ei losgi – byddai dipyn i'r patholegydd weithio arno felly. Roedd hyd yn oed ychydig o'r dillad i'w gweld. Pesychodd a throdd i weld wyneb gwelw Steve.

'Ocê, cog?'

'Yeah, boss. I told you ... about the fire thing.'

'And you're coping grand, aren't you?'

Nodiodd Steve ei ben yn anesmwyth. Clywodd y ddau ohonyn nhw glic, a gweld bod y ffotograffydd wedi eu dilyn i'r swyddfa. Edrychodd Daf o'i gwmpas. Roedd yn falch o weld bod y cypyrddau ffeilio wedi goroesi'r tân – roedd o'n awyddus iawn i weld pa gyfrinachau oedd y tu mewn i'r rheini. Efallai y byddai rhai dogfennau'n dal i fod yn ddarllenadwy, ond wnâi o ddim dal ei wynt gan fod papur yn gymaint mwy hylosg na dur. Edrychodd eto ar y corff. Roedd hi'n eistedd yn y gadair wrth y ddesg. Mae'n rhaid bod effaith y mwg wedi bod yn sydyn os na chafodd hi gyfle i godi ar ei thraed, hyd yn oed. Safodd Daf ar rywbeth – yn yr ystafell dawel roedd y sŵn crensian fel ergyd gwn.

'Perhaps we'd better leave the SOCOs to it, boss,' awgrymodd Steve yn gwrtais.

Plygodd Daf i weld beth oedd o wedi'i falu a gwelodd botel fach wydr debyg i'r rhai a welodd yn y Discovery.

'Well i ni geisio darganfod o ble daeth hon,' awgrymodd wrth y SOCO agosaf.

'Iawn, Inspector Dafis,' ymatebodd hi, efo gwên. 'Ydi'n bosib i chi geisio peidio malu'n tystiolaeth ni?'

'Caria 'mlaen, lodes.'

Roedd o'n falch iawn o gael dianc i'r awyr agored. Dadsipiodd y siwt wen er mwyn estyn am ei ffôn.

'Anwen, Daf Dafis sy 'ma.'

'O. Helô.' Roedd ei llais yn gysglyd, fel petai newydd ddeffro.

'Anwen, be oedd Mrs Breeze-Evans yn ei wisgo ddoe?'

'Trowsus llwyd, sgidiau brown a siwmper werdd. Gwyrdd tywyll, dwi'n meddwl.'

'Diolch yn fawr, lodes. Tan faint o'r gloch oeddet ti yn y swyddfa neithiwr?'

'Tan tua saith. Roedd 'na dipyn o fynd a dod, ond dim byd i mi ei wneud, felly gadewais tua saith.'

'Dipyn o fynd a dod, ddwedest ti?'

'Ie. Pobl i weld Mrs Breeze-Evans.'

'Pobl oeddet ti'n nabod?'

'Dwi'n nabod ei mab, wth gwrs, a Rhys Bowen. Daeth y bois o lan staer lawr am ryw reswm, wedyn rhyw ddynes do'n i ddim yn ei nabod. A dweud y gwir, mi fu dipyn o ffrae rhyngddyn nhw, gododd embaras arna i. Wedyn daeth rhyw lanc i mewn, un arall do'n i ddim yn ei nabod, dyn ifanc ... rhyfedd. Golwg fel trempyn arno fo.'

'Ocê, Anwen. Dwi'n bendant rŵan mai Mrs Breeze-Evans oedd yn yr ystafell gefn, felly mae'n rhaid i ti wneud datganiad. Alli di ddod i mewn i'r orsaf fory?'

'Oes raid i mi?'

'Mae'n rhaid. Sori i greu poen i ti, lodes.'

'Iawn. Dech chi wedi clywed eto pryd fyddan nhw'n cychwyn dewis ymgeisydd arall ar gyfer yr etholiad?'

'Aros am eiliad, lodes – dydi'r ymgeisydd yma ddim yn ei bedd eto! Wela i di'n nes ymlaen.'

Fel arfer roedd Daf yn ddyn amyneddgar iawn, ond un peth fyddai'n ei wylltio bob tro oedd rhywun yn ceisio tynnu ei sylw pan oedd o'n siarad ar y ffôn. Roedd Nev a Sheila yn ymwybodol o'i holl wendidau, felly doedd gan y ddau ddim esgus o gwbl am dynnu wynebau a chwifio'u dwylo. Felly, wrth orffen ei sgwrs gydag Anwen, roedd o'n flin dros ben.

'Be dech chi'n ceisio'i wneud, yr hurtynnod? Ro'n i'n siarad efo tyst pwysig, a chi'n dau'n bihafio fel ... fel ecstras yn *Mary* blydi *Poppins*! Mi wnaethoch chi bob dim ond canu "Chim Chim Che-blydi-ree".'

'Rhaid i mi gael gair, bòs,' mynnodd Sheila. 'Den ni wedi cael galwad ffôn gan HQ ac maen nhw'n anniddig iawn am ...'

Nid oedd Daf eisiau gwrando, ac yn sydyn, gwelodd yr esgus perffaith yn dod dros y bont o'r gamlas. Roedd merch tua deg ar hugain oed oedd â gwallt byr, tywyll, yn cerdded yn bwrpasol tuag ato. Camodd y ferch dros y tâp diogelwch fel petai hi wedi hen arfer gwneud hynny, a phan drodd hi wrth groesi'r cordres, gwelodd Daf y rheswm am fodolaeth Lycra, sef y pen ôl mwya siapus iddo'i weld erioed. Cofiodd ddarllen un tro am ymdrech yn nhalaith Montana i wneud legins tynn yn anghyfreithlon – cyn gweld yr olygfa hon doedd Daf erioed wedi gweld rheswm am wneud hynny, ond rŵan, deallai'n iawn pa mor beryglus y gallai dilledyn o'r fath fod. Petai'n digwydd bod yn gyrru car a hithau'n pasio ... Rhegodd dan ei wynt. Cerddai'r ferch ddieithr fel paffiwr ar beli ei thraed a rhedodd ffantasi drwy ben Daf ohoni'n bocsio yn y gampfa, yn sbario yn erbyn merch arall, yn ei dillad tyn, yn chwys i gyd. Diffyg cwsg oedd ei esgus ond y gwir oedd, waeth faint roedd o'n caru Gaenor, roedd y ferch yma wedi dal ei lygad, petai ond am eiliad.

'Inspector Dafis?' gofynnodd, gan estyn ei llaw i Daf.

'Daf Dafis ydw i,' atebodd Daf, yn ymwybodol o lygaid aelodau ei dîm arno, ac yn falch hefyd nad oedd ei bronnau cweit cystal â'i thin.

'Belle Pashley. Dwi 'di dod â'r cŵn carbon.'

Cafodd Daf esgus i edrych ar ei chrys T: roedd llun o gi arno a logo – cartŵn yn dangos ci yn gwrando'n astud a'r enw J. S. Bark!

‘Braf iawn i gwrdd â ti, Belle. Den ni newydd agor ystafell gefn yn yr adeilad. Rhaid gwneud y safle’n saff, wrth reswm.’

‘Mr Dafis, rydan ni’n gwneud pedwar tân mawr bob wythnos, a dwi’n gwybod y drefn.’

‘Oes tîm ohonoch chi?’

‘Wrth gwrs. Fi, DJ, Saunders a Valentine.’

Roedd y sefyllfa’n mynd yn fwyfwy swreal – roedd merch o’i flaen mewn legins ddylai fod yn anghyfreithlon, wedi dod i’w helpu i ymchwilio i achos o losgi bwriadol yng nghwmni triawd Penyberth. Ceisiodd gadw’r dryswch o’i wyneb ond methodd yn llwyr â meddwl am ateb.

‘Y cŵn, Mr Dafis. Tri o’r llamgwn mwya medrus yn y byd.’

‘Wrth gwrs. Dwi’m yn meddwl bod y safle’n barod ar hyn o bryd, felly os ydech chi’ch pedwar isie mynd am goffi bach sydyn, neu bowlen o Wynnagold i’r trŵps, wrth gwrs ...’ Roedd Daf yn gwybod ei fod yn siarad sothach ac roedd yr olwg yn llygaid Sheila yn dyst iddi weld ei bòs fel hyn o’r blaen, yn siarad rwtsh i geisio cuddio’r ffaith ei fod o mewn dyfroedd dyfnion.

‘Newydd gyrraedd ydan ni. Mi fyddwn ni angen ymestyn ein coesau cyn cychwyn beth bynnag. Oes ’na barc gerllaw?’

‘Parc Castell Powys. Mae ’na giatiau mawr iddo yng nghanol y dre.’

Crychodd ei thrwyn siapus fel petai Daf wedi awgrymu rhywbeth ffiaidd.

‘Oes ’na geirw yno?’

‘Oes, tad, llwyth o geirw gwerth eu gweld.’

‘Mae’n gas gan Valentine geirw – maen nhw’n ei yrru’n wallgo. Well iddyn nhw gael tro bach sidêt wrth y gamlas.’ Trodd Belle ar ei sawdl i nôl ei chŵn o’r fan.

Yn ystod y sgwrs, roedd Sheila yn ymdrechu’n wyllt i dynnu sylw Daf. Pan oedd Belle wedi mynd, cafodd Sheila afael ar siaced Daf.

‘Bòs, mae HQ wedi dweud na chawn ni wario ceiniog arall yn allanol, sy’n cynnwys y cŵn carbon ’na.’

‘Am be ti’n sôn?’

'Mae Steve wedi mynd fel hwch drwy'r siop ac wedi dychryn y bobl cyllid. Mae o wedi bod yn gwario'n seriws, bòs,' ychwanegodd Nev.

'Ar be? Dim ond ffotograffydd a, be, pedwar neu bump SOCOs ...?'

Roedd Daf yn edmygus, unwaith eto, o safon Cymraeg Sheila pan oedd hi dan straen.

'Ond mae o wedi gordro Virtual Reality Crime Scene. Mae rhyw gwmni o Rydychen yn dod i fyny efo'u camerâu 360 gradd, ac maen nhw'n mynd i greu platfform *interactive* ...'

'Rhyngweithiol, Sheila.'

Diolch, rhyngweithiol ... a bydd pob tamaid o'r dystiolaeth yn cael ei yplôdio.'

'Ei lwytho i fyny,' cywirodd Daf, yn ddiolchgar am y nosweithiau a dreuliodd yn helpu'r plant efo'u gwaith cartref technoleg gwybodaeth.

'Ond,' torrodd Nev ar draws, 'mae o'n costio bom!'

'Mae Dilwyn Puw wedi addo cŵn carbon i ni,' eglurodd Daf, yn ymwybodol pa mor od oedd ei frawddeg yn swnio.

'Well i ti ei ffonio fo, bòs,' awgrymodd Sheila, 'achos unwaith mae Miss Trowsus Tynn yn cychwyn ar ei gwaith, bydd yn rhaid i ni dalu am ei gwasanaeth. A Nev, paid â meiddio meddwl am y peth – mae hi'n rhoi cogie fel tithe yn ei blender bob bore ac yn eu hyfed nhw fel smŵddi.'

Ceisiodd Daf ffonio Dilwyn Puw: peiriant ateb.

'Pa mor dda fydd y peth Virtual Reality 'ma, dech chi'n meddwl?' gofynnodd.

Ochneidiodd Sheila fel mam brofiadol yn disgrifio ymddygiad ei phlentyn.

'Newydd orffen y cwrs mae Steve, bòs: mae o'n disgrifio'r system fel "state of the art". Does neb yng Nghaerfyrddin erioed wedi defnyddio'r peth, ond, o be glywais i amser cinio, mi fydd cyllid yr ymchwil cyfan yn mynd fel'na.' Cliciodd Sheila ei bysedd.

Pasiodd Steve drwy'r drws ffrynt, yn tynnu ei fwgwd.

Gwyddai Daf pa mor galed roedd o'n gweithio i gyflawni ei ddyletswyddau newydd ac i feistroli ei ofn. Byddai'n biti tanseilio'i statws yn ei rôl newydd. Ffoniodd Dilwyn Puw unwaith eto, heb lwc.

'Mae'n rhaid i ti ei berswadio fo i ganslo'r peth VR, bòs,' cynghorodd Sheila. 'Neu'r cŵn carbon, un neu'r llall.'

'Ond be os ydi o wedi rhoi ei fryd ar y peth, Sheila? Ei dro cynta yn rheoli safle ...'

Roedd Steve wedi tynnu'r tâp oddi ar ei faneg dde er mwyn rhyddhau ei law i deipio'i nodiadau diweddaraf ar ei dabled. Daeth un o'r SOCOs allan i ofyn cwestiwn iddo – cafodd ymateb prydlon ac aeth yn ôl i'r adeilad. Yn bendant, roedd Steve yn gwneud gwaith da.

Daeth Belle Pashley yn ôl i'r golwg, efo'i chŵn ar dennyn. Nid oedd Daf yn hoff iawn o gŵn o ganlyniad i dros ugain mlynedd o geisio osgoi cŵn defaid ei frawd yng nghyfraith, ond roedd yn rhaid iddo gyfaddef fod y rhain yn gŵn hyfryd. Roedd dau ohonyn nhw'n ddu a gwyn a'r llall â marciau lliw siocled, ac roedd eu cotiau'n drwchus ac yn drwsiadus. Dechreuodd Daf deimlo'n dwp wrth feddwl pa mor ddeallus a gweithgar oedden nhw. Fel y dywedodd Mrs Thatcher am Gorbachev, teimlai Daf y byddai'n bosib iddo gyflawni unrhyw beth efo'r cŵn yma, a'u harweinwraig.

'Ti ydi'r CSM, Inspector?' gofynnodd Belle.

'Nage, Ditectif Sarjant Steve James ydi hwnnw.'

'Iawn 'ta. Os ydi'r ffotograffydd wedi gorffen, awn ni i mewn?'

Penderfynodd Daf oedi i ladd amser.

'Rhaid i mi jecio ynglŷn â'r ffotograffydd. Nev, wnei di ofyn i Steve sut mae'r lluniau'n edrych?'

Gwenodd Belle am y tro cyntaf, gan ddangos rhes o ddannedd gwyn oedd yn cyferbynnu â'i hwyneb brown golau. Lliw haul go iawn, nid *fake bake*, dyfalodd Daf. Roedd golwg un oedd yn mwynhau'r awyr agored arni.

'Mae'n braf iawn clywed yr iaith Gymraeg yn y gweithle,

rhaid i mi ddweud. 'Dan ni'n gwneud lot o waith yn ochrau Glannau Merswy ond hyd yn oed yng Nghymru, dwi ddim yn clywed pobl yn ei siarad fel hyn yn aml.'

'Mae'r bòs yn siarad Cymraeg efo ni os den ni'n deall neu beidio,' esboniodd Sheila. 'Yn y tymor hir, mae'n haws dysgu.'

'Chwarae teg i chi, wir.'

'A hefyd,' ychwanegodd Sheila, 'mae'n dacteg glyfar: mae siaradwyr Cymraeg yn teimlo'n gartrefol yn y tîm yma, felly does neb yn gofyn am drosglwyddyn.'

'Sori, Sheila, *transfer* fel rwbeth wyt ti'n ei roi ar ddefnydd yw trosglwyddyn, neu'r math o beth mae plant yn ei ddefnyddio i wneud llun. Trosglwyddiad ydi'r gair am *transfer* fel symud o un orsaf heddlu i'r llall,' eglurodd Daf, yn dangos ei hun o flaen y ferch ifanc.

'Mae fy chwaer yn Drefnydd yr Urdd,' meddai Belle. 'Mi fydd hi'n falch iawn o glywed yr hanes yma!'

'Esgusoda fi am eiliad – rhaid i mi wneud galwad ffôn,' ymddiheurodd Daf.

'Dwi'n deall bod heddiw'n ddiwrnod prysur. Dwi wastad yn rhoi blaenoriaeth i achosion lle mae corff. Mae'r bois bach a fi i fod yn Kington heddiw, ond ddim ond yr hen, hen stori to gwellt sy'n fan'no.'

'To gwellt?' gofynnodd Daf, wrth bwyso'r botwm i ailddeialu.

'Ar ôl hanner can mlynedd, rhaid cael to newydd ac mae'n joban go ddrud. Mae'r perchnogion yn meddwl eu bod nhw mor glyfar yn rhoi matsien yn y to a gwneud cais ar y siwrans. Mae'r bois yma'n arbennig o dda mewn sefyllfaoedd felly – mae Saunders yn gallu arogli meths drwy wal frics, bron.'

Unwaith eto, nid oedd y Dirprwy Brif Gwnstabl yn ateb ei ffôn. Daeth y ffotograffydd allan ac roedd yn rhaid i Daf wynebu Steve.

'Rhaid i mi jyst siarad efo DS James am eiliad,' eglurodd wrth Belle, yn nerfus. Nid oedd golwg amyneddgar arni o gwbl.

'Steve, we need to have a word,' mentrodd.

Nid oedd y sgwrs yn un hawdd. Pan ddisgrifiodd Steve fanteision y system VR, llwyddodd i berswadio Daf ei fod yn syniad gwych, ond pan glywodd am y gost bu bron i Daf gael harten.

'It's a budget buster, Steve – we just can't justify it.'

Dechreuodd Steve ganu clodydd y system drachefn, ac unwaith yn rhagor, dechreuodd Daf gredu y byddai'n amhosib datrys unrhyw drosedd heb y platfform rhyngweithiol. Ceisiodd ailafael yn ei synhwyrau.

'But we can't afford this *and* the dogs, Steve, and the dogs are here.'

Gwyddai Daf ei bod yn ddadl wan. Erbyn hyn roedd y tywydd wedi oeri a'r pnawn yn prysur ddiflannu. Cerddai Belle yn ôl ac ymlaen, ei hamynedd yn pallu. Cyn i Daf orfod meddwl am reswm gwell, gwelodd Dr Mansel yn agosáu.

'Dwi 'di clywed bod un o'm cleifion wedi marw,' meddai wrth Daf.

'Indeed, Dr Mansel, but you won't be able to do much for her now,' atebodd Steve.

'Dwi yma i wneud y ROLE. I'm here for the ROLE.'

Hyd yn oed yn achos corff wedi ei losgi roedd yn rhaid dilyn y drefn. Yn gyfreithiol, roedd angen i feddyg neu barafeddyg wneud datganiad bod y person, yn wir, wedi marw, sef *recognition of life extinct*. Dim ond ar ôl y datganiad ROLE y gellid symud y corff.

'This is DC James: he's in charge,' eglurodd Daf.

Tra oedd Dr Mansel yn gwisgo, trodd Daf yn ôl at Belle.

'Mor sori am hyn, ond mae'r meddyg newydd gyrraedd a ...'

'Myn uffarn i, ma' isio gras! 'Dan ni'n colli'r golau dydd a dwi ddim yn barod i DJ, Saunders a Valentine gael eu hanafu yn y gwyll.' Swatiodd Belle i lawr i siarad efo'r cŵn, gan eu mwytho. Teimlodd Daf braidd yn genfigennus – byddai o'n falch iawn petai Belle yn goglais ei fol – ond meddyliodd am y caledwch yn ei llygaid, a mwynder Gaenor, a chyfrif ei fendithion.

O'r diwedd, ffoniodd Dilwyn Puw yn ôl.

'Beth yw'r broblem, Dafydd?' gofynnodd â min yn ei lais.

'Wel, dwi 'di ceisio cael gafael arnoch chi gwpwl o weithiau, syr ...'

'Dwi'n gwybod hynny'n iawn. Mi ganodd fy ffôn i hanner ffordd drwy'r deyrnged ro'n i'n ei rhoi i ffrind gorau fy nhad a gladdwyd heddiw.'

Cochodd Daf – nid dyma'r dechrau gorau i'r sgwrs.

'Mae hyn yn bwysig, syr.'

'Doedd pawb ym Methania ddim yn cytuno, ond dos ymlaen.'

'Den ni wedi gordro'n cŵn carbon fel yr awgrymoch chi heddiw bore, syr, ond erbyn hyn mae'r CSM wedi cysylltu efo rhyw gwmni ...'

'Dwi'n gwybod yr hanes. Wyt ti isie i mi wneud penderfyniad? Mi gei di'r cŵn hydrocarbon neu'r gêm o Sims yna, ond nid y ddau. Wyt ti'n deall?'

'Diolch i chi, syr, ac mae'n ddrwg gen i'ch styrbio chi yn ystod yr angladd.'

'Ddylen i fod wedi troi'r ffôn i ffwrdd. Dyn da oedd o, ffrind fy nhad.'

Hyd yn oed dros y llinell ffôn symudol wael, clywodd Daf y dagrau yn llais Puw. Doedd o ddim yn haeddu mwy o helynt. Erbyn hyn, roedd Belle wedi agor ei bag – un tebyg iawn i'r un ddefnyddiai Carys ar gyfer gwneud chwaraeon yn y chweched dosbarth – ac roedd wrthi'n rhoi bandiau *hi-vis* ar y cŵn, a bŵts bach coch am eu traed.

'Dwi erioed wedi gweld unrhyw beth mwy ciwt,' meddai Sheila mewn llais anarferol o dawel.

'Rhaid amddiffyn eu traed nhw rhag gwydr ac ati,' atebodd Belle yn swta. 'Nid anifeiliaid anwes ydyn nhw, ond rhan o 'musnes i.'

Disgynnodd diferyn mawr o law. Cododd Daf ei ben: roedd y cymylau wedi tewychu a'r nen i gyd yn dywyll. Clywodd lais Steve o'r adeilad.

'Get the tarp over! We need to make the place watertight.'

Yn ffodus, roedd aelod o'r tîm a gododd y propiau a'r sgaffaldwaith yn dal yno, ac o dan ei oruchwyliaeth roedd y safle yn saff rhag y dŵr ar ôl chwarter awr. Cyrhaeddodd yr ambiwlans i symud y corff, oedd yn golygu bod yn rhaid i Belle aros unwaith yn rhagor. Bachodd Daf ar y cyfle i siarad â Steve.

'We're not going to be able to afford the virtual crime scene, cog, mor sori.'

'If it's either or, I reckon we can do without the dogs.'

Clywodd Belle ei sylw, a ffyrnigodd.

'Ti'n gwybod be, Mr Dafis? Mi fydd Heddlu Dyfed Powys yn talu fy mil i, yn bendant. Dwi 'di bod yn hongian o gwmpas am oriau fel coc sbâr ar fis mêl, ac mae gen i gleients eraill yn aros amdana i.'

'Camddealltwriaeth ydi o, dim byd arall,' ceisiodd Daf egluro heb lawer o lwyddiant.

'Dach chi angen i mi gychwyn ai peidio?'

Yr eiliad honno, tawelodd pawb. Daeth dau o ddynion ambiwlans allan drwy'r drws, yn gwthio gwely troli. Roedd y corff arno, dan blanced. Camodd Daf draw i weld beth oedd ar ôl o Heulwen Breeze-Evans. Cododd y blanced am hanner munud a difaru ar unwaith – nid person oedd ar y gwely ond lwmpyn mawr o garbon. Arhosodd wrth ymyl yr ambiwlans nes i'r drws gau, a phan ailymunodd â Steve, doedd dim golwg o Belle.

'She's gone in, boss. Wouldn't fancy crossing her. Are you 100 percent about the VR?'

'Sori, was, mae'n rhy ddrud. Even if we cut the dogs, it would be way too expensive, HQ say.'

'Ok, ok.'

Roedd y siom yn amlwg ar ei wyneb. Ar ôl dysgu cymaint ar ei gwrs roedd disgwyliadau Steve yn hollol afreal – ymhen rhai blynyddoedd, efallai y byddai systemau fel hyn ar gael i bob heddlu, ond heddiw, dim ond breuddwyd oedd hi. Gwisgodd Daf ei siwt ddi-haint yn gyflym a dilynodd Belle i mewn i'r adeilad. Sylwodd ar unwaith mor dywyll oedd hi yno. O ddrws yr ystafell gefn gallai Daf weld y cŵn yn crwydro drwy'r llanast, eu pennau i lawr, yn snwffian. Cododd un ei ben fel petai rhywbeth newydd ddod i'w ffroenau, a charlamodd heibio i Daf a fyny'r staer.

'Be ti'n wneud, DJ?' galwodd Belle.

Nid oedd carped ar y staer felly roedd sŵn ewinedd DJ i'w glywed yn uchel ar y pren.

'Alli di fynd ar ei ôl o, Mr Dafis?' gofynnodd Belle, ei hwyneb yn llawer ysgafnach ar ôl cael dechrau ar ei gwaith. 'Rhaid i mi aros efo'r bois yma.'

'Wrth gwrs.'

Roedd traed Daf ar yr ail ris pan glywodd ei rhybudd:

'Cofia, mae popeth yn llithrig ofnadwy ar ôl tân, felly cymera ofal.'

Roedd hi'n llygad ei lle, wrth gwrs. Roedd y grisiau'n llithrig tu hwnt, a dŵr du wedi hel yn y coridor. Roedd Daf yn falch o'r dortsh fach ym mhoced ei siaced er mwyn gweld ei ffordd yn y mwrllwch. Ar dop y grisiau roedd landin bach cul, un drws ar gau a rhes gul arall o risiau, ac roedd yn amlwg o'r sŵn fod DJ wedi dringo i fyny i'r atig. Dilynodd Daf y ci, yn llithro bob cam ar y pren gwlyb o dan wadnau plastig y gorchuddion oedd am ei esgidiau. Roedd y drws gwyn uwchben y grisiau wedi cael ei wthio i mewn gan y dynion tân. Camodd Daf drwyddo – roedd dŵr a blas mwg ym mhobman ond roedd yn amlwg bod dynion y frigâd dân wedi llwyddo i reoli'r tân cyn iddo gael gafael ar yr ail lawr yn gyfan gwbl. Edrychodd o'i gwmpas. Nid fflat a welai ond un ystafell; roedd lle i wely ond fawr ddim arall. Yn lle bwrdd wrth y gwely safai oergell, ac yn y gornel, heb na drws na llen, roedd cawod a thoiled. Byddai'n rhaid dringo dros y gwely i gyrraedd y gawod, a doedd Daf ddim yn synnu bod Wiktor yn treulio'i amser efo Milek a Basia os mai hwn oedd ei gartref.

Doedd y diffyg lle ddim yn achosi problemau i'r ci – roedd DJ wedi gwasgu'i hun o dan y gwely a daeth i'r golwg yr ochr arall, yn cyfarth yn uchel. Roedd ei drwyn yn agos i'r wal wrth ochr y gawod ond welodd Daf ddim i egluro'i gyffro. Dringodd yn ofalus dros y gwely a baglodd dros bentwr o gylchgronau. Cofiai Daf y dyddiau pan fyddai llwyth o gylchgronau o dan wely llawer o ddynion sengl ond erbyn hyn doedd mo'u hangen – roedd y porn i gyd ar gael ar ffonau symudol. Ond pan blygodd i weld ffasiwn gylchgronau oedden nhw, darganfu nad *Hustler* neu *Razzle* oedd yn diddanu Wiktor fin nos ond cylchgronau hela *Lowiec Polski*, yn llawn lluniau cŵn a gynnau. Dechreuodd Daf amau natur perchennog y casgliad – roedd diddordeb mewn arfau yn dipyn mwy anfad na gwerthfawrogiad o'r corff benywaidd. Teimlai braidd yn dwp yn rhoi ei ffydd mewn ci, ond roedd yr anifail wedi cael ei hyfforddi, rhesymodd, felly trodd ei sylw yn ôl at DJ oedd â'i drwyn ar y wal. Curodd Daf arni efo'i ddwrn. Sŵn gwag. Sylwodd ar hollt rhwng y trawst a'r plasterbôrd.

'Oes 'na rwbeth tu ôl i hwn, ti'n meddwl, boi?' gofynnodd i'r ci wrth estyn am y gyllell boced a gafodd yn anrheg penblwydd llynedd gan Carys. Dim ond munud gymerodd hi i symud y plasterbôrd, a gwelodd Dar ar unwaith beth dynnodd sylw'r ci. Tu ôl i'r wal, yn y gofod triongl rhwng yr ystafell a'r bondo, roedd stordy yn llawn dop o nwyddau o Wlad Pwyl – poteli o fodca a chwrw, pentwr o selsig sych mewn pecynnau faciwm a sawl bocs cardfwrdd heb ysgrifen arnyn nhw. Tynnodd un o'r bocsys o'i guddfan a'i agor: dau gan pecyn o sigaréts, brand anghyfarwydd Fajrant, ac eryr lliw aur ar bob paced. Agorodd focs arall – pecynnau coch y tro yma, a'r enw Jan III Sobieski arnynt. Deallodd Daf yn sydyn pam roedd Wiktor a Milek mor awyddus i fynd i mewn i'r adeilad yn syth ar ôl i'r fflamau gael eu diffodd: fyddai neb yn fodlon peryglu ei fywyd jyst i nôl ei ddillad, ond i geisio osgoi cael ei erlyn am smyglo, roedd hynny'n wahanol. Mwythodd y ci.

'Da iawn wir, DJ,' dywedodd yn uchel, heb sylwi fod Belle yn sefyll yn y drws.

'Os wyt ti'n dechrau eu llongyfarch nhw, Mr Dafis, rwyt ti ar dy ffordd i fod cystal nytar â fi.'

Yn y tywyllwch, roedd ei dannedd gwyn yn sgleinio yng ngolau'r dortsh, gan wneud i'w hwyneb, yn union fel ei chorff yn ei siwt blastig wen, edrych fel petai'n gymeriad mewn ffilm sci-fi.

'Ogof lladron go iawn, 'de? Treuliodd DJ lot o amser llynedd yng Nghaergybi efo'r Customs: mae o'n un da iawn am ffeindio sigaréts.'

'Sut mae pethau'n edrych lawr staer?'

Gwgodd Belle.

'Dwi'n siomedig iawn ein bod ni wedi gwastraffu cymaint o amser. Tydan ni ddim hyd yn oed wedi mentro i'r fflat lawr staer. Ffeindiodd Saunders sedd y tân heb oedi, ond mae sawl peth yn y swyddfa 'na, ac yn y coridor, sy ddim yn gwneud synnwyr o gwbwl.'

'Mi fydd hi'n dywyll bitsh mewn awr.'

'Dwi'n gwybod. Mae gen i dair awr arall o waith i'w wneud yma, o leia. Dydi hi ddim yn deg i'r bois weithio tan naw o'r gloch y nos, heb sôn am y diffyg golau.'

'Be am fory?'

Hisiodd y ferch drwy ei dannedd.

'Dwi 'di addo mynd i safle yn Kington fory. Dwi'n gwneud dipyn o waith i'r cwmni siwrans ThatchKeepers – dwi wedi gohirio unwaith a fedra i ddim eu gadael nhw i lawr eto.'

'Be am bicio 'nôl fan hyn ben bore, a mynd yn syth lawr i Kington wedyn? Lle mae dy bencadlys di?'

'Penarlâg. Hawarden. Mi fyddai'n cymryd o leia dwy awr i fynd yn ôl yno heno, a hyd yn oed taswn i'n gadael yn gynnar yn y bore ...'

'Be os wyt ti'n aros fan hyn dros nos?'

Camodd Belle drwy'r drws. Yng ngolau gwan y ffenest yn y to roedd golwg amheus ar ei hwyneb, a chododd ei haeliau siapus.

'Un sydyn wyt ti, Mr Dafis,' atebodd, a thipyn o hiwmor yn ei llais ond mewn tôn oedd yn awgrymu ei bod hi'n ystyried treulio'r noson efo Daf.

'Nage, nage, lodes,' atebodd Daf yn gyflym, gan obeithio nad oedd ei edmygedd o'i phen ôl wedi bod yn rhy amlwg. 'Mae gennon ni stafell sbâr os nad wyt ti'n poeni am yr anrhefn sy'n canlyn babi chwe wythnos oed.'

Oedodd cyn ateb.

'Wel, mi fyddai hynny'n safio dros bedair awr yn y fan, yn bendant.'

'Oes 'na le i'r cŵn dreulio'r noson yn y fan? Achos ...' Methodd Daf â disgrifio pa mor anodd fyddai gwneud lle i dri chi bywiog mewn tŷ bach oedd eisoes yn orlawn.

'Oes, oes. Mae'r bois yn iawn – fi ydi'r broblem. Dwi 'di ystyried addasu campyr fan ar fy nghyfer i a'r cŵn, ond, yn aml iawn, dwi'm yn ffansïo aros yn y math o lefydd dan ni'n gweithio ynddyn nhw. Dwi'm isio deffro i ffeindio'r fan ar *breeze blocks*, Mr Dafis.'

'Dim llawer o beryg o hynny yn Llanfair Caereinion. Allwn ni bicio heibio'r Indian ar ein ffordd.'

'Ocê ... a diolch. Sori 'mod i braidd yn ... flin gynna. Hyn ydi fy mywoliaeth i, ti'n gweld. Rhaid i mi wneud yn siŵr bob amser 'mod i'n ennill digon i dalu'r *overheads*.'

'A dwi'n sori hefyd am fod mor chwit chwat – hwn ydi'r tro cynta i Steve reoli lleoliad trosedd. Do'n i ddim isie bod yn llawdrwm efo fo, ond roedd yn rhaid i mi ei atgoffa fo faint oedd o'n wario.'

Edrychodd Belle yn syth i mewn i lygaid Daf wrth ddweud: 'Dwi'n ddrud, ond dwi'n werth bob ceiniog.'

Fel arfer, roedd Daf yn giamstar ar y busnes fflyrtio. Doedd o ddim yn swil o gwbl, yn hoff o gwmni merched heb unrhyw agenda cudd, ac ar ôl treulio degawdau yn darllen ac astudio llenyddiaeth, anaml iawn y methai ddod o hyd i air addas. Ond roedd rhywbeth annisgwyl am ddull Belle o gyfathrebu, fel petai'n gosod her yn hytrach na denu sylw. Teimlodd ias i lawr ei asgwrn cefn a diolchodd nad oedd yn cael ei demtio i redeg ar ei hôl: roedd hi'n codi ofn a chwant arno, ac roedd Daf yn rhy hen i gymhlethdodau felly.

'Dwi'm yn amau,' atebodd, yn falch iawn o'r cyfle i gyflwyno'i deulu bach hapus iddi. Dechreuodd Belle arwain y ffordd i lawr y grisiau, yn dal i siarad dros ei hysgwydd.

'Mi fyddwn ni'n gorffen yn fa'ma mewn rhyw awr. Dwi isio siarad efo'r SOCOs achos mae'n rhaid gwneud cwpwl o brofion penodol i sicrhau ein bod ni'n dilyn y trywydd iawn.'

Roedd golau'r dortsh yn ddigonol i roi golygfa braf arall o'i phen ôl i Daf; roedd yn amlwg ei bod hi wedi hen arfer symud yn ddiogel mewn safleoedd o'r fath heb faglu na llithro.

'Sawl gwaith wyt ti wedi bod mewn sefyllfa fel hon?'

'Dwi'n mynd i safle tân bob dydd bron. Ond safle efo corff? Dim ond hanner dwsin o weithiau, ym Mhrydain, beth bynnag.'

'Wyt ti'n gweithio dramor felly?'

'Degawd yn y fyddin, Mr Dafis. Dwi wedi bod ym mhobman: Brunei, Afghanistan, Kenya, SL ...'

'SL?'

'Sierra Leone.' Safodd am eiliad y tu allan i ddrws y fflat ar y llawr cyntaf. 'Rhaid i mi jecio fa'ma fory hefyd, rhag ofn bod mwy o'r stwff ffeindiodd DJ a titha yma.'

'Diolch. Mae'n bwysig ein bod ni'n darganfod yn union be oedd yn mynd ymlaen o dan y to 'ma.'

'Wrth gwrs.' Gwenodd yn sydyn wrth estyn ei llaw i gyfeiriad Daf. Tynnodd ei maneg chwith a dal ei harddwrn o'i flaen. 'Teimla fy mhŷls i, Mr Dafis: dwi'n llawn adrenalin.'

Gafaelodd Daf yn ei harddwrn rhwng ei fys a'i fawd ond methodd gyfri'n iawn. Roedd ei chnawd yn gynnes ond yn llawn tensiwn, fel llinyn bwa. Roedd o'n falch o'i gollwng.

'Rhedeg braidd yn cwic, 'sen i'n dweud.'

'Dwi ddim wedi gwneud llofruddiaeth ers tro. Ai domestig ydi hwn?' gofynnodd Belle, ar ei ffordd lawr y grisiau.

'Den ni ddim yn sicr eto. Roedd bywyd Mrs Breeze-Evans yn go gymhleth.'

'Dwi 'di bod ynghlwm â chwpwl o achosion lle mae tad y teulu'n mynd yn wallgo a llosgi'r blydi lot, hyd yn oed y plant. Dwi'm yn deall merched weithiau – os ydi rhywun yn sylweddoli ei bod hi wedi priodi seico, pam nad ydi hi'n cael gwared â'r bastard cyn iddo fo wneud unrhyw ddamej?'

'Peth rhyfedd iawn ydi cariad.'

'Nid cariad ydi o – gwendid. Petai rhyw ddyn yn hanner meddwl fy mygwth i, mi fyswn i'n torri ei gorn gwddw yn reit sydyn.' Tynnodd ei bys ar draws ei gwddf ei hun â gwên o ddialedd boddhaus ar ei hwyneb hardd. Am eiliad, roedd Daf yn difaru ei gwahodd i'w gartref, ond yna plygodd Belle i roi mwythau i'r cŵn gan ddangos ochr dyner ei natur. Teimlodd Daf ryddhad pan deimlodd yr awyr iach ar ei wyneb y tu allan i'r adeilad.

'Hey, Steve,' galwodd, wrth dynnu'r holl blastig oddi amdano. 'Right little Aladdin's cave up on the top floor: cigarettes, vodka, all sorts. It'll need cataloguing.'

'Ok. How's Ms Pashley getting on?'

'I reckon she knows what she's doing but she'll have to finish up in an hour, because of the light.'

'I could sort some arc lights ...'

'Not without a lot of upheaval to the crime scene. She'll be back in the morning, first thing.'

'She's a cracking looking woman, boss.'

'Paid â meiddio, Steve.'

'Only saying.'

Daeth golwg bwdlyd dros wyneb Steve, a chofiodd Daf am ei holl ymdrechion.

'You're doing a grand job. Coping with the fire thing?'

Nodiodd Steve ei ben, yn anfodlon trafod y pwnc sensitif.

'Ok. Ti'n gwybod ble i fy ffeindio i.'

Meddyliodd Daf am ei sgwrs gyda Sheila a Belle yn gynharach. Doedd o ddim wedi sylwi cyn hyn faint o Gymraeg roedden nhw'n ei ddefnyddio. Efo bachgen lleol fel Steve, a gafodd bymtheng mlynedd o addysg yn y Trallwng, roedd yn naturiol i gymysgu'r ieithoedd – doedd o ddim yn rhugl o bell ffordd ond deallai bron bob gair heb ffwdan. Bu Daf yn dipyn o ryfelwr dros yr iaith yn ei ieuenctid, ond roedd ei angerdd wedi oeri ers amser maith. Er hynny, roedd o'n falch o allu gwneud rhywbeth bach i helpu'r achos drwy normaleiddio'r iaith o fewn ei dîm. Doedd o ddim yn llawer, ond roedd o'n gam i'r cyfeiriad iawn.

Yn ôl yn yr orsaf roedd prysurdeb mawr. Tu ôl i'r adeilad roedd car Heulwen yn cael sylw gan Nev ac un o'r SOCOs. Roedd fan fawr wen y BBC efo disg lloeren ar ei tho wedi ei pharcio'n flêr ger y palmant ac roedd grŵp bach o newyddiadurwyr yn aros wrth y drws.

'Inspector Davies, Inspector Davies!'

'Sorry, friends, I've got work to do.'

'Ydech chi'n mynd i wneud datganiad?' gofynnodd gohebydd y papur lleol.

'Bydd datganiad yn cael ei ryddhau yn nes ymlaen.'

'Newydd ddod o safle'r tân ydech chi, Mr Dafis?'

'Ie. Rhaid i mi fynd.'

Roedd o hanner ffordd drwy'r drws pan glywodd gwestiwn a'i synnodd:

'Ai trosedd gasineb oedd hon, Mr Dafis?'

'Be?'

'Oherwydd rhywioldeb y dioddefwr, mae'n rhaid gofyn y cwestiwn ...'

Teimlai Daf yn ddryslyd iawn wrth gau'r drws ar ei ôl. Roedd Sheila'n sefyll yn y cyntedd a phan welodd Daf, tynnodd becyn bach o *baby wipes* o'i bag.

'Dech chi'n llwch i gyd, bòs.'

'Huddygl yw *soot*.'

'Beth bynnag dech chi'n galw'r stwff, dech chi'n debyg i Dick Van Dyke yn *Mary Poppins*. Fyddwch chi'n edrych yn flêr ar y newyddion heno.'

'Oes raid i ni siarad efo nhw, Sheila?'

'Wel, mae Diane Rhydderch wedi cyrraedd ryw awr yn ôl: dyna ei maes hi.'

'Ble mae hi rŵan?'

'Yn eich swyddfa chi. Roedd hi angen rhywle tawel i wneud galwadau ffôn,' eglurodd Sheila wrth weld yr olwg syn ar wyneb Daf.

'Byth eto, lodes,' chwyrnodd Daf, yn rhwbio'i wyneb efo *baby wipe*. 'Lle preifat yw fy swyddfa i.'

Gallai Daf ei harogli cyn iddo agor y drws. Roedd o'n flin yn barod, ond roedd y ffaith ei bod yn gwisgo'r un persawr â Gaenor yn ei wneud yn fwy blin byth. Romance gan Ralph Lauren – y persawr a brynodd i Gaenor yn anrheg Nadolig, y persawr a roddodd ar ei harddwrn yn y ward geni, y persawr oedd ar goler ei chôt ar y bachyn tu ôl i'r drws ffrynt. Lluchiodd ddrws y swyddfa'n agored a chododd Diane Rhydderch ei phen i roi gwên ffals iddo.

'Arolygydd Dafis. Falch iawn o'ch gweld chi.'

'Dwi ddim yn falch o gwbwl o'ch gweld chi yn fy swyddfa i. Mae'n hen bryd i chi codi'ch pac.'

Gwenodd Diane unwaith eto, ond dechreuodd roi ei phapurau mewn ffeil.

'Ydech chi wedi paratoi rhywbeth ar gyfer y wasg eto, Arolygydd Dafis?'

'Sori, dwi wedi bod yn rhy brysur yn ceisio datrys y drosedd.'

'Wrth gwrs, wrth gwrs. Ymchwiliad mawr a sensitif fel hyn, mae'n heriol i unrhyw swyddog dibrofiad.'

'Mae gan y pencadlys ddigon o ffydd i roi'r cyfrifoldeb i mi, felly ...'

Chwarddodd Diane yn ddirmygus.

'O, Arolygydd Dafis, doedd ganddyn nhw ddim dewis o gwbwl. Beth bynnag, mae'n bwysig i ni fel Llu bod digon o drefn ar bethau. Yn enwedig pan mae 'na sôn am drosedd o gasineb homoffôbig.'

'Heulwen Breeze-Evans sy wedi marw: dynes leol, gwraig ffarm yn ei chwe degau.'

Roedd chwerthiniad y Swyddog Materion Cyhoeddus mor oer â ia.

'Peidiwch â dweud bod ganddoch chi ryw ddelwedd ystrydebol o bwy sy'n hoyw, Arolygydd Dafis? Tydi pob lesbiad ddim yn gwisgo dyngarîs, wyddoch chi.'

'Ond roedd teulu ganddi. Gŵr a thri o blant.'

Cododd Ms Rhydderch ei hysgwyddau.

'Mae pobl yn newid. Ond un o'r pethau sy'n gwneud yr achos yma mor sensitif yw enw ei phartner.'

'Sef Jan Cilgwyn, AC.'

'Roeddech chi'n gwybod am rywioldeb Mrs Breeze-Evans, felly.'

'Ro'n i wedi clywed rwbeth ond ddim yn ei goelio, rhywsut.'

'O, dynion – rydech chi wastad yn ei chael yn anodd credu fod gan unrhyw un ddiddordeb mewn unrhyw beth heblaw eich cadw *chi*'n hapus.'

Yn chwerwder ei llais clywodd Daf hen boen, craith heb fendio. Dechreuodd deimlo mymryn o gydymdeimlad tuag ati, ond ar y llaw arall, allai o ddim beio unrhyw gariad a ddewisodd adael Diane Rhydderch.

'Be am i ni gwrdd â'r wasg ben bore?' awgrymodd Daf, yn awyddus iawn i drefnu cwpwl o bethau cyn i Belle orffen ei gwaith.

'Iawn, ond peidiwch â disgwyl i Jan Cilgwyn gadw'n dawel yn y cyfamser. Dwi'n aros yn yr Oak heno – be am i chi bicio draw yn nes ymlaen i drafod y strategaeth cyfryngau?'

'Does gen i ddim eiliad i'w sbario heno. Mae'r achos yn datblygu i sawl cyfeiriad ac mae'n rhaid i mi gadw trefn ar bopeth.'

'Biti.' Doedd Daf ddim yn siŵr ai fflyrtian oedd hi ynteu diddanu ei hun ar noson ddiflas mewn tref ddieithr. Wedi'r cwbl, roedd hi wastad yn hanner fflyrtian oherwydd na wyddai sut arall i gyfathrebu efo dynion. Beth bynnag oedd ei chymhelliad, nid oedd gan Daf fymryn o ddiddordeb.

'Yn gynnar yn y bore, felly?'

'Iawn.' Trodd Diane ar ei sawdl uchel a cherdded at y drws. 'Dim ond gwneud fy ngwaith ydw i. A dwi'n gwybod i'r dim be mae gŵr bonheddig fel chi, efo'ch sgiliau ymarferol, yn ei feddwl o ferch fach sy'n gwneud dim byd ond siarad efo'r wasg drwy'r dydd – ond dwi'n dweud wrthoch chi, Mr Dafis, y byddai 'na helynt petai neb yma i gadw'r bleiddiaid oddi ar gefnau swyddogion fel chi.'

Ochneidiodd Daf ar ôl iddi fynd, ac eisteddodd yn ei gadair. Roedd o'n ymwybodol bod yn rhaid cael rhywun i ymdopi efo'r wasg, ond a oedd rhaid i'r person hwnnw fod mor nawddoglyd? Doedd Daf erioed wedi smalio bod yn soffistigedig, ond pwy roddodd yr hawl i ddynes fel hithe siarad efo fo fel petai'n josgin o nunlle? Ffoniodd ei gartef.

'Haia, Dad.'

'Ffordd wyt ti, cog? Sut oedd yr ysgol?'

'Iawn diolch. Sut mae'r ymchwiliad mawr? Mae pawb yn ei drafod.'

'Dyddie cynnar, cofia, cog. ''Di Gaenor ar gael?'

'Mae hi'n cysgu, a Mals 'fyd. Es i fyny i'w gweld nhw – maen nhw mor ciwt.'

'Iawn. Wnei di ffafr i fi? Newid y dillad gwely yn stafell Carys?'

'Ocê. Pam?'

'Mae dynes sy'n gweithio efo fi'n aros dros nos, er mwyn iddi gael cychwyn ei gwaith yn gynnar bore fory.'

'Mi reda i hwfyr dros y llawr hefyd, felly.'

'Diolch yn fawr, Rhods. Sgen i ddim llawer o amser.'

'Dim probs. Wela i di wedyn.'

Am gog clên! Fel roedd pethau, gallai dim ond dau funud o gysylltiad efo'i gartref godi calon Daf, yn hollol wahanol i'r blynyddoedd o chwerwder a surni a brofodd pan oedd o'n ŵr i Falmai. Danfonodd decst i Gaenor i'w rhybuddio am Belle ac esbonio nad oedd yn rhaid iddi goginio. Teimlodd yn euog am eiliad am edmygu pen ôl Belle, cyn ceisio cysuro'i hun mai ei natur ddynol oedd o. Wnaeth o ddim llwyddo i dawelu llais bach ei gydwybod yn gyfan gwbl chwaith.

Roedd yn agos at ugain o negeseuon e-bost yn aros am

ymateb ganddo ond penderfynodd bori drostyn nhw ar ôl cyrraedd adref. Hanner awr. Digon o amser i bicio draw i drefnu cyfieithydd ar gyfer sgwrs gyda Milek a Wiktor. Drwy'r gwydr yn nrws ffrynt yr orsaf gwelodd amlinelliad Ms Rhydderch yn siarad efo aelodau'r wasg, felly penderfynodd sleifio allan drwy'r drws cefn. Yna gwelodd Nev yn sefyll ger y Freelander, yn gwneud nodiadau ar ei dabled.

'Den ni newydd glywed yn ôl ynglŷn â'r olion traed welest ti neithiwr ar lannau'r gamlas. Den ni'n chwilio am bâr o Nike Air Huarache, maint chwech.'

'Traed bach i ddyn?'

'Falle mai bachgen oedd o.'

'Bachgen sy'n gwybod sut i yrru car i mewn i gamlas a sut i ddianc drwy'r cefn?'

'A dwi ddim wedi clywed gan y milfeddygon eto. Mi ffonia i nhw ben bore.'

'Da iawn, Nev. Paid ag aros yma'n rhy hwyr – rhaid i bawb fod yn ffres bore fory.'

'Ocê, bòs.'

Pan oedd o'n symud ei gar, gwelodd gip ar Nev yn y drych. Roedd o'n canolbwyntio cymaint, roedd o wedi gwthio ei dafod rhwng ei ddannedd. Gwenodd Daf. Roedd yn braf gweld pawb yn gwneud ymdrech.

Roedd cryn dipyn o geir ym maes parcio'r eglwys Gatholig, adeilad hyll o'r chwe degau. Rhyw gyfarfod, efallai, meddyliodd Daf, yn hytrach na gwasanaeth, a hithau'n hanner awr wedi pump ar nos Fawrth. Roedd dyn ifanc yn eistedd ar y wal gyferbyn â'r eglwys er ei bod yn bwrw glaw; roedd ei groen llwyd a'i lygaid gwag yn ddigon i Daf wneud y cysylltiad â chyffuriau. Yno i gardota, tybiodd Daf – roedd Joe Hogan yn fagned i bobl â phroblemau, yn enwedig gan ei fod yn disgrifio'i waith fel 'bod yn Grist yn y byd'. O leia fyddai'r offeiriad ddim yn rhoi ei esgidiau i hwn, fel y gwnâi weithiau – roedd treinyrs go newydd am ei draed. Gostyngodd y dyn ifanc ei ben fel petai'n anfodlon cwrdd â llygaid Daf. Swildod? Euogrwydd? Fel arfer, byddai Daf wedi ymchwilio ymhellach ond doedd ganddo mo'r amser heno.

Curodd ar y drws. Dim ateb. Ffoniodd Joe: peiriant ateb. Gadawodd neges. Cododd y dyn ifanc ar ei draed ac ymlwybrodd draw at Daf.

'Yn yr eglwys mae o,' datganodd.

'Diolch, was,' ymatebodd Daf, yn ceisio cuddio'i syndod. Doedd dim llawer o'r rhai a ddibynnai ar ewyllys da Joe yn dod o gefndiroedd Cymraeg.

'Dim probs.' Roedd yr acen yn un leol, ond gyda thinc o ochrau Wrecsam.

Gwthiodd Daf ddrws yr eglwys. Yn y cyntedd gwelodd boster mawr tairieithog, gyda'r Bwyleg ochr yn ochr â'r Gymraeg a'r Saesneg. Amserlen o wasanaethau oedd o, ond roedd rhaid i Daf gyfaddef nad oedd o'n deall y cyfan mewn unrhyw iaith. Ar gyfer nos Fawrth am bump o'r gloch, hysbysebwyd Mawrygu'r Sagrafen Wynfydedig neu, yn Saesneg, Veneration of the Blessed Sacrament. Roedd yr eglwys yn berffaith dawel. Agorodd Daf y drws yn ofalus. Yng ngolau canhwyllau roedd ugain o bobl ar eu gliniau, i gyd yn syllu ar yr allor, lle safai math o ganhwyllbren efo siâp haul aur uwch ei ben. Yng nghanol yr holl belydrau disglair roedd cylch mawr gwyn. Yn y rhes flaen, yn dawel a llonydd, roedd Joe Hogan. Os oedd hwn yn wasanaeth, meddyliodd Daf, roedd yn un rhyfedd ar y naw. Gwelodd sawl wyneb cyfarwydd – hen ddyn oedd fel taid i bob un o dincers y dre, teulu o'r tec-awê Tsieineaidd, hen ddynes dal mewn côt ddrud, mam yr Aelod Seneddol a mam ifanc sengl efo cwpwl o fechgyn yn eu harddegau oedd, yn eu tro, wedi achosi tipyn o helynt. Roedd tair dynes o ynysoedd y Ffilipinau yno, yn gwisgo iwnifform gofalwyr y cartref henoed lleol, a'r meddyg newydd yn yr ysbyty, sef dyn pen moel o orllewin Affrica. Yn yr ail res, ei chefn mor syth ag un milwr, roedd Basia. Cliriodd Joe ei wddf cyn dechrau canu'n ddigyfeiliant ond roedd y gân yn debycach i gorgan nag i emyn.

Yn ara deg, fesul un, dechreuodd y gynulleidfa gyfrannu:

'Tantum ergo sacrementum
Veneremur cernui
Et antiquam documentum
Novo cedat rituii.'

Lladin. Iaith nad oedd neb yn ei siarad, ond canai'r bobl yma, o bob cornel o'r byd, y geiriau i gyd heb na llyfr na phapur. Er bod y ddefod yn estron iawn i Daf, roedd yr olygfa o'i flaen yn portreadu delwedd o'r Trallwng oedd yn hollol gyfoes – ac yn dawel bach, roedd mor falch nad yn Saesneg roedden nhw'n canu. Tawelodd y gynulleidfa a chododd Joe ar ei draed. Plygodd o flaen yr allor a chododd y cylch mawr gwyn. Plygodd y gynulleidfa eu pennau ac agorodd Joe gist fach y tu ôl i'r allor, rhoi'r cylch ynddo fo a chloi'r drws. Lapiodd y gist mewn darn o sidan llawn brodwaith, ac ar ôl penlinio eto, diflannodd drwy ddrws bach wrth yr allor. Nid oedd Daf yn sicr oedd y gwasanaeth ar ben ai peidio wrth wylio ambell aelod o'r gynulleidfa yn codi i adael tra oedd y gweddill yn dal i fod ar eu gliniau.

Ymhen munud neu ddau daeth Joe yn ei ôl, wedi tynnu ei glogyn sidan gwyrdd i ddatgelu crys T siabi du.

'Daf!' cyfarchodd Joe ef mewn llais oedd yn ddigon uchel i fodloni Daf fod y gwasanaeth rhyfedd wedi dod i ben. 'Angen dipyn o lonydd ar ôl diwrnod prysur?'

'Chwilio amdanat ti o'n i, Joe. Do'n i ddim yn disgwyl y byddai 'na wasanaeth ar ddydd Mawrth.'

'Den ni'n addoli Duw bob dydd, Daf.'

'Cau dy ben, ffrîc. Mae gen i ffafr i'w ofyn i ti.'

'Be?'

'Rhaid i mi gael sgwrs gyda Milek, a Wiktor hefyd. Dwi ddim isie gwneud popeth yn ffurfiol, dim eto, ac os ydw i'n mynd ar ôl cyfieithydd swyddogol, mi fydda i wedi colli 'nghyfle i gael gair bach tawel. I fod yn onest, Joe, mae gen i reswm i gredu eu bod nhw'n smyglo nwyddau, ond yr hyn sy'n fy mhoeni i fwya ydi pwy laddodd Heulwen Breeze-Evans, nid faint o dreth gafodd ei dalu ar becyn o ffags, felly ...'

'Am ddyn sy ar frys, ti'n andros o hirwyntog weithiau. Wrth gwrs mi wna i gyfieithu, os ydi hynny'n help.'

'Grêt. A ... alli di gadw llygaid arnyn nhw hefyd? Dwi ddim yn ffansïo mynd i mewn i 'ngwaith bore fore i glywed eu bod nhw wedi penderfynu mynd ar eu holidês yn ôl i Wlad Pwyl.'

Doedd Daf ddim wedi sylwi ar Basia yn agosáu. Roedd golwg dangnefeddus ar ei hwyneb a meddyliodd Daf eto pa mor ffodus oedd gŵr Heulwen i ddenu sylw, heb sôn am gariad, y ffasiwn ddynes.

'Peidiwch â phoeni dim, Mr Dafis,' torrodd ar eu traws. 'Fan hyn fydden nhw'n aros, mi alla i warantu hynny.' Camodd Basia drwy ddrws yr eglwys ond wnaeth hi ddim gwlychu: roedd Phil yn aros amdani efo ambarél.

'Cofia di, Phil – wyth o'r gloch nos fory, iawn?' Galwodd Joe ar eu holau.

Cododd Phil ei law i gadarnhau.

'Ti'n cwrdd â Phil nos fory?' gofynnodd Daf yn chwilfrydig.

'Ydw, a Basia, ar gyfer yr hyn mae Americanwyr yn ei alw'n Pre-Cana.'

'A be ddiawl ydi hynny?'

'Mae priodas yn gam pwysig a difrifol, yn enwedig i rai sy ddim yn caniatáu ysgariad. Rhaid i'r offeiriad gyfweld â'r briodferch a'r priodfab, i sicrhau eu bod nhw'n gwybod be maen nhw'n wneud.'

'Ti'n paratoi Basia a Phil am briodas? Dydi ei wraig o ddim yn oer eto!'

'Jyst oherwydd 'mod i'n cwrdd â nhw, dydi hynny ddim yn golygu y bydden nhw'n priodi wsnos nesa. Bydd raid i mi sicrhau eu bod nhw'n addas i dderbyn y sagrafen o briodas, a gall y drafodaeth honno bara am fisoedd. Weithiau, mae pobl yn baglu dros bentwr o bechodau ar eu ffordd i'r allor, ond mae maddeuant ar gael i bawb.'

Cofiodd Daf y sgwrs ddeng munud gafodd Falmai ac yntau efo'r ficer cyn iddyn nhw briodi – o edrych yn ôl roedd o'n falch na chymerodd neb amser i'w rybuddio, petai ond oherwydd bodolaeth y plant. Ceisiodd ddychmygu Phil Dolfadog, oedd yn fwyaf cyfforddus efo peint o Worthy yn ei law a'i fraich o gwmpas unrhyw ferch gyfleus, yn trafod natur priodas efo'r offeiriad. Os oedd o'n fodlon gwneud hynny i blesio Basia, tybed fyddai o'n mynd mor bell â lladd Heulwen?

'Dwi wedi gweld sefyllfaoedd tebyg o'r blaen,' ychwanegodd Joe, 'ond nid mewn cyd-destun mor erchyll. Gŵr a gwraig yn methu diodde'i gilydd ... un ohonyn nhw'n cwrdd â rhywun arall ond yn methu gadael ei briodas. Dydi teimladau fel hyn ddim yn sylfaen addas i berthynas newydd, heb sôn am briodas.'

'Wyt ti'n dweud dy fod ti'n ystyried gwrthod eu priodi nhw?'

'Dwi ddim yn deall digon am y sefyllfa eto, Daf, a hefyd, mae'n gyfrinachol.'

Roedden nhw'n sefyll yn y cyntedd, ac aelodau'r plwyf yn eu pasio am allan fesul un. Oedodd yr hen dincer am eiliad ac ysgydwodd law Daf.

'I didn't think ya was a Catholic, Inspector,' dywedodd, yn ei acen Swydd Westmeath gref oedd yn celu'r ffaith iddo fyw yn y Trallwng am dros hanner canrif.

'Indeed I'm not, Mr MacAleese. Father Hogan is just helping me with a case.'

Chwarddodd yr hen ddyn wrth bwmpio llaw Daf i fyny ac i lawr. O ddyn bach yn ei saith degau, roedd ei afael yn gryf.

'Ah, you want to watch him, Inspector, he's a cunning fella is Father Joe. He'll be helping ya, then he'll be chatting to ya and before ya know, you'll be being Received. I'll stand godfather for you right willing when that time comes.'

'Thanks for the offer, Mr MacAleese, but I'm a confirmed heathen.'

Gwasgodd MacAleese ei hen het ffelt dros ei glustiau.

'As were many of the saints in heaven before they turned, Inspector. Grand to see ya.' Cerddodd i ffwrdd yn y glaw fel pendil cloc a rhannodd Joe a Daf wên wrth ei wylio'n mynd: roedden nhw'n hoff iawn o MacAleese, a geisiai'n ddi-baid i gadw tipyn bach o drefn dros ei deulu niferus a chwerylgar. Sylwodd Joe ar y dyn ifanc yn sefyll ger drws y tŷ.

'Hei, be wyt ti'n wneud allan yn y glaw, 'machgen i?'

Roedd yn amlwg i Daf fod Joe yn nabod y dyn ifanc, ac yn amlwg hefyd bod yr offeiriad wedi penderfynu peidio â defnyddio'i enw o flaen heddwas. Rhywsut, roedd rhywbeth yn y dyn ifanc a atgoffai Daf o Jac Dolfadog. Dyna oedd y drwg efo achosion cymhleth, meddyliodd Daf, roedden nhw'n tueddu i lenwi ei ben.

'Aros amdanoch chi, Joe,' oedd yr ateb.

'Ty'd i mewn,' gwahoddodd Joe. 'Wela i di rywbryd fory, Daf.'

'Faint o'r gloch sy'n siwtio?'

'Wyddost ti be, Daf? Ar hyn o bryd, dwi'n dipyn o ddyn diog ar ddydd Mercher. Nes i'r carchar yn yr Amwythig gau ro'n i'n treulio'r diwrnod cyfan yno, ac mae'r Esgob wedi gofyn i mi gadw chydig o slac yn fy amserlen nes bydd y carchar newydd yn Wrecsam yn agor, gan y bydda i'n gaplan yno.'

'Faint o waith ydi bod yn gaplan?' gofynnodd Daf, yn synnu nad oedd wedi trafod hynny efo Joe o'r blaen. 'Dydi'r mwyafrif o'n carcharorion ni ddim yn bobl grefyddol.'

Chwarddodd Joe.

'Nid gwlad y menig gwynion ydi hi, Daf. Den ni'n lluchio rhaff i ddynion sy'n boddi yn y gobaith o achub rhai o'r pechaduriaid. Hefyd, fel arfer, mae ffreutur da mewn carchar, sy'n beth deniadol iawn i ddyn sengl sy'n methu coginio.'

'Ocê,' ymatebodd Daf, yn awyddus iawn i ddianc. Roedd Joe yn un o'i ffrindiau pennaf ond er mwyn osgoi dadleuon doedden nhw ddim yn trafod crefydd yn aml iawn.

Yn ôl yn Stryd y Gamlas, roedd pethau wedi tawelu. Roedd y SOCO olaf yn dadwisgo, Steve yn llwytho rhifau'r bagiau tystiolaeth i'w iPad a Nev ac un o'r CPSOs yn siarad yn hamddenol o dan ambarél enfawr Wynnstay Farmers. Gwelodd Daf ddyn cyfarwydd iawn yn stelcian tuag ato o gyfeiriad y gamlas. Pan gyrhaeddodd y dyn y tâp heddlu, aeth Nev draw i siarad efo fo.

'Sori, Cynghorydd Bebb, ond den ni ddim yn caniatáu i neb ddod i mewn i'r safle.'

Gan deimlo'n flinedig iawn fwyaf sydyn, cerddodd Daf draw ato mewn pryd i glywed darn olaf ei araith.

'....Mae gen i berffaith hawl i fynd i mewn i'm swyddfa fy hun. Does gen i ddim byd i'w wneud efo busnes y tân yma, ond mae'n rhaid i mi orffen sawl darn o waith. Wyt ti'n gwybod pwy ydw i?'

Torrodd Daf ar ei draws.

'Ar hyn o bryd, Mr Bebb, mae'r ardal gyfan ar gau. Den ni'n casglu tystiolaeth ac felly mae'n hollbwysig gadael llonydd i'r safle. Mae'ch swyddfa chi drws nesa i'r adeilad a losgwyd, bron.'

'Ond mae gen i achosion sy angen sylw. Prydles, er enghraifft, sy'n dod i ben yfory. Mae'n rhaid i mi orffen y gwaith papur.'

'Pa brydles yw hon, Mr Bebb?'

'Pam wyt ti'n gofyn cwestiynau digywilydd, Defi Siop?'

'Ai prydles Dolfadog ydi hi?'

'Mae'r materion rheini'n gyfrinachol.'

Oedodd Daf am eiliad a llanwodd ei ysgyfaint cyn dweud y frawddeg roedd o wedi aros ugain mlynedd i'w dweud:

'Os oes raid i mi, Cynghorydd Bebb, mi fydda i'n eich arestio chi am rwystro heddwas yn ei ddyletswyddau. Mi gewch chi ateb y cwestiwn yn fa'ma, neu yng ngorsaf yr heddlu.'

Am eiliad o bleser pur! Yn ei ben, pwmpiodd Daf ei ddwrn i'w longyfarch ei hun, ond safodd yn berffaith lonydd i aros am ymateb.

'Roedd yn rhaid i bob un o gyfarwyddwyr y busnes lofnodi'r brydles. Roedd cynnig arall ar y bwrdd. Mi ddywedais wrth Jac – os na chawn i'r ddogfen gyfan cyn neithiwr, mi fyswn i'n awgrymu y dylai'r perchnogion gymryd y cynnig arall.'

'Pa mor bwysig oedd y brydles i Ddolfadog?'

Ystyriodd Bebb y cwestiwn cyn ateb.

'Wyt ti wedi clywed y dywediad Saesneg "money pit", Defi

Siop? Dyna sut oedd Dolfadog cyn i Jac gymryd yr awenau. Roedd hi'n ffarm fawr, ond yn ffarm ddrud i'w chadw. Llwyth o weithwyr yn brysur yn gwneud llawer o ddim byd – doedd Phil dim hanner digon peniog i wneud y job ac roedd Heulwen yn rhy brysur efo'i gyrfa gyhoeddus. Fo, Jac, sy wedi sortio'r lle, codi'r sied ieir, cael gwared ar y gwartheg godro ac yn y blaen. Cododd fenthyciad o dros hanner miliwn o bunnau pan oedd o'n ugain mlwydd oed.'

'Gawsoch chi'r ddogfen?'

'Dwi ddim wedi cael cyfle i jecio, ond dwi'n gallu gwrando ar negeseuon y swyddfa o bell. Ffoniodd Jac Evans nos Lun i ddweud ei fod o wedi rhoi'r ddogfen drwy ddrws y swyddfa.'

'Efo llofnod pob cyfarwyddwr arni?'

'Ie.'

'Oeddech chi'n disgwyl yr alwad ffôn honno?'

Cododd Bebb ei ysgwyddau.

'Mi gawson ni sgwrs yn gynharach, pan ddaeth o i'r swyddfa acw yn syth o'r Smithfield, â baw ar ei fŵts, yn gofyn allwn i brosesu'r brydles heb lofnod ei fam. Mi wrthodais.'

'Dech chi'n gwybod pam roedd Mrs Breeze-Evans yn anfodlon llofnodi'r brydles?'

Doedd chwerthiniad Gwilym Bebb ddim yn swn deniadol; roedd yn oer a chaled o'i gymharu â miri meddwol Rhys Bowen.

'Dwi 'di bod yn aelod o Gyngor Sir Powys ers ugain mlynedd, a rheina ydi'r grŵp mwya styfnig o bobl yn y byd. A phwy oedd yr un fwya styfnig? Heulwen. Wnaeth neb erioed ei pherswadio hi i newid ei meddwl.'

'Dwi wedi clywed yr un peth gan sawl un, ond oedd rheswm penodol ganddi dros wrthod?'

'Does gen i ddim syniad. Falle nad oedd hi'n hapus efo cyfeiriad y busnes – dwi'n ei chofio hi'n creu dipyn o helynt pan werthodd Jac y gwartheg llaeth, yn sôn am draddodiad godro Dolfadog ac yn beio Jac am fod yn ddiog.'

''Sen i ddim yn meddwl bod segurdod yn wendid i'r cog 'na, o bell ffordd.'

'Roedd Heulwen wastad yn trafod Dolfadog yn ei gogoniant – a dyna sut dwi'n ei chofio hefyd. Un o ffermydd gorau'r fro o dan drefn ei thad a'i brawd, cyn iddo fo farw'n ifanc.'

'Falle bydd raid i ni gynnal cyfweliad ffurfiol yn nes ymlaen, Cynghorydd Bebb. Yn y cyfamser, mi ro' i alwad i chi cyn gynted ag y bydd hi'n iawn i chi agor eich swyddfa.'

Nid oedd Bebb yn fodlon rhoi gair o ddiolch i Daf felly bu eiliad o dawelwch anesmwyth nes i Belle a'r cŵn ddod allan o'r adeilad.

'Be yn enw rheswm ...?' gofynnodd Bebb, gan syllu ar fŵts bach y cŵn.

'Cŵn hydrocarbon,' esboniodd Daf. 'Yn helpu'r ymchwiliad.'

'Dyma sut wyt ti'n gwario pres y cyhoedd,' cwynodd Bebb. 'Beth bynnag, mae gen ti dast da, Defi Siop: mae hon yn edrych fel petai 'na dipyn o *go* ynddi hi. Ti 'di diflasu ar wraig John Neuadd yn barod? Fydd o'n falch iawn o'i chael hi'n ôl, o be dwi'n ddeall.'

'Dwi'm yn nabod y lodes o gwbwl, Cynghorydd Bebb,' atebodd Daf yn swta. Yn anffodus, bu i eiriau cyntaf Belle danseilio'i ddatganiad, braidd.

'Indian ddeudist ti, ta Chinese?' gofynnodd â gwên fawr. Cododd Bebb ei aeliau cyn mynd, a gobeithiodd Daf i'r nefoedd na fyddai'r hen fastard yn corddi'r dyfroedd. Roedd o'n ddigon o fusneswr i gario clecs i Neuadd, a doedd Daf ddim isie i John feddwl fod ganddo gyfle i ennill Gaenor yn ôl. Roedd wedi cymryd chwe mis iddo fo stopio ei ffonio hi bob dydd i ofyn iddi hi ddod yn ôl i'r ffermdy mawr du a gwyn, gan ddefnyddio esgus gwan bob tro fel gofyn ble oedd y mwstard neu pryd roedd pasbort Siôn yn dod i ben. Weithiau, pan fyddai eu tŷ bach yn llawn fel tun o sardîns, cofiai Daf sut y byddai Gaenor yn gosod blodau i'w rhoi ar y bwrdd mawr derw a safai ger grisiau mawreddog Neuadd. Roedd Gaenor wedi colli ei statws cymdeithasol a'i safon byw wrth ddod i fyw ato, felly roedd yn rhaid iddo ofalu peidio â rhoi unrhyw reswm iddi deimlo'n anniddig.

'Wel, mae'r ddau ar gael.'

'Well gen i Indian. Dwi'n hoff iawn o chydig o sbeis.'

Nid oedd Daf yn ei deall hi o gwbl. Roedd ei geiriau'n debyg i linellau o ffilm *Carry On* weithiau, eto roedd ei hwyneb yn hollol ddifrifol.

'Faint o le parcio sy acw?' gofynnodd iddo. 'Ti isio lifft yn y fan?'

Ym mwyty Shilam, sylwodd Daf ar Phil a Basia yn mwyhau pryd o fwyd. Cyn mynd atyn nhw i siarad cymerodd Daf y cyfle i'w gwylio nhw: roedden nhw'n ddwfn yn eu sgwrs, eu llygaid yn pefrio. Roedd Phil yn bwyta bara naan efo'i fysedd a phan welodd Basia ychydig o tshytni ar ei fysedd, gafaelodd yn ei law. Llyfodd ei fysedd fesul un cyn sugno'r bawd. Hyd yn oed ar draws y bwyty gwelodd Daf ias yn llifo drwy gorff Phil. Cynigiodd ddarn o fara iddi a phlygodd hithau ymlaen i'w fwyta o'i fysedd. Petai Carys wedi bod yno gwyddai Daf yn union be fuasai hi'n ddweud: 'Get a room'. Am y tro cyntaf gwelodd Daf ochr nwydus natur Basia, ac roedd yn amlwg nad perthynas ysbrydol yn unig oedd rhyngddi hi a Phil.

Ar ôl i Daf archebu'r bwyd – Jalfreezi iddo fo, Chicken Mughal i Gaenor, Korma i Rhodri a Tandoori poeth iawn i Belle – cerddodd draw i siarad efo nhw.

'Llongyfarchiadau,' meddai, pan sylwodd ar fodrwy go ddrud yr olwg ar fys Basia. Cochodd Phil rywfaint.

'Does dim rheswm i ni aros mwyach,' datganodd Basia. 'Ond bydd cryn dipyn o waith trefnu. Rhaid i Mam ddod draw, wrth gwrs, ac mae'n rhaid i Phil dderbyn hyfforddiant.'

'Hyfforddiant i wneud be?' gofynnodd Daf, gan feddwl am holl brofiad Phil efo merched.

Chwarddodd Basia a gwelodd Daf y pleser gawsai Phil o'r sŵn.

'Dydyn ni ddim yn priodi'n baganaidd, Mr Dafis,' meddai. 'Bydd raid i Phil gael ei dderbyn i'r eglwys cyn i ni allu creu teulu newydd.'

Sefyllfa ddigon cyfarwydd, meddyliodd Daf – dyn dros ei ben a'i glustiau, yn fodlon gwneud unrhyw beth i blesio lodes hardd. Roedd dynion yn meddwl efo'u coesau canol weithiau, ystyriodd Daf, gan ei gynnwys ei hun yn hynny. Nid oedd yn rhagweld y cawsai Joe unrhyw drafferth gyda Phil: byddai hwnnw'n fodlon dweud ei fod o'n credu bod uncyrn yn pori ar ben Moel Bentyrch os mai hynny oedd yr unig ffordd i gael Basia ar ei chefn.

'Pob lwc beth bynnag. Wyt ti wedi derbyn galwad ffôn i gadarnhau mai Heulwen oedd y corff, Phil?'

'Do. Mi glywais gan ddynes o'r enw Nia, dwi'n meddwl. Roedd hi'n disgrifio'i hun fel *family liason officer*, ac yn gofyn am fanylion cysywllt Nans a Gruff.'

Fel arfer, roedd cyswllt teulu yn swydd heriol iawn, yn arwain y teulu sy'n galaru drwy'r broses ymchwil. Y tro diwetha i Sheila wneud y rôl hon, rhoddodd Daf wythnos ychwanegol o wyliau iddi wedyn gan iddi ddisgrifio'r holl beth fel cerdded drwy dwnnel tywyll. Ceisiodd Daf ddychmygu sut y byddai'r plant eraill yn ymateb i'r golled – hyd yn hyn, nid oedd teulu Dolfadog yn ymddangos yn dorcalonnus o gwbl.

'Mr Dafis,' galwodd Amrit arno. 'Your food.'

'Do they come here often?' gofynnodd Daf yn dawel i'r gweinydd, gan amneidio at Phil a Basia.

'Mr Evans and his lady? Very often, twice most weeks. They were here on Monday, but left in a hurry.'

Ar ôl derbyn galwad ffôn gan Milek mae'n rhaid, meddyliodd Daf. Gwybodaeth ddiddorol, ond nes iddo ddysgu pryd ddechreuodd y tân roedden nhw'n dal dan amhuaeth.

Brysiodd Daf i'r car. Duw, roedd arogl da yn dod o'r tri bag plastig ar y sedd wrth ei ochr. Gwelodd fod Belle yn ei ddilyn yn ei fan: heblaw ei bod yno byddai Daf wedi ildio i'r temtasiwn o stopio yn y gilfan cyn cyrraedd cornel Heniarth i sicrhau fod y bwyd yn blasu'n iawn. Gwenodd pan gofiodd pa mor flin fyddai Carys bob tro yr agorai ei phryd a gweld bod sawl popadom ar goll.

'Ti fel locust, Dad,' oedd ei chŵyn bob tro. 'Mae o fel petaen ni wedi danfon llygod mawr i lawr i'r Shilam.'

Wedyn, ar ei iPad, byddai Rhods yn llunio cartwnau yn dangos llygod mewn iwnifform Heddlu Dyfed Powys yn aros ger cowntar y Shilam am eu bagiau o fwyd. Roedd gan y cog ddawn am y ffasiwn bethau – efallai y gallai wneud gyrfa o animeiddio, meddyliodd Daf wrth yrru yn ei flaen. O leia gwyddai yn fras beth oedd y swydd honno. Y tro diwetha iddo ofyn i Carys am deitl ei swydd, disgrifiodd ei hun fel trefnydd digwyddiadau rhithwiriol, a doedd Daf ddim callach beth goblyn oedd un o'r rheini.

Pennod 5

Nos Fawrth, Ebrill 12, 2016

Drwy lwc roedd digon o le i barcio car Daf a fan Belle tu allan i ddrws y tŷ. Pan welodd Daf Land Rover Neuadd yno hefyd teimlodd eiliad o euogrwydd: beth petai Gwilym Bebb wedi ffonio John Neuadd i achwyn ei fod wedi fflyrtio efo Belle? Na, Siôn oedd o, mwy na thebyg.

Daeth Gaenor allan i groesawu ei gwestai ac yno, ar riniog eu tŷ bach yn Llanfair Caereinion, syrthiodd Daf dros ei ben a'i glustiau mewn cariad efo hi unwaith eto, fel y gwnâi bob hyn a hyn. Byddai ei emosiynau'n llifeirio drosto, yn hollol annisgwyl, gan beri iddo orfod sefyll yn stond am ychydig eiliadau, yn gwneud dim byd ond edmygu'r ddynes ffantastig a gytunodd, am ryw reswm, i rannu ei bywyd efo ffŵl fel fo. Roedd pob gair a ddywedai yn gyfeillgar a chroesawus a gwelai Daf urddas ym mhob symudiad o'i heiddo.

Ceisiodd Gaenor berswadio Belle i ddangos y cŵn iddi, ac fel roedd Belle yn egluro eu bod yn gorffwys, sylwodd Gaenor ar yr olwg flinedig ar ei hwyneb.

'Wyt ti'n ffansïo jinsen bach dros y ffordd tra mae'r bechgyn yn gosod y bwyd ar y platiau, Belle?'

'Fyswn i wrth fy modd, diolch. Mae heddiw wedi bod yn ddiwrnod hir, rhwng pob dim.'

Doedd Daf ddim yn ddigon ffôl i rybuddio dynes sy'n bwydo o'r fron rhag yfed alcohol, ond mae'n rhaid bod Gaenor wedi gweld y syniad yn croesi ei wyneb.

'Wnaiff jinsen fach wedi'i boddi mewn peint o donic ddim smic o wahaniaeth i Mals,' chwarddodd.

'Do'n i ddim ...'

'Roeddet ti'n meddwl am y peth, Daf! Ty'd, Belle.'

Roedd Rhod wrthi'n brysur yn gosod y bwrdd ac yn gwagu'r bagiau, ac roedd y ffwrn ymlaen i gynhesu'r llestri.

'Mi fydd popeth yn ddigon poeth mewn deg munud,' datganodd Rhodri gan chwifio'r prôb bwyd yn wyneb ei dad fel cleddyf.

'Sgen i ddim syniad pam fod rhaid cael thermomedr i ddweud ydi rwbeth yn barod i'w fwyta ai peidio.'

'A dyna'r rheswm pam fod pobl o dy genhedlaeth di yn diodde cymaint o wenwyn bwyd, Dad. Den ni wedi dysgu sut i ddefnyddio'r rhein yn y gwersi technoleg bwyd yn yr ysgol, ac mae Gae yn cytuno efo fi – mae'n well i ni fod yn saff. Ond tra den ni'n aros, be am i ti eu dilyn nhw draw i'r pyb?'

'Iawn 'te, a diolch am dy help.'

'Dim ond y dillad gwely Power Rangers oedd yn lân. Dydi hi ddim yn edrych fel y math o ddynes sy'n meindio pethau fel'na, nac'di, Dad?'

''Sen i ddim yn meddwl. Dwi ddim yn cael yr argraff ei bod hi'r math y ddynes sy'n treulio oriau yn Dunelm. Wela i di toc, cog.'

Fel arfer byddai'r Goat yn dawel tan tua naw ar nos Fercher, heblaw bod y tîm dominos yn chwarae adre, ond heno roedd tipyn o fwrlwm yno. Roedd yn rhaid i Daf wasgu heibio i giang wrth y drws ffrynt i gyrraedd y bar, lle roedd Gaenor a Belle yn clwydo ar stoliau uchel yn siarad yn hamddenol â'i gilydd. Gwelodd Daf dros hanner dwsin o wynebau cyfarwydd, yn cynnwys Siôn oedd yn chwarae pŵl yn y stafell gefn. Bu newid mawr yn Siôn dros y gaeaf – anghofiodd am y syniad o fynd i goleg ac roedd o angen llai o ofal gan ei fam, a beth bynnag oedd y rheswm, roedd Daf yn falch o weld ei fod yn tyfu'n ddyn ifanc clên. Anaml y dyddiau yma y byddai Siôn yn chwilio am esgus i beidio â gwneud rhywbeth, fel petai o'r diwedd, yn ugain oed, wedi derbyn mai gwaith caled ar y fferm oedd o'i flaen am weddill ei fywyd. Diflannodd y braster ar ei ên, a broliodd wrth ei fam yn ddiweddar nad oedd neb wedi gofyn am ID ganddo ers misoedd. Efallai iddo wneud ffafr â Siôn drwy fynd â Gaenor o Neuadd, myfyriodd Daf, achos dydi o ddim yn gymaint o goc oen ag y bu.

'Ti ddim yn cael torri ar draws leidis sy'n cael eu jin cyntaf, Daf, mae'n annheg,' cwynodd Gaenor.

'Dwi 'di dianc rhag y blydi prôb bwyd,' eglurodd Daf. 'Ers iddyn nhw ddechrau dysgu plant am facteria, mae pob tec-awê yn troi'n wers fioleg.'

'Sgen ti ddim amser i gael gwenwyn Salmonela, Dad – mae gen ti lofruddiaeth i'w datrys!' Llais Carys, oedd tu ôl i'r bar yn ei chrys T The Goat.

'Be ti'n wneud fan hyn?' gofynnodd Daf yn syn.

'Diolch am y croeso cynnes, Dadi annwyl. Mae gen i *masterclass* fory, felly pan ges i gynnig shifft heno mi benderfynais i aros dros nos.'

'Ond ...'

Dim ond un gwely 'sbâr' oedd yn y tŷ, sef gwely Carys, ac os oedd hi'n bwriadu cysgu ynddo fo, lle fyddai Belle yn mynd?

'Paid poeni, Daf,' atebodd Gaenor, yn darllen ei feddwl eto. 'Mae stafell ar gael fan hyn.'

'Mi wna i dalu, wrth gwrs.'

'Gewch chi mêts rêts, Dad,' eglurodd Carys, 'ond dim ond yr *annexe* sy ar gael, ac yn ôl y landlord mi dorrodd rhywun y clo dros y penwythnos a den ni'n dal i aros am y saer.' Trodd at Belle. 'Mae'r drws yn cau ond ddim yn cloi, felly os oes ganddoch chi unrhyw *valuables*, allwn ni eu rhoi nhw yn y sêff dros nos. Fyse'r bòs ddim yn fodlon rhentio'r stafell heb glo fel arfer, achos mae o'n reit *fussy* am bethe fel'na, ond dwi 'di gallu ei berswadio fo.'

'*Valuables*?' chwarddodd Belle. 'Dwi'm yn gwisgo fy nhiara yn aml iawn pan fydda i'n gweithio efo'r cŵn: mae'r diamwntiau'n eu rhoi nhw *off* eu gwaith.'

Daeth Siôn i'r golwg o'r stafell gefn a gwenodd yn braf wrth weld ei fam. Roedd plât bach yn ei ddwylo efo pentwr o fwyd arno: sglodion a gamon wedi ei dorri'n ddarnau. Roedd o'n eu bwyta efo'i ddwylo fel plentyn bach, a chofiodd Daf wreiddyn yr arferiad hwnnw. Yn Neuadd, roedd yn rhaid i blant fwyta'n ffurfiol yn gynnar iawn – ni chaniateid marciau ar y lliain bwrdd gwyn a byddai'n rhaid bwyta popeth, hyd yn oed pethau fel adenydd cyw iâr, â chyllell a fforc. Felly, pan fyddai John i ffwrdd, byddai Gaenor a Siôn yn bwyta fel moch bach, jyst oherwydd eu bod yn cael gwneud ffasiwn lanast.

Rhoddodd Siôn ei blât ar y bar efo clec fawr cyn i Gaenor gael siawns i'w gyflwyno i Belle. Gwelodd Daf y chwant yn llygaid Siôn wrth iddo edrych ar Belle, ynghyd â mymryn o dristwch na fyddai ganddo siawns o'i bachu, ond chafodd o ddim cyfle i sylwi ar ymateb Belle i frawddeg agoriadol Siôn:

'Ti isie tshipsen? Maen nhw'n weddol ffres.'

Oherwydd ar eu traws, fel corwynt o'r stafell pŵl, daeth Rhys Bowen i'r bar.

'Blydi hel, Gaenor Morris!' gwaeddodd. 'Nage, nage, rhaid mai merch i Gaenor wyt ti.'

'Paid â siarad yn wirion, Rhys,' ymatebodd Gaenor, ond dechreuodd gochi fel merch bymtheg oed.

'Ti'n *sight for sore eyes*, lodes,' parhaodd Bowen, gan gyffwrdd boch Gaenor â'i law fawr fel petai'n barnu cyflwr croen rhyw heffer. 'A tithe, Inspector, dwi'n mynd i ffonio Comisiynydd yr Heddlu, i gwyno – os ti'n gallu fforddio *botox* safonol fel hyn i dy gariad, ti'n derbyn gormod o bres y cyhoedd, wir.'

'Dim *botox* ydi o, Rhys,' atebodd Gaenor yn ysgafn, 'ond hormons. Newydd gael babi ydw i.'

'Wel, mae hynny'n esbonio'r *tits* bendigedig 'na, beth bynnag. A pwy ydi dy ffrind, gorjys, Gae? Tydw i ddim wedi'i gweld *hi* yma o'r blaen.'

'Dwi ddim yn byw yn lleol. Yma i weithio ydw i.'

Roedd yn amlwg i Daf na chafodd gweniaith Rhys effaith o gwbl ar Belle, ond ni allai ddweud yr un peth am Gaenor. Wrth gwrs, rhesymodd Daf, doedd hi ddim wedi mentro dros y trothwy ers sbel ac roedd hi'n haeddu noson braf, ond roedd o'n dechrau teimlo'n ddig. Dig efo Bowen am fod mor ddigywilydd ac am ei fflyrtio anaddas, ond hefyd efo fo'i hun: beth oedd y gwahaniaeth rhyngddo fo yn syllu ar ben ôl Belle a

Gaenor yn mwynhau fflyrtio efo hen ffrind? Dim byd, wrth gwrs, ond ei safonau dwbl o ei hun.

Canodd y ffôn y tu ôl i'r bar ac ar ôl sgwrs fer, dywedodd Carys:

'Mae'r cyrri wedi cyrraedd y tymheredd delfrydol, felly mae ganddoch chi bedwar munud a hanner cyn y bydd o'n troi'n *bio hazard*, yn ôl Rhods.'

Roedd Daf yn falch iawn o'r esgus i ddianc ond wrth adael bu'n rhaid i Gaenor wasgu heibio i Rhys Bowen yn y drws ac, yn waeth hyd yn oed na'r ffaith ei fod o'n amlwg yn mwynhau agosrwydd ei chorff, plygodd i sibrwd rhywbeth yn ei chlust. Roedd Daf yn gandryll. Ar ôl agor y drws i Belle, gafaelodd ym mraich Gaenor.

'Be ddywedodd o wrthat ti, Gae?'

'Pwy?'

'Y ffycin mochyn Tori 'na. Be ddywedodd o wrthat ti?'

'Ti'n fy mrifo i, Daf,' atebodd mewn llais tawel, digyffro. 'Paid â bod yn hollol hurt. Ti'n gwybod yn iawn bod Rhys Bowen yn ffrind i mi cyn 'mod i'n ymwybodol o dy fodolaeth di, Daf Dafis, a ti'n gwybod yn iawn sut dwi'n teimlo amdanat ti.'

Llanwodd ei galon â chywilydd ac euogrwydd. Wnaeth Gaenor ddim byd i ddenu Bowen heblaw bod yn hardd, ac nid ei bai hi oedd hynny. Ar Bowen oedd y bai ond, yn lle gafael ynddo gerfydd coler ei siaced *tweed* a'i luchio allan i'r glaw, roedd Daf wedi troi ar Gaenor.

'Sori, Gae, dwi mor sori.'

'Gawn ni sgwrs nes ymlaen, Daf. Ar hyn o bryd, mae Rhods yn ymddwyn mwy fel dyn y tŷ na tithe.'

Cawsant bryd o fwyd braf o ganlyniad i gwrteisi Gaenor a natur gymdeithasol Belle.

'Dwi'n teimlo mor ddrwg am fusnes y stafell,' ymddiheurodd Daf. 'Dim ond bob hyn a hyn mae Carys yn dod adre y dyddie yma.'

'Mi fydda i'n iawn, paid â phoeni. Dwi 'di gwneud pethau tebyg fy hun – troi fyny heb rybudd a disgwyl i Mam a

Dad fod yn barod i'm croesawu i – yn enwedig ar ôl taith dramor.'

'Dech chi wedi bod mewn lot o lefydd gwahanol, Miss?' gofynnodd Rhodri, ei lygaid yn llydan wrth gael cyfle i drafod unrhyw le mwy egsotig na Llanfair.

'Do – mi es i i gymaint o lefydd difyr pan o'n i yn y fyddin, ac wedyn wrth weithio ar sawl contract.'

'Pa un oedd dy hoff wlad?'

'O ran pobl ta'r tirlun?'

'Y ddau, plis.'

'Nawr 'te, Rhods,' ymyrrodd Gaenor. 'Isie bwyta ei chyrri mae Belle, nid ateb mil o gwestiynau.'

'Paid â phoeni, mae'n iawn,' atebodd Belle. 'Fel arfer, mae pobl yn dechrau pendwmpian pan fydda i'n dechrau dweud fy hanesion teithio.'

'Dwi wrth fy modd yn clywed am lefydd pell,' ychwanegodd Rhodri. Roedd Daf yn falch iawn o gael eistedd yn dawel, er mwyn ceisio meddwl sut i beidio â bihafio fel wancar llwyr.

'O ran tirlun, roedd y mynyddoedd yn Afghanistan yn amhosib i'w hanghofio, waeth pa mor erchyll oedd pethau o gwmpas ein traed, ond pobl Sierra Leone oedd y bobl orau i mi eu cyfarfod. Ro'n i'n gweithio yno ar brosiect yn gofalu am blant oedd wedi bod yn filwyr. Bechgyn iau na ti, Rhodri, oedd wedi gweld a gwneud pethau annisgrifiadwy; yn lladd, yn llosgi, yn torri pennau pobl i ffwrdd – ond os wyt ti'n taflu pêl-droed iddyn nhw, maen nhw'n chwarae fel pawb arall. Roedd eu cefndir yn drychinebus, ond mae ganddyn nhw obaith am ddyfodol gwell, dwi'n sicr.'

'Oeddech chi wastad isie bod yn y fyddin?' gofynnodd Rhodri, yn osgoi llygaid Gaenor.

'Dwi'm yn siŵr. Roedd Mam yn awyddus i mi fynd i goleg, i fod yn athrawes, fel hi.'

'A fy mam i, hefyd!'

Edrychodd Belle i gyfeiriad Gaenor am eiliad.

'Na, nid Gaenor ydi fy mam i,' esboniodd Rhods â

gonestrwydd yr ifanc. 'Gwraig fy wncwl, brawd Mam, *oedd* hi, ond rhedodd hi a Dad i ffwrdd efo'i gilydd achos roedd y lleill, teulu Mam, yn rhy ddiflas. Ers hynny, maen nhw wedi cael babi bach del, a dyma ni.'

Roedd yn rhaid i Daf chwerthin ar symlrwydd stori Rhodri, ond cywirodd Gaenor ef yn addfwyn:

'Nid felly yn union oedd hi, cog.'

Ond roedd y disgrifiad yn ddigon agos, os braidd yn swta. Ar y gair, cododd Mali ei llais bach o'r llofft. Gan fod pawb wedi gorffen bwyta setlodd Gaenor ar y soffa i'w bwydo. Arhosodd Belle wrth y bwrdd a golwg braidd yn anesmwyth arni.

'Ti isie coffi, Belle?' galwodd Gaenor draw arni. 'Neu be am i ti fynd â Daf draw i'r Goat i chi gael siarad siop, os liciwch chi.'

Oedd hi'n ceisio ennill rhyw bwynt, dyfalodd Daf, yn ei annog i fynd am ddiod yng nghwmni merch mor ddeniadol? Nag oedd siŵr, rhesymodd, gan gofio pam yn union y bu iddo droi ei fyd wyneb i waered i fod efo hi.

'Wyddost ti be, Gaenor, dwi ddim yn gyfforddus iawn yng nghwmni babis,' cyfaddefodd Belle. 'Dwi'n dod ymlaen yn llawer gwell efo'r cŵn! Felly mi bicia i dros y ffordd, ond does dim rhaid i Daf ddod efo fi.'

'Na, mi ddo' i efo ti, Belle. Dydi dynion y tîm dominos dim yn gweld lodes ddierth yn aml iawn, felly bydd wyneb cyfarwydd yn help iddyn nhw efo'r sioc,' meddai Daf yn gellweirus gan dynnu ei gôt olew dros ei ysgwyddau.

'Gobeithio nad ydw i mor frawychus â hynny,' chwarddodd Belle.

Ar ôl i Belle fynd allan i'r noson stormus, trodd Daf yn ei ôl am eiliad.

'Wyt ti'n gallu tanio'r stôf, Rhods? Mae hi'n barod am fatsien.' Ond roedd rheswm pwysicach gan Daf am ddod yn ôl – plygodd i roi cusan angerddol i Gaenor.

'Diolch – mae hynna wastad yn helpu efo'r llaeth, yn gwneud i'r hormons lifo!' galwodd ar ei ôl jyst cyn iddo gau'r drws.

Doedd Daf ddim yn synnu o weld Siôn yn dal wrth y bar – doedd dim llawer i'w ddenu adre i dŷ mawr gwag, neu dŷ mawr efo'i dad ynddo fo, oedd bron yr un peth. Ond synnodd o weld dyn ifanc arall yn y dafarn, yn darllen ei lyfr yn dawel ar y soffa wrth y tân. Einion Vaughan, y Tori Boi, yn ôl disgrifiad ei fòs.

'Noson go wyllt, Einion.'

Chwythodd y dyn ifanc i'w goffi cyn ymateb.

'Dydi Merched y Wawr ddim yn poeni am rywbeth bach fel corwynt, Arolygydd Dafis. Mae Mr Bowen yn rhoi ei araith boblogaidd iddyn nhw heno: "Popeth ond y Wich: Sut i Fwyta Mochyn Cyfan." Ac, wrth gwrs, mae'n gyfle da i gwrdd â phobl.'

'Ydi hynny'n hollol deg? Ddylen nhw ddim gwahodd y pleidiau eraill hefyd?'

'Yn ôl y sôn, mi wnaethon nhw gynnig noson i'r Lib Dems, ond pan glywson nhw be fyddai'r pwnc doedden nhw ddim yn hapus.'

'Be oedd y testun, felly?'

'"Elder women in the Community and their Role in Preventing Female Genital Mutilation." Aeth y sgwrs ddim i lawr yn dda efo nhw.'

'Uniaith Saesneg i ddechrau.'

'Yn hollol. Yn ogystal, tydyn nhw ddim yn meddwl amdanyn eu hunain fel "elders" ac, i fod yn onest, dydi FGM ddim yn broblem fawr yn yr ardal yma.'

'GM, falle, ond heb yr F – dwi'n cofio un ddynes yn defnyddio morthwyl stêc ar bethau bach pwysig ei gŵr un tro, ar ôl iddo fo fwyta ei Cherry Bakewell Slice y noson cyn roedd hi i fod yn cystadlu yn Sioe Llanfair.'

'Mi fyddan nhw'n hapusach o lawer efo Mr Bowen a'i sgwrs am *scratchings*.'

Craff iawn, meddyliodd Daf. Deg ar hugain o Ferched Y Wawr – merched oedd â thipyn o ddylanwad yn eu cymdeithas a'r union grŵp sy'n fwyaf tebygol o bleidleisio. Gobeithiodd Daf y byddai wedi diflannu'n ôl i glydwch ei gartref cyn i Bowen ddychwelyd i'r dafarn.

Roedd peint ar y bar iddo fo gan Siôn, oedd wedi prynu G&T i Belle hefyd.

'A wnest ti ddim hyd yn oed cynnig diod i dy chwaer,' pryfociodd Belle wrth dderbyn y ddiod.

'Does gen i ddim chwaer,' atebodd Siôn. 'Heblaw'r babi, wrth gwrs.'

'Ro'n i'n meddwl mai dy chwaer yw'r ferch tu ôl i'r bar ...'

'Nage, nage, cyfnither i mi ydi Carys, ac wncwl i mi ydi ei thad hi, sef Daf. Ond, erbyn hyn, mae o'n ryw siort o lystad i mi hefyd.'

'Aros am eiliad,' gofynnodd Belle gan wenu'n ddryslyd. Pwyntiodd un bys i gyfeiriad Siôn a'r llall i gyfeiriad Carys. 'Ar ôl tri, pwy 'di pwy?'

'Llysfrawd i mi ydi Siôn,' meddai Carys.

'Cyfnither i mi 'di Carys,' atebodd Siôn.

'Inspector Dafis, plis – y tro nesa ti'n rhedeg i ffwrdd efo merch, wnei di ddewis rhywun sy ddim yn perthyn i ti? Mae o'n gwneud pethau'n anodd iawn i gydweithwyr newydd fel fi.'

Tra oedden nhw i gyd yn chwerthin, agorodd y drws efo chwa o wynt. Roedd sŵn arall wedi'i blethu i sŵn y storm, sŵn ci yn udo.

'Go damia'r gwynt 'ma. Mae'n gas gan Saunders fod yn y fan mewn tywydd fel hyn.' Roedd yr ysgafnder wedi diflannu o lais Belle. 'Oes 'na gwt ci yn digwydd bod yn y cefn?' gofynnodd i Carys.

'Nag oes, sori. Ac os dech chi'n symud y fan, mae'r maes parcio'n dal y gwynt yn waeth.'

Cliriodd Siôn ei wddf a cheisiodd ei orau i ymddwyn yn naturiol.

'Mae gennon ni gwt sbâr acw,' cynigiodd. 'Heb ei ddefnyddio ers tair blynedd. Roedden ni'n arfer gwneud *puppy walking*, i'r cŵn hela, ond den ni ddim wedi gwneud hynny ers dipyn rŵan. Mae'n reit gysgodol yna, yng nghornel y beudy.'

'Pa mor bell ydi o?' gofynnodd Belle yn obeithiol.

'Dim ond fyny'r boncyn. Milltir, falle. Be os yden ni'n picio fyny i weld os ydi'r lle yn addas, ac os nad ydi o, allet ti gadw'r fan yng nghysgod y beudy dros nos. Mae'n go glyd yno.'

'Sgen i ddim i'w golli. Cadw lygad ar fy niod i, Mr Dafis – mi fydda i ei angen o pan ddo' i'n ôl.'

Agorodd Siôn y drws iddi hi mewn ystum hen ffasiwn. Ceisiodd Daf beidio â chwerthin ond methodd.

'Rhaid rhoi marciau llawn iddo fo am ymdrech,' meddai Carys yn nawddoglyd.

'Dydi o ddim yn deall y busnes merched 'ma eto, druan ohono fo. Mae'n un peth anelu at rywbeth sy allan o'i lîg o, ond mae hyn yn cyrraedd lefel newydd sbon. O ble mae o'n cael yr hyder, dwed?'

Syllodd Carys i lygaid ei thad.

'Ti, o bawb, yn gwybod hynny, Dadi. Falle fod Siôn yn dipyn o lembo, ond Siôn Neuadd ydi o. Pan oedden ni'n yr ysgol efo'n gilydd, roedd 'na wastad ferched ar ôl ei ffarm o.'

'Ond fydd gan Belle ddim diddordeb yn ei ffarm o.'

'Ond, Dadi bach diniwed, mi fydd hi wedi *gweld* y lle, beth bynnag. Dydi Siôn ddim yn ffŵl. Mae ganddo fo dactegau.'

Nid oedd Daf yn fodlon cyfaddef wrth Carys fod Belle yn peri gofid iddo, nid oherwydd y gwahaniaeth oedran rhyngddi hi a Siôn ond oherwydd y fflach o natur nwydus a welodd ynddi. Roedd yn amheus a fyddai'n cytuno i fod yn gariad fach barchus i fab John Neuadd, er cyn lleied roedd Daf yn wybod amdani.

Synnodd Daf pan welodd Huw Mansel – nid yn aml iawn fyddai'r meddyg yn dod allan ar ddwy noson yn olynol.

'Waw, mae rhywun ar dennyn hir,' sylwodd.

'Zumbalates heno. Dosbarth newydd.' Roedd Dana yn ffan fawr o ddosbarthiadau ffitrwydd a thueddai i ddilyn pob ffasiwn newydd. 'Cymysgedd o Zumba a Pilates, yn ôl yr hyn dwi'n ddallt, yn gwneud lles i'r *core* fel Pilates ond efo cerddoriaeth rythmig fel Zumba. Piyo oedd neithiwr: rhyw fwngrel o Pilates a Yoga ydi hwnnw.'

'Roedd Gae yn sôn am geisio gwneud rwbeth i gael gwared â'r pwysau babi, ond mae'n rhy gynnar iddi ddechrau, yn tydi?'

'Ydi – yn enwedig os ydi hi wedi cael amser go galed. Mi fydd digon o amser i hynny eto.'

'Ydi hwnna'n gyngor swyddogol?'

'Bendant. Mae Gae wedi cael sioc i'r system – well iddi hi gryfhau cyn rhoi mwy o straen ar ei chorff.'

'Falch o glywed. Does dim ots gen i o gwbwl pa faint ydi ei jîns hi.'

'Dim ar ein cyfer ni maen nhw'n gwneud yr holl ymdrech, Daf. Oes, mae pawb isie bod yn ddeniadol, ond cystadlu efo merched eraill ydi'r flaenoriaeth, 'swn ni'n dweud.'

Rhoddodd Carys eu peintiau ar y bar.

'Waw!' rhyfeddodd yn ddirmygus. 'Dau o ddynion canol oed sy'n gwybod yn union sut den ni, y merched, yn meddwl! Mae'n fraint bod yng nghwmni cystal arbenigwyr.'

'Alli di ddim ein beio ni am wneud ymdrech i ddeall be sy'n mynd ymlaen o'n cwmpas ni, Carys. Wyt ti'n cadw'n heini ar gyfer bechgyn, neu dy ffrindiau?'

'O, Dr Mansel bach, mae gen i ffrindiau sy'n fechgyn – mae'r byd i gyd wedi newid ers oeddech chi yn eich arddegau. Dwi'n gwneud dipyn o bethau efo Garmon i gadw'n ffit – nid i'w blesio fo, ond oherwydd 'mod i'n mwynhau.'

Penderfynodd Huw Mansel lywio'r sgwrs i gyfeiriad saffach.

'Jyst wedi picio'n ôl i wneud shifft wyt ti, Carys?'

'Na – mae gen i wers ganu fory, ac os dwi'n mynd i wneud cais am le yn y Conservatoire flwyddyn nesa, rhaid i mi ymarfer.'

Ni allai Daf guddio'r wên o falchder ar ei wyneb.

'Be mae Garmon wastad yn 'i ddweud? "Ceisia fod y gorau alli di fod"?' gofynnodd Daf. 'Mi fyset ti'n difaru am weddill dy fywyd petaet ti ddim yn ceisio.'

'Dwi'n gwybod, ond roedd yn rhaid i mi gael llais Mam o 'mhen cyn gwneud unrhyw benderfyniad call.'

Cofiodd Daf sawl dadl am ddyfodol Carys – roedd Falmai yn bendant bod raid iddi gael cymhwyster academaidd, yn union fel y gwnaeth hi. Roedd Carys yn ffansïo gwneud cais am hyfforddiant opera, waeth pa mor anodd a chystadleuol oedd y broses. Yn y pen draw, dechreuodd Carys weithio efo Garmon, ei chariad, ac ers hynny doedd hi ddim wedi treulio fawr o amser adre. Gwnâi bob ymdrech i osgoi ei mam ac, yn y gobaith o fod yn ddiplomataidd, doedd Daf ddim wedi mentro codi'r pwnc. Roedd wedi bod yn ysu i'w holi am ei chynlluniau: pa pryd oedd ei gwrandawiad, a pha bryd fyddai hi'n derbyn y canlyniad, ac a oedd hi wedi ystyried y Coleg Cerdd a Drama yng Nghaerdydd, neu hyd yn oed y Guildhall? Ond roedd wedi penderfynu aros iddi hi ddweud yr hanes wrtho yn ei hamser ei hun. Bu bron i agwedd fusneslyd Falmai ddinistrio'i pherthynas efo'i phlant, a doedd o ddim isie mynd i lawr yr un lôn.

Pan biciodd Carys i lawr i'r seler yn nes ymlaen i nôl potel newydd o jin, trodd Huw bwnc y sgwrs.

'Tân bwriadol?'

'Den ni'n amau.'

'I'w lladd hi?'

'Wn i ddim. Dyddiau cynnar. Pa mor dda oeddet ti'n ei nabod hi?'

'Dim o gwbwl, bron, tan bedair blynedd yn ôl. Pan wyt ti'n delio efo claf sy â phroblem barhaol, yn enwedig ... wel, ti'n dod i'w nabod nhw bryd hynny.'

'Oedd hi'n sâl? Roedd hi wastad yn edrych mor iach.'

'Iselder. Mae ffeil chwe modfedd o drwch yn y feddygfa. Den ni wedi trio sawl peth: Prozac, Tamazepan, bob math o therapi. Yn y pen draw, mi awgrymais *psychoanalyst* go drylwyr, yn breifat, wrth gwrs. Roedd hi'n arfer mynd am awr bob wythnos, ond doedd hi ddim wedi troi fyny ers sbel. Ffoniodd Dr Martinez fi echdoe, yn gofyn be oedd wedi digwydd iddi hi. Roedd o'n siomedig ei bod hi wedi rhoi'r gorau iddi, meddai, achos roedd pethau'n gwella. Roedd o'n bendant mai problem ddofn oedd hi, â gwreiddyn rhywiol, sy'n gwneud synnwyr.'

'Be ti'n feddwl, "gwreiddyn rhywiol"?'

'Yn aml iawn, os ydi claf ag iselder parhaol, den ni'n chwilio am reswm, yn y gorffennol neu'r presennol. Be sy'n sefyll rhwng y person a'i hunan-barch a'i hapusrwydd?'

'Camdriniaeth, ti'n feddwl?'

'Weithiau, ond yn fy mhrofiad i, pethau mwy arferol ydi'r broblem: priodas anhapus, perthynas wael efo plant neu rieni, neu'r syniad fod pawb arall yn mwynhau rwbeth nad ydyn nhw ddim yn ei gael.'

'Ond roedd hi'n dod drosodd fel ... wel, fel dynes drefnus efo bywyd delfrydol.'

'Diolch i Astra Zeneca, a Pfizer. Ti 'di clywed y dywediad "Mother's Little Helpers", Daf? Dyna oedd yn cadw Mrs Breeze-Evans ar ei thraed – coctel o gemegau. Mi geisiais ei pherswadio hi i dorri lawr ar y pils i gyd, ond yn y diwedd roedd yn rhaid i mi roi presgripsiwn iddi hi. Roedd hynny'n saffach na'r hyn ddigwyddodd pan brynodd hi ei stwff ei hun ar y we.'

'Ti'n fy synnu i, wir, Huw. Roedd hi'n creu argraff ...'

'Rheini ydi'r rhai, yn aml iawn, sy â rhwbeth ar goll yn eu crombil, y rhai sy'n smalio fod pob dim yn berffaith ond byth yn edrych ar ei hwynebau yn y drych.' Tynnodd y meddyg watsh hen ffasiwn o'i boced.

'Mae'n hen bryd i mi darganfod sut aeth y Zumbalates. Coda'r ffôn os ti isie mwy o wybodaeth.'

'Wnei di bwt o adroddiad i mi, os gweli di'n dda, Huw? Hanes ei chyflwr a'i thriniaeth ac yn y blaen?'

'Dim problem. Pob lwc.'

Un arall oedd yn edrych ar ei watsh oedd Einion Vaughan. Roedd Daf ar fin gadael er mwyn cael diflannu cyn i Bowen ddychwelyd, ond daeth Belle i'w gwfwr yn y drws.

'Wel, am le bach handi!' meddai'n llon. 'Ac am foi bach handi hefyd!'

'Dwi ddim mor siŵr am y busnes "bach",' protestiodd Siôn, oedd y tu ôl iddi.

'Gawn ni weld,' oedd ateb rhyfeddol Belle.

'Be am i ni agor potel o Cava?' awgrymodd Siôn, yn dilyn ei batrwm arferol pan oedd o'n ceisio creu argraff.

'Rhaid i ti gymryd y botel gyfan,' rhybuddiodd Carys.

'Dwi'm yn rhagweld unrhyw broblem efo hynna,' atebodd Belle. 'Ond be yn union ydan ni'n ddathlu?'

'Cartref cynnes cyfleus i'r cŵn carbon,' llefarodd Siôn, ac am ryw reswm, chwarddodd Belle yn uchel.

'Dech chi'n iawn os dwi'n mynd adre?' gofynnodd Daf. 'Dwi 'di addo helpu Gae efo'r dylluan fach 'na mewn *babygro*.'

'Ydan siŵr,' atebodd Belle, 'ond ti'n colli'r *fizz*.'

'Dwi'n iawn am *fizz*, diolch.'

'Wnei di adael y drws ar y glicied plis, Daf?' gofynnodd Siôn.

O'i hymddygiad pryfoclyd, roedd yn amlwg i Daf fod Belle yn smalio ffansïo Siôn, ond pam? Doedd o ddim yn dric caredig i'w chwarae ar gog diniwed ddeng mlynedd yn iau na hi, ond drwy brofiad mae pawb yn dysgu, rhesymodd Daf.

Roedd Rhodri wedi mynd i'r llofft i botsian efo'i iPad.

'Creu *meme* mae o, beth bynnag mae hynny'n olygu,' esboniodd Gaenor. 'Oedd Belle yn iawn? Mi glywais y fan yn symud.'

'Mae'r cŵn yn treulio'r noson fyny yn Neuadd, allan o'r gwynt 'ma. Siôn gynigiodd.'

'O diar. Ydi o wedi cymryd ffansi ati?' Roedd nodyn o siom cyfarwydd yn ei llais oedd yn awgrymu nad dyma'r tro cyntaf i'w mab wneud rhywbeth tebyg.

'Wel, maen nhw'n rhannu potel o Cava, beth bynnag.'

'Mae hi bron yn ddigon hen i fod yn fam iddo fo!' meddai Gaenor yn amddiffynnol.

'Dim hanner digon golygus i fod yn fam iddo fo,' ymatebodd Daf gan eistedd wrth ei hochr. 'A gwranda, dwi mor sori am fod cystal nob gynne. Dwi'm yn un am genfigen, ond y gwir ydi, Gaenor, 'mod i'n methu arfer efo sut dwi'n teimlo tuag atat ti, Mali fach a'r teulu newydd 'ma. Weithiau dwi'n methu coelio 'mod i mor ffodus, wedyn dwi'n poeni am dy golli di.'

'Ti ddim yn mynd i 'ngholli i, Daf Dafis, ond does dim rheswm dan haul i ti fod yn bigog fel'na. Hen ffrind ydi Rhys, iawn?'

'Iawn.'

Llwyddodd Daf i gau ei geg am funud cyn holi ymhellach:

'Felly, nid Rhys Bowen a tithe oedd y King and the Queen of the Prom?'

Pasiodd Gaenor y babi draw iddo fo.

'Dwi'm yn hollol dwp, Daf. Wyt ti'n gofyn wnaeth Rhys fy shagio i pan oedden ni'n ifanc?'

'Nac'dw, nac'dw ... wel, ydw.'

'Dwi'n mynd i wneud paned, mi gei di newid clwt Mali, wedyn mi gei di'r hanes i gyd – sy'n fwy nag wyt ti'n haeddu, yr hen fastard busneslyd.'

O'r tinc yn ei llais roedd yn amlwg fod Gaenor wedi dewis delio â'i chwilfrydedd annaturiol fel jôc. Addawodd Daf na fyddai mor ffôl eto.

Pan ddaeth yn ei hôl, roedd Gaenor yn barod i ddweud ei dweud.

'Fel y soniais i ddoe, roedd gen i andros o grysh ar Rhys pan o'n i'n ifanc. Ar ôl iddo fo adael yr ysgol, yn enwedig – pan gafodd ei leisens yrru a'i fan ei hun, ac wedyn ei fusnes ei hun. Mi oedd o wedi sôn gwpwl o weithiau ... wel, ro'n i'n meddwl bod gen i siawns go dda efo fo ond, yn anffodus, mi gafodd fy ffrind gorau'r un syniad. Roedden ni allan un noson – yn digwydd bod, honno oedd y noson allan gyntaf i fy ffrind ers iddi golli'i thad, felly pan ofynnodd Rhys gâi o roi lifft adre i mi, gofynnais iddo fo gynnig lifft i Meinir yn fy lle i, jyst i godi ei chalon. Oedd o isie gwybod wedyn oeddwn i yn ei ffansïo fo ai peidio.'

'A sut atebest ti?'

'Efo'r gwir: 'mod i'n meddwl y byd ohono fo, ond bod Meinir angen sylw caredig y noson honno. Ac i wneud yn siŵr ei fod o'n fy nghredu i, mi rois snog iddo fo. Cyn i mi gwrdd â ti, honno oedd y gusan orau i mi ei chael erioed. A chwarae teg iddo fo, mi aeth o â Meinir o gwmpas am chwe mis, nes iddi hi fynd i'r coleg.'

'Ac wedyn?'

'Wedyn dim byd. Ges i fling efo'r bòs yn y Comisiwn Coedwigaeth a chael andros o fraw pan gwrddais â'i wraig feichiog o yn y parti Dolig. Yn fuan wedyn mi gwrddais â John.'

'Felly mi gollaist ti dy gyfle efo Rhys Bowen?'

'Dim cweit. Ond mae 'na rywbeth neis iawn amdano fo yn y bôn, o dan yr holl lol. Roedd Meinir yn fregus tu hwnt, off ei phen bron, ac mi ofalodd amdani hi heb feddwl ddwywaith.'

'Siŵr ei fod o'n ei ffansïo hi.'

'Dwi ddim mor siŵr o hynny. Yn ystod salwch ei thad, mi aeth Meinir yn denau iawn, bron yn anorecsig, ac roedd hi'n bihafio'n od hefyd, ond wnaeth Rhys erioed gwyno. Roedd yn rhaid i rywun godi ei chalon a phenderfynodd y byddai'n camu i'r adwy.'

'Chwarae gêm hir oedd o, falle; isie gwneud yn saff dy fod di'n ei hoffi o.'

'Debyg iawn, ond mi wnaeth o fyd o les i Meinir. A phan glywais i wedyn ei fod o wedi gwerthu ei hun i'r Saesnes fain 'na sy â wyneb mor hir â'i cheffylau, ro'n i'n siomedig. Mae o'n haeddu gwell.'

Yn sydyn, cofiodd Daf pa mor gul a gwag fu bywyd Gaenor am flynyddoedd. Dim gyrfa, gŵr oeraidd a diflas a thorcalon colli babi bron yn flynyddol. Doedd dim syndod ei bod wedi myfyrio dros y bywyd na chawsai.

'Mae'n rhyfedd iawn, Gae,' meddai heb fath o genfigen, 'Mi wyddost ti be dwi'n feddwl ohono fo fel dyn cyhoeddus, ond neithiwr, pan o'n i'n sgwrsio efo fo, roedd yn rhaid i mi gyfadde fod 'na rwbeth bron yn annwyl amdano fo.'

'Annwyl ydi'r gair! Mae popeth drwg amdano fo yn amlwg iawn: ti'n gallu gweld ei fod o'n swnllyd ac yn feistrolgar ac yn waeth na hwrdd mis Hydref, ond hefyd ...' Stopiodd Gaenor ar ganol ei brawddeg. 'Ond sut mae o ynghlwm â'r achos? Plaid Cymru oedd Heulwen yntê?'

'Bowen oedd piau'r adeilad.'

'Paid â dweud, roedd 'na fflat bach smart uwchben y swyddfa a rhyw ferch fach smart yn byw ynddo fo?' Roedd

Gaenor yn gwenu.

'Dau ddyn mawr o Wlad Pwyl oedd yn byw lan staer.'

'Nid dynes olygus?'

'Wel, oedd ... chwaer i un o'r ddau.'

'A hi ydi'r ddynes ddierth sy wedi cipio Phil Dolfadog?'

'Gaenor, o ble ti'n cael yr holl wybodaeth 'ma?'

'Y jyngl dryms, Inspector. Mae 'na dipyn o ddrwgdeimlad tuag ati, rhaid i mi ddweud, am ei fachu o.'

'Wir?'

'Wir. Roedd Phil yn gyfleus iawn i sawl dynes leol.' Sylwodd Daf ar dipyn o sglein yn ei llygaid. 'Mae'n ddigon posib i ddynes fod yn briod a dal i deimlo ... fel nad ydi hi'n cael be mae hi'n ei haeddu. Be sy angen ydi dyn handi, dim cymhlethdodau, garantî y bydd o'n perfformio: hwyl yn y nos a hwyl fawr y bore wedyn. Dech chi'r dynion ddim yn meddwl mai fel hyn yden ni, y leidis bach annwyl, ond weithiau, yr unig beth sy angen ydi ffwc bach sydyn.'

'Be ti'n feddwl ynglŷn â pherfformio?'

'Ti'n cofio'r dywediad "It's not the size of the boat, but the motion in the ocean"? Mae 'na faint fynnir o symudiadau yn y cefnfor pan mae'r QEII yn docio – a dyna be sy gan Phil i'w gynnig. Yn ôl y sôn.'

Roedden nhw'n chwerthin mor uchel nes i Rhodri roi ei ben rownd y drws.

'Dech chi ddim hanner call, chi'ch dau. Ydi hi'n iawn i mi aros ar ôl yr ysgol ar gyfer y criced fory, os ydi'r tywydd yn gwella?'

'Iawn gen i,' atebodd Gaenor, yn dal i biffian o dan ei gwynt.

'Criced?' gofynnodd Daf. 'Peth newydd ydi hyn?'

'Mae'n gêm hanesyddol *actually*, Dad. Dwi'n reit hoff ohoni hi. Unrhyw beth efo tactegau ...'

'Cer i'r gwely, Blofeld.'

'Na, nid i'r gwely, Dad, ond i guddfan lle galla i ddomineiddio'r byd!' Wrth i'w fab ddiflannu i'w lofft teimlai Daf yn falch iawn ei fod o'n magu cog mor ffraeth.

Curodd rhywun y drws. Disgwyliai Daf weld Belle, ond yn lle hynny safai Falmai ar stepen y drws mewn côt smart a sgidiau newydd.

'Tyrd i mewn, Fal,' cynigiodd, gan sylwi ar y pryder yn llygaid Gaenor.

'Alla i ddim aros,' datganodd, gan gymryd pleser ym mhob gair. 'Mae Jonas yn aros amdana i.'

Camodd Daf o gynhesrwydd yr ystafell i siarad efo Falmai, a dros ei hysgwydd gwelodd Mercedes mawr du – car digon cyfarwydd yn Llanfair – car Jonas Roberts, Bitfel, yr adeiladwr llwyddiannus. Yn y tair blynedd ers i Jonas golli ei wraig i gancr bu'n rhaid i Daf gael gair bach efo fo sawl tro ynglŷn ag ymddygiad ei feibion, tri llanc iawn yn y bôn ond rhai oedd yn rhedeg yn rhemp braidd. Ond ta waeth am enw drwg ei blant, roedd Jonas yn graig o arian ac yn unig: targed perffaith i Falmai.

'Ydi Carys yma? Mi welais y car wrth i ni yrru heibio.'

'Nac'di – mae hi'n gweithio shifft dros y lôn.'

Gwnaeth Falmai sŵn yn ei chorn gwddf.

'Mi fyddai'n well gen i petai hi'n canolbwyntio ar ei dyfodol yn lle gwastraffu amser fel mae hi. Be ydi ei chynlluniau hi erbyn hyn?'

'Dwi'n meddwl dylet ti siarad efo Carys ei hun, Fal. Dwi ddim isie bod yn y canol.'

Chwarddodd Falmai yn uwch.

'Sori, Daf, ro'n i'n meddwl am hanner eiliad dy fod di'n fodlon cymryd dy gyfrifoldebau o ddifri am unwaith, wedyn mi gofiais na fyddet ti'n byw yn y tŷ yma petaet ti'n gwneud hynny.'

'Does dim rhaid i ti boeni gormod, Fal. Mae Carys yn lodes gall.'

Daliodd y gwynt y drws a'i gau â chlep.

'Dwi'n gwybod hynny, Daf,' atebodd Fal, ei llais yn feddal a'i llygaid yn llawn cariad tuag at ei merch. 'Allwn i ddim breuddwydio am ferch well.'

'Gwranda, Fal, nid osgoi unrhyw beth ydw i, heblaw falle

osgoi camddealltwriaeth. Be am i ti roi caniad iddi a threfnu i bicio draw i'w gweld hi fory?'

'Dwi'n dysgu drwy'r dydd, ond mi ffonia i hi beth bynnag.'

'Iawn. Wyddost ti be, Fal? Den ni wedi methu fel gŵr a gwraig, ond mi allwn ni lwyddo fel rhieni.'

Rhoddodd Falmai wên anarferol o gyfeillgar i'w chyn-ŵr a chofiodd Daf y cyfnodau hapus, y ddau ohonyn nhw'n treulio dyddiau, a nosweithiau, mewn swigen o gariad, heb boeni am bres na theulu, na'r byd o'u cwmpas. Yn sydyn, pwysodd Jonas Roberts gorn y Merc a throdd Falmai ar ei sawdl a rhedeg at y car mawr. Roedd hi mor ysgafndroed â dynes ugain oed, ac roedd yn rhaid i Daf gyfaddef ei fod o'n ei chael yn anodd derbyn bod dyn mor anniwylliedig â Jonas wedi ysgogi'r fath newid ynddi. Efallai fod noson yng nghwmni dyn fel Jonas yn well na noson arall ar ei phen ei hun.

Aeth yn ei ôl i'r tŷ ac eisteddodd ar y soffa.

'Be oedd hi isie?' gofynnodd Gaenor yn ansicr.

'Welodd hi gar Carys ac roedd hi isie sgwrs efo hi. Ond hefyd, roedd hi isie gwneud yn siŵr 'mod i wedi gweld ei bod hi ar ddêt efo Jonas Bitfel.'

'Y bildar? Dipyn o wahaniaeth rhyngddat ti a fo, 'sen i'n dweud.'

'Mae o wedi gwneud dipyn o ffortiwn.'

'Ac mae Fal yn ffansïo ei helpu i wario'r holl bres, felly? Roedd Nikki, ei wraig o, yn ddynes neis iawn, a'i thraed ar y ddaear.'

'Beth bynnag. Cyn iddi gnocio'r drws, roeddet ti'n sôn am ... dalentau Phil Dolfadog, fel un sy'n siarad o brofiad.' Roedd Daf yn awyddus iawn i droi'r sgwrs oddi wrth Falmai gan ei fod yn dechrau teimlo'n euog unwaith eto am y loes a achosodd iddi pan adawodd. Croesawodd Gaenor y cyfle i newid y pwnc hefyd.

'Dwi ddim wedi bod efo Phil erioed, ond mi ges i gynnig un tro.'

'O ie? A pryd oedd hynny, os ga' i ofyn?'

Ar ôl tipyn o siglo a rhwbio'i chefn, agorodd Mali ei cheg fach i dorri gwynt yn uchel. Roedd Gaenor yn ei symud hi o un ben-glin i'r llall, oedd yn un o'r rhesymau pam nad edrychodd i lygaid Daf wrth ddweud yr hanes.

'Ti'n cofio'r Farmers' Ball y flwyddyn gafodd Rhodri ei eni?'

Cofiai Daf yn iawn, am reswm penodol. Roedd Falmai i fod yn gwarchod Siôn er mwyn i'w brawd gael noson allan efo'i wraig ond roedd gan Rhods dwtsh o golic, felly croesodd Daf y buarth i Neuadd yn ei lle. Roedd o'n gwylio *Dennis the Menace* efo Siôn pan ddaeth Gaenor i'r lolfa yn barod i fynd i'r ddawns, yn gwisgo ffrog sidan o'r un lliw â rhosyn gwyllt. Roedd hi'n fwy na del – roedd hi'n berffaith, ac nid oedd Daf erioed wedi gallu anghofio'r eiliad honno pan ddechreuodd chwantu ei chwaer yng nghyfraith. Roedd hanes trist y tu ôl i'r ffrog hardd: bedwar mis ynghynt collodd Gaenor fabi yn hwyr, ar ôl iddi ei gario am bron i bum mis, a chafodd waedlif difrifol wedyn. Cynigiodd John, efo'i ddiffyg teimlad arferol, bump can punt iddi, 'i brynu rwbeth smart i ddangos i'r byd nad oes dim byd mawr yn rong efo ti'. A'r 'rwbeth smart' hwnnw oedd y ffrog a wisgodd i'r Farmer's Ball.

'Doeddwn i ddim wedi bod allan ers tro, ti'n cofio, ac ro'n i'n clecio'r gwin dipyn bach yn rhy gyflym. Roedd John yn trafod pris bwyd gwartheg – wir i ti – ac mi es i'n ôl at y bwrdd. Pwy ddaeth draw ond Phil, efo glasaid o win i mi yn ei law a gwên fawr ar ei wyneb. Mi gawson ni sgwrs fach ddibwys wedyn, o nunlle, cynigiodd bicio draw i 'ngweld i ryw dro. Mi wrthodais, ond wyddost ti be oedd yn od?'

'Y ffaith dy fod di wedi gwrthod?'

'Na. Y peth oedd yn rhyfedd oedd yr amseru. Doedd John a finne heb ... ailddechrau ers i mi golli'r babi a rhywsut, roedd Phil yn gallu synhwyro hynny.'

'Diolch am dy olwg newydd ar Phil Dolfadog. Dyn gwerth ei gadw, felly?'

'Dyna sy mor od am sefyllfa Dolfadog, Daf. Doedd neb yn deall Heulwen o gwbwl. Efo dyn fel Phil ar gael, pwy arall fyddai'n dewis potsian efo'r pwyllgor ysgol feithrin, neu'r Cyngor Sir? Fysen i ddim yn caniatáu iddo adael y llofft i wneud paned, heb sôn am ddewis treulio bob noson mewn rhyw gyfarfod. Ac mae teulu clên ganddyn nhw hefyd.'

'Mae'n ddigon posib, missus, nad ydi pob merch yn *sex maniac* fel tithe.'

'Dyna'n union be den ni isie i chi ddynion feddwl – mai merched bach diniwed yden ni, yn trafod pethe fel Ariel a Persil.'

Fel oedd yn digwydd yn aml iawn, rhoddodd Gaenor bersbectif newydd i Daf. Ystyriodd ei farn ar sefyllfa Belle a Siôn. Petai dyn deg ar hugain oed yn aros mewn gwesty ar fusnes a chwrdd â merch leol ugain oed, fyddai Daf ddim wedi meddwl ddwywaith am y peth.

'Ti'n meddwl y gallai colli Phil fod wedi torri calon Heulwen, Gae?'

'Nac'dw, dyna be sy'n od. Wyddost ti'r dywediad "You don't go out for a hamburger when you've got steak at home"? Wel, yn ôl yr hyn dwi wedi'i glywed, wnaeth Phil ddim dechrau crwydro tan ei bod hi'n amlwg nad oedd gan Heulwen ddiddordeb ynddo fo.'

'Felly roedd problemau dwfn yn eu perthynas nhw?'

'Plis paid â dweud "dwfn" yn yr un frawddeg ag enw Phil Dolfadog – dwi newydd gael pwythau mewn lle tyner!'

Doedd Daf ddim yn cofio chwerthin fel hyn efo Falmai erioed; rhannu hiwmor rhywiol sy'n plethu chwerthin a charu. Rhoddodd gusan hir i Gaenor.

'Methu aros i gael gwared o'r blydi *stitches*, Daf,' sibrydodd hithau.

Cododd Mali ei llais bach a cherddodd Daf o un ochr i'r stafell i'r llall yn ei magu.

'Dwi'n mynd i'r gwely, Daf. Ti'n dod?'

'Gwahoddiad lyfli, ond mae gan Miss syniad gwahanol.'

'Wel, ti'n gwybod ble i fy ffeindio i.'

Er ei bod ym mreichiau ei thad, gwaeddai Mali nes bod ei

hwyneb yn goch. Cododd Gaenor yn araf ar ei thraed, ond cyn iddi hi gyrraedd gwaelod y grisiau canodd y ffôn. Syllodd Gaenor ar y rhif ar y sgrin fach a gwgodd.

'Neuadd.'

'Siôn, mwy na thebyg. Mi ofynnodd i mi adael y drws ar agor iddo fo – falle ei fod o wedi mynd adre'n gynt nag oedd o'n ddisgwyl.'

Cododd Gaenor y ffôn a diflannodd ei gwên pan glywodd y llais ar yr ochr arall.

'Well i ti gael gair efo Daf, John.'

Pasiodd y ffôn i Daf a chymerodd Mali o'i freichiau.

'John. Braidd yn hwyr am sgwrs.'

'Mae 'na gŵn dierth yn y cwt fa'ma.'

'Dynes sy'n gweithio i'r heddlu sy piau nhw. Cynigiodd Siôn iddyn nhw aros acw gan ei bod hi'n treulio'r noson yn y Goat.'

'Pam wnaeth o'r ffasiwn beth, Dafydd? Peth gwirion i'w gynnig.'

'Mae o'n ddyn ifanc cwrtais.'

'Ble mae o rŵan? Dwi isie siarad efo fo.'

'Draw yn y Goat, mwy na thebyg.'

'Dwi wedi trio ei ffôn sawl tro.'

'Mi bicia i draw i weld ydi o yno, ocê?'

'Dwi'm yn licio iddo fo fod ynghlwm efo pethau fel hyn. Cog stedi ydi o.'

'Dim ond cynnig llety dros nos i dri o lamgwn oedd o, John, nid treulio ei fywyd cyfan yn *witness protection.*'

'Ddyle fo ddim bod wedi cynnig heb siarad efo fi, beth bynnag.'

'Iawn. Mi bicia i draw yno rŵan.'

Nid oedd yn rhaid i Daf ailadrodd y sgwrs – roedd Gaenor wedi deall.

'Be ydi dywediad diweddara Rhodri? O, ie, "batshit crazy". Dyna sut oedd John, jyst oherwydd tri o gŵn bach. Fydda i'n ôl toc.'

Roedd y bar yn dawel. Tri phâr yn dal i chwarae dominos

yn y stafell pŵl, Carys yn gosod y byrddau ar gyfer brecwast a dau hen ddyn yn yfed yn dawel. Ond ar y bar roedd tystiolaeth o dipyn o sbri: dwy botel Cava wag, pecyn gwag o *scratchings* a thri chorcyn. Camodd Daf i'r stafell fwyta.

'Ti 'di gweld Siôn, Car?'

Cododd Carys ei haeliau.

'Ble wyt ti'n meddwl mae o erbyn hyn? Wedi picio i fyny'r staer efo'r drydedd botel.'

'Mae'n rhaid i mi siarad efo fo.'

'Paid bod yn hurt, Dadi – dim ond cael hwyl mae o.'

'Well gen i siarad efo fo nag efo'i dad. Yn yr *annexe* maen nhw?'

'Ie, ond cymer di ofal.'

Dringodd Daf y grisiau pren, yn hanner disgwyl clywed sŵn chwerthin neu siarad. Arhosodd y tu allan i'r stafell am eiliad: tawelwch. Efallai fod effaith y Cava wedi eu taro a'u bod yn cysgu. Curodd Daf y drws efo'i ddwrn gan anghofio bod y glicied wedi torri. Agorodd y drws yn llydan agored a gwelodd Daf olygfa na lwyddai byth i'w hanghofio.

Ar y gwely mawr gorweddai Siôn, yn borcyn ond am fwgwd sidan du dros ei lygaid. Roedd ei fferau a'i arddyrnau wedi eu clymu'n dynn i'r gwely gyda strapiau lledr du trwchus. Roedd gwên fawr ar ei wyneb, ond y peth a achosodd gymaint o fraw i Daf, oedd wedi newid ei glwt sawl tro, oedd ei godiad enfawr. Daeth llais Belle yn glir o'r *en-suite*:

'Mae bechgyn drwg wastad yn cael eu cosbi. Wyt ti'n fachgen drwg, Siôn?'

Trodd dwrn drws yr *en-suite* a throdd Daf ar ei sawdl, yn ceisio cripio'n ddistaw i lawr y grisiau llithrig. Arhosodd i gael ei wynt yn y cysgodion wrth ddrws cefn y dafarn. Daeth Belle i'r golwg am eiliad yn ffrâm y drws. Daliodd y gwynt ei llais:

'Damia'r gwynt 'ma. Dwi'n mynd i roi cadair o flaen y drws – 'dan ni ddim isio i neb ein styrbio ni.'

Cyn iddi hi gau'r drws roedd Daf yn bendant iddo weld chwip yn ei llaw. Baglodd yn ôl i'r bar a galwodd ar Carys.

'Wisgi mawr plis, cariad.'

'Ti'n edrych fel petaet ti wedi gweld bwgan, Dadi.'

'Dwi'n cofio Rhods yn sôn am *mind bleach* ryw dro. Dyna be sy angen arna i.'

Cochodd Carys cyn chwerthin.

'Mi wnes i sôn fod y glicied yn rhydd.'

'Y gwynt chwythodd y drws. Dwi mewn sioc.'

'O, Dadi bach diniwed, mae o'n beth digon naturiol.'

Roedd Daf ar fin dweud pa mor annaturiol oedd mwgwd a lledr a chwip ond llwyddodd i gau ei geg jyst mewn pryd.

'Ond dwi angen tawelu meddwl dy Wncwl John. Mae'r cŵn yma'n bwysig. Dwi ddim isie iddo fo bwdu, eu rhyddhau nhw yn y nos ac iddyn nhw gael eu lladd gan foch daear.'

Ar y gair, agorodd y drws a daeth John Neuadd i mewn. Ceisiodd Daf feddwl am sefyllfa fwy lletchwith ond methodd: dyma fo, ei gyn-frawd yng nghyfraith, yn chwilio am ei unig fab sy'n digwydd bod lan staer ar ganol gemau S&M gydag un o gydweithwyr Daf. Roedd yn rhaid cychwyn yn rhywle.

'Mae'r tywydd wedi troi'n sydyn,' mentrodd. 'Go galed ar yr ŵyn newydd, dwi'n tybio.'

'Dwi ddim wedi dod i lawr i fa'ma yr amser yma o'r nos i drafod y tywydd efo ti, Dafydd. Ble mae Siôn?'

'Wel ...'

'Fy mai i oedd y cyfan, Wncwl John,' meddai Carys efo gwên ddeniadol iawn. 'Gymrwch chi beint gen i fel ymddiheuriad?'

'Ti ddim wedi gwneud dim o'i le, lodes. Mi bryna i ddiod i ti.'

'Mae gen i sawl un ar y bwrdd,' esboniodd Carys, yn pwyntio at y bwrdd gwyn oedd ag enwau a marciau arno. Llanwodd wydryn a'i basio dros y bar. 'Mae'r ddynes sy biau'r cŵn, Belle, mae hi'n helpu Dad i ddatrys be ddigwyddodd yn Stryd y Gamlas yn y Trallwng nos Lun.'

'Ro'n i yno,' meddai John. 'Mae gen i ... ffrind sy'n cadw'r siop emwaith yno.'

'Mae'r cŵn yn ein helpu ni i ddarganfod ai tân bwriadol oedd o,' esboniodd Daf.

'Y cŵn? Sut?'

'Maen nhw wedi cael eu hyfforddi i ddod o hyd i bethau fel petrol neu olew. Beth bynnag, roedden ni'n hir yn cychwyn, wedyn daeth y glaw, felly wnaeth hi ddim llwyddo i orffen ei gwaith cyn iddi nosi. Mae hi'n aros yma.'

'Ond,' torrodd Carys ar draws, 'roedd y gwynt yn poeni'r cŵn, ac mae hi'n andros o ferch smart, Wncwl John, felly cynigiodd Siôn rywle i'r cŵn aros dros nos.'

'Felly ble mae o rŵan?'

'Wel, peidiwch â bod yn flin efo Sioni, Wncwl John, ond roedden nhw'n gyrru 'mlaen yn tshampion ac mi benderfynon nhw yfed y drydedd botel yn ei llofft hi.' Roedd Carys yn gwybod yn union sut oedd trin ei hewythr ar ôl blynyddoedd o bractis.

Agorodd llygaid John mor llydan nes i'w dalcen ddiflannu o dan big ei gap.

'Mae Siôn wedi mynd ... fyny'r staer efo dynes mae o newydd gwrdd â hi?'

'Mae hi'n ymddangos yn lodes lyfli i fi,' mentrodd Carys. 'Mae hi mor hwyliog a brwdfrydig ac, wrth gwrs, mae hi'n stynar llwyr.'

Roedd Daf ar fin dechrau ar araith am sut roedd pethau wedi newid ers oedden nhw'n ifanc cyn iddo gofio mai chwaer John oedd o'n garu bryd hynny. Well iddo fo gau ei geg, felly.

'Y cŵn 'na, ydyn nhw'n rai drud?' gofynnodd John, mewn llais cryg.

''Sen i'n dweud.'

'Dech chi ddim yn digwydd gwybod ydi Siôn wedi trafod *occupiers liability* efo hi o gwbwl?'

'Mae hi'n gweithio dan gytundeb i Heddlu Dyfed Powys felly rhaid i'r gwaith papur fod yn iawn, ble bynnag mae'r cŵn.' Rhywsut, nid oedd Daf yn credu mai amodau polisi siwrans ei dad oedd blaenoriaeth Siôn.

Cuddiodd John ei wyneb yn ei ddiod a gwelodd Daf ei gyfle i ddianc.

'Rhaid i mi fynd. Fi sy'n gwneud y shifft nos efo Mali.'

'Iawn 'te, Dafydd,' atebodd John. Ar ôl saib bach, ategodd: 'Cofia fi at Gaenor, wnei di?'

Rhedodd Daf ar draws y ffordd a phan gaeodd ei ddrws ffrynt ar ei ôl rhoddodd ei gefn arno am eiliad. Roedd yr ystafell yn dawel ond roedd o'n gallu gwynto Gaenor a Mali. Llaeth, Sudocrem a Romance Ralph Lauren. Tynnodd ei sgidiau a chripiodd i fyny i'w lofft. Dadwisgodd yn y twyllwch, yn ansicr ble roedd Mali, ond pan dynnodd y dŵfe drosto'i hun, fe'i clywodd hi'n anadlu'n ysgafn ar y gobennydd.

'Tydi hi ddim cweit yn barod am ei basged eto,' mwmialodd Gaenor. 'Cwtshia rownd fy nghefn i. Ffeindiest ti Siôn?'

'O, Gae,' dechreuodd Daf, gan guddio'i wyneb yn ei gwallt, 'mi gurais y drws, a ...'

Ni allai Gaenor chwerthin yn uchel ar ôl clywed yr hanes ond roedd ei chorff yn crynu.

'Druan ohonat ti, Daf.'

'Does gen ti ddim syniad. Nid jyst gwneud y peth oedden nhw.'

'Sut felly?'

'Wyt ti 'di darllen *50 Shades of Grey*, Gae?'

'Wrth gwrs 'mod i. Do'n i ddim isie bod yr unig un ar y PTA oedd heb wneud.'

'A be ti'n feddwl am ... y busnes hwnnw?'

'Mae pawb yn siwtio'i hunain yn yr adran honno, 'sen i'n dweud. Dwi'n ddigon fanila, ond mi fyset ti'n synnu faint o bobl barchus y fro sy'n derbyn parseli bach gan Lovehoney.'

'Be ydi Lovehoney?'

'Y math o stwff sy'n gwneud i Ann Summers edrych fel Sali Mali. Mi ges i gip ar gatalog unwaith ac mi ddaeth o â dagrau i'm llygaid.'

'Wel, pan agorodd y drws, roedd Siôn wedi cael ei glymu i'r gwely, yn noethlymun, efo mwgwd dros ei lygaid.'

'Dydi hyn ddim yn beth hawdd i'w fam ei glywed, Daf.'

'Doedd o ddim yn beth hawdd i'w weld chwaith, dwi'n dweud wrthat ti. Ond yn amlwg, roedd o'n hapus fel y gog.'

'A lle oedd Belle?'

'Yn yr *en-suite*. Mi ddiflannais cyn ei gweld hi.'

'Blydi hel. Siôn bach.'

'Dim mor fach â hynny, Gae, wir i ti.'

Yn ofalus iawn, trodd ei phen i'w wynebu heb symud y babi.

'Wel, o leia mae o'n ddyn ifanc anturus ac angerddol – a ddaeth hynny ddim o ochr Neuadd i'r teulu.'

Llwyddodd y ddau, gyda pheth ymdrech, i gusanu.

'Pa dudalen o'r *Kama Sutra* ydi hyn?' gofynnodd Daf. 'Mi fydd gen ti andros o gric yn dy wddf ben bore.'

'Mi fydda i'n iawn, os na fyddi di'n mentro'n agos i'r pwythau.'

'Damia'r pwythau.'

Pennod 6

Bore Mercher, Ebrill 13, 2016

Dihunodd Daf ar y llawr wrth ymyl y fasged Moses, ei ben ar ei sgidiau a'i draed o dan y gwely. Roedd Gaenor yn edrych i lawr arno dan chwerthin, â mŵg o goffi yn ei llaw.

'Ddwedest ti y byddai hi'n cysgu'n sownd yn ei basged petaet ti'n ei siglo hi am ryw chydig, wedyn wnest ti addo cwtsh go iawn i mi. Yn lle hynny, ti wedi treulio'r noson ar y llawr, yn siglo basged wag.'

'Ble mae hi, felly?'

'Roedd yn rhaid i mi ei bwydo hi tua dau, wedyn aeth Carys â hi fyny yn ei chadair fach. Mi geisies i dy ddeffro di ond roeddet ti'n chwyrnu fel twrch.'

Cododd Daf i'w bengliniau yn araf a chuddiodd ei ben o dan y dŵfe.

'Dwi mor stiff, Gae.'

'Paid â meiddio mynd yn ôl i'r gwely – mae hi bron yn wyth.' Rhoddodd Gaenor andros o chwip i'w ben ôl.

'Hei, paid â dweud fod y pethe 'ma'n heintus!'

'I'r gawod – rŵan.'

Penderfynodd Daf anwybyddu digwyddiadau'r noson cynt. Roedd Land Rover Neuadd wedi diflannu o'r stryd y tu allan i'r Goat ac roedd neges gan Belle ar ei ffôn: 'Wedi mynd yn syth lawr i'r safle. Gawn ni sgwrs cyn i mi fynd?' Danfonodd ateb: *emoticon* bawd i fyny. Hen ddigon am rŵan. Danfonodd neges at Nia hefyd: 'Rho'r tegell ymlaen, da lodes.'

Teimlai fel dyn yn ei naw degau wrth gerdded ar draws y maes parcio. Roedd rhai cynrychiolwyr o'r wasg yno, yn cynnwys sawl wyneb anghyfarwydd – roedd y stori wedi eu denu nhw o Gaerdydd, hyd yn oed o Lundain, siŵr o fod. Roedd Daf yn gwybod i'r dim pa mor anniben oedd o: roedd botwm yn hongian o'i siaced a'i wallt angen ei dorri, a cherddai fel petai ei goesau wedi bod trwy fangl. Efallai fod Ms Rhydderch yn iawn. Gwell gadael y wasg iddi hi.

'Paid â dweud dy fod ti wedi bod yn chwarae pêl-droed neithiwr,' sylwodd Nia. 'Dyna sut mae 'ngŵr i'n cerdded ar ôl mynd 'nôl i'r sesiynau hyfforddi ar ôl brêc yr haf.'

'Stori hir a babi bach, Nia. Duwcs, mae'r baned 'ma'n edrych yn dda.'

'Ti isie i mi wneud un i'r ddynes sy'n aros i dy weld di?'

'Pwy ydi hi?'

'Rhyw Lisa Powell. O Gaerdydd. Roedd hi'n andros o daer, yn dweud ei fod o'n bwysig.'

'Ynghlwm â'r ymchwil?'

'Efo'r bòs roedd hi isie siarad, nid y gweithwyr – roedd hi'n anfodlon trafod ei busnes efo rhywun fel fi.'

'Dwi'n siŵr y bydd hi'n gwerthfawrogi paned beth bynnag.'

Ddoe, roedd Anwen yn aros i'w weld o a heddiw, roedd y ddynes ar y soffa fach yn gyferbyniad llwyr iddi. Yn ei dillad gwaith drud a'i sgidiau *patent* heb ronyn o lwch na baw arnyn nhw, roedd hi'n edrych yn ffurfiol, yn swyddogol bron. Edmygodd Daf liw ei gwallt – fel tad i ferch, roedd o'n gwybod y gwahaniaeth rhwng gwallt fel hyn a chanlyniad dau becyn o Nice'n'Easy o Superdrug. Roedd ei hwyneb yn weddol ddel ond llwyddodd i beintio pob tamaid ohono'n gelfydd â phob math o golur i greu darlun o berffeithrwydd. Yr unig beth oedd yn amharu ar y ddelwedd oedd tatŵ bach siâp seren o flaen ei chlust. Sut ferch ifanc fu hi, dyfalodd Daf. Rebel Wîcend, falle?

'Ms Powell? Arolygydd Dafis, Heddlu Dyfed Powys.'

Cododd y ferch ar ei thraed ac estynnodd ei llaw yn broffesiynol.

'Ro'n i'n ffrind i Heulwen Breeze-Evans.'

'Ddrwg gen i am eich colled.'

'Pan wy'n dweud 'mod i'n ffrind i Heulwen, dyw hynny ddim yn hollol gywir. Ffrind i fy mhartner oedd hi.'

'Ac enw eich partner?'

'Jan Cilgwyn. A dyna'r rheswm wy wedi dod yr holl ffordd lan i'ch gweld chi. Ishe amddiffyn Jan ydw i.'

'Ei hamddiffyn rhag beth?'

'Rhag ei hunan. Rhag ei syniadau dwl. Wy'n gwybod ei bod hi wedi cysylltu â'r heddlu i awgrymu mai trosedd gasineb oedd hon.'

'Mi glywais rwbeth tebyg neithiwr.'

'Nonsens llwyr yw e. A dyw e ddim yn mynd i helpu Jan yn ei hymgyrch, chwaith.'

'Achos mae 'na gymaint o bobl ... gul ... yn ne-orllewin Cymru?'

'Nage wir – dyw Jan erioed wedi cuddio unrhyw beth amdani ei hun rhag yr etholwyr. Ond 'da busnes Heulwen, mae hi wedi mynd braidd yn *hysterical*. Sa i'n meddwl bod cysylltiad o gwbwl rhwng marwolaeth Heulwen a'i rhywioldeb. Doedd fawr o neb yn gwybod ei bod hi'n *gay* beth bynnag.'

'Oedd hi'n hoyw? Roedd hi'n briod, a ...'

'Wel, mae sawl theori am rywioldeb, Mr Dafis. Falle'ch bod chi wedi clywed am yr ymchwil sy'n dweud nad oes merched heterorywiol yn bodoli.'

Teimlai Daf yn amheus iawn wrth ymateb:

'Ro'n i'n bron yn bendant 'mod i wedi cwrdd ag un neu dwy.'

Gwenodd Ms Powell yn nawddoglyd.

'Ry'ch chi wedi cwrdd â rhai yn ystod cyfnod o heterorywiolaeth. Dyw hynny ddim yn golygu nad ydyn nhw wedi cael profiadau gyda merched cyn cwrdd â chi, neu ar ôl, neu ar yr un pryd.'

Rhywsut, ni allai Daf ddychmygu Falmai yn mentro, ond Gaenor? Siglodd ei ben i chwalu'r ddelwedd o Gaenor ac un o'i ffrindiau ysgol: Ruth, falle, neu Charlotte, neu hyd yn oed Hawys o'r Comisiwn Coedwigaeth.

'Hefyd, wrth gwrs, mae sawl dynes yn dilyn patrwm heb gyrraedd boddhad, ac yn sylwi'n ddiweddarach eu bod wedi atal ochr bwysig o'u natur.'

'Dwi byth yn mynd i edrych ar Ferched y Wawr 'run fath eto.'

'Mr Dafis, ry'n ni'n trafod materion pwysig fan hyn, ond rwy'n cael yr argraff fod eich dealltwriaeth o gymhlethdod rhywioldeb wedi ei seilio ar sawl sgetsh Noson Lawen o'r saith degau.'

'Ddrwg iawn gen i. Felly, be dech chi'n ddweud am Heulwen? Ei bod hi wedi darganfod ei ... natur ... yn lled ddiweddar?'

'Neu ei bod yn chwilio am chydig o newydd-deb. Cofiwch, newydd ddarganfod ei gwir blaid oedd hi, a'i gwir uchelgais, *blah blah blah.*'

'Doeddech chi ddim yn ffan mawr o Heulwen, felly?'

'Y ddynes fwya hunanol, bas ac arwynebol i mi gwrdd â hi erioed. Fe swynodd Jan 'da'i "Ty'd ymlaen, da lodes, awn ni i fwydo'r swcis bech yn y bing." *Bogus*, dyna beth oedd hi. Roedd hi'n smalio bod yn *gay*, yn union fel roedd hi'n smalio cefnogi'r Blaid. A smalio bod yn wraig fferm, a mam dda. Ond druan o Jan, roedd hi'n ddigon diniwed i ymddiried ynddi hi.'

Roedd plisgyn llyfn Lisa bellach wedi cracio a gallai Daf weld y dicter tu mewn iddi.

'Oedd Jan yn cael affêr efo hi?'

'Mae'n wir ddrwg gen i, Mr Dafis, ond y'ch chi wedi ei gweld hi? Mor hen ffasiwn, mor ddiflas, mor ...'

'Mae'n gas gen i wthio ymhellach, ond a oedd Jan a Heulwen yn agos?'

'Mae Jan a finne'n agos.'

'Ms Powell, plis. Mae'r ddynes wedi marw mewn amgylchiadau sy'n achosi pryder. Mae rhywun wedi cynnau tân erchyll, ac ryden ni'n ffodus na fu i hanner dwsin o bobl eraill golli eu bywydau hefyd. Ymhen yr awr, mi fyddwn ni'n darlledu apêl i'r cyhoedd am unrhyw wybodaeth ynglŷn â Heulwen Breeze-Evans: os oedd hi'n cael affêr, mi fydd sawl un yn siŵr o fod yn gwybod. Does gen i ddim diddordeb yn amgylchiadau personol pobl nes iddyn nhw gael eu lladd, ond wedyn mae'n rhaid i mi ddarganfod popeth amdanyn nhw. Ac os dech chi wedi penderfynu cadw cyfrinachau, Ms Powell, mae'n rhaid i mi ofyn pam.'

'Ai bwlio homoffôbig yw hyn, Arolygydd Dafis?'

'O bell ffordd. Dwi'n siarad efo chi yn union fel unrhyw un arall sy â chysylltiad efo dioddefwr. Ac os dech chi'n meddwl y gallwch chi ddefnyddio'ch rhywioldeb fel cerdyn *get out of jail free*, dech chi'n hollol anghywir. Dwi'n mynd i ofyn y cwestiwn unwaith eto. A oedd eich partner yn cael affêr efo Heulwen Breeze-Evans?'

Plygodd Lisa ei phen cyn ateb.

'Dim ond ffling wirion oedd hi. Ry'n ni newydd ddyweddïo, ac ry'n ni'n bwriadu priodi yn haf y flwyddyn nesa gyda derbyniad yng Nghastell Caerdydd.'

'Ond?'

'Fe gychwynnodd yr holl ddwli y llynedd. Yng nghynhadledd y gwanwyn lan yn y Gogs – Bala, dwi'n ame – fe gawson nhw sesh a fennodd yn y gwely. Fe gyffesodd Jan y cyfan a disgrifio'r peth fel camgymeriad. Mae wastad yn gamgymeriad i ... i gysgu 'da dynes fel'na.'

Cytunodd Daf yn fewnol.

'Dech chi ddim yn siarad fel petai'r peth wedi gorffen mor sydyn â hynny.'

'Na. Am dri mis, sylwes i ddim – ro'dd Jan yn aml iawn i ffwrdd dros y penwythnos, yn gwneud pethau 'da'r Blaid. Rwy wastad yn dal fyny 'da'r glanhau a smwdd'o pan mae hi'n mynd bant.'

Bu bron i Daf ddweud rhywbeth am rôl y ferch a mynd yn ôl i batrwm y pum degau, ond, am unwaith, llwyddodd i gadw'i geg ar gau.

'Y'ch chi wedi sylwi, Arolygydd Dafis, pa mor awyddus yw'ch ffrindiau i ddod atoch chi 'da newyddion drwg? Roedd rhywun wastad yn dweud iddyn nhw weld y ddwy: yn y Felinfach Griffin, yn y Bull ym Miwmares, yn y Polyn ... llefydd neis, llefydd ffansi. Ac y'ch chi'n gwybod beth oedd y geiriosen ar y blydi *fairy cake*? Burger & Lobster. Ro'n i wedi bod yn ysu i fynd yno ers iddo agor ond mae Jan yn llysieuwraig a wastad yn dweud bod llefydd fel'na yn gwynto o waed. Dyw e ddim yn deg.'

Roedd hi bron â bod yn stampio'i thraed, a dechreuodd Daf gydymdeimlo â hi. Peth anodd iawn oedd cyfaddef nad oedd y sawl roedd hi'n ei charu yn ei charu hi gymaint yn ôl. Cofiodd yn sydyn sut roedd o'n teimlo pan welodd fys Rhys Bowen ar foch Gaenor. Byddai cael ei fradychu gan rywun mor agos yn gallu tanseilio hunan barch rhywun yn gyfan gwbl.

'Dech chi wedi ystyried gwahanu, Jan a chithe?'

'Na. Mae'n iawn i Jan, mae hi'n dod o deulu dosbarth canol Seisnig cyfoes – roedd hi jest yn gallu mynd atyn nhw a dweud ein bod ni'n gwpwl. O Fedwas dwi'n dod. Dechreuodd fy nhad ei yrfa dan ddaear a'r unig beth roedden nhw'n moyn ar gyfer eu hunig blentyn oedd gŵr, tŷ neis, gwyliau tramor a thri o blant. Fe gym'rodd hi ddegawd iddyn nhw ddod i arfer â Jan ac yn y pen draw, hi maen nhw'n ei hoffi, nid y syniad fod 'da nhw ferch sy'n *gay*.'

'Felly sut oeddech chi'n delio efo'r berthynas rhwng Jan a Heulwen?'

'Ceisio'i anwybyddu, nes i Heulwen gael ei thowlu mâs o dŷ ei merch. Cyn hynny, 'da'r ferch a'i theulu roedd hi'n aros yn ystod ei phenwythnosau yng Nghaerdydd. Ond roedd Heulwen yn cymryd mantais, yn gwthio pobl yn rhy bell. Daeth ei mab yng nghyfraith yn ôl i'r tŷ yn gynnar ryw bnawn Sadwrn a dal Jan a hithe yn y gwely.' Ochneidiodd Lisa. 'Cariad yw'r broblem, Mr Dafis. Yn fy ngwaith, wy'n llawn synnwyr cyffredin, wy'n gall.'

'Be ydi'ch swydd chi, Ms Powell?'

'Wy'n Uwch Reolwr y Tîm Magu Effeithlonrwydd yn Adran Meithrin Cymunedau Hunanddisgybledig Llywodraeth Cymru.'

'Swydd ddiddorol?' gofynnodd Daf, yn awyddus i guddio'r ffaith nad oedd ganddo syniad am be roedd hi'n sôn.

'Diddorol tu hwnt. Gormod o waith i'w wneud a dim digon

o gyllid i'w wneud e, fel mae hi arnon ni yn y sector gyhoeddus.'

Digiodd Daf ryw fymryn wrthi am gysylltu problemau cyllido ei gwaith biwrocrataidd ei hun a thoriadau yn y gwasanaethau brys.

'Ers faint dech chi 'di bod yna?'

'Dim ond tair blynedd. Cyn hynny, ro'n i'n gweithio ar brosiect Hybu Datblygu Menter. Falle'ch bod chi'n cofio beth ddigwyddodd yno?'

Sylwodd Daf fod egni newydd yn ei hwyneb wrth iddi drafod ei gwaith, felly penderfynodd fuddsoddi dipyn bach mwy o'i amser i geisio dod i'w nabod hi'n well.

'Na, dwi ddim, sori. Dwi'n un drwg am ddilyn y newyddion.'

Gwenodd Lisa'n nawddoglyd.

'Roedd y stori braidd yn gymhleth. Buddsoddodd Hybu Datblygu Menter Castell Carew dri pwynt saith miliwn o bunne ym mhrosiect Mochyn y Dyfodol.'

'Be ddigwyddodd wedyn?'

'Bu'r mochyn farw yn Sioe'r Three Counties ar ôl yfed saith galwyn o seidr gellyg.'

'Wnaeth hynny *perry* gofid?'

Roedd Daf yn difaru gwneud y jôc yn syth, ac edrychodd Lisa arno'n ddryslyd.

'O,' dywedodd yn sych. '*Perry* y ddiod, fel "peri gofid". Clefer.'

'Sori,' ymddiheurodd Daf. 'Yn ôl i'r stori.'

'Bu helynt wedyn ac roedd rhai yn gandryll oherwydd i'r mochyn farw y tu allan i Gymru. Roedd yn rhaid i'r Gweinidog ailwampio strwythur yr adran gyfan, i ddangos ein bod ni'n arbed arian. Symudodd pawb o Hybu Datblygu Menter draw i ymuno â thimau Waw-rio a Cyf.Athrebu i greu grŵp llawer tynnach a mwy pwrpasol. Collwyd tri chant o swyddi: cant yn Llandudno, cant yn Aberystwyth a chant yn Abercraf, a chaeodd y swyddfeydd *outreach* MorAgos. Sut gallwn ni ddatblygu Ynys Enlli neu Ynys Byr heb bresenoldeb y Llywodraeth yno? *Shortsighted*, yn wir.'

'Trwy'r gwaith wnaethoch chi gwrdd â Jan?'

'Ie. Ro'n i ar secondiad yn y gorllewin, yn gweithio ar brosiect Eirinen Wlanog Llangrannog. Rhoddodd Jan lwyth o gefnogaeth i'r cynllun.'

'Be ddigwyddodd i'r *peaches*?' gofynnodd Daf, yn falch ei fod yn deall un rhan o waith Lisa.'

'Llyngyren,' atebodd Lisa yn swta.

'Druan. Ond o leia mi gwrddoch chi â Jan.'

'Do. A phan dderbyniais wahoddiad i'r European Stone Fruit Conference ym Malmo, gofynnais iddi oedd ganddi ddiddordeb mewn dod. Ond y peth nesa glywais i oedd ei bod hi'n cyflwyno papur yno: Damsons in Distress: Austerity and Women Fruit Entrepreneurs in South West Wales.

Nid allai Daf feddwl am unrhyw beth mwy diflas, ond yn llygaid Lisa roedd hiraeth a chariad. Ochneidiodd y ferch yn ddwfn a thynnodd hances bapur o'i bag fel petai ar fin llefain. Daliodd Daf ei llaw am eiliad a dyfalodd ble yn union oedd Lisa ar y sbectrwm rhywioldeb.

'Dwi'n gwybod yn union beth 'ych chi'n feddwl, Mr Dafis,' meddai gyda gwên fach ddagreuol. 'Ry'ch chi'n bendant nad oes dim o'i le arna i, ond nad ydw i wedi cwrdd â'r dyn iawn eto.'

Cochodd Daf.

'Wnes i ddim ...'

Gwasgodd Lisa ei law cyn tynnu ei dwylo yn ôl i'w chôl.

'Sa i'n cymryd hyn fel sarhad, ond plis peidiwch byth â siarad fel hyn 'da Jan. Mae hi'n fwy sensitif o lawer. Iddi hi, mae popeth personol hefyd yn wleidyddol, a dyna pam mae hi'n creu helynt nawr. Nid merthyr oedd Heulwen Breeze-Evans, rhywun sy wedi sefyll am ei hawliau a hawliau ei chyd-ddyn a chael ei lladd am hynny. Roedd hi'n dal i fod yn ddwfn yn y *closet*, neu ei chwpwrdd cornel derw hyd yn oed. Credai Jan, ar ôl yr helynt rhwng Heulwen a'i mab yng nghyfraith, y byddai siawns i Heulwen fod yn fwy agored, ond doedd gonestrwydd ddim yn ei siwtio hi. Roedd hi'n dweud celwyddau 'da pob anadl.'

'Roedd Jan yn trafod sefyllfa Heulwen efo chi?'

Nodiodd Lisa ei phen yn drist.

'Ddwedodd hi wrtha i fod Heulwen yn *non-negotiable*. Ges i'r dewis – ei rhannu 'da Heulwen neu ei cholli'n gyfan gwbl.' Nododd Daf ei gydymdeimlad. 'Faint o bobl y'ch chi'n eu nabod sy ynghlwm â'r byd gwleidyddol, Mr Dafis?'

'Neb, bron.'

'Mae'n fyd rhyfedd iawn. Llawn pobl sy'n ymddangos yn hyderus ond sy'n fregus tu mewn. Maen nhw'n ymosod ar ei gilydd, yn gwybod am wendidau'r naill a'r llall ac mae pob ergyd yn gadael clais. I Jan, sy erioed wedi smalio bod yn unrhyw un heblaw hi ei hun, roedd ei chefndir yn andros o broblem.'

'Ym mha ffordd?'

'Mae hi'n rhy "ddosbarth canol". Roedd hi'n genfigennus o'm hetifeddiaeth yn y cymoedd glofaol, oherwydd fel merch i ddau feddyg ym Mrynbuga, does dim *street cred* ganddi o gwbwl.'

'Brynbuga?'

'Usk.'

'Wel wir.'

'Mae'r Toris, yn enwedig, wedi bod yn greulon iawn. Maen nhw'n smalio'i gwahodd draw atyn nhw, gan gyfeirio at aelodaeth ei thad o'r Clwb Golff. Rhys Bowen yw'r gwaethaf. Mae e'n cyflwyno'i hunan fel gwir lais y werin ac yn tanseilio Jan o hyd yn y Siambr. Ei dric diweddaraf yw edrych ar ei dwylo hi, er mwyn gweld, fel mae o'n dweud, "os yw hi erioed wedi gwneud diwrnod o waith yn ei bywyd bach moethus".' Gofynnodd Jan am gymorth y llefarydd ond wedyn, wrth gwrs, cafodd ei gwawdio am gario clecs.

'Alla i ddychmygu.'

'Y gwir yw, Mr Dafis, nad yw Jan wedi cwrdd â llawer iawn o weithwyr, aelodau'r werin. Felly, pan gwrddodd hi â Heulwen, roedd fel petai Heulwen yn gallu rhoi chydig o ddyfnder i'w geiriau, ystyr i'w datganiadau. Roedd hi'n gallu siarad yn rhugl am newidiadau budd-dal Ewropeaidd, moch daear a'r Pla Gwyn, cyllid cyfartal i ysgolion cefn gwlad. Ac addawodd Heulwen y bydde hi'n cael gwared â'r bastard Rhys Bowen.'

'Dwi'n gweld.'

'Doeddwn i ddim yn ffyddiog iawn ynglŷn â photensial Heulwen cyn dod yma ond, erbyn hyn, wy'n bendant, bydd Bowen yn ennill.'

'Debyg iawn. Mae o'n ddyn cyfarwydd ac wedi gwneud dipyn o enw iddo'i hun efo busnes y melinau gwynt.'

'Ro'dd Jan yn ymddiried yn Heulwen, yn edrych mlaen i'w chroesawu i'r Cynulliad.'

'Os aiff Jan ei hun yn ôl.'

'Mae hi'n saff, diolch i'r rhestr. Ond so hi'n ddigon saff i wneud ffŵl ohoni'i hunan 'da'r honiade 'ma am drosedd gasineb.'

'Mi fyddwn ni, wrth gwrs, yn edrych ar bob agwedd o achos cymhleth fel hwn ...'

'Mr Dafis, ry'ch chi'n ddyn prysur a wy'n brysur hefyd. Wy moyn addewid na fydd enw Jan ynghlwm â'r holl stŵr.'

'Yn anffodus, os ydi hi'n benderfynol o siarad â'r wasg ...'

'Dwedwch wrthyn nhw. Does dim tystiolaeth fod Heulwen yn hoyw. Fel y dwedoch chi, dynes briod oedd hi. Allech chi gau'r stori lawr.'

'Ond os ydi Jan yn ...'

'Rhaid amddiffyn Jan. Dyw hi ddim wastad yn gwneud y pethe sy o les iddi.'

Edrychodd Daf ar y cloc, ac ochneidiodd.

'Does gen i ddim diddordeb mewn sgandal na chario clecs, Ms Powell, ond os ydi Jan yn mynnu trafod ei pherthynas efo Heulwen yn agored, alla i ddim ei thawelu hi.'

'Wy'n deall,' atebodd Lisa mewn llais bach swil. Cododd ar ei thraed.

'Diolch am eich cymorth, Ms Powell. Cadwch mewn cysylltiad.'

'Iawn.'

Canodd ffôn Daf.

'Bore da.' Llais Joe Hogan. 'Faint o'r gloch ti awydd cael y sgwrs 'na efo Milek a Wiktor? Mae ganddyn nhw ychydig o amser rhydd rŵan – tydi eu shifft nhw ddim yn cychwyn tan hanner dydd.'

'Be am rŵan hyn?'

'Rho chwarter awr i mi i gerdded lawr –mae'r car yn gwrthod tanio heddiw bore.'

'Ti 'di ffonio'r AA neu'r RAC?'

Chwarddodd Joe.

'Mae gen i wasanaeth dipyn bach gwell na hynny, Daf! Dwi 'di ffonio McAleese a bydd y car yn iawn cyn amser cinio, neu mi fydd 'na un arall yn ei le.'

'Alli di ddim cerdded lawr yn yr holl law 'ma. Mi bicia i fyny i dy nôl di.'

Roedd McAleese wedi cyrraedd maes parcio'r eglwys o flaen Daf, yng nghwmni bachgen tuag ugain oed â sawl tlws yn ei glust.

'Did ya ever see such a disgrace as this fella with all his ironmongery, Inspector?' meddai wrth Daf yn sgwrsiol. 'I'm glad his grandmother, God rest her soul, never lived to see her flesh and blood run through like a heathen from the South Seas.'

'Granda, please,' mwmialodd y llanc, yn sychu ei ddwylo ar gefn ei drowsus wrth ymestyn o dan fonet car Joe.

Agorodd drws tŷ'r eglwys a daeth Joe i'r golwg yn siarad â'r dyn ifanc a welodd Daf yno'r noson cynt. Yn amlwg, roedd o wedi cael pryd o fwyd a noson dda o gwsg. Roedd o'n dal yn welw ond heddiw roedd rhyw oleuni newydd yn ei lygaid, fflach o'i bersonoliaeth, efallai. Cipglywodd Daf frawddeg olaf eu sgwrs.

'Dyna be ti angen, cog,' dywedodd Joe wrtho. 'Sgiliau, crefft. Mae Declan dipyn yn iau na ti ond mae ganddo fo ddigon o bres yn ei boced bob wythnos.'

Roedd golwg o barch ar wyneb y dyn ifanc, fel petai wir yn ystyried geiriau Joe. Ysgydwodd law'r offeiriad a cherdded i ffwrdd.

'Did I hear you say my name, Father?' Declan asked.

'Just remarking that he should get himself a trade, like you have.'

'Ah, maybe you're right there, Father, but I haven't got myself a pair of trainers like that, Air Huarache they are.'

'You just save your money for 'em,' datganodd ei daid, 'though it's a powerful lot of money you young fellas are willing to pay for a pair o' runners.'

Cofiodd Daf ei fod wedi clywed enw'r sgidiau o'r blaen, ond methodd gofio ym mha gyd-destun. Roedd Joe yn hapus i adael ei gar yn nwylo medrus y Gwyddelod a dringodd i gar Daf ar gyfer y daith fer i'r orsaf.

'Pwy oedd y dyn ifanc 'na, Joe?'

'Ti'n fy nabod i'n rhy dda i ofyn am enwau, ond mi wnes i gwrdd â fo yn y carchar. Yn un hen hanes trist – mam yn ddibynnol ar heroin, diffyg gofal, digartref, di-waith, i mewn ac allan o sawl sefydliad.'

'Dim yn aml iawn den ni'n dod o hyd i Gymry Cymraeg o gefndir fel'na.'

'Paid bod yn rhagfarnllyd!'

'Ond mae o'n ffaith. Be wnest ti awgrymu iddo fo wneud?'

'Mae ganddo fo gartref yma, ac mae o'n gwybod hynny, ond – ac mae o'n "ond" go fawr – dwi'n gwrthod derbyn rhai sy'n defnyddio cyffuriau. Mae sawl person bregus yn dod i dŷ'r eglwys gan ddisgwyl bod yn saff, ond tydi hynny ddim yn bosib efo adict o gwmpas.'

'Chwarae teg i ti, Joe. Catholig ydi o?'

'Nage, ond den ni i gyd yn blant i Dduw.'

Ers iddo ddod i nabod Joe, roedd Daf wedi dod i arfer â'i sgwrsio crefyddol, ond roedd o'n dal i fynd ar ei nerfau. Ond wedi dweud hynny, roedd o'n teimlo 'run fath pan fyddai Huw Mansel yn troi pob sgwrs at bêl-droed.

'Sôn am blant Duw, ffasiwn noson gawsoch chi neithiwr?'

'Ti'n cyfeirio at fy ngwesteion amrywiol? Gwnaeth Basia swper neis i ni, wedyn aeth hi allan am gwpwl o oriau – i weld Phil, dwi'n tybio – tra oedd y gweddill ohonen ni'n gwylio *Fast and Furious* 5. Ffilm dda.'

Edmygodd Daf agwedd hamddenol Joe. Roedd dau smyglwr

mawr o Wlad Pwyl a defnyddiwr cyffuriau ifanc yn hapus i eistedd efo'i gilydd i wylio rhywbeth ar Netflix.

'Pa mor dda wyt ti'n nabod Milek a Wiktor?'

'Maen nhw'n dod i'r Offeren bob dydd Sul ac maen nhw wastad yn fodlon helpu. Mae Wiktor yn rhy hoff o'i fodca, 'sen i'n dweud, ond maen nhw'n teimlo'n unig yn aml iawn. Mae'r ddau yn addoli Basia.'

'Mi ddywedodd Basia dy fod ti wedi ei helpu hi pan gafodd hi dipyn o helynt efo Wiktor.'

Cododd Joe ei aeliau.

'Mmm. Roedd hynny braidd yn lletchwith. Dynion unig ydyn nhw, heb gyd-destun cymdeithasol.'

'A dydi Milek ddim yn hapus fod Basia yn treulio'i hamser efo dyn priod, chwaith.'

Erbyn hyn, roedden nhw wedi cyrraedd yr orsaf a chamodd y ddau o'r car.

'Mae Basia yn gwneud ei gorau glas i ddilyn rheolau'r Eglwys, Daf, ond dynes o gig a gwaed ydi hi, fel pawb arall. I Milek, byddai perthynas rhyngddi di a Wiktor yn ddull syml o ddatrys dwy broblem ar yr un pryd: dyfodol a sicrwydd i'w chwaer a gwraig i'w ffrind. Doedd dim cymhelliad drwg – dwi'n siŵr dy fod di wedi gwneud dipyn o *matchmaking* yn dy dro.'

'Dwi'n pledio'n ddieuog. Falmai fyddai wastad yn ceisio ffeindio partneriaid i bobl, felly mi welais i pa mor ofer oedd yr holl fusnes.'

'Dwi'm isie i ti feddwl fod Milek yn ceisio rheoli ei chwaer. Jyst cwpwl o bobl ifanc yn byw yn bell o gartref ydyn nhw.'

'Ti'n siarad fel petaet ti'n meddwl 'mod i'n hiliol. Ti'n fy nabod i'n well na hynny, Joe.'

'Sori, Daf, nid dyna o'n i'n olygu, ond mae'n anodd weithiau deall sut mae pobl yn meddwl, os ydyn nhw'n dod o gefndir hollol wahanol. Den ni'n tueddu i fod yn gymdeithas o unigolion yma, felly mae'n anodd deall sut mae teulu estynedig yn gweithio. Mae'n hollol naturiol i frawd boeni os ydi ei chwaer yn caru dyn priod sy'n ddigon hen i fod yn dad iddi.'

Oedodd Daf am eiliad wrth feddwl am Belle a Siôn. Chwarae teg i Milek.

Roedd Wiktor a Milek wedi penderfynu sefyll i aros amdanyn nhw, ac roedd Daf yn falch o hynny gan na fyddai'r fainc fach yn ddigon cryf i wynebu'r fath her. Edrychai Nia'n fychan fach wrth eu hymyl. Yn ffurfiol, ysgydwodd Daf eu dwylo.

'I'm Inspector Dafis,' cyflwynodd ei hun, 'and I need to have a bit of a talk with you. Father Hogan will translate and WPC Nia here will take notes.'

Wiktor ddaeth drwodd gyntaf. Er gwaetha'r mur ieithyddol roedd ei natur yn ddigon amlwg i Daf. Dipyn o foi, yn barod i gymryd siawns, wastad yn chwilio am gyfle. Nid oedd arno ofn gwaith caled ond roedd hefyd yn ffansïo'i hun fel tipyn o ddyn busnes. Cyfaddefodd mai fo oedd yn berchen ar gynnwys y stordy yn y to ond gwadodd unrhyw drosedd.

'Y pethau – y bwyd, y fodca – pethau o gartref ydyn nhw, dyna'r cyfan,' esboniodd drwy'r cyfieithydd.

Yn ôl Wiktor, cafodd gyfle i fynd adre efo fan Transit dri mis ynghynt, i helpu cefnder i fudo i ardal Lerpwl lle cawsai swydd. Ar ôl llwytho ei bethau o, sef ei focsys ac ychydig iawn o ddodrefn, i'r fan, roedd y trwmbal yn dal i fod yn hanner gwag. Llanwodd Wiktor y gofod gyda'r pethau roedd yn gweld eu heisiau ers iddo adael ei wlad enedigol. Gofynnodd Daf am sigarét. Heb feddwl ddwywaith, tynnodd Wiktor becyn o Fajrant o boced ei fflîs a chynigiodd un i Daf.

'Pam mae 'na gymaint o sigaréts Jan III Sobieski yn y stordy, Wiktor, a tithau ddim yn eu smygu?' gofynnodd Daf.

'I'm ffrindiau,' atebodd, braidd yn rhy sydyn. Penderfynodd Daf y byddai'n aros tan y cyfweliad ffurfiol i roi pwysau ar Wiktor – wnâi o ddim drwg iddo boeni a chwysu tipyn wrth ddychmygu pa mor llym fyddai'r gosb am smyglo ym Mhrydain.

Wrth sylwi ar y wên hunanfalch ar wyneb Wiktor pan gafodd ei ryddhau, rhoddodd Daf rybudd bach iddo.

'Joe, gwna'n siŵr bod ein ffrind yn deall yn iawn 'mod i'n

disgwyl iddo fo aros yn y Trallwng tra bo'r ymchwiliad yn mynd yn ei flaen. Dydi o ddim i deithio i nunlle.'

Gadawodd Wiktor yn ysgafndroed, yn gyferbyniad llwyr i Milek a gerddodd drwy ddrws yr ystafell holi fel dyn yn mynd i gynhebrwng ei ffrind gorau. Roedd golwg sâl ar ei wyneb llydan.

'Wyt ti'n teimlo'n iawn, Milek?' gofynnodd Daf.

Bu sgwrs rhwng y Pwyliad a Joe, wedyn gwenodd yr offeiriad yn llydan.

'Mae o'n dweud bod fy nhŷ i'n rhy gynnes iddo fo! Ar ôl arfer efo tŷ drafftiog aeth i'w wely yn ei ddillad a'i sanau, fel arfer, ond mi fu'n troi a throsi drwy'r nos, yn rhy dwym.'

'Iawn. Wnei di ofyn iddo fo pryd yn union welodd o Heulwen am y tro olaf?'

'Pnawn dydd Gwener,' meddai Joe ar ôl ei holi. Plethodd Milek ei freichiau trwchus a syllodd i wyneb Daf, ei lygaid yn hollol wag.

Ni fu'r broses o holi drwy gyfieithydd yn rhwydd o gwbl, yn enwedig gan fod y cyfieithydd hwnnw'n ffrind i'r heddwas a'r un dan amheuaeth. Roedd cryfder a phendantrwydd cwestiynau Daf yn cael eu glastwreiddio gan natur fwyn Joe.

'Dweud wrtho fo am beidio dweud celwydd. Dwi'n gwybod fel ffaith y cafodd o sgwrs efo Heulwen nos Lun. Am be oedden nhw'n siarad?'

Rhoddai'r saib rhwng y cwestiwn a'r ateb amser i Milek feddwl. Roedd Daf yn bendant bod Milek yn deall bron bob gair ac yn cuddio tu ôl i'r llen ieithyddol.

'Trafod cwpwl o jobsys oedd angen eu gwneud oedden nhw,' ailadroddodd Joe. 'Roedd Mrs Evans wastad angen trwsio rhyw bethau bach, ac yn ôl y sôn, dydi ei gŵr ddim yn llawer o *handyman*.'

'Pa jobsys yn union?'

'Pethau bychain.'

'Megis?'

Unwaith eto, hen ddigon o amser i Milek feddwl.

'Mae'r tywydd wedi bod mor braf, roedd hi isie agor y

ffenest, ond roedd hi'n anodd iawn i'w hagor. Ddywedodd hi y byddai'n rhaid mynd ar ôl Bowen petai angen *sash* newydd, ond os mai dim ond wedi chwyddo ryw chydig dros y gaeaf oedd hi, gallai Milek ddelio efo hynny.'

'Sut oedd hi'n talu am y gwaith?'

Wrth ofyn cwestiwn mor syml roedd Daf wedi gosod trap i Milek. Os dywedai fod Heulwen wedi talu efo arian parod, gallai Daf ofyn am ei drefniadau treth. Ni ddisgwyliodd yr ateb a gafodd.

'Talodd mewn arian parod ac mae Milek wedi gwneud cofnod o bopeth. Yr eiliad mae Google, Amazon a Starbucks yn talu eu trethi, bydd Milek yn talu hefyd.'

Llwyddodd Daf i beidio â chwerthin. Ni allai gredu bod Milek yn fodlon talu, ond edmygodd ei agwedd.

'Be oedd o'n feddwl o Mrs Evans?'

Nid oedd iaith yn bwysig am sawl eiliad. Trodd Milek ei wyneb, cododd Daf ei aeliau a nodiodd Milek ei ben.

'Rhaid i Nia gael rwbeth i'w sgwennu lawr ...'

'Hen ast oedd hi. Ddim yn rhoi parch i neb, wastad yn disgwyl swllt o waith am geiniog o gyflog, yn hel gwybodaeth am bawb rhag ofn y byddai'n gallu manteisio ar hynny ryw dro. Mae Milek yn dweud hefyd ei bod yn ddynes hiliol, wastad yn eu disgrifio nhw fel "Polaks". Roedd hi wastad yn siarad fel petaen nhw'n mynd i ddiflannu dros nos. Mae Milek isie i ti ddeall, Daf, nad oes ganddo fo reswm i ddychwelyd i Wlad Pwyl, ac iddo fo a Basia, bydd Cymru'n gartref iddyn nhw am byth. Felly mae'n gas ganddo fo bobl yn siarad fel petai o ar fin gadael.'

'Ond mae 'na bethau maen nhw'n gweld eu heisiau, wrth fyw oddi cartref, does? Pethau fel diodydd; hyd yn oed math o ffags?'

Gwelodd Daf dyndra yn wyneb Milek a thybiodd mai euogrwydd ynglŷn â'r nwyddau yn llofft Wiktor oedd o, ond pan glywodd dôn ei lais, doedd dim rhaid iddo aros am y cyfieithiad i ddysgu mai dicter oedd o.

'Ddylen nhw fod wedi cael y cyfle i agor siop. Mae Basia'n ferch alluog, yn haeddu gwell gyrfa na glanhau, a chynigiodd Rhys Bowen y siop iddi am chwe mis heb rent.'

Ni lwyddodd Daf i guddio'i farn am fwriadau Bowen. Cododd Milek i'w draed, yn gawr uwchben Daf.

'Not as you think,' dywedodd yn Saesneg. 'Basia good and Mr Bowen knows this. Mr Bowen wants shop for Polish people in Welshpool and he knows Basia is clever, honest. Not for bad reason, like you think. Like Phil, no. When we first in Welshpool, yes, Mr Bowen said will she go with him but when she say no, is no go on.'

Dywedodd Joe rywbeth wrth Milek a swniai fel gorchymyn, ac eisteddodd i lawr yn sydyn. Gwichiodd y gadair o dan y straen. Llifodd cannoedd o eiriau o geg Milek, yn cynnwys enwau Basia, Phil a Bowen. Tynnodd Joe lyfryn bach o'i boced a sgwennodd ynddo yn gyflym.

'Mae Milek wedi gofyn i mi ddweud hynna air am air, Daf, felly dyma fo.' Cliriodd Joe ei wddf cyn ailadrodd geiriau Milek. 'Den ni'n dlawd, Basia a finne. Den ni'n gweithio'n galed ond yma, yr unig swyddi sy ar gael i ni yw swyddi gwael. Roedden ni'n awyddus iawn i sefydlu siop ar gyfer ein ffrindiau o Wlad Pwyl ond penderfynodd yr hen ast yn y siop emwaith, a'r hen gyfreithiwr hefyd, ein rhwystro ni. Roedd Mr Bowen yn flin iawn efo nhw. Felly, mae Basia yn dal i lanhau i bobl y mae ganddi lawer mwy o allu na nhw, ac oherwydd ei bod hi'n dlawd, mae dynion fel Phil Evans yn ei thrin fel putain. Mae Wiktor a finne wedi cychwyn ein busnes ein hunain er mwyn talu am siop arall iddi hi, ond roedd Mrs Evans yn dweud ein bod ni wedi torri amodau ein prydles wrth gadw'r stwff yn y fflat. Gofynnodd i ni wneud rhwbeth roedden ni'n anfodlon iawn i'w wneud, ac ar ôl i ni ei wneud o, roedd hi'n ceisio'n gorfodi ni i fynd yn bellach, ond gwrthodais.'

Am hanner munud, ceisiodd Daf ddyfalu pa fath o beth roedd Heulwen wedi ei orfodi o i'w wneud. Dim byd personol, roedd o'n siŵr o hynny, ond o beth roedd o wedi'i ddarganfod am Heulwen, efallai ei bod angen cwpl o ddynion caled i fygwth pobl. Ond gorfododd ei hun i gallio – wedi'r cyfan, ymgeisydd Plaid Cymru oedd hi, nid Brenhines y Maffia. Ond roedd hi wedi ceisio perswadio Anwen i osod trap i Bowen, a cham bach oedd rhwng hynny a blacmel. Cyn dechrau'r ymchwiliad doedd Daf ddim yn andros o ffan o Heulwen Breeze-Evans, ond ar ôl clywed cymaint o bethau hollol *random* amdani, roedd o bron yn barod i gredu unrhyw beth.

'Be oedd hi'n ofyn iddyn nhw wneud?'

Roedd Milek i weld wedi ymlacio ar ôl gwneud ei ddatganiad, a daeth yr ateb yn ôl yn brydlon.

'Mae Milek yn dweud bod Mrs Evans yn chwilfrydig iawn ynglŷn â materion busnes Mr Bowen. Cytunodd Wiktor i ddod o hyd i rai o ddogfennau'r cwmni ond gofynnodd hi am fwy.'

'Pa fath o faterion busnes?'

Ddywedodd Milek ddim gair.

'Joe, ydi o'n deall 'mod i'n ceisio datrys trosedd ddifrifol? Does gen i ddim diddordeb o gwbl bod y fodca wrth wely Wiktor wedi dod i mewn i'r wlad heb dalu'r dreth. Be ddigwyddodd i Heulwen a sut aeth yr adeilad ar dân, dyna be sy'n bwysig.'

Nodiodd Milek ei ben wrth glywed hynny ond roedd o'n dal yn anfodlon dweud mwy. Adroddodd, dro ar ôl tro, fel mantra:

'Dyn da ydi Mr Bowen.'

Gan fod y Gynhadledd i'r Wasg wedi ei threfnu ar gyfer hanner dydd ni allai Daf blymio'n ddyfnach i fusnes Rhys Bowen. Penderfynodd ddilyn llwybr arall.'

'Wyt ti'n agos at Basia?'

'Agos? Wel, den ni'n frawd a chwaer,' daeth yr ymateb.

'Ond mi benderfynoch chi ddod i'r ardal yma i fyw, gan adael aelodau eraill o'ch teulu yn ôl yng Ngwlad Pwyl?'

'Dim ond nhw eu dau sydd,' meddai Joe. 'Bu farw eu tad yn ddeugain oed o'r math o afiechyd oedd yn gyffredin iawn o dan reolaeth y Blaid Gomiwnyddol, sef llwch ffatri yn ei ysgyfaint. Wedyn, cafodd eu brawd hynaf gyfle i fynd i America. Ar ôl tair blynedd roedd o angen help efo gofal plant ac ati, felly aeth ei fam draw i fyw efo fo. Ymhen dipyn, ceisiodd Milek am swydd yn y Trallwng, ac ar ôl iddo fo gael rhywle i aros, daeth Basia draw.'

'Mor syml â hynny? Wnaeth yr un ohonyn nhw adael cariad ar eu holau?'

Gwenodd Milek i ddangos rhes o ddannedd mawr brown, canlyniad blynyddoedd o smygu.

'Dydi Milek ddim yn dod o hyd i ferched yn hawdd,' esboniodd Joe. 'Mae o'n dweud nad oes llawer o alw am ddyn mawr, hyll, tlawd, sydd hefyd braidd yn swil.'

Roedd ei onestrwydd yn apelgar a'i eiriau yn agos iawn at y gwir – faint o rieni parchus Sir Drefaldwyn fyddai'n hapus i glywed bod eu merch fach nhw wedi dod o hyd i gariad fel Milek?

'A Basia?'

Gostyngodd Milek ei lygaid.

'Dydi Milek ddim yn fodlon trafod pethau preifat,' eglurodd Joe.

'Wnei di plis esbonio iddo fo, Joe, fod yn rhaid i mi ddarganfod popeth am Heulwen a'i theulu, gan gynnwys Phil.'

Gwnaeth Milek sŵn yn ei wddf, hanner grwgnach, hanner hisian.

'Mae Milek yn dweud nad ydi Phil i fod i ddod yn agos at Basia. Dim jyst o achos ei statws fel dyn priod. Mae o'n llawer rhy hen iddi, ac mae o'n ddyn diog sy wedi byw ar ei wraig gydol ei oes. Dydi o ddim yn caru ei blant na pharchu neb.'

'Ond mae Basia yn ei garu?'

'Breuddwydio am ramant mae hi, ac mae gan Phil ddigonedd o eiriau melys.'

'Ond byddai dyfodol Basia yn llawer haws petai Phil yn colli ei wraig?' awgrymodd Daf, yn astudio wyneb Milek yn ofalus.

'Ni all Phil ddarparu dyfodol gwych i neb, ym marn Milek,' atebodd Joe. 'Os ydyn nhw'n methu priodi, mi fydd o'n diflasu'n ddigon buan.'

'Ond mae marwolaeth Heulwen yn fantais i Basia, yn sicr?'

Chwarddodd Milek yn chwerw.

'You did not know Heulwen Evans,' dywedodd yn ei Saesneg cloff. 'Her to be dead is good thing for everyone.'

Pennod 7

Bore Mercher, Ebrill 13, 2016, yn hwyrach

Roedd yn rhaid i Daf ganmol Diane Rhydderch – roedd Cynhadledd y Wasg yn drefnus iawn. Cafodd Daf fraw pan glywodd fod y gynhadledd wedi ei threfnu yn Neuadd y Dre: ei syniad o o gynhadledd oedd sgwrs anffurfiol yn nerbynfa'r orsaf efo cwpl o wynebau cyfarwydd o'r papur lleol, felly pan gerddodd i mewn i'r stafell lan staer yn Neuadd y Dre doedd o ddim yn disgwyl gweld dros hanner cant o bobl. Roedd rhai ohonyn nhw'n gyfarwydd – gohebwyr lleol, dyn o'r *Montgomeryshire County Times and Express*, y ferch gwallt coch o'r *Shropshire Star* ac ati. Synnodd Daf faint o wynebau eraill oedd yn gyfarwydd o'r teledu. Am ryw reswm, roedd o wedi meddwl fod tîm o ohebwyr yn paratoi'r straeon ar gyfer y darlledwyr oedd yn eistedd yn y stiwdio. Roedd golwg Lundeinig ar eraill; y math o bobl sy'n meddwl fod gwisgo Converses gwyn yn Sir Drefaldwyn yng nghanol tymor wyna yn syniad da. Yn y cefn, â llyfryn bach yn agored ar ei lin, roedd dyn o ochrau Bettws Cedewain, a synnodd Daf ei weld.

'Carwyn Watkin, be wyt ti'n wneud yma?'

Cododd y dyn ei ben i wynebu Daf. Roedd ei fochau wedi eu chwipio gan wynt oer y gwanwyn nes roedden nhw bron yn borffor ac roedd arogl tail o'i gwmpas.

'Isie hanes y mwrdwr ydw i, i *Blu'r Gweunydd*.'

Roedd clywed enw'r papur bro yng nghyd-destun ymchwil difrifol fel hyn yn ddigon i achosi eiliad o ddryswch pur i Daf. Busnesa oedd Carwyn Watkin ond welai Daf ddim pwynt ceisio'i daflu allan i'r glaw – creadur diniwed oedd y dyn a ddisgrifiodd Anwen fel *sidekick* i Heulwen Breeze-Evans. Ac i fod yn hollol deg â fo, cyfrannai golofn fach i'r *Plu* bob mis yn ffyddlon dan y teitl 'Croyw Loyw': casgliad o ddyfyniadau, straeon o'r dyddiau gynt a sylwadau go fas am gynnwys y newyddion. Er hynny, doedd o ddim yn blatfform addas i drafod hanes trychinebus llosgi bwriadol, anffyddlondeb, trais a chasineb.

Roedd Daf yn hoff iawn o deulu Watkin, Brynybiswal. Ers talwm, Brynybiswal fyddai'r fferm olaf ar ei rownd yn y fan efo'i Wncwl Mal, a byddai'r hen Mrs Watkin wastad yn cynnig paned iddyn nhw. Byddai Mal yn poeni y byddai'r baned yn eu gwneud nhw'n hwyr yn ôl i'r siop, ond byddai'r hen Mr Watkin bob tro'n ffonio tad Daf yn y siop i esbonio. Roedd Daf wrth ei fodd yn y gegin hen ffasiwn, fyddai â chlamp o ddarn o facwn yn hongian o'r trawst a lluniau crefyddol ar y wal, megis *Y Bugail Da* ac un o Dafydd yn canu i'r Brenin Saul. Byddent yn cael mwy na phaned bob tro: brechdanau ham, salad efo llysiau o'r ardd a ffefryn Daf, sef cacen carwe yn llawn o'r hadau persawrus. Pan eisteddai pawb o gwmpas y bwrdd, gofynnai Mr Watkin yr un cwestiwn bob tro:

'Oes hast arnat ti heddiw?'

'Dim hast o gwbwl, Mr Watkin.'

Wedyn, agorai Mr Watkin ddrôr ym mwrdd y gegin a thynnu ohoni becyn bach cardfwrdd a logo Players Navy Cut arno. Cardiau chwarae oedden nhw, y pecyn a brynodd Mr Watkin fel anrheg i'w wraig newydd i basio'r amser pan aethon nhw ar y trên i Landudno am eu mis mêl. Ddeng mlynedd ar hugain yn ddiweddarach, roedd pob un wan jac, fel y dywedai Mrs Watkin, yn dal yn y pecyn. Roedd teulu Brynybiswal yn chwaraewyr chwist mawr, a chan fod mab a merch yn y teulu roedd digon ohonynt i chwarae'r gêm. Yn anffodus o safbwynt y chwist, bu i'w merch, Christine, briodi a mudo i ynys ddeheuol Seland Newydd, ac roedden nhw'n brin o leidi, felly roedden nhw'n falch iawn o'r cyfle i ddysgu Daf sut i chwarae. Ar ôl pum gwers, roedd o'n ddigon da i chwarae heb gymorth a chofiai sut yr oedd wrth ei fodd yn chwarae am awr neu fwy tra oedd Mal yn hapus yn y gadair fawr wrth y stôf efo'r teriars bach digywilydd. Hyd yn oed pan oedd o yn y coleg galwai Daf heibio Brynybiswal yn weddol aml, ac yn ystod un ymweliad sylwodd

Daf fod golwg las ar groen yr hên Mr Watkin. Wnaeth o ddim synnu pan glywodd, fis yn ddiweddarach, ei fod o wedi cael strôc. Nid fu pethau byth yr un fath wedi hynny ym Mrynybiswal. Bu farw Mrs Watkin tua degawd ar ôl ei gŵr gan adael Carwyn yno ei hun, ac ers hynny, dim ond mewn gyrfaoedd chwist y byddai Daf yn ei weld.

Cerddodd Daf at y llwyfan. Roedd Diane Rhydderch a Nia yn eistedd yno'n barod, a chadair wag rhyngddyn nhw. Ystyriodd Daf wneud jôc am rosyn rhwng y drain, ond ar ôl edrych ar eu hwynebau ni fentrodd yngan gair. Gorweddai amlen frown ar y ddesg o flaen cadair Daf. Agorodd Daf hi: neges gan Steve:

'Path lab confirm positive ID from dental records. Deceased is Heulwen Breeze-Evans. Jarman on the case with cause of death etc.'

Tra oedd Diane Rhydderch yn ei gyflwyno i'r wasg, teimlai Daf yn edifar am ei agwedd tuag ati y diwrnod cynt. Nid ei bai hi oedd yr holl system, y pwyslais ar drydar, yr eirfa arwynebol: dim ond gwneud ei swydd oedd hi, waeth faint oedd hi'n mynd ar ei nerfau o. Byddai'n rhaid iddo wneud ymdrech i fod yn fwy clên tuag ati, penderfynodd. Cyrhaeddodd ei chyflwyniad ei derfyn:

'Mae Heddlu Dyfed Powys yn ffyddiog iawn y bydd yr achos yma'n cael ei ddatrys cyn gynted â phosib. Mae prif swyddog yr ymchwiliad, yr Arolygydd Dafydd Dafis, yn un o'r swyddogion mwyaf galluog a phrofiadol sy gennym ni. Felly, os oes gennych chi gwestiynau, bydd Mr Dafis yn falch o'u hateb nhw.'

Sychodd ceg Daf a chofiodd sefyll ar lwyfan digon tebyg pan oedd o'n bump oed, yn cystadlu ar yr adrodd yn Steddfod Seilo.

'Bore da, ffrindiau. Ymchwiliad i dân amheus oedd hwn i ddechrau, cyn i ni ddarganfod corff Mrs Heulwen Breeze-Evans yn y swyddfa gefn. Den ni wedi cael cadarnhad mai hi ydi'r corff ond yn dal i ddisgwyl yr adroddiad ynglŷn â sut y cychwynnodd y tân a sut y bu Mrs Breeze-Evans farw. Felly, den ni'n gofyn am gymorth gan aelodau'r cyhoedd – gan unrhyw un oedd yn nabod Mrs Breeze-Evans neu unrhyw un oedd yn digwydd bod yng nghyffiniau Stryd y Gamlas yn y Trallwng rhwng chwech a naw o'r gloch neithiwr. Gallwch gysylltu efo ni ar y rhif sy gen WPC Nia Owen. And now, for our English friends ...' ategodd, wrth weld golwg ddryslyd ar wynebau rhai o'r gohebwyr o bell.

Cymerodd wynt mawr wrth aros am y cwestiynau.

'Ai trosedd gasineb yw hon, o ystyried rhywioldeb y dioddefwr?' gofynnodd dynes o ITV Cymru.

'Mae'n amlwg fod bywyd personol go gymhleth gan Mrs Breeze-Evans. Ar hyn o bryd, does gennyn ni ddim tystiolaeth i gysylltu ei rhywioldeb â'r drosedd, ond mae'n rhaid cofio mai newydd ddechrau mae'r ymchwiliad.'

'Oes gennych chi brofiad o ddelio gyda throsedd o gasineb homoffôbig, Arolygydd Dafis?'

Sylwodd Daf ar lygaid Diane Rhydderch arno, yn aros iddo wneud camgymeriad, efallai. Gwelodd y trap yng nghwestiwn y ddynes o ITV a cheisiodd ei osgoi.

'Go brin yw troseddau casineb o unrhyw fath yn yr ardal yma, lodes,' mentrodd. 'Pobl glên den ni – cofiwch am Fwynder Maldwyn.'

'Felly, tydech chi ddim yn erlyn pobl homoffôbig yn yr ardal yma, Mr Dafis?'

'Gwranda, lodes, dwi'n erlyn bob trosedd yn fy milltir sgwâr i sy angen cael ei herlyn.'

'Felly, faint o droseddau casineb y bu i chi eu herlyn llynedd?'

Ar yr amlen o flaen Daf roedd Nia wedi sgwennu rhif: 0.

'Dim.'

Roedd golwg fuddugoliaethus ar wyneb y ddynes ifanc, fel petai wedi darganfod cyfrinach fawr bwysig.

'Oherwydd eich agwedd tuag at y gymuned LGBT leol, efallai?'

'Neu oherwydd agwedd y bobl leol tuag at ei gilydd, sef rhoi llonydd i bawb, waeth pwy maen nhw'n ei garu?' Doedd y dicter yn llais Daf ddim yn mynd i helpu neb ond methodd rwystro'i hunan. Torrodd Nia ar ei draws.

'Mae gennyn ni restr o weithgareddau den ni wedi eu cynnal yn ystod y flwyddyn ddiwetha, mewn ysgolion, clybiau ieuenctid ac ati, i godi ymwybyddiaeth o hawliau pobl LGBT. Hefyd, rydyn ni fel heddlu wedi derbyn hyfforddiant gan Stonewall Cymru a dwi'n mynychu cyfarfodydd Rainbow Powys yn fisol.'

Roedd y wên ar wyneb Diane Rhydderch yn dweud y cyfan. Cododd un o'r newyddiadurwyr dieithr ar ei draed; dyn yr un oed â Daf, ychydig dros ei bwysau, â sbectol ddrud a gwên nawddoglyd ar ei wyneb.

'Gavin Porter, *Mail*. So, what we have here, Inspector, is a suspicious fire in which a Nationalist politician is killed, so obviously, everyone is linking this to the Sons of Glendower outrages in the 1980s. I was struck too by your attitude this morning, speaking in Welsh to exclude people: to what extent is this area a hotbed of extremism?'

Fel roedd ei dad wastad wedi ei gynghori, cyfrodd Daf i ddeg cyn ymateb.

'I spoke in Welsh first out of respect for the victim and her family: I have no interest in excluding anyone, but as Welsh is one of the two official languages of this nation, our policy is to give priority to whichever language is most suitable for the case. And as for this area being extremist, that is nonsense. There is no connection whatsoever between this incident and historical cases of arson in the 80s.'

'Are you an extremist yourself, Inspector?'

'No.'

'Yet you took part in a number of nationalist protests in the 1980s, I believe?'

'Like all students. Together with protests about funding cuts, the war in Iraq and I do think I may very well have tried to save the odd whale.' Roedd Daf yn ysu i roi clec i'r dyn o Lundain.

'Dyfed Powys Police has every faith in Inspector Dafis, who is one of our most capable officers. Next question.'

Chwarae teg i Ms Rhydderch, roedd hi'n ddigon profiadol i

sgubo creaduriaid fel fo i un ochr heb feddwl ddwywaith. Erbyn i'r gynhadledd ddod i'w therfyn roedd Daf yn flin gacwn.

'Diolch o galon, Ms Rhydderch. Mae pobl fel'na'n mynd o dan fy nghroen i ...'

'Arolygydd Dafis, maen nhw'n cael eu hyfforddi i wneud hynny; mae o'n fwriadol. Y syniad yw eu bod nhw'n crafu arnoch chi nes y byddwch chi'n colli'r plot braidd ac yn dweud pethau na ddylech chi eu dweud.'

'Wrth gwrs. Beth bynnag, dwi'n sori am fy agwedd ddoe: ro'n i'n eich beio chi am wneud eich swydd, oedd yn beth twp iawn i'w wneud.'

'Dwi'n deall yn iawn, Arolygydd Dafis.'

Gwenodd y wên fwyaf ffals i Daf ei gweld erioed, a llwyddodd yntau i guddio ochenaid.

Roedd gorsaf yr heddlu yn hafan iddo – wastad yn brysur ond yn rhedeg fel watsh. Roedd tair dogfen ar ei ddesg yn aros am ei sylw: adroddiad o'r gamlas, rhestr o alwadau ffôn a dderbyniwyd dros nos a nodyn gan Jan Cilgwyn, ar bapur swyddogol y Cynulliad, yn dweud bod yn rhaid iddi siarad efo fo ar fyrder. Cododd y ffôn.

'Darren, pwy sy o gwmpas?'

'Dim ond ni'n dau, bòs. Mae Nia wedi mynd allan i weld teulu Mrs Breeze-Evans, mae Steve dal ar y safle ac aeth Sheila at y meddyg am ryw reswm.'

'Ydi hi'n sâl?'

'Dim ond *check up* ddywedodd hi. Wedi ei drefnu ers oes.'

'Ocê. Wnei di ffonio Jan Cilgwyn a dweud 'mod i ar gael tan un o'r gloch heddiw?'

'Gwnaf, bòs. Be am y Cynghorydd Gwilym Bebb? Ydi o'n cael mynd yn ôl i'w swyddfa eto?'

'Os ydi hynny'n iawn efo Steve.'

Dechreuodd ei ffôn symudol ganu. Gorffennodd ei sgwrs efo Steve a'i ateb gynted ag y gallai, ond doedd hynny'n amlwg ddim yn ddigon buan gan y patholegydd.

'Dwi'n gwybod dy fod di'n brysur, Mr Acting Chief Inspector, ond mae gen i hanner dwsin o gyrff sy angen sylw, yn cynnwys bachgen o dras Mwslemaidd sy angen i'r PM gael ei orffen cyn machlud haul er mwyn i'w deulu gael ei gladdu o – ac, wrth gwrs, dy broblem fach di.'

'Sori, Dr Jarman, ro'n i'n siarad ar y llinell arall.'

'Dyna maen nhw i gyd yn ddweud. Beth bynnag, dwi newydd ddechrau'r gwaith ar Mrs Breeze-Evans ac mae 'na rywbeth yn od.'

'Ym mha ffordd, Dr Jarman?'

'Oedd ganddi hi unrhyw broblemau iechyd?'

'Dwi ddim wedi clywed am ddim byd penodol. Roedd hi'n cymryd tabledi at iselder.'

'Wnei di jecio? Gawn ni siarad eto yn nes ymlaen, a dwi'n disgwyl i ti ateb ar y caniad cynta, iawn?'

'Wrth gwrs, Dr Jarman.'

Dim ond degawd yn hŷn na Daf oedd y patholegydd, ond ers iddyn nhw weithio efo'i gilydd am y tro cyntaf ryw wyth mlynedd ynghynt roedd Jarman wastad wedi trin Daf fel bachgen ysgol drwg. Doedd gan Daf ddim syniad pam, ond gan ei fod yn parchu'r doctor, roedd o'n ei dderbyn – er, pe byddai unrhyw un arall yn meiddio siarad felly efo fo byddai 'na helynt. Cododd y ffôn drachefn i alw Dr Mansel: dim ateb. Curodd rhywun y drws.

'Ty'd i mewn.'

Safai Belle yn ffrâm y drws ac am hanner eiliad cafodd Daf fraw. Ers iddo weld Siôn ynghlwm i'w gwely hi, roedd o wedi anghofio pa mor olygus oedd hi. Camodd ar draws y stafell ac, am ryw reswm, trodd y gadair i wynebu am yn ôl cyn eistedd arni. Roedd ei hwyneb a'i hysgwyddau i'w gweld uwchben cefn y gadair. Roedd y ddelwedd yn atgoffa Daf o'r llun enwog hwnnw o Christine Keeler o gyfnod y sgandal Profumo.

'Sut hwyl heddiw, Inspector? Fyny hanner y nos efo'r babi?'

Pan oeddet ti fyny hanner y nos efo plentyn arall fy mhartner, meddyliodd Daf, cyn cofio nad oedd o i fod i wybod am hynny.

'Dreulies i oriau ar y llawr, yn siglo crud gwag,' cyfaddefodd. 'Sut oedd y cŵn?'

'Tshampion.'

'Gwrddaist ti â thad Siôn bore 'ma?'

'Do, mi biciais fyny jyst ar ôl iddyn nhw orffen godro.'

'Achos roedd o'n chwilio am Siôn neithiwr. Isie esboniad am y cŵn dierth yn ei gwt, medde fo.'

Roedd arlliw o wên ar wyneb Belle ond ni ddywedodd air. Penderfynodd Daf mai trafod gwaith fyddai saffaf.

'Sut oedd y safle heddiw bore?'

'Iawn. Newydd orffen ydw i. Dim byd nodweddiadol yn y fflat uwchben y swyddfa, heblaw drôr yn llawn dillad isaf go ffansi, ond o ran y tân, mae 'na rwbath o'i le.'

'Be ti'n feddwl, lodes?'

'I gychwyn, roedd dau dân: un jyst tu mewn i'r drws ffrynt a'r llall, a hyn sy'n od, jyst tu mewn i'r swyddfa gefn.'

'Wyt ti'n siŵr?'

'*Accelerants* gwahanol. Dwi wedi siarad efo DC Steve "Cadw dy lygaid ar fy wyneb, plis" James, ac maen nhw'n mynd i wneud profion ychwanegol i gadarnhau hynny. Ond dwi'n gwybod be welais i, sef *two-stroke* yn y swyddfa a *meths* wrth y drws ffrynt. Roedd pwy bynnag oedd yn gyfrifol am y tân wrth y drws ffrynt wedi gwneud job go sâl: mae taflu Durex llawn tanwydd drwy'r blwch llythyrau'n iawn mewn theori, ond sut mae ei danio fo? Matsien drwy'r drws? Dwi'n meddwl mai'r tân arall tu mewn daniodd y *meths* wrth y drws ffrynt.'

'Ond, a maddeua i hen ddyn sy heb gael llawer o gwsg, os wyt ti'n dweud mai tu mewn i'r swyddfa gefn oedd safle'r tân llwyddiannus, fase'n bosib i Heulwen fod wedi cynnau'r tân ei hun?'

'Neu ei bod wedi eistedd yn llonydd yn ei chadair tra oedd rhywun yn tywallt *two-stroke* dros y lle.'

'*Two-stroke*?'

'Bendant, bron. Mae'n llosgi'n wahanol i betrol arferol.'

'Oes gen ti amser am baned, lodes?'

'Un fach sydyn. Pa mor bell ydi Kington?'

'Cer di draw heibio Cider House ar ôl y Drenewydd, fydd o'n torri hanner awr oddi ar dy daith.'

Gwenodd yn addfwyn arno.

'Ti fel tad i bawb, yn dwyt, Daf?' dywedodd yn isel. 'Bob amser yn ceisio datrys problemau bach pobl eraill. Dwi'n dallt be mae Sions yn feddwl.'

'A be yn union mae o'n ddweud?' gofynnodd Daf yn chwilfrydig.

'Dy fod di'n gofalu amdanyn nhw, yn cynnwys ei dad o. Mae o'n meddwl y byd ohonat ti, 'sti.'

'A dwi'n meddwl y byd ohono fo hefyd. Chwarae teg, mae Siôn wastad wedi bod yn ...'

'Gog bêch clên?'

'Dim fel'na dwi'n siarad, Miss.'

'Dim cystal â Mr Jones Neuadd. Mi wnaeth fy chwaer ei thraethawd hir yn y coleg ar dafodiaith dwyrain Cymru – mi fydd hi'n siomedig iawn i golli'r fath ffynhonnell. Wtra, shettin, bing – do'n i erioed wedi clywed rhai o'r geiriau 'na o'r blaen!'

'Paid di â chwerthin ar ein pennau ni!'

'Nid chwerthin ydw i, ond dysgu.'

Agorodd Darren y drws a chafodd olygfa o ben ôl Belle a achosodd i'w hambwrdd grynu, gan dywallt llanw o de ar ei hyd. Roedd ei lais hefyd yn crynu:

'Paned, bòs, Miss.'

Ar ôl clywed y drws yn cau, prysurodd Daf i sychu'r hambwrdd a throi'r sgwrs yn ôl at faterion swyddogol.

'Ydi'n bosib i rywun greu'r ffasiwn dân fel modd o hunanladdiad?'

'Ddim yn aml, ond mae'n digwydd. Dim ond un dwi wedi'i weld yn y wlad yma, a dyn tân oedd hwnnw ... dyn y gwnes i gwrdd â fo sawl gwaith, andros o foi iawn.'

'Ydi hi'n ffordd i ladd dy hun heb i neb sylwi, i osgoi dod â gwarth ar y teulu, er enghraifft?' holodd Daf.

'O bosib, ond os ydi rhywun yn meddwl y cân nhw bres

siwrans bywyd jyst oherwydd eu bod nhw wedi rhoi'r lle ar dân, rhaid iddyn nhw feddwl ddwywaith. I bobl siwrans, mae pob tân yn amheus.'

'Ond os oedd hi'n eistedd yn y gadair, pam na symudodd hi?'

'Ydan ni'n gwybod yn bendant mai'r mwg laddodd hi?' gofynnodd Belle.

'Be ti'n feddwl? Rhywun wedi ei chrogi hi, er enghraifft, wedyn rhoi'r lle ar dân?'

'Mae'n ddigon posib, tydi?'

Yfodd Daf ei de wrth feddwl.

'Rwyt ti wedi dysgu lot am Heulwen yn ystod yr ymchwiliad. Be ti'n feddwl: oedd hi'n ddynes dorcalonnus, ar ben ei thennyn?' holodd Belle.

'O bell ffordd. Hollol hunangyfiawn. Ond cofia di, roedd hi'n derbyn triniaeth at iselder.'

'Dyna ni felly. Be mae'r patholegydd yn ddweud?'

'Dim byd cadarn eto, heblaw am yr ID.'

Gorffennodd Belle ei phaned a chododd ar ei thraed.

'Mi fydd fy adroddiad llawn gen ti cyn y penwythnos. Os nad ydi o'n barod cyn dydd Gwener, mi ddo' i â fo i lawr efo fi.'

'Efo ti?'

Arhosodd Belle am eiliad yn y drws.

'Ia, efo fi. Dwi'n aros yn y Goat dros y penwythnos. Gei di brynu diod i mi, os leci di.'

Ac i ffwrdd â hi. Roedd Daf yn chwysu: ffoniodd Gaenor.

'Be sy, Daf?'

'Mae hi'n dod yn ôl ddydd Gwener.'

'Pwy, Heulwen Breeze-Evans, fel *zombie*?'

'Nage, nage; Belle. Wedi cytuno i gwrdd â Siôn, mae'n siŵr. Rhaid i ti gael gair efo fo.'

'I ddweud be? Wir, Daf, dwi'n synnu atat ti – mae'n hyfryd i Siôn gael cariad.'

'Yn union – cariad mae o angen, nid meistres efo chwip!'

'Mae'n rhaid iddyn nhw ddod draw am ginio Sul aton ni.'

'Sut alli di fod mor rhesymol ynglŷn â hyn?'

'Achos tydi gwneud ffwdan ddim yn helpu neb. Petaet ti ddim wedi agor drws ei stafell hi, mi fyddet ti'n llongyfarch Siôn.'

'Ocê ... ti'n iawn, fel arfer. Ond gawn ni eu gwahodd nhw i de yn hytrach na chinio? Mi bryna i gacen o stondin y WI yn y farchnad a fydd dim rhaid i neb chwysu dros ginio mawr.'

'O'r gorau. Wela i di nes ymlaen. Pizza i swper.'

'Ffefryn Rhods. Hwyl.'

Cyn iddo gael ei wynt ato clywodd gnoc arall ar y drws.

'Ty'd i mewn.'

'English for me, I'm afraid.'

Daeth dyn tal drwy'r drws. Roedd fel pìn mewn papur mewn siwt o frethyn, a gallai ei sgidiau duon sgleiniog ddallu unrhyw un a edrychai'n syth atynt. Estynnodd ei fysedd hirfain i gyfeiriad Daf, ac ysgwydodd Daf ei law, rhag bod yn anghwrtais. Mostyn Gwydyr-Gwynne, yr Aelod Seneddol lleol.

'Just thought I would pop in, for two reasons, actually. First to congratulate you on your promotion and to say you are very well-thought of, and the second, which is rather a social thing, I was wondering if you and your ... partner would do Haf and I the honour of coming to a bit of a party we're having, last Friday of this month, to celebrate our engagement.'

'Be a pleasure,' atebodd Daf yn syth, gan feddwl faint o bleser gâi Gae o weld y tu mewn i Blas Gwynne, eu tŷ crand. Wedyn meddyliodd am Haf – be ddiawl oedd cyfreithwraig ymgyrchol, asgell chwith, radicalaidd yn ei wneud yn priodi hwn? Roedd cymhellion yr AS yn hollol glir: roedd Haf yn ferch ddeniadol a chlyfar, ac mi fyddai'n sicr angen aer i etifeddu'r enw, y tir a'r plasty. Ond hyd yn oed os oedd Mostyn yn graig o arian, allai hi fod yn hapus? Bu Daf a hithau'n cydweithio'n agos ar achos mawr rai blynyddoedd ynghynt, a daeth i'w hadnabod yn lled-dda; a doedd rhywun fel Mostyn Gwydyr-Gwynne ddim, ar bapur o leia, yn ymddangos yn gariad addas iddi. Ond doedd o'n ddim o fusnes Daf, wrth gwrs.

‘There will be a card in the post of course, but ...’ Methodd Gwydyr-Gwynne â chwblhau ei esgus. ‘And while I’m here, I just wanted to say, this business of Mrs Breeze-Evans hasn’t got anything to do with politics, I’m certain of that. I know our friend Bowen is a rough diamond but he wouldn’t be mixed up in anything sinister, I’m sure.’

‘Early days.’

‘I did hear that she was,’ pesychodd cyn parhau, ‘... that she was having a relationship with another woman. That’ll be your best line of enquiry, Inspector. Very tempestuous, some of these types, I’m given to understand.’

‘And what types would those be, Mr Gwydyr-Gwynne?’

Chwarddodd y dyn tal wrth droi ar ei sawdl.

‘Well, we will so look forward to seeing you and ...’

‘Gaenor. I live tally with a woman called Gaenor.’

‘Haf often mentions your sense of humour, Chief Inspector, and she is a good judge,’ dywedodd, heb hyd yn oed gysgod o wên ar ei wyneb. Camodd allan fel crëyr glas, gan adael Daf yn ffyrnig. Pwy oedd o’n feddwl oedd o, yn dod i’w swyddfa fel petai’n berchen ar y lle? Yn cynnig ei gyngor i’r ymchwiliad! Dyna oedd bwriad yr ymweliad, wrth gwrs, cadw Bowen o’r dyfroedd dyfnion. Fyddai noson grand yn yfed sieri ym Mhlas Gwynne ddim yn llwyddo i droi pen Daf oddi wrth ei ddyletswydd i’r achos – os oedd Bowen yng nghanol y cach, byddai Daf yn ei drin o yn union fel pawb arall.

Canodd y ffôn.

‘Barod i weld Ms Cilgwyn, bòs?’ gofynnodd Darren.

‘Ydw, siŵr.’

Roedd Jan Cilgwyn yn edrych fel dynes fach addfwyn – ar y tu allan, beth bynnag – ac yn llawer mwy cartrefol yr olwg na’i phartner. Yn wahanol i Lisa Powell, roedd wedi’i gwisgo braidd yn anniben, yn debycach i fyfyrwraig aeddfed nag Aelod Cynulliad. Os oedd Lisa’n treulio’i phenwythnosau’n smwddio dillad Jan, mae’n rhaid ei bod yn andros o araf yn gwneud y gwaith, meddyliodd Daf.

'Ms Cilgwyn. Steddwch i lawr. Paned?'

'Dwi'n iawn, diolch.'

Roedd ei hwyneb yn wyn ac roedd cyhyr bach wrth ei llygad yn crynu.

'Ydach chi'n siŵr? Mi fyddai paned ...'

'Pam mae blydi dynion yn meddwl y gall te ddatrys pob problem?' Oedodd, fel petai'n difaru ei fflach o dymer. 'Sori am regi.'

'Peidiwch ymddiheuro. Dech chi dan straen. Roeddech chi'n agos at Heulwen Breeze-Evans, dwi'n deall.'

'Hi,' datganodd y ddynes fach gydag urddas annisgwyl, 'oedd cariad fy mywyd.' Er bod ganddi hances yn ei llaw ceisiodd ddal ei dagrau'n ôl. 'Ond oherwydd ein cymdeithas ragrithiol, does dim lle i mi alaru. Fo, y mochyn *blond*, fo sy'n mynd i eistedd ym mlaen y capel, a phwy a ŵyr faint o'i fflŵsis yn y gynulleidfa. Fo fydd yn dewis pwy sy'n rhoi'r deyrnged, fo fydd hyd yn oed yn dewis ei harch. Hollol hurt, Mr Dafis, hollol annheg.'

'Os dech chi isie cymryd rhan yn y trefniadau, mi alla i awgrymu rwbeth i'r teulu.'

'Dydych chi ddim yn eu nabod nhw, Mr Dafis. Mae'r ferch yn ffiaidd, yn disgrifio pobl fel fi fel petaen ni'n diodde o ryw salwch. Doedden nhw ddim yn fodlon cyfaddef fod Heulwen a finne'n caru ein gilydd.'

'Dwi'n gwybod ei bod yn sefyllfa anodd. Ac, wrth gwrs, mae'ch partner, Lisa ...'

Cyflymodd y plycio ger llygad Jan.

'Be mae hi wedi'i ddweud?'

'Ddaeth hi yma i 'ngweld i ddoe, i drafod eich perthynas efo Heulwen.'

'A be ddywedodd hi?' Roedd ei llais yn isel iawn, a phrin y gallai Daf ei chlywed.

'Eich bod chi'ch dwy mewn perthynas ond eich bod chi wedi cwrdd â Heulwen. Isie'ch amddiffyn chi oedd hi, ro'n i'n casglu, rhag y wasg, rhag trafferth.'

'Wastad yn ceisio fy nghadw i'n saff, yn sicrhau nad ydw i'n gwneud camgymeriad.' Roedd y dyfynodau yn amlwg o gwmpas y gair 'saff'.

'Roedd Lisa yn awgrymu mai rwbeth dros dro oedd eich perthynas efo Heulwen.'

'Sut mae hi'n gallu dweud y fath beth? Doedd o'n ddim o'i busnes hi.'

'Ond,' mentrodd Daf yn ofalus, 'roedd hi'n sôn am briodas ...'

'Mae hi wastad yn sôn am briodas, ond nid Prince Charming ydi hi, yn darparu'r diweddglo hapus i'w ffantasïau Disney.'

'Mae'n ddrwg gen i orfod gofyn, ond ai efo Lisa neu efo Heulwen roeddech chi'n dymuno treulio'ch dyfodol? Y ddwy, falle?'

'Roedd Heulwen yn amheus ynglŷn â chyd-fyw. Roedd hi'n ansicr ynglŷn ag effaith hynny ar ei siawns yn yr etholiad, petai pobl yn trafod ei rhywioldeb yn lle'n polisïau ni.'

'Dydi trigolion Sir Drefaldwyn ddim yn byw yn Oes y Cerrig, dech chi'n gwybod, Ms Cilgwyn,' ymatebodd Daf. 'Pobl deg yden ni, yn y bôn.'

'Ond meddyliwch faint o hwyl allai Rhys Bowen ei gael gyda hyn! Gallai'r diawl droi'r holl etholiad i fod yn bôl piniwn ar rywioldeb.'

'Mae rhai yn dweud bod gan Mr Bowen ei gyfrinachau hefyd.'

'Nid cyfrinachau ydyn nhw – mae o'n falch o'r ffaith ei fod o'n gystal ... tarw. Sori, dysgwraig ydw i. Be ydi'r gair Cymraeg am *shagger*?'

'Mi wnaiff "tarw" yn tshampion, fysen i'n dweud.'

'Chi'n deall, Mr Dafis, mae'n rhaid i rywun guro Bowen. Dwi ddim yn siŵr alla i ddiodde pum mlynedd arall o'i ymddygiad annerbyniol.'

'Ond dech chi'n ddynes broffesiynol. Siawns na allwch chi oroesi chydig o alw enwau gan Rhys Bowen.'

'Dwi erioed wedi gweld unrhyw beth tebyg. Mae o'n fwli

llwyr a does ganddo fo ddim ffiniau o gwbwl.' Cochodd ei bochau. 'Mae Bowen yn tanseilio popeth dwi'n wneud. Dwi'n gadael y siambr yn crynu'n aml iawn.'

'Be fyse'n digwydd petaech chi'n troi arno fo? Rhaid ei fod o'n sensitif am rwbeth – ei bwysau, falle?'

'Wna i ddim defnyddio tactegau fel'na. Well gen i adael y Cynulliad na throi yn fwli fel fo.'

'Felly, os oedd raid i chi gadw'ch perthynas efo Heulwen yn dawel, dros dro, beth bynnag, ble roedd Lisa'n sefyll?'

Gostyngodd Jan ei llygaid.

'Rydyn ni i gyd braidd yn hunanol mewn cariad, Inspector. Dwi wedi awgrymu i Lisa efallai y byddai'n well i mi symud allan a byw ar fy mhen fy hun am dipyn, ond dechreuodd siarad am pa mor unig fyddai hi a faint o gefnogaeth mae hi wedi ei roi i mi dros y blynyddoedd. Cynigiais y tŷ cyfan iddi hi petai hi'n fodlon cerdded allan o 'mywyd i, ond mae hi'n styfnig. Yn y pen draw, roedd yn haws gadael i bethau lifo 'mlaen, tan ar ôl yr etholiad, beth bynnag.' Oedodd am eiliad a gwelodd Daf wên fach hunanfoddhaol ar ei hwyneb, fel petai hi'n mwynhau bod ar frig y triongl nwydus. 'Dwi'n bendant mai aelod o'i theulu sydd wedi lladd Heulwen, Inspector, i'w rhwystro hi rhag dod allan. Meddyliais am y mochyn melyn, ond tydi o ddim yn ddigon clyfar i gadw syniad yn ei ben am hanner awr. Cynllwyn fydd o, rhwng Jac a Nansi, gyda chymorth ei gŵr hi, y Parchedig Perffaith. Efallai mai fo laddodd hi.'

'Pam dech chi'n dweud hynny?'

'Achos mai homoffôb yw e. Os nad ydi rhywun yn credu ein bod ni'n gyfartal, dydyn nhw ddim yn ein parchu ni. Ac os nad ydych chi'n parchu pobl hoyw, rydych chi'n teithio ar y ffordd i Auschwitz.'

Cofiodd Daf wyneb addfwyn Joe Hogan yn ffarwelio â'r adict ifanc y bore hwnnw a phenderfynodd fod yn rhaid iddo herio'r Aelod Cynulliad ryw ychydig, petai ond i achub cam Joe.

'Dydi pob person sy'n dilyn patrwm moesol caeth ddim yn Natsi,' mentrodd. 'Mae gen i ffrind, dyn caredig ac addfwyn, sy'n perthyn i draddodiad Eglwysig sy ond yn caniatáu rhyw rhwng gŵr a gwraig briod.'

'Does dim lle yn y Gymru gyfoes i bobl sy'n meddwl fel'na. Gobeithio nad ydych chi'n cytuno efo'ch ffrind. Mae eisiau cael gwared ohonyn nhw i gyd, pobl gul fel'na.'

Llwyddodd Daf i gadw ei geg ar gau. Am y tro cyntaf, ystyriodd Daf gefnogi Bowen yn yr etholiad, unrhyw beth i godi dau fys ar yr esiampl berffaith o gulni asgell chwith oedd yn eistedd gyferbyn ag ef.

'Ond Ms Cilgwyn, ydech chi wir yn cyhuddo teulu Heulwen o'i lladd?'

'Petaech chi'n gwybod am bopeth maen nhw wedi'i wneud iddi dros y blynyddoedd. Y pwysau roddodd Phil arni ond chwe mis ar ôl cael babi, y diffyg parch gan y bwli bach yna, Jac, ymddygiad Nansi a danseiliodd brosiect elusennol pwysicaf ei mam ...'

'Be am Gruff?'

'Rhedodd i ffwrdd cyn gynted ag y gallodd o, gan dorri calon ei fam. Dydych chi ddim yn gwybod ei hanner hi, Mr Dafis.'

Llifodd y dagrau a dechreuodd Jan snwffian yn uwch. Heb rybudd, agorodd y drws a martsiodd Rhys Bowen i mewn, a Darren wrth ei gwt fel chihuahua yn ceisio llywio St Bernard.

'Mr Bowen,' llediodd Darren, 'mae gan Inspector Dafis rywun efo fo ar hyn o ...'

'Blydi hel! Babi swci'r National Assembly yn crio eto. Oes gen ti ddigon o Kleenex, Daf? Os na, gofynna di i'r cog yma – mae golwg llanc sy'n defnyddio dipyn o *tissues* arno fo.'

Yn ffodus, nid oedd Darren yn ddigon siarp i ddeall sarhad Bowen.

'Mr Bowen, os allwch chi aros am eiliad, roedd Ms Cilgwyn ar fin gadael.'

'Cilgwyn!' wfftiodd Bowen, ei ffroenau mor agored â rhai tarw. 'Nid "Cilgwyn" ydi ei henw hi. Wilkes ydi ei henw hi.'

Cododd Jan ar ei thraed.

'Newidiais fy enw â *deed poll*, Mr Bowen, mae'n hollol gyfreithlon.'

'O, gwranda di, Inspector Dafis, ar ei dadleuon chweched dosbarth. Dwi'm yn dweud ei fod o'n anghyfreithlon, ond *mae* o'n dwp, ac mae hynny'n waeth o lawer. Ti isie smalio bod yn rhywun arall, dyna'r drwg. Be os dwi'n dweud wrth bobl am fy ngalw i'n "Rhys Rissole" o hyn ymlaen, achos mai fi sy'n gwneud y *rissoles* gore yng Nghymru? Sillafa fo yn Gymraeg os leci di, efo un "s" a dim "e" ar y diwedd, a rho do bach uwchben yr "o". Mi fyse pobl yn chwerthin ar fy mhen – ac mi fysen nhw'n iawn i wneud hynny hefyd.'

'Mae'r enwau rydyn ni'n eu defnyddio heddiw yn cynrychioli etifeddiaeth y gorthrwm y bu i ni fel Cymry ei ddioddef gan y Sais am ganrifoedd. Hefyd maen nhw'n adlewyrchu patriarchaeth, felly mi benderfynais greu enw i mi fy hun yn symbol o'r rhyddid dwi wedi'i fynnu.'

Daliodd Bowen lygaid Daf a chododd ei aeliau.

'Wnest ti ddeall un gair o'r *shit* yna, Inspector? Na finne chwaith. "Ni fel Cymry" myn uffern i – does 'run diferyn o waed Cymreig yn ei gwythiennau, yn bendant. Dwi'n synnu dy fod di wedi dod o hyd i ddigon o bobl ffôl i bleidleisio i ti, Miss. O, aros am eiliad: ar y list oeddet ti, lodes. Wnest ti ddim ennill yn nunlle.'

'Bobl annwyl, nid yn y Siambr dech chi rŵan. Os dech chi'n hapus i aros fan hyn yn ffraeo, ewch amdani. Dwi'n mynd – mae gen i waith i'w wneud.'

'Bowen, dwi'n dy wylio di,' meddai Jan yn swta, wrth droi am y drws. 'Cadwch mewn cysylltiad, Arolygydd Dafis.'

Roedd Daf yn falch o weld ei chefn hi, ond teimlai fel rhoi pryd o dafod i Bowen.

'Gwrandewch, Mr Bowen, dwi'n casglu nad ydech chi a Ms Cilgwyn yn ffrindiau, ond peidiwch â ffraeo yn fy swyddfa i.'

'Ocê, ocê.' Trodd y dicter ar wyneb llydan Bowen yn chwerthin. 'Ond mae'r ast fach yn cynrychioli popeth dwi'n ei gasáu. Llysieuwraig, *townie*, gwyrdd ym mhob ystyr y gair, cenedlaetholwr ffug, asgell chwith ac o deulu efo cryn dipyn o aur y byd a'r perlau mân. Ac i goroni pob dim, mae hi'n *lesbian*.'

'Tydi'r hyn mae hi'n wneud yn ei gwely'n ddim busnes i chi, Mr Bowen.'

'Ti'n ddyn peniog, Inspector. Addysg yn dod allan o dy glustiau. Dwi ddim – gofynna di i Gae. Efo fy nghorff dwi 'di gwneud fy ffordd, efo 'nghefn cryf, fy nwylo mawr. Ydw, dwi'n ddigon siarp i gael y gorau o sawl bargen, ond crefftwr ydw i. Torri cig ydi fy musnes i. Rownd fan hyn, mae pawb yn fy nghymryd i fel ydw i, ac os oes raid i mi gyfathrebu efo dyn, mae 'na wastad un ffordd o ddatrys dadl – dwi'n gallu paffio yn ei erbyn o, ac mae gen i siawns dda o ennill. Efo lodes hefyd mae ffordd gorfforol o ennill pwynt: dwi'n gallu ei ffwcio hi yn y gobaith y bydd hi'n fy hoffi fi'n well wedyn. Be alla i wneud efo Jan be-ti'n-galw? Mae hi'n ormod o ferch i mi roi clec iddi hi ond ddim digon o ferch am ffwc.'

Ni allai Daf gredu'r hyn a glywodd. Meddyliodd am Diane Rhydderch a'i strategaethau cyfathrebu – sut yn y byd fyddai hi'n cyflwyno strategaeth Rhys Bowen?

'Ddylech chi ddim siarad fel'na y dyddiau yma,' dwrdiodd Daf, gan synnu ei fod yn teimlo peth edmygedd tuag at Bowen am fod mor onest.

'Paid â sôn am "y dyddie yma". Ges i andros o fraw wythnos diwetha – mae prentis acw yn hyfforddi i fod yn gigydd, ac mae o'n defnyddio *moisturiser*. Dim jyst ar ei ddwylo i atal y craciau sy'n dod efo'r oerni, ond ar ei blydi wyneb. Dwi'n falch nad ydw i'n ifanc y dyddie yma. Rhy anodd o lawer.' Gwenodd wrth siglo'i ben. 'Mae cog ifanc acw, heblaw llanc Gaenor?'

'Oes. Pedair ar ddeg oed.'

'O.' Cofiodd Daf glywed nad oedd plant ym mhlasty Bowen yn nyffryn Meifod. 'Os ydi o'n ffansïo dod i wneud profiad gwaith efo ni, fan hyn yn y Trallwng neu lawr yn y Bae, mi fydd croeso iddo fo.' Oedodd am eiliad neu ddwy. 'Beth bynnag, dwi 'di cofio pam ddois i i dy weld di, Daf. Ddaeth Mr Procar Fyny Ei Din Gwydyr-Gwynne heibio yma?'

'Do. Mae hi wedi bod fel ffair yma heddiw.'

Dyrnodd Bowen y ddesg o'i flaen.

'Be ffyc mae o'n feddwl mae o'n wneud? Dwi'n ddigon hyll ac yn ddigon mawr i ofalu amdanaf fy hun. Bastard nawddoglyd.'

'Dod draw i 'ngwahodd i i'w barti dyweddïo wnaeth o, ond wrth gwrs roedd o isie trafod yr ymchwiliad hefyd.'

'Dyweddïo? Be sy'n bod ar y ferch? Ydi, mae o'n cachu sofrenni ond mi fydd hi'n awchu am rwbeth cynhesach na'r crwca yna ymhen y mis. Am wastraff! Mae hi'n bishyn go smart hefyd.'

Gwingodd Daf wrth glywed ei farn ei hun yn dod allan o geg Rhys Bowen.

'Mae hi'n ffrind i mi – den ni wedi gweithio efo'n gilydd. Dyna'r rheswm am y gwahoddiad.'

'Hithe hefyd, Daf? Dwi wastad yn parchu dyn gyda llygad dda, am fiff neu am ferch. Gyda llaw,' ychwanegodd Bowen cyn gadael, 'nid fi laddodd yr hen ast ond dwi'n ysu i ysgwyd llaw pwy bynnag wnaeth.'

Yn dilyn ei sgwrs efo Belle, oedd yn cyd-fynd â geiriau Jarman, y patholegydd, roedd yn hen bryd i Daf ddychwelyd i safle'r tân. O'i gymharu â holl brysurdeb y noson cynt roedd y lle'n dawel: dim ond Nev oedd yno yn gwarchod y lle. Rhoddodd Daf siwt wen amdano.

'Mae Steve wedi mynd i lawr i'r stordy efo fan llawn tystiolaeth, bòs. Roedd o'n ansicr be i'w wneud efo cynnwys y fflat – yden ni angen cadw popeth?'

'Os ydi'r ffotograffydd wedi creu cofnod cyflawn dwi ddim yn gweld rheswm i ni ddal ein gafael yn eiddo Milek, Basia a Wiktor. Mae'r rhan fwya wedi cael ei sbwylio gan y mwg a'r dŵr beth bynnag.'

'Den ni ddim yn sôn am y casgliad o'r bondo – mae'r stwff yna wedi mynd yn barod fel tystiolaeth. Smyglo oedden nhw, bòs?'

'Debyg iawn.'

Roedd ugain awr o law a phibelli'r frigâd dân wedi newid awyrgylch yr adeilad ac erbyn hyn roedd y lle mor damp a drewllyd ag ogof. Yn ofalus, caeodd Daf y drws ffrynt i weld olion y *meths*. Doedd neb yn defnyddio *meths* yn aml iawn erbyn hyn, meddyliodd. Cofiai ei dad yn gwerthu poteli plastig o'r hylif porffor yn y siop ond roedd o'n ansicr be wnâi'r cwsmeriaid efo'r stwff. Cerddodd drwodd i'r stafell gefn. Roedd y cypyrddau ffeilio wedi mynd ac roedd y gwagle, ynghyd â'r oerni, yn creu teimlad o dristwch. Ceisiodd Daf roi trefn ar bopeth a ddysgodd am Heulwen Breeze-Evans, a sylwodd cyn lleied o bobl fyddai'n galaru amdani. Cofiodd ddryswch Gaenor: sut gallai unrhyw ddynes fod yn anhapus efo Phil Dolfadog? Roedd yn haws deall hynny os mai merched oedd yn cymryd ei ffansi. Efallai ei bod wedi ceisio llenwi'r bwlch mawr yn ei bywyd â pharchusrwydd a phrysurdeb. Heb os nac oni bai roedd hi'n ddynes benstiff, anodd ei thrin, ond doedd hi ddim yn haeddu cael ei lladd fel hyn, yn enwedig a hithau, efallai, mor agos at hapusrwydd am y tro cyntaf yn ei bywyd. Ceisiodd Daf weld ei rhinweddau. Wedi'r cwbl, waeth faint o niwsans oedd hi, roedd hi'n haeddu cyfiawnder.

Ystyriodd yr hyn ddywedodd Belle am y tân yn y swyddfa. *Two-stroke*. Byddai hwnnw ym meddiant unrhyw un sy'n gwneud tipyn yn yr ardd gyda *strimmer* neu beiriant torri gwellt go fawr. Roedd o'n falch ei fod wedi mynnu cael y cŵn carbon yn lle'r dechnoleg newydd – roedd Belle yn gwybod ei stwff. Ond ar y llaw arall, fyddai cwmni technoleg gwybodaeth o Rydychen ddim wedi dechrau perthynas anturus efo aelod ifanc o'i deulu.

I fyny'r staer yn fflat Milek a Basia edrychodd Daf ar y llanast. Gallai weld iddo fod yn gartref bach clyd. Yng nghornel y llen ar y ffenest roedd label bach: o'r siop elusen y daethon nhw, ac roedd rhywun wedi eu hemio'n dwt i'r hyd iawn. Roedd lliain glân ar y bwrdd ac uwchben y tân nwy roedd llun o'r Forwyn Fair. Llifodd ton o gydymdeimlad a dicter drwy Daf:

roedd Basia a'i brawd yn gweithio'n galed am bob cysur ac yn byw ar ben ei gilydd tra oedd pobl fel Mostyn Gwydyr-Gwynne yn cael popeth ar blât.

Sylwodd ar fwndel o oriadau ar y bwrdd ger y tân, pob un â label arno: Mid Wales Meat; Bebb, Jones, Hamer, Cyfreithwyr; ysgol y babanod. Yn y llefydd hyn roedd Basia'n gweithio. Digon posib na fydden nhw'n cael eu rhyddhau iddi am wythnos o leiaf, a dychmygodd rywun fel Gwilym Bebb yn gwneud môr a mynydd o'r peth, ei diswyddo am golli'r goriadau a methu mynd i weithio. Penderfynodd Daf wneud rhywbeth amhroffesiynol iawn: rhoddodd y goriadau yn ei boced i'w rhoi iddi hi yn nes ymlaen.

Roedd dwy lofft ond dim ond un gwely, gan fod Milek yn cysgu ar fatres ar y llawr. Ar waliau ei lofft roedd lluniau o geir wedi eu torri o gylchgronau, y math o geir na fyddai o byth yn medru eu fforddio. Agorodd sawl drôr a gweld dillad wedi eu plygu'n daclus. Teimlodd rywbeth yn y gornel bellaf ac estynnodd amdano. Bag newid o'r banc yn llawn o bapurau ugain. Cyfrodd Daf ddwy fil o bunnau, a rhoddodd yr arian yn ei boced gyda'r goriadau, rhag ofn i rywun ei ddwyn. Efallai y byddai siawns i Milek gael car smart ryw ddydd wedi'r cyfan, hyd yn oed os mai un ail law fyddai o.

Llofft fach ddel oedd llofft Basia, a golygfa braf dros doeau'r dref i'r castell. Wrth ymyl ei gwely roedd llyfr Pwyleg, a dyfalodd Daf wrth edrych ar y clawr mai stori ramantus oedd hi. Yn union fel yn stafell ei brawd roedd pob drôr yn llawn dillad rhad wedi eu plygu'n ofalus – heblaw am y drôr isaf. Yn honno roedd sawl eitem o grochenwaith gwyn a glas wedi eu lapio'n ofalus mewn papur brown. Tybed ai ei fersiwn hi o draddodiad y gist briodas oedd yma? Yn bendant, dyma drysorau Basia. O dan y crochenwaith roedd casgliad dipyn bach mwy personol: sawl bocs o ddillad isaf drud o siopau yng Nghaer, i gyd efo'r seloffen yn dal yn ei le. Er bod rhywbeth reit anghynnes am yr anrhegion, fel petai Phil yn ceisio ei phrynu, roedd y negeseuon ar y labeli yn gariadus: 'Am byth, beth bynnag ddaw, P. E.' mewn llawysgrifen hen ffasiwn a llafurus ond taclus. 'Beth bynnag ddaw.' Beth yn union oedd ystyr hynny? 'Tan dwi'n lladd fy ngwraig i gael gafael arnat ti?'

Yn y gegin, roedd pethau fel pin mewn papur. Agorodd Daf gaead tun oedd ar ben y cwpwrdd i weld cacen sbwng gartref yn arogli o fanila. Am yr ail dro y diwrnod hwnnw meddyliodd am deulu Brynybiswal. Roedd Mrs Watkin wastad yn mynnu y dylai Carwyn chwilio am ferch oedd ag arogl fanila arni, fel petai wedi dod yn syth o'r gegin, ond y ffaith drist oedd bod Carwyn yn hen lanc hyd heddiw.

Pan oedd ar ei ffordd yn ôl i'r orsaf, daeth car tebyg i un o luniau Milek heibio – Lexus drud – a chlywodd Daf bîp uchel ar ei gorn. Tom Francis, gŵr Sheila, yn ei gar newydd, anaddas. Arhosodd y car ac agorodd Tom y ffenest.

'Sut mae hi'n mynd, Daf?' gofynnodd, gan swnio fel petai'n holi am bris ŵyn yn y mart.

'Dyddiau cynnar eto, Tom. Ydi Sheila'n iawn? Ddywedodd Dar ei bod hi wedi mynd i weld y meddyg.'

Cochodd Tom a deallodd Daf y cyfan: ar ôl bron i chwe mis o briodas nid oedd Sheila wedi beichiogi.

'Dim ond *check-up*. Gwranda, Daf, ro'n i yn yr Oak nos Lun, cyn y cyfarfod NFU.'

Gobeithiodd Daf na fyddai'n rhaid iddo wrando ar fanylion y cyfarfod.

'O ie?' ymatebodd, gan geisio peidio rhoi gormod o anogaeth iddo.

'Roedd 'na ddynes reit od yno, dynes fain efo gwallt smart. Ddaeth hi i mewn i'r bar tua hanner awr wedi chwech efo golwg go ffyrnig ar ei hwyneb. Ddigwyddodd rhwbeth od wedyn – mi brynodd hi ddiod a rhoi ei cherdyn ar y bar, i dalu, wyddost ti, ac mi sylwais ar yr enw: Powell. Yr un enw â thrysorydd yr NFU roddodd sgwrs i ni llynedd ar sut i drefnu cangen gynaliadwy o'r Undeb.'

Gweddïodd Daf y byddai Tom yn cyrraedd pwynt ei stori yn go handi, yn wahanol i'r arfer.

‘Ie?’

‘Wedyn, newidiodd ei meddwl a phenderfynodd roi ei jin ar gyfrif ei stafell.’

Oedodd Tom unwaith yn rhagor gan edrych yn ddisgwylgar ar Daf.

‘Ie?’

‘Dyna be oedd yn od. Ddywedodd y ferch tu ôl i’r bar – hi ydi’r unig ferch leol sy’n gweithio yno ... mi wyddost ti fel mae hi yno – “Stafell tri deg, Ms Wilkes”. A dyna be oedd yn od. Powell ar y cerdyn, Wilkes ar y gofrestr. Digwydd bod, hanner awr yn nes ymlaen, roedden ni’n sefyll yn y cyntedd, wrth y ddesg, ac roedd y gofrestr ar agor. Dim ond un gwestai oedd yn stafell tri deg, o dan yr enw L Wilkes. Cyfeiriad yng Nghaerdydd yn rhywle.’

‘Diolch o galon, Tom.’

‘Ro’n i jyst yn meddwl, oherwydd be ddigwyddodd i Heulwen Dolfadog, falle ei fod o’n bwysig.’

‘Darn o wybodaeth ddiddorol iawn, Tom.’

‘Ddywedais i ddim byd wrth Sheila. Mae hi’n tynnu fy nghoes os dwi’n dod yn agos at fusnes yr heddlu, yn fy ngalw fi’n Sergeant Francis a ballu.’

Wrth edrych ar Tom yn chwerthin teimlodd Daf yn euog am wfftio ato. Er ei fod wedi teithio rownd y byd i ddweud ei stori, roedd yr wybodaeth yn werth ei chael. Dywedodd Lisa Powell wrtho ei bod wedi dod i’r Trallwng ar y nos Fawrth. Pam oedd hi yn Sir Drefaldwyn ar y noson y cafodd Heulwen ei lladd? Pam oedd hi’n ffyrnig? A pham ddewisodd hi gofrestru yn y gwesty o dan enw genedigol Jan Cilgwyn?

‘Ty’d yn syth ata i pan fydd gen ti unrhyw wybodaeth arall debyg, Tom; gwerth chweil. Diolch i ti.’

‘Croeso. Ddywedodd Sheila ein bod ni’n cael picio draw i weld y babi bnawn dydd Sul?’

‘Ydech wir. Gobeithio na fydd hi’n rhy swnllyd!’

‘Dwi’n sicr ei bod hi’n lyfli, os ydi hi’n debyg i’w mam, beth bynnag.’

Erbyn hyn roedd dwsin o geir mewn rhes y tu ôl i'r Lexus, a phan sylwodd Tom, tynnodd allan yn ofalus i yrru ymaith. Brysiodd Daf yn ôl i'r orsaf lle roedd Sheila'n aros amdano.

'Bòs, mae Nia'n cael dipyn o helynt fyny yn Nolfadog. Mae'r teulu'n ffraeo fel dwn i ddim be – wyt ti'n rhydd i bicio fyny i'w gweld nhw?'

'Iawn.' Roedd Daf wedi meddwl cael sgwrs efo Phil cyn y rhaglenni newyddion lleol beth bynnag, rhag ofn i'r wasg ddilyn y trywydd 'trosedd casineb'. Doedd Daf ddim eisiau i Phil glywed am rywioldeb Heulwen ar y teledu. 'Yn y cyfamser, wnei di jecio hanes dynes o'r enw Lisa Powell, partner Jan Cilgwyn? Mae hi'n gweithio i'r llywodraeth lawr yng Nghaerdydd. Dwi isie gwybod ble oedd hi ddydd Llun.' Estynnodd y pecyn o arian iddi. 'A wnei di roi hwn yn y sêff plis, Sheila. Dwy fil o bunnau o eiddo Milek Bartoshyn.'

'Ai tystiolaeth ydi o? A "coffr" ydi *safe*, gyda llaw.'

'I'r dim. Dwi ddim yn meddwl fod y pres yma'n gysylltiedig â'r ymchwiliad ond mae'n bosib. Ac ar ôl heddiw fyddwn ni ddim yn gwarchod y safle ddydd a nos – mi allai unrhyw un gerdded i mewn a'i ddwyn o.'

'Ocê, bòs.'

Roedd yn rhaid i Daf ofyn:

'Ti'n iawn, Sheila? Est ti i weld y meddyg.'

Cochodd hi ryw fymryn.

'Dim ond *check-up*: dwi'n iawn.'

Pennod 8

Pnawn Mercher, Ebrill 13, 2016

Ni sylwodd Daf ar brydferthwch y wlad nac ar y cymylau'n gwasgaru wrth yrru i Ddyffryn Banw. Gyrrodd heibio i odre Moel Bentyrch heb edrych ar yr olygfa baradwysaidd o gwbl. Roedd o'n ymarfer, ac fel actor heb sgript roedd o'n stryglo i wybod lle i ddechrau. Bu Phil a Heulwen yn briod am dros ddeng mlynedd ar hugain. Roedden nhw wedi magu teulu efo'i gilydd a hyd yn oed os nad oedden nhw'n hapus, byddai'n bownd o fod yn sioc i Phil ddysgu fod ei wraig yn hoyw. Neu yn ddeurywiol. Sut yn y byd oedd dechrau? 'Phil ... Mr Evans ... mae gen i dipyn o wybodaeth i'w rannu ...' Neu: 'Phil, ti'n cofio dweud nad oedd dy briodas yn hapus? Wel ...' Beth am: 'Yn ystod yn ymchwiliad, mae o leia dau dyst wedi dweud bod dy wraig ...' Roedd pob llinell yn fwy cloff na'r un o'i blaen. Ochneidiodd wrth yrru dros y grid gwartheg.

Roedd car mawr glas wedi ei barcio wrth ddrws cefn Dolfadog, car estêt Dacia gyda bathodyn mawr o symbol Cristnogol Ichthws ar ei ffenest gefn. Darllenodd y sticer ar y bymper: 'He who kneels before God can stand before anyone.' Roedd dwy o seddi plant yn y cefn a dyfalodd mai merch Heulwen, gwraig y Parchedig Perffaith, oedd berchen y cerbyd. Curodd ar y drws cefn. Ddaeth neb i'w ateb ond roedd digon o sŵn yn dod o'r tŷ. Roedd y drws ar agor, felly dilynodd Daf y sŵn a chyrhaeddodd ddrws ystafell fawr ac ynddi dair soffa a theledu enfawr. Trwy'r drws agored gwelodd y teulu cyfan, bron: Phil a Basia ar un soffa, Jac a Lowri law yn llaw gyferbyn â nhw, ac ar y soffa fawr o dan y ffenest, dynes debyg iawn i Jac, a fersiwn fenywaidd o Phil, efo dau o blant bach yn ei chôl. Yn sefyll â'i gefn at y pentan fel petai'n feistr ar y tŷ, roedd dyn tal, urddasol o dras Affricanaidd yn dal ei dwylo fyny i'r nefoedd.

'Father God,' meddai mewn llais dwfn, swynol, 'pour down

your endless blessings upon this family in its time of affliction. We remember, Father God, how those you loved were put to the test and tried with sore afflictions.'

Roedd Nia yn eistedd yn y gornel yn edrych yn anesmwyth iawn. Sylwodd Daf fod Basia wedi lapio rhywbeth am ei bysedd, rhyw gadwyn o fwclis, a'i bod yn ei wasgu'n dynn.

'Let us take our lesson from Job and put our lives and faith in your hands, Father God, that we may come through this trial purified, cleansed and more fitted for Thy holy service.'

'Amen,' ailadroddodd ei wraig a'r plant yn eu tro.

Cododd Basia ar ei thraed a sylwodd Daf mai gleiniau pader oedd ganddi. Cerddodd draw at y teledu a'i droi ymlaen, a'r sain i fyny. Eisteddodd yn ôl wrth ochr Phil â gwên hyfryd ar ei hwyneb.

'Ah, *Prynhawn Da*! Gobeithio y bydd rysáit da i ni heddiw.'

'Falle y gallwn ni orffen ein sgwrs cyn gwylio'r teledu?' awgrymodd Nia'n swil.

'Nid sgwrsio oedden ni ond gwrando ar ei lol *o*,' ymatebodd Basia'n swta.

'Nid lol oedd o,' atebodd Mrs Gweinidog yn flin, 'ond Gwir Air Duw.'

Chwarddodd Basia'n ddirmygus. O'i guddfan y tu allan i'r drws, tybiai Daf fod Phil yn mwynhau'r ornest.

'Father God,' ailddechreuodd y gweinidog eto ond tynnodd Basia'r remôt o ddyfnder y soffa a boddwyd ei lais gydag eitem ffasiwn: pryd ddylen ni dynnu'n teits gaeafol i groesawu'r gwanwyn?

'Bobl annwyl, friends, if perhaps we could just get back to ...' Ceisiodd Nia gael trefn, ond doedd ganddi ddim gobaith.

Camodd y gweinidog o'r pentan a chododd ei lais i ganu:

'Amazing Grace how sweet the sound ...'

Ymunodd ei wraig a'r plant a meddyliodd Daf eu bod wedi cael buddugoliaeth, ond trodd Basia sain y teledu i lawr a dechrau canu corgan debyg i'r un a glywodd Daf yn yr eglwys y noson cynt:

'Ave Maria, gratia plena, Dominus tecum ...'

Roedd ei llais mor bur â golau lleuad ar eira, a rhewodd y ddynes arall: ni allai ddilyn alaw ei gŵr mwyach. Erbyn hyn gwelai Daf fod Nia, a oedd wedi gorfod diodde dros awr o ymddygiad tebyg, yn amlwg ar ben ei thennyn.

'Dyna hen ddigon! That's enough!' galwodd Daf. 'I'm Inspector Dafis ydw i, Heddlu Dyfed Powys Police, fel mae rhai ohonoch chi'n gwybod.'

Estynnodd y gweinidog ei fraich tuag ato, ac ar ôl ysgwyd llaw Daf, daliodd hi am eiliad, gan roi ei law arall ar ei ysgwydd, a syllu'n syth i lygaid Daf.

'Reverend Seth Bockarie. Delighted to meet you, Inspector, even in such sad circumstances.'

Neidiodd ei wraig ar ei thraed i ymuno â nhw, i bortreadu'r ddelwedd o deulu unedig.

'Nansi Bockarie ydw i, a dyma Nathan a Hope.'

Nid oedd y gweinidog yn un i wastraffu amser: roedd bronnau Nansi yn dal yn drwm o laeth ar gyfer Hope ond roedd ei bol hefyd yn grwn: byddai babi arall cyn diwedd yr haf. Wrth eu gweld nhw efo'i gilydd, trawyd Daf gan y ffaith nad teulu oedden nhw ond casgliad o gyplau – a bod Jac, y dyn a ddangosai arweiniad mor gadarn ar y buarth, yn eistedd yn dawel, law yn llaw â Lowri, mor oddefol â'i dad.

'WPC Owen has come here ...'

'Oes raid i ni siarad yr iaith fain o hyd?' gofynnodd Basia â min yn ei gwên.

'Mae WPC Owen wedi dod yma i'ch help chi drwy'r broses, i esbonio rôl y crwner, sut i wneud trefniadau ...'

'Pryd allwn ni ei chladdu hi?' gofynnodd Jac. 'Dwi isie gwneud yn siŵr ei bod hi dan ddaear.'

'We will need to arrange her funeral service,' meddai Seth. 'I've already spoken to the Minister at Moriah and ...'

'Twt lol! Doedd yr hen ast ddim yn addoli neb ond hi ei hun,' mwmialodd Jac.

'Mi fydd trefnu gwasanaeth braf i Mam yn gysur mawr i mi,' meddai Nansi, yn mwytho pen melyn Hope, 'i ni gael diolch am ei bywyd a gobeithio y byddwn ni efo'n gilydd yn y bywyd tragwyddol.' Gwenodd Seth i ddangos ei gymeradwyaeth.

'Well gen i losgi na bod efo hithe am byth bythoedd,' poerodd Jac. Cododd ei eiriau fraw ar Basia gan beri iddi wneud arwydd y Groes â'i bysedd. Ar ôl saib, estynnodd ei llaw i warchod Phil hefyd ag arwydd y groes; pan oedd hi wedi gorffen, cododd Phil ei llaw i'w wefus a chusanu'r cledr yn nwydus. Nid oedd hyn yn plesio Seth, a gwgodd ar Basia fel petai'n sarff. Sylwodd hithau, a rhoddodd ei llaw ar goes Phil fel arwydd o'i statws fel cariad iddo.

'Wel, tra bo'r teulu efo'i gilydd fel hyn, gall WPC Owen esbonio sut y gallwn ni'ch helpu chi, egluro trefn yr ymchwiliad ac ati, iawn?'

'Dydi'r teulu *ddim* efo'i gilydd,' mynnodd Lowri mewn llais bach swil. 'Dydi Gruff ddim yma, a be am ...?'

Torrodd Jac ar ei thraws yn syth.

'Mi ffoniais Gruff. Roedd o'n rhy brysur i ddod: mae o'n dweud mai ein busnes ni ydi'r trefniadau. Dydi o ddim wedi ei gweld hi ers oes pys beth bynnag.'

'Ble mae o'n byw?' gofynnodd Daf, yn disgwyl ymateb fel Canada neu Seland Newydd.

'Ochor arall y nant,' atebodd Jac, gan chwifio'i law i gyfeiriad y dwyrain. Synnodd Daf: sut allai dyn sy'n byw mor agos i'w deulu lwyddo i osgoi ei fam?

'Ydi o wedi priodi?'

Chwarddodd Jac yn sur.

'Dyden ni ddim yn hysbyseb da iawn ar gyfer priodas, Inspector. Es i i'r eglwys efo Low dim ond i blesio ei nain, ac mi weli di ffasiwn ddyn ydi Seth – doedd gan Nansi ddim siawns o gael jymp cyn gwisgo'i ffrog wen.'

'Oes raid i ti siarad fel hyn o hyd, Jac?' protestiodd Nansi. 'Beth bynnag ti'n feddwl o Mam, dydi Seth erioed wedi gwneud dim byd i dy frifo di.'

'Beth bynnag dwi'n feddwl o Mami annwyl? Dim fi geisiodd dorri'i chorn gwddf hi!'

'Be?' gofynnodd Daf.

Llanwodd llygaid Nansi â dagrau a rhedodd o'r ystafell, a Seth yn ei dilyn.

'Dim ond chwarae plant oedd y peth,' eglurodd Phil yn frysiog. 'Chwarae rhyw gêm oedden nhw, actio rhwbeth welson nhw ar y teledu. Ceisiodd Heulwen gymryd y gyllell gan Nans, ond mi faglodd, a chwympo ar y llafn. Dyna'r cyfan.'

Gwelodd Daf y wên ar wyneb Jac.

'Wyt ti'n siŵr, Dadi? Cwympo ar y llafn wnaeth hi? Ro'n i'n meddwl falle mai Siôn Corn oedd yn gyfrifol – bore diwrnod Dolig oedd hi, wedi'r cyfan. Pymtheg o bwythau gafodd hi. Wnaethoch chi erioed sylwi, Inspector, ei bod hi wastad yn gwisgo topiau efo *polo neck* neu goler uchel, neu un o'i ffycin sgarffiau? Doedd hi ddim isie aildanio'r si aeth o gwmpas yr ardal ar y pryd, sef bod un aelod o'i theulu wedi ceisio'i lladd hi fel anrheg Dolig i'r lleill. Dim fi wnaeth, roedd Gruff yn bwydo'r stoc a does gan yr hen fastard ddim hanner digon o blwc i fentro gwneud y ffasiwn beth, felly pwy oedd ar ôl? O, Missus Arglwydd Dyma Fi.'

'Does dim rheswm o gwbwl i godi hen straeon fel hyn, Jac,' meddai Phil, gan geisio bod yn awdurdodol. 'Damwain ddigwyddodd dros ddegawd yn ôl oedd hi, dyna'r cyfan.'

Edrychodd Daf o un i'r llall. Doedd dim gobaith darganfod unrhyw wirionedd mewn awyrgylch mor ffiaidd, ond penderfynodd geisio siarad efo Nansi cyn gynted â phosib, heb ei gŵr.

'Low,' gofynnodd, 'oes 'na siawns am baned?'

Roedd y ferch yn falch o gael esgus i adael y stafell.

'Phil, gawn ni air bach preifat?'

Daliodd Basia ei law yn dynn.

'Den ni'n rhannu popeth, Phil a finne,' dywedodd yn amddiffynnol.

'Dwi'n gwybod hynny, Basia, ond mae gen i ddyletswyddau i'w cyflawni. Ty'd, Phil, rhaid i ni gael sgwrs.'

'Fydda i'n ôl mewn chwinc, cariad,' meddai wrth Basia, yn

amlwg yn anghyfforddus ynglŷn â thynnu'n groes iddi. Doedd dim gobaith i'r creadur gael mwy o'i ffordd ei hun yn ei ail briodas chwaith, tybiodd Daf, ond eto, roedd rhywbeth cynnes yn llygaid Basia wrth iddi adael i Phil ddod ato.

'Be am dipyn o awyr iach?' awgrymodd Daf.

Bu newid yn yr ardd, hyd yn oed mewn diwrnod. Roedd y lawnt wedi cael ei thorri a rhywun wedi codi hanner y chwyn o'r gwely blodau gan beri i'r awyrgylch o esgeulustod ddechrau diflannu.

'Mae'r wasg wedi dechrau sniffian o gwmpas, Phil,' mentrodd Daf.

'Dim ots gen i. Does gen i ddim i'w guddio.'

'Ond maen nhw wrthi'n hel straeon am Heulwen.'

'Mae digon ohonyn nhw i'w hel.'

'Am ei bywyd personol.'

'Be sy 'na i'w ddweud am ei bywyd personol, heblaw pa mor oer oedd hi?'

'Doedd hi ddim ... wastad yn oer efo pawb, ti'n gwybod.'

Chwarddodd Phil.

'Pwy fyddai'n rhedeg ar ei hôl hi? Nid pishyn pump ar hugain oed oedd hi!'

'Roedd hi mewn perthynas efo rhywun.'

'Ffyc off.'

'Wir i ti.'

'Dim y creadur trist Carwyn Watkin 'na? Ro'n i'n amau ers tro pam roedd o mor ffyddlon iddi a hithe wastad mor sbeitlyd efo fo.'

'Nid dyn oedd o. Wyt ti'n nabod Jan Cilgwyn, yr Aelod Cynulliad?'

'Y ddynes 'na sy fel dryw bach? Mi fu hi'n aros yma gwpwl o weithiau.'

'Wel, roedd Heulwen a hithe'n caru, medde hi.'

Cymerodd Phil wynt mawr fel petai angen pob mymryn o ocsigen i allu prosesu gwybodaeth mor annisgwyl. Wedyn, caeodd ei ddwrn a'i chwifio mewn ystum o fuddugoliaeth.

'*Result*!' bloeddiodd. 'Rhowch *high five* i mi, Inspector.'

'Dwi'n gwybod bod hyn yn sioc i ti, ond ...'

'Ddim o gwbwl, ddim o gwbwl. Dwi mor falch o ddysgu hyn – mae popeth yn gwneud synnwyr rŵan.'

'Be ti'n feddwl?'

'Inspector, ti'n ddyn call, yn dwyt ti? Addysg, cymwysterau, gyrfa lewyrchus. Mae Jac yn esiampl arall: mae o'n ffarmwr da, yn wych efo stoc ac yn soled iawn ym mhob math o faterion busnes. Ti ddim wedi cwrdd â Gruff eto ond mae ganddo fo ddawn arbennig efo 'ffyle, yn gallu gwneud bob dim efo nhw. Wel, pan o'n i'n bymtheg oed, ro'n i'n meddwl nad oedd gen i dalent o gwbwl – dim sgìl arbennig na dim. Ond roedd 'na ddynes drws nesa i ni, dynes andros o smart efo cwpwl o blant bach, ac mi gymerodd hi ffansi ata i. Cyn i'r haf hwnnw ddod i ben, mi wnes i ddarganfod fy nawn arbennig i, sef ... wel, ro'n i ar fin dweud "caru" ond mae "ffwcio" yn ddisgrifiad gwell. Cyn Heulwen, mi fues i efo dros ugain o ferched a phlesio pob un yn andros o dda, ond efo hi doedd yr hud ddim yn gweithio. Dyna un o'r rhesymau y cytunais i'w phriodi – ro'n i'n bendant na fyddai hi'n para i fod mor sur ar ôl mis o fy nhriniaeth arbennig i. Yr hyn roedd yr hen Marvin Gaye yn ei alw'n *sexual healing*, ti'n deall. Ond methais yn llwyr, Inspector. Roedd hi'n dal i fod yn oer ac yn gas ac allwn i ddim ei gwneud hi'n hapus. Wedyn, wrth gwrs, ro'n i'n hiraethu am ymateb serchus, felly es i allan i chwilio am hwyl. Ges i'r argraff ... na, mae hynny'n hurt.'

'Pa argraff?'

'Wel, rhyddhad; fel petai hi'n falch, rhywsut, bod rhyw ddynes arall yn fodlon gwneud un o'i dyletswyddau hi, fel cael dynes i lanhau. Ond mae popeth yn gwneud synnwyr rŵan – nid arna i oedd y bai.' Chwarddodd Phil o dan ei wynt. 'Dwi'n falch, am reswm arall hefyd. Mae Basia dipyn bach iau na fi, Inspector, ac mae hi wedi penderfynu ... mae rheolau ganddyn nhw. A dweud y gwir, do'n i ddim isie siomi'r lodes. Mae hi wedi aros am hir, ti'n gwybod.'

Cuddiodd Daf ei ddiflastod. Doedd ganddo ddim diddordeb o gwbl yng ngofidion rhywiol Phil Dolfadog, a chafodd ei siomi gan ei natur arwynebol. Roedd wedi gobeithio gweld teimlad, angerdd, rhyw sbarc fyddai'n gyrru'r dyn i'r eithaf, wrth durio dan yr wyneb, ond na. Dim. Newidiodd y pwnc.

'Be ddigwyddodd rhwng Nansi a'i mam, Phil? Dwi ddim yn coelio'r stori o gwbwl.'

'Derbyniodd yr ysbyty bob gair.'

'Debyg iawn, ond dwi wedi gweld sut mae pethau o dan y to 'ma. Does gen i ddim diddordeb mewn cribinio drwy ludw oer ond mi fydda i'n cyrraedd y gwir, ti'n deall hynny?'

'Ocê, ond, plis cofia, mae Nans wedi newid yn gyfan gwbwl ers hynny. Mae hi'n fam arbennig ac mae Idris Elba i mewn yn fan'na yn ei chadw hi'n hapus, hyd yn oed os ydi o'n hoff iawn o glywed ei lais ei hun.'

'Pa mor ddrwg oedd anaf Heulwen?'

'Dim ond *flesh wound* oedd o, ond roedd gwaed ym mhobman, a'r twrci bron â chael ei sbwylio.'

'Ond mi geisiodd Nansi dorri gwddf ei mam ei hun? Ar fore dydd Nadolig?'

'Esgorodd y forwynig...' canodd Phil, mewn llais annisgwyl o swynol. 'Mi godon nhw'n gynnar yn y bore i fynd i wasanaeth plygain capel John Hughes, fel arfer. Doedd neb yn cael agor ei hosan cyn y plygain. Ro'n i'n godro, wedyn roedd digonedd o fins peis i frecwast.'

'Ffasiwn Dolig oedd o?'

'Reit arferol,' atebodd Phil. 'Roedd gan Jac dipyn o ben mawr ar ôl sesiwn yn y Blac, Gruff allan efo'r stoc fel arfer, Heulwen yn gwneud môr a mynydd o'r gwaith coginio. Roedd Nansi wedi bod yn isel ei hysbryd ers yr haf, fel mae merched yn eu harddegau weithiau. Dim byd penodol.'

'Ond?'

'Ro'n i'n cael *snooze* bech wrth y stôf yn y stafell ffrynt achos fan honno oedden ni'n arfer bwyta ar ddydd Sul a Dolig a ballu, ym mhen arall y tŷ. Roedd Heuls wedi gofyn i Nans am help efo rwbeth, ond gan fod y gegin ym mhen arall y tŷ, does gen i ddim syniad oedden nhw'n ffraeo, neu be. Wedyn clywais sgrech, a phan es i i mewn roedd Heuls yn eistedd wrth y bwrdd, wrthi'n torri cnau ar gyfer rhyw rysáit ffansi. *Chestnuts*, i fynd efo'r sbrowts.' Pesychodd, fel petai'n tagu ar yr atgof.

'A ble oedd Nans?'

'Yn sefyll tu ôl i'w mam, a gwallt Heuls yn ei llaw chwith. Roedd hi wedi tynnu pen ei mam yn ôl ... ac roedd cyllell yn y llaw arall. Yn amlwg, roedd hi wedi taro unwaith yn barod gan fod gwaed ar y llafn, ac roedd hi'n paratoi i wneud eto. Dechreuodd llinell goch ledaenu ar draws gwddf Heuls o flaen fy llygaid i, ac roedd y gwaed yn llifo i lawr ei gwddw eiliad yn ddiweddarach.'

'Be wnest ti?'

'Cipio'r gyllell o law Nans, wedyn rhoi hances ar wddf Heulwen – myn uffern i, roedd hi'n gwaedu. Roedd golwg wag yn llygaid Nans, fel petai mewn trwmgwsg. Roedd yn rhaid i rywun ofalu am Nans achos roedd hi'n crynu fel deilen, ac yn llefain fel babi bach, ond roedd yn rhaid i mi ... wel, achub bywyd Heulwen oedd ar fy meddwl i ar y pryd. Wrth gwrs, mi gawson ni wybod wedyn, yn yr ysbyty, nad oedd yr anaf yn ddigon dwfn i wneud damej mawr, ond roedd y gwaed, Inspector, y blydi gwaed ...'

Roedd ei ysgwyddau llydan yn crynu, a'i wyneb hawddgar dan gysgod o fraw. Nid dyn treisgar oedd o'i flaen, ystyriodd Daf, ond dyn gwan oedd wedi ceisio osgoi difrifoldeb y problemau yn ei deulu.

'Mi alwais ar Gruff i ddod i warchod ei chwaer – roedden nhw wastad yn agos – ac mi es i â Heuls i'r ysbyty yn Shrewsbury. Er mai dim ond *flesh wound* oedd o, mi adawodd andros o graith.'

'Ond pam, Phil? Dwi wedi magu plant, dwi'n gwybod i'r dim pa mor oriog y gall merched yn eu harddegau fod – ond duwcs, mae 'na wahaniaeth rhwng pwdu a thorri corn gwddf dy fam.'

'Roedd rhywun, ffrind iddi hi, wedi cael tipyn go lew o

ddylanwad drwg arni hi. Roedd y ffrind yn dod o deulu drwg a mynnodd Heulwen na allen nhw fod yn ffrindiau. Dyna oedd sail y peth. A dweud y gwir, Inspector, roedd hi yng nghanol ei harddegau, ei hormons dros y siop: ro'n i'n ofni'r gwaetha ar un adeg, ond sbïa arni hi rŵan, yn hapus ac yn llon.'

Nid oedd Daf cweit mor ffyddiog, ond ni welai reswm i ddadlau. Am y tro cyntaf, gwelodd Daf ôl y blynyddoedd ar Phil, fel petai wedi bod yn cario baich ar ei gefn gydol ei oes.

'Alla i fynd, rŵan? Dwi ddim isie i Jac ddechre ar Basia eto.'

'Mae hi'n gallu gofalu amdani ei hun, 'sen i'n tybio.'

'O, mae hi'n hoff iawn o greu'r argraff honno, ond mae hi mor addfwyn ei natur, wyddost ti.'

Meddyliodd Daf am y ffrae grefyddol rhwng Basia a Seth ond ddywedodd o ddim gair.

'Rhaid i mi gael gair efo Nansi, Phil. Wnei di ei danfon hi draw, heb Seth?'

'Mi geisia i.'

Edrychodd Daf ar ei watsh: hanner awr wedi tri ac roedd o'n clemio.

'Phil, dwi'n gwneud fy ngorau glas i fod yn gwrtais, ond mae'n rhaid i bob un ohonoch chi gofio mai heddwas ydw i, yn ymchwilio i drosedd ddifrifol. Dwi'n mynd i eistedd ar y fainc fan acw, ac mi wyt ti'n mynd i ddanfon dy ferch yma, ar ei phen ei hun, am sgwrs.'

Erbyn hyn, heblaw'r poen yn ei fol, roedd meddwl Daf yn llawn o deulu rhyfedd Dolfadog gyda'u holl gyfrinachau, dicter a chelwyddau. O'r hyn roedd o wedi'i glywed hyd yma, roedd y mab arall yn ymddangos yn dipyn llai cymhleth – ond ble oedd o ar ddiwrnod fel heddiw, a'r gweddill wedi ymgasglu i drafod trefniadau angladd ei fam? Penderfynodd ofyn i Nia i gysylltu efo Gruff cyn gynted â phosib.

Wrth iddi gerdded tuag ato, sylwodd Daf ar y tebygrwydd rhwng Nansi a'i thad. Nid oedd hi'n edrych fel petai'n lliwio'i gwallt ond roedd fel lliw gwair mis Medi, wedi'i glymu yn dorch famol, a gallai Daf ei ddychmygu'n disgyn yn donnau dros ei hysgwyddau. Dechreuodd Daf boeni – o'r holl ferched roedd o wedi dod ar eu traws yn ystod yr ymchwiliad, dim ond dwy roedd o heb eu ffansïo, ac roedd y ddwy yn lesbiaid. Wedyn, cofiodd am Diane Rhydderch a gollyngodd ochenaid o ryddhad: er gwaethaf ei choesau hir a'i sodlau uchel, nid oedd y swyddog cyfathrebu wedi codi unrhyw beth ond dicter yn Daf.

Ceisiodd ddadansoddi Nansi. Fel ei thad, roedd hi'n ceisio bod yn ffrind i bawb, ond beth oedd yn gyfrifol am y cysgodion yn ei llygaid mawr glas?

'Ddywedodd Dad dy fod di isie gair efo fi.' Dim ond arlliw o'i hacen wreiddiol oedd wedi goroesi.

'Oes. Stedda i lawr.'

'Well gen i sefyll – mae'r mwsog ar y fainc 'na'n gallu gadael andros o staen gwyrdd.'

Neidiodd Daf ar ei draed, yn melltithio dan ei wynt.

'Bydd dy wraig yn gallu datrys hynna efo digon o Vanish, dwi'n siŵr,' meddai Nansi, yn gwenu. Rhywsut, roedd yr anffawd wedi creu awyrgylch gartrefol.

'Well i mi chwilio am y Vanish fy hun,' atebodd Daf, gan ddechrau cerdded ar draws y lawnt. 'Newydd gael babi yden ni, felly dwi ddim isie creu mwy o waith iddi.'

'Sortia fo allan yn reit sydyn – ti'n edrych fel llo sy wedi sgowrio, yn wyrdd i gyd.'

'Mi wna i.'

'Sgen i ddim syniad pwy laddodd Mam, wyddost ti. Ond mae ganddi hi ffrindiau reit od yng Nghaerdydd. Merched sy'n smalio bod yn ddynion, dynion sy'n gwisgo ffrogiau ...'

'Oeddet ti'n gwybod bod dy fam yn hoyw?'

'Nid hoyw oedd hi, ond poen. Angen sylw oedd hi. Dwi'n cofio'i holl brosiectau bach hi: cefnogi'r iaith Gymraeg, helpu plant draw draw yn Tsieina a thiroedd Japan neu ble bynnag oedden nhw, datblygu cefn gwlad drwy geisio am grantiau Ewropeaidd, *Plu'r Gweunydd*, yr ysgol feithrin, yr henoed, y Cyngor Sir, ynni gwyrdd. Fy ffefryn i o'i holl obsesiynau oedd yr henoed – roedden nhw'n drewi braidd ond o leia roedd bisgedi neis yn y cartrefi hen bobl. O, ac mi gafodd hi "iselder" fel esgus i wastraffu amser y meddyg.'

'Ond mi gafodd hi berthynas efo dynes.'

'Dwi'n gwybod. Mi wnaeth Seth eu ... darganfod nhw, yn ein stafell sbâr.'

'O diar,' meddai Daf, wrth feddwl mai dod ar draws mam yng nghyfraith ganol oed yn y gwely efo dynes arall oedd yr unig beth gwaeth na gweld llysfab wedi'i glymu i wely *dominatrix*.

'Dydi "o diar" ddim hanner digon cryf, Mr Dafis. Mae Seth yn ddyn crefyddol iawn ac mae ganddo statws yn ein cymuned ffydd. Mae o'n dod o draddodiad go wahanol: iddo fo, tydi bod yn hoyw ddim yn ddewis neu'n ffordd o fyw ond yn hytrach yn dystiolaeth o bresenoldeb Satan yn ein plith.'

'A tithe, Nansi? Be wyt ti'n feddwl?'

'Cariad yw ffydd i mi, a maddeuant. Alla i ddim barnu neb.'

'Oherwydd dy fod di wedi ceisio lladd dy fam?'

'Oherwydd sawl camgymeriad wnes i. A dwi'n dal i bechu bob dydd; mae angen gras i oroesi.'

'Ond lodes, y Dolig hwnnw, yr unig ddiwrnod pan mae pob teulu'n esgus bod yn hapus, roeddet ti wedi cyrraedd pen dy dennyn?'

Nodiodd ei phen.

'Dydi Seth ddim yn gwybod am hynny. Mi ddechreuais o'r newydd, gadael yr holl gachu yn y gorffennol, dyna beth oedd y bwriad.'

'Lodes, dim ond chwilio am bwy bynnag daniodd y swyddfa ydw i.'

'Ro'n i gartre efo'r plant nos Lun, ar ôl arwain y Messy Church tan chwech.'

'Iawn – ond be ddigwyddodd y Dolig hwnnw? Gest ti anrhegion gwael?'

Jôc wan oedd hi, ond cododd ei llygaid am hanner eiliad.

'Doedd Mam a finne ddim wedi bod yn cyd-weld ers sbel. Fel sawl mam a merch.'

'Soniodd dy dad fod gen ti ffrind oedd yn dipyn o

ddylanwad drwg, a bod dy fam wedi dy atal di rhag gweld y person hwnnw. Wedyn, est ti'n boncyrs, braidd.'

'Ie ... ie, dyna'n union ddigwyddodd,' cytunodd Nansi, a gallai Daf weld yn syth mai celwydd noeth oedd y stori.

'Bachgen neu ferch?'

'Den ni ddim yn gofyn: wastad yn derbyn pob plentyn fel rhodd Duw.' Anwesodd Nansi ei bol chwyddedig.

'Nage, nage, lodes – dy ffrind.'

'Bachgen oedd o, o deulu garw.'

'Oedd o'n gariad i ti?'

'Dim ond pedair ar ddeg oeddwn i. Rhy gynnar o lawer i hynny.'

'Debyg iawn. Be ddigwyddodd iddo fo?'

'Sgwennodd o unwaith neu ddwy, ond mi fu'n symud o gwmpas dipyn ar ôl gadael yr ardal yma. Dwi ddim wedi clywed dim o'i hanes ers blynyddoedd maith. Sgen i ddim syniad be ddigwyddodd iddo fo.'

'Stori drist, ond oedd hynny'n ddigon i geisio lladd dy fam?'

'Doeddet ti ddim yn byw o dan y to 'ma, Inspector. Roedd Jac wedi bygwth ei lladd hi sawl tro. Gollais i obaith pan symudodd Griff o'ma – dim ond cyfri'r dyddiau oeddwn i tan y cawn i fynd i'r coleg.'

'Mm.' Doedd Daf ddim yn teimlo y gallai gredu gair o'i stori, ond eto, doedd ganddo ddim rheswm penodol i egluro'i amheuaeth. Gwyddai fod merched yn eu glasoed yn bethau digon bregus, ond gwyddai hefyd eu bod yn llawer mwy tebygol o ddefnyddio cyllell arnyn nhw'u hunain nag ar bobl eraill.

'Ydyn ni wedi gorffen, Mr Dafis? Mae'n hen bryd i Hope gael ei bwydo.'

'Gawn ni sgwrs eto?'

'Wrth gwrs. A plis, sortia'r trowsus 'na'n reit handi.'

Edrychodd Daf ar ei ffôn cyn mynd at y tŷ: dim neges. Aeth at Nia, oedd yn y gegin yn esbonio trefn yr ymchwiliad i Jac a Lowri, ac amneidiodd arni i ddod ato.

'Nawr 'te, bawb, dwi am fachu WPC Owen am eiliad,'

eglurodd. Aeth y ddau yn ôl allan a dechreuodd Nia ochneidio yr eiliad y caeodd Daf y drws.

'Mae hi wedi bod fel seilam yma, bòs,' ebychodd. 'Mae'r tad yn gymaint o iws â rhech wlyb, mae'r brawd yn mynd allan o'i ffordd i fod yn gas ac mae'r busnes crefydd yn fy ngyrru fi'n wallgo. A phaid â sôn am y plant! Dwi angen *danger money* i aros yma, wir i ti.'

'A does neb yn galaru?'

'O bell ffordd. Bob hyn a hyn, mae'r brawd yn eu hatgoffa nhw am ryw enghraifft ohoni'n bod yn gas efo nhw, fel petai isie cyfiawnhau'r teimlad o ryddhad ei bod wedi marw.'

'Rhaid i ni gysylltu â'r brawd arall. Maen nhw'n siarad fel petai wedi ymfudo, ond dim ond hanner milltir i ffwrdd mae o.'

'Ond mae o'r ochor arall i'r nant – falle eu bod nhw'n ystyried hynny'n deithio tramor.'

'Digon posib. Hei, pam na wnest ti ddweud wrtha i fod Tom a Sheila yn ceisio am fabi?'

'Achos mae'r peth mor amlwg. Dwi ddim wedi dweud wrthet ti fod yr haul yn codi yn y bore chwaith.'

'Dwi wedi eu gwahodd nhw draw i weld Mals – ydi hynny'n beth doeth?'

'Ti'n methu cuddio dy fabi, bòs. Peth neis i'w wneud, 'sen i'n dweud.'

'Ocê, ond gad i mi wybod os dwi'n dweud y peth rong, ie?'

'Am gyfle gwych!'

Roedd ei gartref yn dawel pan biciodd heibio yno i newid ei drowsus. Fel arfer, byddai'r oriau rhwng pedwar a chwech yn llawn bwrlwm, ond heddiw roedd y lolfa'n wag. Dringodd Daf i'r llofft a gwelodd nhw – Gaenor yn gorwedd yn belen yn y gwely a Mali ar ei chefn yn y fasged Moses, ei breichiau a'i choesau ar led fel seren fôr. Roedd y cyferbyniad rhwng y tangnefedd o'i amgylch a chasineb Dolfadog yn syfrdanol. Gorweddodd wrth ochr Gaenor a syllodd ar ei hwyneb tlws, ac allai o ddim peidio â rhoi ei law ar ei boch feddal. Symudodd yn ei chwsg a lapiodd ei braich amdano.

Doedd o ddim wedi bwriadu cysgu ond pan ddihunodd, roedd golau'r stryd i'w weld drwy'r ffenest. Chwiliodd mewn panig am ei ffôn, oedd ym mhoced ei drowsus ar y llawr. Hanner awr wedi chwech. Roedd wedi methu ateb pedair galwad, ac roedd tecst gan Steve:

'Opened up the filing cabinets: you need to see this.'

'Ar y ffordd,' atebodd.

Penderfynodd wneud brechdan iddo'i hun cyn mynd yn ôl i'r Trallwng, ac roedd o'n ceisio dewis rhwng darn o ham oedd yn hŷn na Mali a chaws oedd fel rhisgl coeden pan ddaeth Rhodri adref.

'Haia, cog. Lle ti 'di bod tan rŵan?'

'O gwmpas.'

'O gwmpas ble?'

Neidiodd sawl delwedd i feddwl Daf, y rhan fwya ohonyn nhw ynghlwm â chyffuriau.

'Jyst efo fy ffrindiau, Dad.'

'Pa ffrindiau?'

'Josh, Morgan a Hari. Mi gawson ni jips.'

'Mae Gae yn gwneud pizza nes ymlaen.'

'Wastad yn gallu ffeindio lle i ddarn o bizza.'

Gorffennodd Daf ei fara menyn a syllodd ar ei fab. Roedd o wedi tyfu'n sydyn ond roedd o hefyd wedi newid steil ei wallt, gan frwsio'r ffrinj hir yn isel ar draws ei dalcen a shafio cefn ei wddf. I lygaid hen ffasiwn Daf roedd yr effaith yn hurt, fel petai ei wallt i gyd wedi llithro dros ei wyneb fel wig, ond heblaw am ei alw fo'n 'Donald Trump' gwpl o weithiau, doedd dim y gallai Daf ei wneud am y peth. Roedd Carys a Gaenor yn hoffi'r gwallt newydd – arwydd o'i aeddfedrwydd, medden nhw. Y cam nesaf fyddai cariad, cwrw a dewis coleg. Ac os oedd Rhodri'n tyfu'n ddyn, roedd hynny'n golygu, wrth gwrs, fod Daf yn heneiddio.

Synnodd o weld Sheila yn dal yn yr orsaf. Roedd hi'n edrych yn smart, fel petai ar fin mynd allan.

'Mae Tom yn mynd i gyfarfod y Gymdeithas Charolais heno a den ni'n cael swper yn yr Oak wedyn,' esboniodd, heb i Daf ofyn. 'Ac mae 'na gwpwl o bethau y dylet ti wybod. Mae'r pencadlys wedi cysylltu â'r heddlu yng Ngwlad Pwyl: mae gan ein ffrind Milek dipyn o hanes.'

'Do'n i ddim wedi meddwl ei fod o'n angel.'

'Falle y bydd yr ail beth yn dipyn bach mwy o sypréis. Lisa Powell.'

'Be amdani hi?'

'I ddechrau, mae HR y llywodraeth yn meddwl fod gradd ganddi hi mewn Gweinyddiaeth Gyhoeddus o Brifysgol Abertawe. Aeth Lisa i Abertawe, ond cafodd ei gwahardd yn ystod ei hail flwyddyn.'

'Am be?'

'Stelcian. Mi gafodd hi grysh ar aelod o staff – dyna mae'r ffeil yn ddweud – ac yn y pen draw, ar ôl misoedd o gwnsela a rhybuddion, cafodd y ddarlithwraig waharddeb gan y llys yn dweud na châi Lisa ddod yn agos ati.'

'Difyr iawn.'

'A hefyd, dair blynedd yn ôl, cafodd ei holi gan Heddlu'r De.'

'Ynglŷn â be?'

'Treisio'i phartner. Gwelodd mam ei phartner glais ar ei harddwrn a chysylltodd â'r heddlu. Doedd y partner ddim isie erlyn, yr un hen stori.'

'Ac enw ei phartner oedd ...?'

'Jan Cilgwyn.'

'Waw.'

'A ffaith fach arall i ti: dydi Lisa ddim wedi bod yn ei swyddfa o gwbwl yr wythnos yma. Ffoniodd ddydd Llun i ddweud bod creisis yn ei theulu ac y byddai'n rhaid iddi hi gymryd wythnos o wyliau ar fyr rybudd. Mi wnes i gais i'r adran HR yng Nghaerdydd am lun ohoni, a mynd â fo draw i'r Oak – hi oedd y "Mrs Wilkes" arhosodd yno nos Lun.'

'Am bnawn llwyddiannus!'

'Aros nes i ti weld be mae Steve wedi'i ddarganfod, bòs,' broliodd Sheila efo gwên.

'Ydi Steve o gwmpas?'

'Wedi mynd am heddiw. Ond ty'd i weld.'

Ar ddesg Steve, ar ddalen o blastig trwchus, roedd sêff tua'r un maint â meicrodon. Gwyn oedd hi, ond erbyn hyn roedd yn staeniau brown a melyn drosti, yn dyst i'w phresenoldeb yn y tân.

'Ydi'r rhifau i'w hagor hi ganddon ni?'

'Mae hi ar agor, bòs. Cysylltodd Steve efo'r gwneuthurwyr, a chael y *mastercode*.'

Yn feddylgar, roedd rhywun wedi gadael menig plastig ar y ddesg y drws nesa i'r sêff. Yn ofalus, tynnodd amlen fawr, drwchus A4 o'r tu mewn iddi. Roedd llythrennau mawr arni mewn *marker pen* du a llawysgrifen daclus: 'J Rh O (Rh B).' Ynddi roedd pentwr o luniau du a gwyn, yn amlwg wedi eu tynnu gan lens hir neu gamera cudd. Dangosai'r lluniau ryw ugain o ferched gwahanol yn perfformio amrywiol weithgareddau rhywiol mewn sawl stafell – yr unig nodwedd gyffredin rhyngddynt oedd y dyn.

'Mae o'n ddigon ystwyth am ddyn mor swmpus,' sylwodd Daf. 'Dwi'n synnu fod ganddo fo ddigon o amser i fod yn gigydd, heb sôn am fod yn Aelod Cynulliad a phrotestio yn erbyn y peilonau. *Flexible* ydi ystwyth.'

'Dwi'n gwybod hynny,' atebodd Sheila, yn edrych dros ysgwydd Daf ar lun o Rhys Bowen yn mwynhau sylw gan ddwy o ferched oedd yn ddigon tebyg i'w gilydd i fod yn efeilliaid. 'Ond ydi pobl yn defnyddio'r gair "swmpus" i ddisgrifio pobl eraill?'

'Alla i ddim meddwl am air mwy addas,' eglurodd Daf, gan geisio cuddio llun o Bowen yn noeth borcyn oddi wrth lygaid Sheila. 'Does dim rhaid i ti edrych ar rhein, lodes – mae o *above and beyond* ...'

'Dwi ddim yn meindio,' mynnodd Sheila, 'maen nhw'n addysgol tu hwnt. Ble mae'r peth mawr rwber pinc 'na'n mynd, tybed?'

Gwthiodd Daf y lluniau'n ôl i'r amlen a thynnodd amlen arall o'r sêff: 'J Rh O (G B)' oedd ar hon. Nid oedd cynnwys yr ail amlen cystal o ran adloniant ond roedd yn dal i fod yn ddiddorol iawn. Tudalen ar ôl tudalen o gyfrifon cymhleth, yn dilyn cyllid ymddiriedolaeth, a faint o elw ddisgynnodd i ddwylo un o'r ymddiriedolwyr, sef y Cynghorydd Gwilym Bebb. Byddai angen cyfrifydd fforensig i weld patrwm ynddynt. Tynnodd weddill yr amlenni o'r sêff, dros ugain ohonynt i gyd, a'r cyfan â 'J Rh O' wedi'i sgwennu arnyn nhw, ynghyd â llythrennau cyntaf enw rhywun. Y tu mewn i bob un roedd tystiolaeth o wendidau neu gamweddau'r person hwnnw. Roedd y rhan fwyaf o'r enwau yn bobl leol, hoelion wyth yr ardal, ond roedd gwe Heulwen wedi ymestyn mor bell â Chaerdydd: roedd sawl aelod blaenllaw o bob plaid wedi tynnu ei sylw. Trodd ei sylw at yr amlen olaf, oedd braidd yn grimp, fel petai wedi bod yn y sêff am amser go hir. 'J Rh O (C W)' oedd y côd, a'r tu mewn roedd casgliad o droseddau Carwyn Watkin, Brynybiswal. Nid oedd tystiolaeth o lygredd difrifol, ond bu'r hen Carwyn yn dwp. Llun ohono'n mwynhau lletygarwch datblygwr tai yn Stadiwm y Mileniwm, lluniau ohono yn rasys Llwydlo yng nghwmni teulu oedd wedi cyflwyno cais cynllunio i godi llaethdy enfawr, Carwyn yn derbyn parsel siâp potel gan ddynes oedd isie creu estyniad enfawr i'w safle carafannau. Wedi ei glymu'n daclus i gefn pob llun roedd llungopi o ddatganiad o ddiddordeb y pwyllgor cynllunio priodol: bob tro, roedd Carwyn wedi datgan nad oedd diddordeb ganddo yn yr achos. Roedd Daf yn flin. O ystyried ei fod yn gallu chwarae gêm o chwist â meddwl mor strategol, roedd o wedi llwyddo i wneud ffŵl ohono'i hun. Nid wedi gwerthu ei bleidlais oedd Carwyn Brynybiswal, roedd Daf yn sicr o hynny; dim ond isie bod yn boblogaidd oedd o. Canlyniad hynny oedd ffeil ddigon trwchus i'w gondemnio heb iddo fod wedi elwa fawr o gwbl.

'Reit, Sheila,' meddai Daf o'r diwedd. 'Archif ar gyfer blacmel sy fan hyn. Dwi'n mynd â'r cyfan adre efo fi rŵan, a bore fory bydd yn rhaid i ni ddechrau cysylltu â phawb sy yma.'

'Bòs, ydyn nhw i gyd yn gwybod bod yr holl wybodaeth yma gan Heulwen amdanyn nhw?'

'Wrth gwrs eu bod nhw. Pam wyt ti'n gofyn?'

'Y "J Rh O". Be os mai "Jyst Rhag Ofn" mae o'n olygu? Ai blacmel oedd y bwriad, ynteu siwrans?' Unwaith yn rhagor, synnodd Daf at safon Cymraeg Sheila. Doedd o ddim wedi gwneud y cysylltiad hwnnw, ac yntau'n rhugl.

'Pwynt dilys iawn. Dyna'n union fydd raid i ni ei ddarganfod.' Cododd y bwndel amlenni a'u rhoi o dan ei gesail. 'A Sheila, os oes gen ti ddigon o amser, wnei di ddechrau ar y gwaith papur ar gyfer gwarant chwilio – dwi isie cael sgowt o gwmpas swyddfa Rhys Bowen, a'i gartref hefyd.'

Roedd arogl braf yn croesawu Daf adref, er ei bod braidd yn hwyr i gael swper ar noson ysgol. Roedd Rhodri'n eistedd wrth fwrdd y gegin, ei chwaer fach yn ei gôl, yn siarad efo Gaenor. Doedd hi ddim wedi cribo'i gwallt, a wnaeth i feddwl Daf grwydro i'r gwely. Cochodd, gan obeithio na fyddai neb yn sylwi.

'Be ddigwyddodd i dy drowsus di, Dad?' gofynnodd Rhodri. 'Wyt ti wedi eistedd mewn pwll o gachu?'

'Mwsog tamp ar fainc yng ngardd Dolfadog. Paid â sôn.'

Daliodd Gae ei lygaid am eiliad cyn tynnu pizza mawr o'r ffwrn oedd yn arogli o furum, garlleg a ...

'Dim blydi pinafal eto!'

'Ti'n gwybod y drefn, Daf – pwy bynnag sy'n helpu sy'n cael dewis y *toppings*.'

'Mae pinafal yn troi pizza yn nonsens. Faset ti byth yn cael pinafal ar dy bizza yn yr Eidal.'

'Ond ti'n ei gael o yn Pizza Express, sy'n nes,' atebodd Rhodri'n syth. 'Mals, dydi Dadi ddim yn gwybod dim am fwyd, cofia di hynny.'

'Ro'n i'n mynd i awgrymu agor potel o'r gwin 'na o Sicily gawson ni o Tesco,' meddai Daf yn ffug-bwdlyd, 'ond sgen i ddim syniad be ddylen ni 'i yfed efo'r rwtsh tropicalaidd 'ma.'

'O, den ni'n gwneud "rwtsh tropicalaidd" yn y gwersi daearyddiaeth tymor nesa, yn syth ar ôl y goedwig law a rhewlifiant,' gwawdiodd Rhodri.

'Pina Colada?' awgrymodd Gaenor. 'Ond a dweud y gwir, dwi'n ddigon cysglyd fel ydw i.'

Roedd y pizza'n flasus iawn er gwaetha'r pinafal. Tra oedd Rhodri'n llwytho'r peiriant golchi llestri eisteddodd Daf wrth y stôf goed â Mali ar ei ben-glin.

'Mae gen i lwyth o bapurau i fynd drwyddyn nhw, Gae. Fyset ti'n meindio tasen ni ddim yn gwylio'r teli? Mi fedra i ymdopi efo Mals a mwrdwr, ond mi fyddai babi, blacmel a Becws Beca jyst yn ormod i mi.'

'Mae'n raid dy fod di'n brysur os wyt ti'n troi dy gefn ar Nigella Cymru! Dyna dy hoff raglen di.'

'Ie fel arfer, ond heno mae'n rhaid i mi ganolbwyntio.'

'Wrth gwrs.'

Cymerodd Gaenor eu merch, a swatiodd ar y soffa.

'Ti'n rhy bell yn fan'na, Daf – ty'd draw i gwtshio efo ni.'

Ar ôl eistedd yn ymyl Gaenor ar y soffa, agorodd Daf yr amlen gyntaf. Ynddi roedd hanes nifer o weithredoedd roedd cwmni o'r enw Tir Taf wedi elwa ohonynt. Prynu darnau o dir gan y llywodraeth am brisiau isel oedden nhw, a'u gwerthu rai misoedd yn ddiweddarach am grocbris. Yn digwydd bod, roedd brawd yng nghyfraith un o gyfarwyddwyr y cwmni yn uchel yn y Blaid Llafur. Sgwennodd Daf fraslun o'r achos – mwy o waith i'r cyfrifydd fforensig. Sylwodd fod Mali wedi setlo'n dda i'w swper ond roedd Gaenor braidd yn gysglyd. Disgynnodd ei phen ar ysgwydd Daf ond roedd Mals yn hapus fel y gog er bod ei mam yn pendwmpian. Pasiodd deng munud, a phan oedd Daf newydd agor y drydedd amlen gollyngodd Mali fron ei mam yn sydyn a dihunodd Gaenor efo naid. Trodd Daf y llun wyneb i waered ond nid cyn i Gaenor ei weld.

'Ai llun o Rhys oedd hwnna?'

'Mae 'na amlen yn llawn ohonyn nhw. O swyddfa Heulwen.'

'Blacmel, felly?' gofynnodd Gaenor, gan symud Mali.

'Ie, mae'n debyg. Ond do'n i ddim yn meddwl fod anturiaethau carwriaethol Bowen yn gyfrinach mor fawr. Mae ei wraig yn bownd o fod yn gwybod erbyn hyn.'

'Siŵr iawn. Roedd ei fam hyd yn oed yn gwybod ei fod o'n gog drwg, yn gwneud jôc o'i ymddygiad gwael.'

'O ie, ti ydi'r arbenigwraig ar Rhys Bowen yntê?'

'Mae o'n wir. Tebyg i'w brodyr hi, sef ewythrod Rhys, ydi o, medde hi. Dwi'n ei chofio hi'n rhoi lifft iddo acw sawl gwaith pan o'n i tua'r un oed â Rhods.'

'A pham roedd Bowen isie dod i dy gartre di? Oes raid i mi ofyn?'

'Roedd o'n ffrindiau mawr efo Jeff. Maen nhw'n dal i wneud dipyn efo'i gilydd.'

'Dyna i ti syniad. Mi alla i holi dy frawd am dipyn o'i gefndir.'

'Werth trio. Dwi'n cofio un noson yn glir: y tro cynta i mi gael aros i fyny i blufio hwyaid. Roedden ni'n yfed jin damson y flwyddyn cynt, ac ar ôl i ni orffen tynnu'r plu mawr, dechreuodd Rhys gael gwared â'r mân blu. Rhoddodd hen dun Fray Bentos yn llawn *meths* ar y llawr a lluchio matsien iddo. Wedyn, safodd dros y fflam, yn siglo'r hwyaden o un ochr i'r llall nes i'r mân blu i gyd ddeifio. Roedden ni'n lladd ein hunain yn chwerthin a Mam yn sgrechian. Roedd hi ofn y byddai Rhys yn rhoi ei hunan ar dân – ond roedd ei fam yn annog ei ymddygiad gwyllt.'

'Doedd gen i ddim syniad pa mor agos oedd dy deulu di a'r Bowens,' rhyfeddodd Daf.

'Wel, ti'n gwybod fel mae pethe mewn pentre bach. Does dim llawer o ddewis. O na,' ychwanegodd yn ddramatig, 'mi anghofiais dy fod di wedi dy fagu yn *downtown* Llanfair; mwy *cosmopolitan* o lawer! Doedd Mrs Bowen ddim yn ffrindiau penna efo Mam, dim ond digon agos i gynnal sgwrs. Ac wrth gwrs, roedd Rhys yn dechrau lladd pan oedd o'n iau na Rhods, felly roedd o'n rhy brysur i gymdeithasu llawer ar ôl hynny.'

'Sôn am *downtown* Llanfair, wyt ti'n gwybod i ble aeth Rhods pan gawson ni ein nap fach?'

'Efo'i ffrindiau oedd o.'

'Ie, ond be oedden nhw'n wneud?'

Chwarddodd Gaenor.

'Bwyta tships. Chwilio am ferched. Hongian o gwmpas, fel mae bechgyn.'

'Doedd Siôn byth yn hongian o gwmpas ar gornel stryd.'

'Achos ein bod ni yng nghanol cefn gwlad. Mae'n wahanol yn y dre.'

'Hmm. Pan fydd yr ymchwiliad yma drosodd, falle ddylen ni chwilio am dŷ, allan yn bell yn y wlad.'

'Mae Rhods yn fachgen call. Wnaiff o ddim dechrau yfed White Lightning yn y fynwent.'

'Dwi'n gwybod hynny.'

'A falle y byddai wedi gwneud lles i Siôn dreulio dipyn bach mwy o'i amser oddi cartre.'

'Wn i ddim, wir. Mae'r cog yn gwneud yn dda. Faint o fechgyn o'r un oed â fo sy efo *dominatrix* mor smart â Belle?'

Agorodd drws y gegin.

'Dwi'n mynd lan llofft, os ydi hynny'n iawn?' gofynnodd Rhodri.

'Wrth gwrs. Gwaith cartre?'

'Wedi gorffen. Dwi awydd mynd ar y cyfrifiadur am dipyn, iawn?'

'A sut mae'r hen Minecraft?'

'O Dad, plis. Dwi ddim yn yr ysgol gynradd ddim mwy.'

Ar ôl iddo fynd, chwiliodd Daf am gyngor.

'Ers pryd mae Minecraft wedi bod yn crap? A pham na wnes i sylwi?'

'Ers iddo fenthyg Call of Duty: Black Ops 3 gan Josh.'

'Ydi o'n cael chwarae gemau treisgar?'

'Paid â bod yn hurt, Daf. Wrth gwrs ei fod o, ond ddim os ydi o ar lefel uwch na fi.'

'Be?'

'Dwi 'di magu bachgen yn y byd cyfoes. Roedd yn rhaid i rywun yn y teulu ddysgu rwbeth am y gemau 'ma, a doedd John ddim yn gallu ymdopi efo *first person shooters*.'

'Blydi hel, Gaenor Morris, ti'n fy synnu i bob dydd.'

'Fel ddwedodd Shrek, mae gen i sawl haenen.'

Tra oedd Gaenor yn canolbwyntio ar Mali, tynnodd Daf lun arall allan o'r amlen. Trodd Gaenor ei phen yn sydyn.

'Hei, Miss Davies ydi honna! Mae hi'n dysgu'r cyfnod sylfaen mewn ysgol yn Nhregynon.'

'Athrawes? Un o *pick-ups* Bowen?'

'Hmm, Mae hi'n edrych fel tase hi'n cael hwyl, beth bynnag.'

Sylwodd Daf ar batrwm. Roedd rhai o'r lluniau'n amlwg yn dangos Bowen efo putain mewn gwesty, ond roedd dros eu hanner wedi eu tynnu mewn awyrgylch mwy cartrefol: ar soffa mewn bwthyn bach, neu ar garped mewn tŷ newydd. Ac nid merched ifanc, tenau efo llygaid gwag oedd ei bartneriaid chwaith, ond trawstoriad o leidis rhwng deg ar hugain a hanner cant, y rhan fwyaf dipyn yn grwn ond yn llawer iawn meinach na fo. Gwelodd Daf wyneb arall cyfarwydd: Miss Beynon o'r ysgol uwchradd.

'Blydi hel, Gae, mae hi'n dysgu addysg grefyddol.'

Gwnaeth restr o'r lluniau, gan roi sêr wrth ymyl y rhai oedd â phuteiniaid ynddynt. Roedd yn rhestr hir, ond sylweddolodd Daf y gallai cynnwys yr amlenni fod yn ffrwyth blynyddoedd o waith ymchwil. Os oedd Heulwen wedi casglu'r lluniau dros gyfnod o bum mlynedd, nid oedd Bowen wedi bod yn annaturiol o brysur. Ond os oedd Heulwen wedi bod yn talu i rywun ei ddilyn am bum mlynedd i gasglu tystiolaeth o'i ymddygiad gwarthus, byddai'n rhaid iddi fod wedi gwario ffortiwn. Byddai'n rhaid edrych ar ei chyfrifon banc.

Tynnodd amlen arall o'r bag a chwympodd llun i'r llawr, un wedi cael ei dorri o *Blu'r Gweunydd*. 'Teulu Dolfadog yn canu carolau' oedd y pennawd uwchben llun o Heulwen a Phil, efo tortshys yn eu dwylo. O'u blaenau roedd rhes o blant yn eu cotiau gaeaf a hetiau lliwgar ar eu pennau. Gallai Daf adnabod Jac, y talaf, oedd a golwg wedi diflasu arno. Bachgen gwallt tywyll tebycach i'w fam: Gruff, tybiodd Daf. Nansi oedd y lodes fach efo dwy blethen drwchus yn disgyn o'i het, ac wrth ei hochr roedd bachgen arall ag wyneb sarrug ac ysgwyddau oedd yn rhy fach i'w gôt. Roedd yr hetiau'n debyg, y cotiau'n debyg, y welintons yn debyg, ond doedd o ddim yn dod o stoc Dolfadog.

'Wyt ti'n nabod y cog yma, Gae?' gofynnodd.

'Ffrind iddyn nhw, siŵr.'

'Ond mae o wedi'i wisgo'n union fel y lleill.'

'Falle fod Heulwen wedi rhoi benthyg côt a het iddo fo.'

Rhywsut, nid oedd y syniad o lond y tŷ o ffrindiau yn Nolfadog yn taro deuddeg efo Daf, ac ar ben hynny roedd o'n bendant ei fod wedi gweld yr un wyneb yn ddiweddar, ond ymhle?

Pennod 9

Bore Iau, Ebrill 14, 2016

Ar ôl noson gyfforddus, efo dim llawer o drafferth gan Mali, deffrodd Daf mewn hwyliau braf ond doedd Gaenor ddim yn edrych yn dda o gwbl. Roedd ei bochau'n rhy goch a sylwodd Daf ar sglein annaturiol yn ei llygaid. Dros frecwast, roedd hi braidd yn ddryslyd. Awgrymodd Daf y dylai ffonio'r feddygfa, ond gwrthododd Gaenor.

'Paid â phoeni, cariad,' atebodd, wrth roi cusan boeth ar ei dalcen. 'Dwi'n ddynes sy'n agos at ei deugain, efo babi jyst dros fis oed – mae'n anodd ymdopi bob dydd.'

'Oes gen ti wres, Gae?'

'Dwi'n iawn, wir.'

Cododd Rhodri ei ben am eiliad. Fel y byddai'n aml iawn, roedd o'n cofleidio'i chwaer fach newydd heb roi owns o sylw i ddim byd arall.

'Ti'n edrych yn *shattered*, Gae. Dim ond DT a chwaraeon sy gen i heddiw – be am i mi aros adre i ofalu am Mals i ti gael gorffwys?'

Torrodd Daf ar ei draws yn syth.

'Ti'n cofio pwy ydi'r llywodraethwr sydd â chyfrifoldeb dros absenoldeb yn dy ysgol di, lanc? Fi. Ti ddim yn cael aros adre jyst oherwydd dy fod di'n ffansïo cwtshio'r babi drwy'r dydd.'

Ymddangosodd smotiau coch ar fochau Rhodri. Roedd o'n anfodlon cyfaddef faint roedd o'n dwli ar Mali.

'Dim ond cynnig helpu oedd Rhods,' mynnodd Gaenor. 'Ond mae heddiw'n ddiwrnod mawr – dwi'n mynd allan!'

'Ble?'

'Mae Mali a finne'n mentro i Ti a Fi.'

'Mae hi'n rhy ifanc o lawer. Fydd hi ddim callach.'

'Dwi'n gwybod hynny, ond dwi'n benderfynol o ddechrau creu arferion da y tro yma. Efo Siôn, mi wnes i glwydo yn

Neuadd fel iâr, yn cadw'r cyw bach yn saff bron iawn nes iddo ddechrau yn yr ysgol.'

'Uwchradd,' ychwanegodd Rhodri, wrth chwerthin.

'Bron iawn,' cytunodd Gaenor, efo gwên fawr. 'Beth bynnag, dwi wedi addo i Chrissie ein bod ni'n mynd heddiw.'

'Chrissie?' gofynnodd Daf, wrth geisio peidio meddwl am Chrissie Berllan. Llynedd, pan oedd o'n garcharor mewn priodas anhapus, roedd yn naturiol iddo fflyrtio gyda Chrissie, ond rŵan? Drwy lwc, roedd ychydig o falans yn y sefyllfa gan fod Gaenor yn ffansïo Bryn, gŵr Chrissie, lawn cymaint ag yr oedd Daf yn ffansïo Chrissie. Roedden nhw'n chwerthin am y pwnc yn ddigon aml ond hyd yn oed wrth drin y peth fel gêm, roedd Daf yn teimlo'n euog, yn enwedig yng nghanol ymchwiliad oedd, hyd yn hyn, wedi cyflwyno merch newydd i Daf ei gwerthfawrogi bob diwrnod.

'Ie. Mi welais i hi a'r efeilliaid yn y clinic yr wythnos diwetha. Roedd hi'n dweud eu bod nhw wedi bod yn wyna fflat owt, a'i bod hi'n ysu i gael eistedd lawr am awr a chael paned.'

'Tydi Rob ddim wedi bod yn yr ysgol ers dechrau'r tymor,' ychwanegodd Rhodri. Fel llywodraethwr, gwyddai Daf y dylai ddangos rhywfaint o wrthwynebiad, ond cofiodd am y gwahaniaethau mawr rhwng Rhodri a'i ffrind Rob, mab hynaf Chrissie. Dyn ifanc oedd Rob ond roedd Rhodri, diolch byth, yn dal yn fachgen.

'Wyt ti'n siŵr dy fod di'n teimlo'n ddigon dda i fynd allan, Gae?'

'Yn enw rheswm, Daf Dafis, dim ond gwthio'r bygi i'r ysgol feithrin ydw i, nid dringo Everest.'

Ac felly y gadawon nhw bethau, ond wrth lenwi'r car yn Londis, roedd Daf yn amheus. Weithiau, teimlai fod atsain o'i berthynas â Falmai yn effeithio ar bethau rhyngddo a Gaenor. Roedd natur gwynfanllyd yn ffactor fawr ym methiant eu perthynas, felly, gan ei bod yn ddynes gall, roedd Gaenor yn ceisio mynd i ben arall y sbectrwm, heb yngan gair o gŵyn hyd yn oed pan oedd hi'n swp sâl. Wrth gwrs, roedd hynny'n peri gofid i Daf. Teimlai'n euog iawn wrth ei gadael heddiw, er nad oedd fawr o ddewis ganddo yn y mater. Penderfynodd ei ffonio hi gwpl o weithiau yn ystod y dydd, jyst rhag ofn.

Â'i ben yn llawn o Gaenor, cerddodd allan o'r siop heb sylwi pwy oedd yn defnyddio'r pwmp petrol gyferbyn, yn smart fel arfer yn ei dillad gwaith. Daliai Falmai ei phwrs yn ei llaw chwith a gwasgai'r glicied efo'r llaw arall, felly pan gododd chwa o wynt ei sgarff, roedd hi'n methu ei symud oddi ar ei hwyneb. Ochneidiodd yn isel. Estynnodd Daf ei law i'w rhyddhau hi: neidiodd Falmai yn ôl mewn braw.

'Be wyt ti'n wneud, Dafydd?' gofynnodd yn syn.

'Dy sgarff.' Chwiliodd Daf am fwy o eiriau ond methodd.

'O. Ie. Diolch.'

Rhoddodd Fal y beipen yn ôl yn ei lle gyda chlec.

'Gest ti gair efo Carys yn y pen draw?'

'Do, diolch.' Roedden nhw'n siarad fel dieithriaid.

'Noson neis nos Fawrth?'

'Neis iawn, diolch. Gwranda, Daf,' meddai Fal gan sychu ei dwylo ar ddarn o bapur, 'mae Jonas yn poeni am ryw ddynes sy'n cadw siop yn y Trallwng. Mae hi wedi cael ei chrafangau'n ddwfn i John, druan. Wyt ti'n gwybod unrhyw beth amdani?'

'Dwi wedi cwrdd â hi unwaith, dyna'r cyfan.'

'A? Sut fath o berson oedd hi?'

'Yn edrych yn smart, dillad drud a ballu. Ddim yn dod drosodd fel ... wel, fel y ddynes fwyaf addfwyn yn y byd.'

'Dyna'n union be ddywedodd Jonas, mewn geirfa tipyn bach mwy ...'

Daeth rhyw sbarc bach i'w llygaid, fel petai'n mwynhau'r atgof o'r sgwrs.

'Ti'n gweld dipyn ar Jonas, felly?'

Tywyllodd ei llygaid a throdd ei chefn arno.

'Ti wedi hen golli'r hawl i ofyn ffasiwn gwestiwn i mi, Daf Dafis.'

Wrth barcio'i gar ym maes parcio gorsaf yr heddlu, gwelodd

fod golau neges yn fflachio ar ei ffôn. Disgwyliai weld tecst gan Gae, ond gan Falmai oedd o.

'Paid byth â rhoi dy fysedd arna i eto. Byth, Dafydd.'

Diolch byth am lofruddiaeth i fynd â'i feddwl oddi ar ei gamgymeriad diniwed.

Roedd ei dîm yn aros amdano yn yr orsaf. Ers i Sheila ddod yn ôl o'i mis mêl cyn y Nadolig, gwelodd Daf newid ynddi, a hyd yn oed ar ôl cwpl o ddiwrnodau go hir ers dechrau'r ymchwiliad, roedd hi'n dal i ddilyn y patrwm newydd. I ddechrau, roedd hi'n sionc iawn yn y bore, fel petai wedi cael noson werth chweil yn y gwely. Roedd Daf yn synnu braidd, wrth feddwl am Tom Francis, ond cofiodd sylw Nia: 'Mae llawer o bobl yn dweud ei bod hi'n gall iawn i briodi hen lanc sy wedi bod yn ysu am wraig ers deng mlynedd ar hugain. Fel *pressure cookers*, maen nhw ar fin berwi drosodd.' Yr ail newid oedd ei heffeithiolrwydd. Cyn cwrdd â Tom, roedd Sheila'n rhoi ei gyrfa o flaen popeth arall, a threuliai oriau ychwanegol yn yr orsaf er mwyn osgoi mynd adre at ei mam a'i chartref tawel. Erbyn hyn, fel gwraig fferm ac aelod o deulu estynedig, roedd ganddi ddigon o bethau eraill i lenwi ei hamser ond, yn lle llaesu dwylo, penderfynodd Sheila wneud ymdrech i gyflawni ei gwaith mewn llai o amser. Roedd hi wastad wedi bod yn swyddog da ond, erbyn hyn, roedd ei gwaith hi'n fwy manwl, fel petai'n gyndyn o wastraffu eiliad. Felly, tua hanner munud ar ôl cyfarch Daf, rhoddodd adroddiad digwyddiad yn ei law.

'Mae rhywun wedi torri mewn i ffarm ger Llanerfyl, yr ochor arall i'r nant i Ddolfadog,' meddai. 'Dros nos ryw dro.'

'O, ie?'

Roedd Daf yn ddrwgdybus braidd – ers yr hydref cynt, roedd sawl beic pedair olwyn, sawl Land Rover, sawl tractor hyd yn oed, wedi diflannu. Bob tro, darn o beirianwaith go hen fyddai'n mynd, un a oedd fel arfer wedi ei yswirio dan un o bolisïau'r NFU a ddisgrifid fel polisi Aladdin – os oedd ffermwr yn colli rhywbeth hynafol, byddai'r NFU yn talu pris eitem newydd yn ei le. Roedd Dean o swyddfa'r NFU yn y Drenewydd bron yn bendant mai rhyw fath o sgàm oedd o, yn enwedig oherwydd bod y patrwm wedi datblygu ers y cwymp ym mhrisiau ŵyn tewion.

'Dim byd mecanyddol tro yma,' ychwanegodd Sheila.

Meddyliodd Daf am eiliad am gywiro'r gair 'mecanyddol' i 'peirianyddol' ond brathodd ei dafod mewn pryd wrth gofio'r tro diwethaf iddo fynd â char Gaenor am syrfis a chael pryd o dafod gan Chrissie. 'Peidiwch â 'ngalw fi'n beiriannydd, Mr Dafis, yn enw'r tad, mecanic ydw i,' ceryddodd.

'Na?'

'Dynes sy'n bridio cobiau. Rhywun wedi torri mewn i'r sgubor dros nos ac wedi dwyn ychydig o ketamine o'u cist moddion nhw.'

Nodiodd Daf ei ben. Ket. Unwaith eto, roedd y cyflenwyr cyffuriau yn gweithio'n gyflymach na'r gyfraith: roedd y cyffur digon cyffredin i ladd poen ceffylau wedi dod yn ffasiynol. Fel arfer, doedd rhieni'r bobl ifanc ddim yn ymwybodol o symptomau na sgileffeithiau'r cyffur. Dywedodd Dr Mansel ei fod, o leia dair gwaith yn y flwyddyn ddiwetha, wedi gweld mamau'n dod i'r feddygfa yn Llanfair Caereinion efo meibion yn cwyno am waed yn eu dŵr neu broblemau â'u pledren, heb wybod mai effeithiau'r ket oedden nhw. Ochneidiodd Daf. Beth bynnag a wnâi i gadw'i filltir sgwâr yn lle saff i fagu plant, roedd 'na wastad fygythiad newydd o ryw fath. Meddyliodd am y ddelwedd welodd wrth ei fwrdd brecwast ei hun o'i fab yn magu'r babi – sut allai o geisio'u hamddiffyn nhw rhag holl beryglon y byd?

'Iawn. Be ydi enw'r lle?'

'Tanyrallt.'

'O, dwi'n gwybod pwy sy gen ti. Mae Margaret Tanyrallt yn ddynes fawr ym myd y cobiau.'

'Ac ... mae hi'n dweud bod rhywun wedi brifo rhai o'i stoc hefyd.'

'Eu brifo nhw? Sut?'

'Torri mwng a chynffon sawl un, yn ôl y sôn.'

Cyn i Daf gael cyfle i ymateb, daeth Nia i'r golwg gydag amlen frown yn ei llaw.

'Dyma i ti hanes Milek Bartoshyn, bòs. Wedi bod yn dipyn o fachgen drwg 'nôl yng Ngwlad Pwyl, mae'n debyg. Chwarae teg, mae tîm Caerfyrddin wedi cyfieithu bob dim o'r Bwyleg i ni.'

Tarodd Daf gipolwg dros y ffeil.

'Dim byd mawr, dim byd tebyg i lofruddiaeth.'

'Tro'r dudalen, bòs.'

Ar y dudalen nesaf roedd adroddiad gan yr heddlu yn Czestochowa. Saith mlynedd ynghynt, roedd Milek wedi ymosod ar ddyn o'r Almaen yn y parc ar fryn Jasna Gora yn y dre. Bu'n rhaid i'r dioddefwr dreulio mis yn yr ysbyty. Cafodd Milek ei erlid ond penderfynodd y barnwr roi dedfryd go ysgafn iddo, sef chwe mis yn y carchar. Yn ôl yr adroddiad, roedd yr Almaenwr wedi bygwth chwaer Milek ac wedi ei sarhau drwy awgrymu y byddai'n cael treulio noson efo hi am ddau gan Ewro. Yn ôl tystiolaeth Basia, roedd yr Almaenwr wedi dweud wrthi fod merched Gwlad Pwyl i gyd yn rhad, ac y medrai gael hanner dwsin ohonyn nhw am ddau gant. Wnaeth o ddim sylwi ar Milek a oedd, fel arfer, yn dilyn ei chwaer yr holl ffordd adref i sicrhau ei bod hi'n saff. Neidiodd Milek o'r cysgodion ac, ar ôl sgwrs a grybwyllai hanes anffodus y galanas a ddigwyddodd yn y dref yn 1939, curodd a chiciodd Milek y dyn. Rhedodd Basia am help ond erbyn hynny roedd yr Almaenwr wedi ei anafu'n ddifrifol.

'Aha,' ymatebodd Daf.

'Felly,' dyfalodd Nia, 'os oedd o'n barod i dorri asennau'r dyn hwnnw i amddiffyn Basia, falle'i fod o'n barod i ladd y ddynes oedd yn sefyll rhyngddi hi a'i dyfodol hapus.'

'Debyg iawn,' atebodd Daf, 'ond mae 'na wahaniaeth mawr rhwng codi dwrn yn erbyn dyn sy'n sarhau dy chwaer a chynllwynio, mewn gwaed oer, i ladd dynes.'

Gwnaeth Nia sŵn yn ei gwddf.

'Dwi ddim yn siŵr o ble daeth dy gôd ymddygiad di, bòs, ond mae oes sifalri wedi hen ddarfod. Nid marchog o'r Oesoedd Canol ydi Milek ond dyn go annymunol efo tatŵs a phob dim. Mae'r ddelwedd sy gen ti o'r peilotiaid dewr ddaeth o Wlad Pwyl i'n helpu ni yn erbyn Hitler yn ffantasi erbyn hyn. Dydi'r rhai sy'n yfed eu lager tu allan i dafarndai'r Trallwng ddim yn seintiau o bell ffordd, hyd yn oed os ydyn nhw'n straffaglu i mewn i weld dy ffrind, y Tad Hogan, ar fore Sul.'

'Dynion ifanc heb deuluoedd o'u cwmpas ydyn nhw, Nia, dim byd mwy anfad na hynny. A dim ond dau datŵ sy gan Milek hyd y gwn i, sef yr Eryr Gwyn, sy'n symbol o'i wlad, a Chalon Sacredig Crist yn symbol o'i ffydd. Beth bynnag, mae'n rhaid i mi gael sgwrs efo fo eto yn nes ymlaen – fedri di drefnu hynny i mi?'

'Ocê, bòs. Wyt ti'n bwriadu ei gadw fo i mewn y tro yma?'

'Pam?'

'Achos mae ganddo fo reswm i ladd Mrs Breeze-Evans; mi gafodd o sawl cyfle, a rŵan den ni'n gwybod ei hanes o ...'

'Doedd dim rhaid i mi dderbyn ffeil o wlad Pwyl i ddyfalu fod Milek yn ddigon handi efo'i ddyrnau. Ond dydi hynny ddim yn golygu ei fod o'n llofrudd. Ond beth bynnag, mae'n rhaid i ni gael sgwrs efo fo eto. Gwna'n siŵr fod y Tad Hogan yn rhydd i gyfieithu, wnei di?'

'Iawn. Mae Dr Jarman isio gair efo ti hefyd, yn ystod y pnawn.'

'Ydi o'n mynd i ryddhau'r corff? Mae'r teulu'n awyddus iawn i fwrw 'mlaen efo trefniadau'r cynhebrwng.'

'Roedd o'n sôn am brofion ychwanegol.'

'Reit. Os ydi Phil Evans yn ffonio, dwed wrtho fo y bydda i'n cysylltu efo fo'n syth ar ôl siarad efo'r patholegydd.'

'Be tasen nhw'n cael gwasanaeth coffa iddi hi, a chynhebrwng go iawn nes ymlaen?' awgrymodd Sheila. 'Mae lot o bobl yn gofyn pryd mae'r gwasanaeth.'

Siŵr iawn, meddyliodd Daf; roedd rhai yn awyddus iawn i weld Heulwen Breeze-Evans – y ddynes berffaith, y wraig ffyddlon, y fam garedig, yr aelod blaengar o bob pwyllgor – dan ddaear, gan gynnwys ei theulu ei hun.

'Mi alla i drafod hynny efo nhw ar ôl siarad â Dr Jarman. Dwi'n picio draw i Danyrallt rŵan, Sheila. Ffonia i ddweud 'mod i ar fy ffordd.'

Cafodd amser i feddwl ar y ffordd fyny i Lanerfyl. Cyn gadael y Trallwng, danfonodd decst i Gaenor, heb ddisgwyl ymateb gan nad oedd signal yn yr ysgol feithrin. Ond cafodd ateb yn syth. 'Ar ein ffordd i YF, Mali Haf yn cysgu fel twrch. Plis paid â phoeni, Daf.' Wedyn, pedair 'x'. Roedd yn rhaid iddo fo wenu – ers iddyn nhw ddechrau cyd-fyw, ni fu Gaenor yn swil o ddangos ei theimladau, ac weithiau roedd hi'n debycach i ferch yn ei harddegau. Ar ôl cael ei gysuro gan y neges, cliriodd Daf ei ben er mwyn meddwl am Heulwen Breeze-Evans, ac i glywed beth ddigwyddodd yn Nhanyrallt.

Wynebwyd Daf â golygfa hollol annisgwyl wrth iddo droi'r gornel a chroesi'r grid gwartheg i gyrraedd buarth Tanyrallt. Roedd dyn yn ei ugeiniau, yn gwisgo dim byd ond bŵts uchel du a het farchogaeth galed, yn sefyll tu allan i'r stabl wrth ochr ceffyl mawr brown. Cofiodd Daf hanes Margaret Tanyrallt – dynes sengl yn ei chwe degau, oedd wedi treulio'i bywyd yn magu ceffylau ac yn ffermio tipyn bach er mwyn gallu talu biliau'r fet. Roedd hi'n hen ffasiwn ac yn styfnig; yn barod i rannu jôc gyda'i ffrindiau ym myd y cobiau ond yn anwybyddu pawb arall. Petai'n rhaid i Daf enwi'r buarth lle byddai o'n lleiaf tebygol o weld dyn ifanc noeth borcyn, buarth Tanyrallt fyddai hwnnw. Roedd y dyn yn sefyll yn berffaith lonydd. Roedd ei wyneb, o dan gysgod ei het, yn eitha cyfarwydd i Daf, ac er na allai feddwl pwy oedd o allan o'i gyd-destun, roedd Daf yn bendant ei fod yn un o drigolion ei filltir sgwâr. Ceisiodd Daf ffurfio brawddeg i agor y sgwrs ond cyn iddo lwyddo, clywodd lais dynes.

'Lovely, Griff, that's great.'

O gysgod y stabl camodd dynes ifanc efo camera mawr.

Griff? Wrth gwrs, Gruff Breeze-Evans, ail fab Heulwen. Peth rhyfedd iawn i'w wneud, meddyliodd Daf – modelu ar gyfer lluniau o'r natur yma bedwar diwrnod ar ôl marwolaeth ei fam. Tynnodd Gruff ei het a chuddio'i noethni efo hi cyn troi at y ferch. Roedd yn ddigon amlwg fod ei llais wedi cael cryn effaith arno. Diolch byth, doedd Margaret Tanyrallt ei hun ddim o gwmpas, felly, yn sicr erbyn hyn nad oedd yn tarfu ar unrhyw beth rhy amheus, camodd Daf draw atynt. Roedd y ferch yn dangos y lluniau digon chwaethus i Gruff ar sgrin y camera. Ym marn Daf, roedd Gruff yn edrych yn well o'r tu ôl: roedd ei goesau'n hir a'i ben ôl yn dynn, ond roedd gwendid amlwg yn ei wyneb. Roedd naws bwdlyd i'w lygaid, ac roedd ganddo'r hyn y byddai Carys yn ei alw'n *monobrow*.

'Dafydd Dafis ydw i, Heddlu Dyfed Powys. Dwi'n chwilio am Margaret Hamer.'

'Mr Dafis! Dech chi 'di bod yn Nolfadog, ddwedodd Jac.' Roedd yr embaras yn amlwg yn llais Gruff. 'Yn y sgubor fawr mae hi, efo'r Section As.'

'Diolch.'

'Peidiwch â meddwl 'mod i'n cerdded o gwmpas fel hyn fel arfer, Mr Dafis. Clara has come to take some pictures. It's for the Slow Down For My Horse campaign. Mr Dafis is a policeman, Clara.'

Gwenodd y ferch ar Daf.

'So you must know how some idiots drive past horses like maniacs. What we're doing is raising awareness, putting pictures of fit people naked with their horses on the internet, on Facebook and Twitter and Instagram, to make these drivers think twice.'

'Ac mae Ms Hamer yn hapus i ti ddefnyddio'i buarth hi fel cefndir, Gruff?'

'Actually, when the girls from the campaign got in touch with me,' torrodd y ferch ar draws, 'I thought of Margaret straight away. She's always got some handsome horses, and Griff's not bad either.'

'Good luck with it,' atebodd Daf, yn chwilfrydig iawn ynglŷn â statws Gruff yn Nhanyrallt. Roedd y ffotograffydd yn siarad fel petai'n fab i Margaret.

Yn y sgubor, datgelodd y golau gwan olygfa ddigon trist. Yn bwyta'n ddedwydd o fêl bach o wair roedd pedair merlen braf efo llygaid mawr, traed taclus a sglein anhygoel ar eu cotiau. Hyd yn oed yn ei anwybodaeth roedd Daf yn deall eu bod yn ferlod Adran A o safon. Ond yn lle'r mwng trwchus a ddylai fod yn tywallt dros eu gyddfau, gwelodd Daf dwffiau o flew a sylweddoli bod pob mwng wedi cael ei dorri, a'i dorri'n flêr. Roedden nhw'n edrych yn foel ac yn dwp, rhywsut. Yn edrych arnyn nhw, yn pwyso ar y gât, roedd dynes fer.

'Ms Hamer?'

Trodd i'w wynebu'n syth. Roedd ei gwallt tywyll erbyn hyn yn gwynnu, a doedd dim arwydd ei bod wedi ymweld â siop trin gwallt ers amser maith. Craffai'r llygaid dyfnion, duon arno, a sylwodd Daf fod ei chroen mor frown a chrychiog â chneuen Ffrengig gan roi golwg debyg i sipsi iddi. Cofiodd Daf rywbeth ddywedodd ei dad am Margaret Tanyrallt ryw dro, ar ôl iddi hi bicio i mewn i'r siop i brynu pecyn o de ac ugain Embassy: 'Un o deulu Abraham Wood ydi hi, yn y bôn'. Nid oedd Daf yn sicr a oedd gwaed sipsi yn rhedeg yn ei gwythiennau go iawn, neu ai dyna ffordd ei dad o egluro mor wahanol i bawb arall oedd hi. Erbyn hyn roedd hi'n ddynes gadarn, soled a chanddi ddwylo mawr budr, ac roedd Daf yn bendant y byddai'n gallu taro unrhyw ddyn i'r llawr ag un dwrn. Roedd sigarét ar ei gwefus a sylwodd Daf mai ei dannedd gosod oedd yn gyfrifol am siâp llac ei cheg.

'Daf Dafis? Dwi'n synnu bod gen ti amser i ddod fyny i'n helpu ni. Mi welais i ti ar y teledu neithiwr, yn siarad am be ddigwyddodd i Heuls.'

'Mae'ch achos chi'n bwysig hefyd, Ms Hamer. Ai rhain ydi'r merlod sy wedi cael eu ...?'

'Eu sbwylio, ie.'

'Fydd y gwallt yn tyfu'n ôl yn go sydyn?'

'Ddim cyn y Royal Welsh. Sbia di ar hon, Tanyrallt Dancing Girl. Y siawns orau den ni wedi'i chael ers degawd.'

'Dech chi'n meddwl mai fandaliaeth oedd o? Neu ydi hyn wedi cael ei wneud yn fwriadol?'

'Wn i ddim. Ond mae pwy bynnag sy'n gyfrifol yn bendant yn gwybod rwbeth am 'ffyle. Roedd y leidis yma tu allan neithiwr, ar y ddôl wrth y nant, sy'n gae go fawr. Roedd pwy bynnag dorrodd y gwallt yn gwybod sut i ddal merlod efo coler pen.'

'Felly, torrodd rhywun i mewn i'r stabl er mwyn cael y coler, wedyn defnyddio'r coler i'w dal nhw tu allan yn y cae?'

'Debyg iawn. Ti isie paned, Daf Dafis? Neu wisgi bach?'

'Braidd yn gynnar am y wisgi ond mi fydde paned yn grêt, diolch.'

'Dydi hi ddim yn gynnar i ni sy wedi bod wrthi ers pump. Ty'd.'

Ers iddo symud i Lanfair, cawsai Daf ei heintio â gwendid Gaenor am raglenni tai. Roedd *Homes under the Hammer*, *Location, Location, Location* a hyd yn oed ailddarllediadau *Pedair Wal* wedi agor llygaid Daf, ac er ei fod o'n disgrifio'r ffasiwn raglenni fel *property porn* roedd o'n dal i'w gwylio. Felly, wrth gerdded at ddrws cefn Tanyrallt, neidiodd y gair 'potensial' i'w ben. Tŷ o oes Fictoria oedd o, yn union fel tŷ Wil Cwac Cwac efo'i furiau cerrig a'i gyntedd bach pren oedd wedi'i beintio'n wyrdd. Doedd neb wedi peintio'r drws cefn ers hanner canrif ond, rhywsut, efo heulwen braf mis Ebrill yn lliwio bob dim ag addewid o'r haf oedd i ddod, roedd y lle'n edrych yn hynafol, yn esiampl o *shabby chic* yn hytrach na thŷ wedi'i esgeuluso. Pan agorodd Margaret y drws rhedodd tri o gŵn bach i'w gyfarch; teriers bach efo golwg anturus iawn arnyn nhw, fel petaen nhw wastad yn hela neu'n brwydro yn erbyn moch daear ond yn digwydd bod wedi cael hoe fach o flaen y Rayburn am hanner awr.

Roedd gwres y Rayburn honno'n llenwi'r gegin gyfan. Uwchben y stôf, ar resel bren, roedd dim llai na saith pâr o lodrau marchogaeth lliw hufen, rhai efo coesau hir a rhai 'run siâp â Margaret. Ai llodrau Gruff oedd y lleill, myfyriodd Daf? Roedd Margaret yn dilyn llygaid Daf o amgylch y gegin.

'Gwisg hela,' esboniodd.'Fyddwn ni ddim yn mynd allan eto tan yr hydref, go iawn. Rhaid rhoi popeth o'r neilltu'n saff tan y tymor newydd.'

Nid oedd Daf yn ffan mawr o hela o ganlyniad i'r holl Sadyrnau roedd o wedi eu gwastraffu yn ceisio gwahanu aelodau'r Tanatside neu'r David Davies a'r *saboteurs*. Byddai'n dal i dderbyn galwadau ffôn gwpl o weithiau bob tymor yn cyhuddo'r helwyr o ddal llwynogod. Felly, doedd ganddo ddim llawer o ddiddordeb yn hanes hela Margaret – ond pwy oedd 'ni'? Llodrau pwy arall oedden nhw?

'Efo pwy dech chi'n hela?' gofynnodd yn gwrtais.

'Efo Tanatside, wrth gwrs. Mae Gruff yn wallgo am hela, yn mynd allan ddwywaith bob wythnos.'

'Fan hyn mae Gruff yn gweithio?'

Tynnodd Margaret y tegell mawr i flaen plât poeth y Rayburn cyn ateb.

'Gruff ydi fy mab i. Fan hyn mae o'n byw, fan hyn mae o'n gweithio.'

Taniodd Margaret sigarét arall cyn troi at Daf. Roedd ei bysedd yn felyn gan nicotin, ac wrth i Daf edrych ar furiau lliw hufen y gegin, dyfalodd tybed a oedden nhw'n wyn ryw dro.

'Sori os ydi hwn yn gwestiwn dwl, ond ro'n i'n meddwl mai mab Heulwen Breeze-Evans a Phil oedd o.'

Pwyntiodd Margaret at lun ar y wal efo'i sigarét. Ymhlith sawl llun o geffylau, rhai efo roséts wedi eu glynu wrth y cornelau, roedd portread mawr du a gwyn o ddyn ifanc. O ran ei wisg a'i olwg, ffermwr o'r saith degau oedd o, efo gwallt braidd yn hir a locsys tywyll. Nid oedd o'n hollol olygus – roedd ei drwyn braidd yn fawr a'i aeliau'n cwrdd o dan ei dalcen llydan – ond roedd ei wen yn glên iawn, a'i lygaid yn llawn hiwmor a charedigrwydd.

'Ti'n ei nabod o, Daf Dafis?'

Siglodd Daf ei ben.

'How Dolfadog. Brawd Heulwen. Y dyn gore yn y byd mawr crwn. Wyt ti'n ei weld o'n debyg i Gruff?'

'Maen nhw'n debyg,' cytunodd Daf, ond wnaeth o ddim ategu fod golwg gryfach, llai pwdlyd, ar y dyn yn y llun.

'Fel tad a mab, mae sawl un wedi dweud.'

Trodd yn ôl at y Rayburn ac wrth iddi dywallt y te gwelodd Daf ddagrau yn ei llygaid. Sylwodd Daf am y tro cyntaf fod modrwy ddyweddïo ar ei bys ond dim modrwy briodas. Ffroenodd Margaret, fel petai'n gwrthod caniatáu i'r dagrau lifo.

'Ta waeth, rwyt ti wedi dod yma i helpu efo'r lladrad, nid i ofyn cwestiynau digywilydd.'

'Sori, Ms Hamer, ond mae gen i ddiddordeb mawr yn hanes teulu Dolfadog i gyd, oherwydd yr hyn ddigwyddodd i Mrs Breeze-Evans.'

Yn sydyn, chwarddodd Margaret; chwerthiniad a drodd yn beswch trwm.

'Tasen i'n gwybod bod yr hen hwch yn cael ei rhostio, mi fysen i wedi picio lawr i'r Trallwng efo chydig o saws afal. Sut oedd y *crackling*, Daf Dafis? Digon o fraster o dan ei chroen, doedd.'

'Dwi'm isie bod yn fusneslyd o gwbwl, Ms Hamer, ond rhaid i mi geisio dod o hyd i bwy bynnag daniodd y lle. Felly, mae hanes y teulu'n bwysig.'

Eisteddodd Margaret ar gadair bren hen ffasiwn oedd wedi colli un fraich.

'Dydi Gruff dim yn saer coed, na finne chwaith,' eglurodd.

Cyfarthodd un o'r cŵn o'r gongl lle roedden nhw'n ffraeo dros dun Fray Bentos oedd yn y bocs ailgylchu, yn dal â thipyn o grefi ynddo fo.

'Nonsens llwyr ydi'r holl lol ailgylchu 'ma,' datganodd Margaret, wrth daflu copi o *Horse and Rider* i gyfeiriad y cŵn. 'Mi welais i raglen deledu oedd yn eu dangos nhw'n cario'r holl stwff draw i Tsieina a'i gladdu dan ddaear yno.'

'Dech chi'n lwcus eich bod chi'n cael defnyddio'r bagiau –

mae ganddon ni un o'r blydi biniau mawr du 'na ac mae o'n fwy na'n iard ni, bron.'

Sugnodd Margaret lond ceg o fwg a syllodd ar Daf wrth ei ollwng allan.

'O ie, ti wedi gadael Neuadd, ac wedi dwyn gwraig John Neuadd wrth fynd.'

'Mae bywyd yn gymhleth weithiau.'

'Yn wir. Dwi'n dy gofio di'n dod yma efo dy Wncwl Mal, ar fan y siop. Cog bach oeddet ti'r amser hynny. Wastad yn gwrtais. Wyt ti'n cofio dod yma?'

'Dwi'n cofio pob wtra tair giât, Ms Hamer.'

'Margaret, plis. Mae'n gas gen i'r busnes Ms 'ma, fel rhyw wenynen yn sïo, ac mae "Miss Hamer" yn swnio fel athrawes. Ti'n cofio fy mam, felly?'

'Ydw. Roedd hi wastad yn canmol fy màths i.'

'Dwi'n 'i chofio hi'n dweud, yn go aml, "Cog bach clên ydi cog y siop. Mae ganddo fo ben ar ei 'sgwyddau." Doedd Mam ddim yn rong yn aml. Felly, cog y siop, dwi'n mynd i ddweud dipyn o hanes teulu Dolfadog wrthet ti, os leci di.'

'Mi fyddai hynny'n help mawr. Rhaid i mi ddod i ddeall mwy am gefndir Heulwen.'

Agorodd Margaret ddrôr ym mwrdd y gegin a thynnodd botel fach o wisgi ohoni.

'Bendant nad wyt ti'n ffansïo joch bach?'

'Dwi'n gweithio, yn anffodus.'

'Hmm.'

Tywalltodd fesur a hanner hael i wydryn budr.

'O Lanwddyn ddaeth fy mam, os wyt ti'n cofio. Un o deulu'r enwog Abraham Wood, o bell.'

'Dwi'n cofio fy nhad yn dweud rwbeth tebyg.'

'Ie, ond cofia, mae pawb yn galw sipsiwn yn "deulu Abraham Wood", ond wir, roedd o'n hen hen daid i mi. Paid â meddwl am eiliad nad ydw i'n falch iawn o etifeddiaeth fy mam – fyny yn ardal Llanwddyn mae gan bron pawb dipyn o waed sipsi ynddyn nhw, neu'n dod o linach y nafis o Lerpwl a adeiladodd yr argae. Ond mae'n wahanol i lawr yn fan hyn. Mae pawb yn debyg, neb yn wahanol.'

Llanwodd ei cheg â wisgi.

''Run oed â fi oedd Heulwen, a hen ast fach sbeitlyd oedd hi o'r dechrau, er pan oedden ni'n bedair oed yn yr ysgol. Gofyn ble oedd fy mhegs i, yn annog y plant eraill i fy mwlio.'

'Mae plant yn gallu bod yn gas.'

Gorffennodd Margaret y wisgi.

'Does gen ti ddim digon o amser i wrando ar hen hen hanes gan hen hen ddynes, Inspector.'

'Cymerwch eich amser, Margaret. A galwch fi'n Daf.'

'Mi wna i. Allai i dy demtio di i gymryd wisgi bach?'

'Dwi allan o bractis erbyn hyn – tasen i'n cael llond ceg, 'sen i'n cwympo i gysgu dros fy nesg ar ôl cinio.'

'Ie, mi anghofiais fod babi bach gen ti erbyn hyn.'

'Oes, ac ers i mi gael y lleill, dwi wedi mynd yn hen.'

'Paid â sôn, lanc. Eniwé, ro'n i'n iawn yn yr ysgol yn y pen draw, oherwydd How. Roedd Heulwen wedi cael ei sbwylio'n rhacs ond boi clên iawn oedd How – yn deg, yn hael, yn onest i'r carn. Dwy flynedd yn hŷn na fi oedd o: pan oedd o'n ddeg, fo oedd fy ffrind gorau, ond erbyn iddo droi'n bymtheg, ro'n i wedi syrthio dros fy mhen a 'nghlustiau. Aeth o draw i Lysfasi ar ôl gadael yr ysgol a phan ddaeth o'n ôl, nid ffrindiau oedden ni, ond cariadon.'

Caeodd ei llygaid am eiliad fel petai'n gallu dianc yn ôl i'r gorffennol.

'Doedd Heuls ddim yn hapus o gwbwl. Mi gafodd hi sawl stranc, gan ddweud bod How yn haeddu cariad gwell, dweud bod pawb yn trafod faint o warth fyddai gweld sipsi yn eistedd wrth ben y bwrdd yng nghegin Dolfadog. Aeth blwyddyn heibio, wedyn blwyddyn arall. Doedd 'na ddim rheswm i fod yn ddiamynedd – roedd gan How a finne weddill ein bywydau o'n blaenau.'

Meddyliodd Daf am wyneb agored, ystyriol Heulwen yn y lluniau yn *Plu'r Gweunydd*, heb awgrym o stranc na chulni na hiliaeth. Roedd o'n falch iawn o ddeall bod barn Margaret amdani yn cyd-fynd â sylwadau Anwen, Rhys Bowen a theulu Dolfadog.

'Paid â meddwl mai dyn meddal oedd How, ond roedd yn rhaid iddo fo ufuddhau i'w dad, ac roedd ei dad dan ddylanwad Heuls yn sobor. Roedd hi wedi bod yn cadw'r tŷ ers iddyn nhw golli eu mam, a hi oedd meistres Dolfadog, doedd dim os nac oni bai.'

'Felly, dech chi'n dweud bod Heulwen wedi'ch rhwystro chi rhag priodi?'

'Awgrymodd Mam i ni gael carafán yma, yn y berllan, ond roedd How yn anfodlon. "Os yden ni'n ildio iddi hi, mi fydd hi'n gweithio ar Dad – a chyn bo hir hi fydd yr aeres, gan adael dim byd i mi. Mae'n rhaid i ni aros," medde fo. A rhaid i ti gofio mor ifanc oedden ni. Mi ddywedodd tad How fod yn rhaid i Heuls briodi'n gynta, iddi hi gael chwarae teg, a rhag iddi hi golli ei statws, "ei lle" fel y dywedai'r hen Mr Breeze. Aeth blynyddoedd heibio heb i ddim byd newid, ond ar fore fy mhen-blwydd yn saith ar hugain, aeth How a finne am dro i dop y boncyn. O fanna, ti'n gallu gweld yr ardal gyfan, yn cynnwys Dolfadog a'r tir i gyd fel carped oddi tanat ti. "Ddylen ni fod yn y tŷ 'na erbyn hyn, Mags," dywedodd wrtha i. "Hen bryd i ni roi dipyn o sioc i Dad. Dweud y gwir, mae'n hen bryd i mi fod yn dad – tydw i ddim yn bell o 'neg ar hugain." Wyt ti'n meddwl 'mod i'n hen lysh erbyn hyn, Daf?'

'Gwrandewch, Margaret, dech chi'n ddigon ffeind i drafod hen hanes efo fi, pethau sy'n amlwg yn dal i'ch poeni chi, felly dech chi'n haeddu dipyn o danwydd.'

Cododd Margaret ei gwydr mewn llwncdestun.

'Chware teg i ti, cog y siop. Mae pawb yn dweud dy fod ti'n un da yn dy swydd a dwi'n deall pam rŵan.'

'Os ydi pobl yn fodlon fy helpu i, rhaid i mi barchu pa mor anodd ydi cribo drwy hen atgofion.'

'Dwi'n gwybod sut mae pobl yn siarad amdana i, wyddost ti. Falle 'mod i'n od, ond dwi ddim yn fyddar nac yn ddall. Dwi wedi dod yn *figure of fun*, fel mae'r Sais yn dweud; dynes sy wedi gwastraffu ei bywyd ar 'ffyle oherwydd nad oedd neb yn fodlon ei phriodi hi. Dwi wastad wedi bod yn ddieithryn – dieithryn sy wedi cael ei geni yn y plwy. Ond un tro, ers talwm, roedd siawns i 'mywyd i fod yn un gwahanol, hollol wahanol.'

'Dwi'n siŵr. Yn aml iawn, wrth edrych yn ôl, den ni'n gallu gweld sut roedd pethau mawr yn dibynnu'n llwyr ar bethau bach.'

Roedd ei eiriau arwynebol ei hun yn atseinio ym mhen Daf: yn amlwg, doedd o ddim wedi llwyddo i gysuro Margaret.

'Nage, nage – nid pethau bach sy wedi newid cyfeiriad fy mywyd i. Rhwbeth mawr, digwyddiad trychinebus.'

'Marwolaeth Hywel?'

'Dwi'm yn un am lefain. Dwi byth yn llefain. Dwi am geisio dweud y stori'n glir ond os dwi'n dweud wrthat ti am fynd allan am sbel, rhaid i ti wneud hynny, iawn?'

'Wrth gwrs.' Fflachiodd gwreichion peryglus yn ei llygaid du, gan awgrymu mai dialedd yn hytrach na galar oedd ar ei meddwl.

'Isie rhoi chydig o bwysau ar dad How oedden ni, i symud pethe 'mlaen. Syniad How oedd o, i ddechrau, ond ro'n i'n cytuno'n llwyr. Jyst ar ôl ŵyna, aethon ni draw i weld yr hen fastard, law yn llaw, i gyhoeddi, ta waeth am y briodas, bod babi ar ei ffordd. Roedd rhwbeth fel'na yn sioc fawr yn ôl yn yr wyth degau, cofia, yn enwedig i deulu parchus fel y Breezes. Dweud y gwir, roedd yr hen foi'n iawn, fel petai o'n falch o gael y cyfle i fod yn daid. Roedd o'n son am rentu tŷ yn y pentre nes iddo fedru codi byngalo – iddo fo'i hun, nid i ni. "Rhaid i'r babi 'ma gael ei eni yn Nolfadog, siŵr." Dyna oedd o'n ailadrodd, dro ar ôl tro. Wedyn daeth yr ast i mewn, yn bloeddio am siom, enw da'r teulu a phob dim, ond roedd ei thad yn chwerthin a rhoddodd ddewis iddi hi: dod efo fo i'r tŷ bach yn y pentre neu ffeindio gŵr. Dwi erioed wedi gweld y ffasiwn storm o dymer ond y bore wedyn, aeth hi allan o ddifri i chwilio am ddyn digon ffôl i'w phriodi.'

'Oedd hi'n *good catch* y dyddie hynny?'

Unwaith eto, daeth cymysgedd o beswch a chwerthin o geg Margaret.

'Hithe? Dim siawns. Mae'n wir nad oedd ei hwyneb hi'n hyll, ond anaml iawn roedd hi'n gwenu. Ac mi gafodd enw drwg am fod yn *bossy boots* pan fu iddi bron â lladd y gangen leol o'r Ffermwyr Ifanc yn ystod ei blwyddyn fel cadeirydd. Ond roedd Phil Evans yn gyfleus ac yn ddiniwed braidd, hyd yn oed os mai Casanova tai cyngor Llanfair oedd o. "Fydd Heulwen Dolfadog ddim yn uchel ei chloch rŵan ei bod wedi codi gŵr oddi ar lawr y buarth." Dyna ddywedodd Mam wrtha i ar y pryd.'

'Gweithio yn Nolfadog oedd o?'

'Ie. Gwas ffarm ugain oed. Chafodd o ddim mwy o siawns na gwyfyn wrth gannwyll. Beth bynnag, trefnwyd priodas go sydyn, ond y noson cyn y briodas, cafodd How ei ladd.'

'Sut?'

'Roedd rhai o ffrindiau Phil yn chwarae o gwmpas, yr hen felltith, wyddost ti. Mi godon nhw glawr y ffynnon achos roedden nhw'n bwriadu rhoi rwbeth yn y dŵr, lliw coch fel maen nhw'n ei roi o dan fol hwrdd, neu rwbeth tebyg. Bob un ohonyn nhw wedi meddwi'n gaib, a rhai ohonyn nhw'n ddim mwy na phlant. Aeth y briodferch off ei phen, wrth gwrs. Doedd hi ddim isie i ddim byd gael ei sbwylio, felly roedd yn rhaid i How fynd allan i roi dipyn o drefn ar bethe. Wrth geisio'u rhwystro nhw ger y ffynnon, cwympodd i mewn a boddodd.'

Cofiodd Daf y stori, a chofio'i bod yn destun siarad yn Llanfair am fisoedd, ond tan rŵan, doedd o ddim wedi cysylltu'r ddamwain efo Margaret Tanyrallt.

'Dwi mor sori.'

'Does dim rhaid i ti fod yn sori. Y ddynes rwystrodd y giang ifanc rhag ffonio'r heddlu a'r bois tân – hi ddyle fod yn sori. Dim sgandal cyn ei phriodas, dyna ddywedodd hi pan oedd ysgyfaint ei brawd bron â byrstio wrth iddo geisio dianc. Roedd ei fysedd annwyl yn waed i gyd ar ôl crafu i geisio dringo'r concrit.'

Cododd Margaret un o'r cŵn i'w fwytho, ac ar ôl saib byr, gorffennodd yr hanes.

'Felly, yn lle byw yn ddedwydd efo fy nghariad annwyl yn Nolfadog, mi wnes i eni fy mabi fan hyn, efo cymorth Mam. Cog bach clên oedd o, yr un ffunud â'i dad. Do'n i ddim yn disgwyl ceiniog ganddyn nhw. Penderfynodd Heuls ddweud wrth rai o'i ffrindie pennaf nad oedd hi'n sicr pwy oedd tad How bech, ac wrth gwrs, doedd dim modd gwneud profion DNA a'r tad yn farw. Pan oedd o bron yn dair oed, mi es i lawr i sêl y cobiau yn Llanybydder. Mi gychwynnais i lawr yn gynnar yn y Land Rover a'i adael o efo Mam – roedd dipyn o wres arno fo ond dim byd mawr. Tua thri o'r gloch, ffoniodd Mam i swyddfa'r sêl i ddweud ei fod o'n sâl iawn: doedd dim ffonau symudol bryd hynny, cofia. Ddaeth y meddyg ddim allan i'w weld o, a bu farw yn yr ambiwlans ar y ffordd draw i Shrewsbury. Meningitis. Dyna ni wedyn. Roedd Mam yn torri ei chalon o euogrwydd, a finne'n methu madde i mi fy hun am ei adael. Heb y Land Rover, allai Mam ddim mynd â fo i'r ysbyty. Cododd Mam y ffôn i ofyn am help gan Heulwen, ond roedd hi'n rhy brysur yn paratoi bwyd bwffe i swper elusennol yr ysgol feithrin. A dyna i ti'r hanes. Reit, be am i ni edrych rownd y tacrŵm?'

Estynnodd Daf ei law i afael yn llaw frown Margaret. Roedd yr ystum yn un digon syml ond cafodd effaith fawr arni. Dechreuodd ei hysgwyddau llydan grynu o dan ei boiler-siwt a rholiodd sawl deigryn i lawr ei bochau. Wedyn, fel petai hi wedi penderfynu peidio gwastraffu eiliad yn hwy ar ei hemosiynau, tynnodd glwtyn o'i phoced. Ar ôl chwilio am gornel ohono oedd yn lân o olew carnau, chwythodd ei thrwyn iddo.

'Dyna hen ddigon. Ti'n gwybod be, cog y siop, dwi ddim yn beio gwraig John Neuadd o gwbwl. Mae 'na rwbeth reit neis amdanat ti.'

'Dwi'n clywed straeon go drist yn ddigon aml yn y swydd yma, ond mae hon yn stori drychinebus, wir.'

'Ond sbia arna i! Dal yn fyw, dal yn prynu a gwerthu, dal yn codi bob bore i ofalu am y stoc. A dwi 'di talu'r pwyth yn ôl rywfaint drwy ddwyn un o feibion Heuls.'

'Dwi'm yn deall.'

'Wel, mi gafodd hi dri mab, a wnaeth hi erioed ddangos tamed o gariad tuag at yr un ohonyn nhw. Felly, pan sylwais fod Gruff yn dwlu ar 'ffyle, mi ofynnais iddo fo ddod i'r fan hyn i fyw. Mae'n aer i mi, a den ni'n gyrru 'mlaen reit dda. Doedd Heuls ddim yn hapus, wrth gwrs, yn mynnu 'mod i wedi ei herwgipio fo, ond roedd o dros un ar bymtheg oed, a fo wnaeth y penderfyniad ei hun. Tacrŵm rŵan?'

Cododd ar ei thraed, yn gollwng llaw Daf.

'Un cwestiwn bach: dwi'n nabod Jac a Gruff ond pwy ydi'r trydydd mab? Fel mab oedd hi'n disgrifio gŵr Nansi?'

'Nage – Cai. Paid â dweud bod pobl barchus Dolfadog wedi anghofio amdano fo'n gyfan gwbl?'

'Cai?'

Chwarddodd Margaret unwaith eto wrth agor y drws.

'Doedd pawb ddim yn canmol Heuls fel roedd hi'n meddwl y dylen nhw. Roedd hi'n fam berffaith, oedd, ond ddim cweit yn santes, felly penderfynodd fabwysiadu bachgen o ochrau Wrecsam yn rhwle. Roedd ei fam yn jynci, dwi'n meddwl, yn gyferbyniad llwyr i'r annwyl Mrs Breeze-Evans.'

'Ble mae o rŵan?'

Arhosodd Margaret i'r ci olaf ei dilyn i'r buarth cyn cau'r drws ar ei hôl.

'Doeddet ti ddim yn nabod Heulwen o gwbwl?'

'Mi wnes i gwrdd â hi, ond ddim yn ei nabod. Roedden ni'n llywodraethwyr yr ysgol efo'n gilydd am sbel.'

'Doedd ganddi hi ddim amynedd. Ar ôl cwpwl o flynyddoedd, roedd hi wedi hen ddiflasu efo Cai. Be oedd y dywediad ddefnyddiodd hi? O ie, "Mae'r mabwysiad wedi torri i lawr." A ffwrdd â fo.'

'I ble?'

''Nôl i'r system.' Plygodd i lawr i godi dyrnaid o gerrig bach a'u taflu i gyfeiriad brân oedd yn sefyll ar bostyn yng nghornel y buarth. Crawciodd honno a diflannodd i frigau'r binwydden tu ôl i'r tŷ. Roedd ganddi andros o lygad dda o ystyried ei hoed, meddyliodd Daf.

'Wyt ti'n gwybod hanes yr hen goed Scots pines 'ma?' gofynnodd Margaret.

'Na.'

'Yn nyddie'r porthmyn, yr hen ddrofars, roedden nhw'n arwydd o groeso. Os sylwi di, does 'run Scots pine ger Dolfadog, ac mae yno groeso oer, wastad wedi bod. Ond chafodd Cai ddim llawer o groeso fan hyn chwaith, tase hi'n dod i hynny.'

'Dech chi'n gwybod be ddigwyddodd iddo fo wedyn?'

'Dim syniad. I fod yn hollol onest, dwi ddim isie meddwl be ddigwyddodd i'r llanc, na pa fath o bethau fyddai'n digwydd i blant yn y cartrefi 'na yn y cyfnod hwnnw. Mi wnes i gynnig ... ond ta waeth am hynny.'

'Be oedd ei syrnâm?'

'Breeze-Evans, wrth gwrs.'

'Ie, wrth gwrs.'

Roedden nhw erbyn hyn yn y buarth. Ar ben rhes o stablau, oedd â hanner uchaf eu drysau ar agor, roedd drws mawr efo bollt drom arno. Yn hongian o'r follt roedd clo clap wedi ei dorri.

'Roedd rhywun yn gwybod yn union sut i wneud y job,' sylwodd Margaret.

'Ydi, mae o wedi cael ei wneud yn reit daclus,' cytunodd Daf. 'Ond erbyn hyn, mae 'na fideos ar gael ar YouTube i ddysgu unrhyw un sut i gyflawni lladrad.'

Agorodd Daf y drws led y pen, heb gyffwrdd â'r glicied.

'Paid â phoeni am yr olion bysedd – den ni wedi bod yn mynd i mewn ac allan ers saith o gloch y bore heb ystyried hynny. Fydd 'na ddim tystiolaeth erbyn hyn.'

Roedd Daf, yn dawel bach, yn falch. Petai'n rhaid cael tîm fforensig fyny i Danyrallt ar ben holl gostau'r ymchwiliad i'r tân, byddai rhywun i lawr ym mhencadlys Heddlu Dyfed Powys yng Nghaerfyrddin yn mynd yn wallgo. Camodd Daf o'r heulwen a gwelodd siâp yn y tywyllwch tu mewn i'r tacrŵm. Gruff. Erbyn hyn, roedd Daf wedi gweld hen ddigon ar ben ôl y llanc – unwaith eto, roedd ei lodrau wedi eu tynnu i lawr o gwmpas ei fferau. O'i flaen, ar ei phengliniau, roedd Clara, y ffotograffydd. Cochodd Daf a chamodd yn ôl, yn ceisio sefyll rhwng Margaret a'r olygfa anweddus.

'Arhoswn ni allan yn yr awyr iach am eiliad, felly...' mwmialodd.

Roedd golwg o ddiflastod ar wyneb Margaret, fel petai wedi gweld y ffasiwn beth yn llawer rhy aml o'r blaen. Dilynodd Daf, ond oedodd yn y drws am eiliad. Estynnodd i lawr i waelod poced ei boiler-siwt a thynnodd becyn o gwm cnoi ohoni, a gydag annel yr un mor gywir â phan darodd y frân efo'r cerrig, taflodd y pecyn at Clara. Glaniodd y pecyn gwm ar ysgwydd y ferch a chododd hithau ei phen, ei llygaid mawr yn amlwg drwy'r twyllwch fel elain â chydwybod euog. Cerddodd Margaret i ben arall y buarth. Roedd yn rhaid i Daf ddweud rhywbeth.

'Ai cariad Gruff ydi'r ferch 'na?'

Gwnaeth Margaret sŵn dirmygus.

'Cariad? Mae hi wedi bod ar ei ôl o ers iddo ennill y Chase Me Charlie yn Sioe Berriew llynedd.'

Ystyriai Daf ei hun yn ffodus ei fod wedi dod o hyd i rywun i gyfieithu o'r Bwyleg iddo, ond erbyn hyn roedd iaith y ceffylau hefyd wedi ei ddrysu'n lân. Penderfynodd beidio â gofyn am esboniad – diolch byth am Google. Taniodd Margaret sigarét arall.

'Dydi Gruff ddim wedi cael cariad go iawn, ddim eto. Dwi ddim isie iddo fo a rhyw ferch fod yn aros i mi fynd – ond dwi'n smygu cymaint o'r ffyn canser yma, fydd Gruff yn gallu siwtio ei hun ymhen pum mlynedd. A paid â phoeni, cog y siop, does neb yn gallu bod yn aelod o'r Welsh Pony and Cob Society am ddeugain mlynedd heb weld rhywun yn cael *blow job* bach sydyn. Mae Horse Hill yn y Royal Welsh yn union fel Sodom a Gomorra: mae digon o bethau yno yr un mor galed â'r hetiau, wyddost ti.'

Roedd yn rhaid i Daf chwerthin wrth feddwl am y cyferbyniad rhwng hanes trist Margaret a'i natur hwyliog. Am eiliad, cafodd argraff glir o'i pherthynas gyda How Dolfadog a pha mor chwerw fu ei cholled. Yn ei farn o, roedd Margaret yn ddynes a chanddi botensial i fod yn hapus ond a gafodd ei thwyllo gan dynged. Gan dynged, ynteu gan Heulwen Breeze-Evans?

Yn fwriadol, roedd Margaret yn dangos giât y buarth i Daf pan ddaeth Gruff allan o'r stafell harneisiau. Gan ei fod yn ddyn tal roedd yn anodd iddo sleifio i unman heb gael ei weld, ond gwnaeth ei orau. Diflannodd i'r sgubor fawr heb ddweud gair. Gwaeddodd Margaret ar ei ôl.

'Ceisia dacluso rhywfaint arnyn nhw, wnei di, Gruff?'

'Ocê.' Atseiniai ei lais yn rhyfedd wrth daro'r to sinc uchel.

Am berthynas od, meddyliodd Daf, wrth ddilyn Margaret yn ôl draw i'r stafell harneisiau. Ddywedodd hi ddim gair ond cododd y pecyn o gwm cnoi oddi ar y silff hetiau: roedd dau ddarn ar goll. Rhoddodd y pecyn yn ôl yn ei phoced.

'Dyma hi'r gist foddion.'

Ar silff uchel gwelodd Daf gist bren hen ffasiwn gyda chroes goch arni.

'Bocs bach handi – roedd Taid yn ei ddefnyddio yn yr Home Guard.'

Ochneidiodd Daf.

'Does dim clo arno fo?'

'Den ni'n cloi drws y tacrŵm.'

'A be sy wedi mynd?'

'Ges i dipyn o Anesketin i helpu Dancing Princess, sef mam Dancing Girl. Mi gafodd hi ddraenen yn ei phastern ... uwchben ei charn,' ychwanegodd, pan welodd yr olwg ddryslyd ar wyneb Daf, 'ac erbyn hyn mae o wedi mynd yn ddrwg; mae hi'n sefyll yn gam. Dwi'n gallu sortio'r peth ond mae Princess yn dipyn o gês, a fydd hi byth yn gadael i mi fynd yn agos ati pan fydd hi mewn poen. *Shot* o Anesketin a Rompun, ac mi fydd hi'n cysgu drwy'r broses i gyd. Mae Princess yn rhy ifanc i fynd yn gloff – dwi isie iddi gael syrfis gan stalwyn go smart lawr yn Sir Benfro, a rhaid iddi hi fod yn iawn cyn y daith.'

'Faint oedd ganddoch chi?'

'Potel fach. 50 mils, dwi'n meddwl. Fydd y fet yn gwybod.'

'Ydi'r Rompun yn dal yna?'

'Ydi.'

'Dydi hi ddim yn debygol fod y lleidr yn dod o Puerto Rico, felly.'

'Be?'

'Mae Rompun yn cael ei gamddefnyddio'n aml iawn gan ddynion ifanc o Puerto Rico.'

Culhaodd llygaid Margaret am eiliad.

'Paid â siarad lol, cog y siop. Mae'r troseddwr yma'n fwy tebygol o lawer o fod yn dod o Bontrobert na Puerto Rico.'

'Digon teg.'

Camgymeriad oedd sôn am y Rompun. Roedd Daf eisiau i Margaret wybod pa mor wybodus oedd o am y gwahanol gyffuriau, ond roedd wedi llwyddo i frolio'i hun yn lle hynny. Dynes sylwgar oedd hi, yn bendant.

'Wyt ti wedi gweld digon? Achos mae gen i lwyth o waith i'w wneud. Rhaid i mi fynd yn ôl at y fet i ofyn am fwy o Anesketin cyn gwneud unrhyw beth arall.'

'Do, diolch. Chlywsoch chi ddim byd yn ystod y nos?'

'Na, ond dwi'n mynd braidd yn fyddar erbyn hyn. Es i i'r gwely tua un ar ddeg, a chysgu'n sownd tan bump ... y cydwybod yn hollol glir, weli di.'

'Iawn. Dwi angen cael gair efo Gruff cyn mynd yn ôl i'r orsaf i bori drwy'r data sy ganddon ni. Fel arfer, den ni'n gwybod pwy sy'n cymryd pa gyffur yn lleol, ond mae'r *special K* 'ma wedi dod yn ffasiynol yn ddiweddar ac mae'r rhai sy wedi arfer defnyddio coke neu speed wedi troi at y ketamine rŵan.'

'Does dim rhaid i ti ddefnyddio'r holl jargon, dwi'n gwybod dy fod di'n gyfarwydd â'r busnes. Be am y Section As?'

'Dim ond nhw sy wedi cael eu sbwylio?'

'Ie. Roedd *hunter* Gruff yn yr un cae ond wnaethon nhw ddim cyffwrdd y bygar mawr hyll. Mae hwnnw'n geffyl go gry, efo pen fel Tyrannosaurus Rex. Mae fel petai pwy bynnag sy wedi'u brifo nhw'n gwybod pa rai sy'n anifeiliaid da.'

'Mae'n gas gen i ofyn y cwestiwn yma, Margaret, ond oes 'na rywun, yn y byd ceffylau, falle, yn genfigennus ohonoch chi? Rhywun sy'n gwarafun eich llwyddiant?'

Roedd ei chorff solet yn crynu fel jeli wrth iddi hi blygu yn ei dyblau'n chwerthin. Cymerodd dros funud iddi hi ddod dros y storm o hiwmor, ond i glust brofiadol Daf, roedd nodyn o hysteria yn y sŵn.

'Wyt ti'n gofyn oes gen i elynion? Dwi 'di bridio a dangos ceffylau ers bron i hanner canrif – wrth gwrs fod 'na sawl un sy'n dal dig yn f'erbyn i. A dwi wedi bod yn beirniadu hefyd, felly mae'n debyg iawn fod rhai yn fy melltithio i am beidio rhoi rosét coch i ryw fwystfil efo llygaid cam.'

'Ocê, dwi'n dallt; ond oes 'na rai enwau amlwg?'

Diflannodd yr hiwmor i gyd o lygaid Margaret.

'Mae'r unig berson fyddai'n ddigon cas i frifo fy Section As i wedi marw yn y tân yn y Trallwng nos Lun. Os fyse'n rhaid i mi enwi 'ngelyn penna, Heulwen Breeze-Evans fyddai honno. Mi wnes i ddwyn rwbeth ganddi hi, ac allai hi byth anghofio peth fel'na.'

O dan olau gwan yr un bylb trydan yn y sgubor, roedd Gruff yn gwneud ei orau glas efo un o'r merlod, un lwyd efo llygaid enfawr. Roedd ei fysedd yn symud yn addfwyn dros groen meddal yr anifail, ac roedd o'n siarad efo hi mewn llais isel, tyner.

'Paid poeni, del, fyddi di'n iawn ymhen cwpwl o wythnosau, trystia fi.'

Efo siswrn bach a chrib metel, roedd o'n ceisio gwella ymddangosiad ei mwng; erbyn hyn, roedd ei chynffon yn edrych yn fyr ond nid mor flêr. Sylwodd Daf pam fod gan Clara'r fath ddiddordeb ynddo – doedd Gruff mo'r cymeriad mwya ffraeth yn y byd, ond pan roddodd ei law ar war y ferlen roedd rhywbeth tyner iawn amdano. Hefyd, roedd ei gariad at yr anifail yn amlwg, ac o brofiad Daf roedd merched yn hoffi dynion allai roi eu sylw i un peth yn unig, yn y gobaith mai nhw, ryw dro, fyddai'n derbyn y sylw hwnnw.

'Wel, Gruff,' mentrodd Daf, 'be ti'n feddwl?'

Cododd Gruff ei ben heb stopio mwytho'r ferlen.

'Wel, Mr Dafis. Am beth hurt i wneud.'

'Oes gen ti syniad pwy allai wneud y ffasiwn beth?'

'Rhyw nytar.'

'Rhywun sy ddim yn hoffi Margaret?'

'Heblaw Heulwen, alla i ddim meddwl am neb. Ac mae hi allan o'r pictiwr erbyn hyn.'

'Mae'n gas gen i ddweud hyn, lanc, ond ti ddim yn swnio'n dorcalonnus iawn wrth sôn am dy fam. Roedd gweddill y teulu'n trafod trefniadau'r angladd a'r ymchwiliad ddoe, ond mi benderfynaist ti beidio â mynd draw. '

'Do'n i ddim yn gwneud llawer efo hi, a dweud y gwir, Mr Dafis. Mae Dad yn dod fyny'n aml efo pac o Carling i wylio'r teledu efo ni, ond dim ond yn ddamweiniol ro'n i'n ei gweld hi, Heulwen.'

'Heulwen ti'n ei galw hi, nid "Mam"?'

Caeodd Gruff ei lygaid am eiliad.

'Margaret ... hi sy wedi bod yn fam i mi ers oesoedd, Mr Dafis. Dwi bron ag anghofio sut brofiad oedd byw lawr yn Nolfadog.'

'Teulu hapus?'

'Teulu llwyddiannus.'

'Be am Cai?'

Poerodd Gruff.

'Un o gynlluniau Heulwen, tynnu bastard bech fel fo i mewn i'n cartre ni, jyst er mwyn i bawb ddweud mor neis oedd hi. A sbia be ddigwyddodd yn y pen draw. Dydi'r afal ddim yn disgyn yn bell o'r goeden, Mr Dafis, ddim yn aml iawn.'

'Be ddigwyddodd iddo fo?'

'Sgen i ddim syniad. Carchar, gobeithio. Roedd o'n haeddu cael ei ladd am be wnaeth o i Nans.'

Am y tro cyntaf gwelodd Daf gadernid yn llygaid Gruff, rhywbeth tebyg i'r olwg yn llygaid Milek pan oedd o'n sôn am Basia.

'Be wnaeth Cai i Nansi?' gofynnodd.

'Hen hanes ydi o, Mr Dafis. Dydi o ddim yn deg i Nans i drafod y peth ar ôl yr holl amser.'

'Gwranda, cog, mae dy fam wedi marw ac mae'n edrych yn debyg iawn nad damwain oedd hi. O be dwi 'di glywed hyd yn hyn, doedd popeth ddim yn hollol ... ddymunol yn dy deulu di.'

'Ddim fy nheulu i ydi o, Mr Dafis. Tanyrallt ydi 'nghartre i a Margaret ydi fy nheulu. Dwi'm yn poeni llawer am y lleill.'

'Hyd yn oed Nansi?'

Croesodd Gruff ei freichiau dros ei frest mewn ystum hollol amddiffynnol.

'Mae hi wedi hen fynd lawr i Gaerdydd, i fyw efo'r blydi Efengỳl 'na.'

'Ei gŵr?'

'Ie, fo.'

'Ti ddim yn ffan mawr ohono, Gruff?'

'Gas gen i'r holl *shit*. Ysgol Sul a phaid â phechu. Rhaid i bawb fyw ei fywyd ei hun heb edrych dros ei ysgwydd i geisio plesio rhyw ffycin *skyfairy*.'

'Ond nid felly mae Nansi'n meddwl?'

'Dianc oedd hi, Mr Dafis, fel pob un ohonon ni. Ro'n i'n lwcus, doedd dim rhaid i mi fynd yn bell i gael bywyd newydd.'

'Oddi wrth be oedd Nansi'n ceisio dianc, lanc?'

'Holl *shit* Dolfadog. A'r bastard bech hefyd.'

'Cai?'

'Dim Cai oedd ei enw o, Mr Dafis. Kyle oedd o, ond doedd hynny ddim yn ddigon Cymreig i Heulwen felly collodd Kyle ei 'l' ... a chollodd y plot hefyd.'

'Be ddigwyddodd rhyngddo fo a Nansi?'

'Ddigwyddodd dim byd *rhyngddyn* nhw. Sut allai rwbeth ddigwydd rhwng lodes glên a darn o ffycin cach?'

'Mae'n amlwg dy fod ti'n dal yn flin.'

'Wrth gwrs 'mod i'n flin. Ond dwi ddim yn fodlon trafod y peth – rhaid i chi ofyn i Nans os dech chi'n mynnu clywed y stori, ond does 'na ddim cysylltiad o gwbwl rhwng hynny a'r tân 'na.'

‘Gawn ni weld. ’Nôl i be ddigwyddodd neithiwr. Wyt ti’n nabod unrhyw un sy’n defnyddio ket?’

Chwarddodd Gruff.

‘Na, Mr Dafis, ond mae bob *pothead* yn Llanfair wedi gofyn i mi oes gen i *supply*. Mae pawb yn gofyn am ket y dyddie yma, ond anaml iawn den ni’n ei ddefnyddio fo. Mae’r Felicity ’na’n dweud y gall hi ennill llawer mwy drwy werthu K na’r cyflog mae hi’n ei gael am fod yn fet.’

‘Felicity?’

Cochodd Gruff rywfaint.

‘Ffrind i mi. Fet. Andros o lodes glên.’

‘Mor glên â Clara?’

‘Mr Dafis, mae ceffyle’n denu’r leidis a dwi’n rhy ifanc i setlo.’

‘Ac mae’r leidis yn hapus efo’r sefyllfa?’

‘Os oes gan ferch ryw ffansi rhamantus, mi gaiff hi fynd i rwle arall. Os mai dipyn o hwyl sy ar yr agenda, maen nhw’n gwybod lle i fy ffeindio fi.’

‘Digon teg. A dwyt ti ddim wedi torri calon rhyw ferch? Un sy’n gwybod i’r dim pa geffyle yn Nhanyrallt ydi’r rhai gorau?’

Symudodd Gruff ei bwysau o un droed i’r llall. Dryswch, yn hytrach nag euogrwydd, welai Daf yn ei lygaid.

‘Mr Dafis, does ’na ’run ferch dan haul sy’n mynd i wneud dim byd fel’na oherwydd ei theimladau tuag ata i. Dwi fel ... fel ffrâm ddringo neu drampolîn – rwbeth sy’n aros yn ei unfan, i fynd ato am chydig o hwyl. Bowns bowns a ffwrdd â nhw.’

Am ddelwedd anffodus! Roedd Daf yn edmygu ei onestrwydd ond doedd y syniad ddim yn taro deuddeg gyda’r heddwas rhamantus. Peth go brin oedd merch, ym mhrofiad Daf, a allai fwynhau corff dyn heb gysylltiad emosiynol o gwbl. A dweud y gwir, dim ond un lodes efo agwedd fel’na roedd Daf wedi cwrdd â hi erioed, sef Chrissie Berllan. Efallai fod Gruff wedi torri sawl calon heb iddo sylwi.

‘A does neb fydde isie brifo Margaret chwaith?’

‘Neb yn benodol. Mae’r Gilchrists o Sir Gâr wastad yn

trafod y fargen wael wnaethon nhw pan brynodd Margaret Lady Fair ganddyn nhw. Mae hi'n nain i Dancing Girl, ond os nad oedden nhw'n ddigon call i weld potensial eboles fel honno, wel, should have gone to Specsavers, yntê Mr Dafis. Doedden nhw ddim yn hoffi set ei chlustie, y ffycwits.'

'Wel, os wyt ti'n cofio am rywbeth, coda di'r ffôn, ie?'

'Mi wna i, Mr Dafis.'

Wrth yrru i lawr yr wtra, sylwodd Daf faint roedd o wedi'i ddysgu mewn chydig dros awr yn Nhanyrallt. Hanes trychinebus Margaret, darlun difyr iawn o deulu Dolfadog a rhinweddau merlen Adran A berffaith – ond doedd ganddo ddim clem o hyd be oedd Chase Me Charlie.

Fel yn y mwyafrif o ffermydd yr ardal doedd ddim signal ffôn symudol o gwbl yn Nhanyrallt, felly pan yrrodd Daf dros yr ail grid gwartheg, daeth sawl bîp o'i boced. Roedd o wedi methu pedair galwad a dau decst, un gan Huw Mansel a'r llall gan Chrissie. Cliciodd ar neges Dr Mansel gynta.

'Daf. Mastitis ar Gaenor. Wedi llewygu yn Ti a Fi. Wedi ei danfon adre gyda gwrthfiotig go gryf ond os nad ydi hi'n well yn nes ymlaen, rhaid iddi fynd i mewn am IV. Mrs Humphries yn gofalu amdani hi a Mali fach.'

Yn syth, teimlodd Daf yn euog. Roedd yn amlwg fod Gaenor yn sâl y bore hwnnw – roedd Rhods hyd yn oed wedi sylwi. Ond roedd yn rhaid iddo fo, y plismon pwysig, fynd i'w waith fel petai hynny'n bwysicach na phopeth arall. Yn bwysicach hyd yn oed nag iechyd Gaenor. Roedd teimlad rhyfedd yn ei frest fel petai llaw oer yn gwasgu ei galon. Darllenodd neges Chrissie.

'Mr Dafis. Gae yn swp sâl felly dwi 'di mynd â hi adre. Piciwch draw pan dech chi'n rhydd.'

Gyrrodd Daf yn ôl i Lanfair fel dyn mewn trwmgwsg. Tu allan i'w gartref roedd pic-yp mawr du Berllan, efo tair rôl o *chain link* yn y cefn. Agorodd Daf y drws ffrynt, yn hollol amharod am yr olygfa o'i flaen. Ar y soffa, a'i thraed i fyny'n gyfforddus a gwydryn mawr o ddŵr wrth ei phenelin, roedd Chrissie; ei chrys ar agor, yn bwydo babi bach mewn Babygro gwyn. Ond yn eu seddau bach lliwgar roedd gefeilliaid Chrissie'n cysgu'n sownd.

'Chrissie!'

'O, helô, Mr Dafis. Mae Gae'n cysgu.'

Ers iddo gwrdd â hi, cawsai Daf sawl ffantasi am fronnau Chrissie, ond nid yn y cyd-destun yma. Methodd ddweud gair, hyd yn oed pan symudodd hi Mali i'r fron arall.

'Am lodes fech hyfryd,' canmolodd Chrissie. 'Debyg iawn i'w thad.'

Cofiodd Daf y disgrifiad a glywodd gan rywun oedd wedi defnyddio cyffur newydd am y tro cyntaf; 'It wrecked my head, Mr Dafis.' Dyna ddisgrifiad perffaith o'i gyflwr presennol, meddyliodd. Cawsai ei ben ei chwalu'n llwyr gan y ddelwedd o Chrissie, y ddynes fwya rhywiol yn y byd, yn bwydo ei fabi o efo'i bronnau hyfryd. Dim jyst ei fod o wedi drysu, roedd o'n methu'n lân ag ymdopi. Penderfynodd Daf guddio tu ôl i'w hiwmor, fel arfer.

'Chrissie, dwi'n gwybod nad ydw i'n arbenigwr, ond ti'n bwydo'r babi anghywir.'

Pennod 10

Pnawn Iau, Ebrill 14, 2016

Ceisiodd Daf beidio â syllu ar y cnawd hufennog uwch pen ei ferch fach ond ni lwyddodd.

'Nage, nage, Mr Dafis, dwi'n gallu gwahaniaethu rhwng y leidi bech yma a'r ryffians fan acw. Ond dyna'r drafferth, Mr Dafis– mae Mali fech yn rhy *dainty* o lawer, a dydi hi ddim yn gwagu Gae. A dyna pryd mae blydi gwres y llaeth yn dechre.'

'Pam wyt ti'n ei bwydo hi, felly, Chrissie?'

'Chwarae teg i Dr Mansel, mae o wedi bod yn grêt, a daeth yr *health visitor* draw efo pwmp bech i helpu, ond roedd y pwmp yn boenus ofnadwy felly mi gawson ni syniad arall. Mae'r cogie 'ma wastad ar lwgu, felly ar ôl bwydo Mals fech, rhoddodd Gae ginio cynnar iddyn nhw. Dwi'n dweud wrthech chi, Mr Dafis, roedden nhw wedi'i gwagu hi mewn deng munud ac roedd hi'n teimlo'n grêt wedyn: aeth hi'n syth i gysgu. Felly, pan ddeffrodd Miss Fech, mi roddais i *top up* iddi hi, i Gae gael cysgu.'

Eisteddodd Daf ar y gadair. Wrth ei draed, cysgai meibion Chrissie yn ddau lwmp bodlon.

'Peidiwch â dweud 'mod wedi rhoi braw i chi, Mr Dafis. Mi fyse'n anodd iawn i mi roi sioc i chi, efo 'nillad ymlaen, beth bynnag!'

Ceisiodd Daf chwerthin ond ddaeth dim byd o'i geg.

'Peth ymarferol ydi o, Mr Dafis, dyna'i gyd. Dech chi'n edrych fel petaech chi wedi cerdded i mewn i weld Gae a finne yn y gwely efo'n gilydd.'

'Ond,' mentrodd Daf mewn llais ansicr, 'mae'n beth ... personol ...'

'Twt lol, Mr Dafis,' wfftiodd Chrissie wrth godi Mali ar ei hysgwydd i gael gwared â'i gwynt. 'Y broblem efo chi, ddynion, ydi eich bod chi'n methu deall mai pethe ymarferol ydi bronne. Nid tegane yden nhw i fod. Felly, dech chi methu deall yr ochor arall.'

'Dwi erioed wedi clywed am y ffasiwn beth.'

Caeodd Chrissie ei chrys a theimlodd Daf fymryn yn siomedig.

'Dydi popeth ddim wastad yn cael ei drafod, Mr Dafis. Peidiwch â meddwl ddwywaith am y peth. Ar ôl cinio, ewch 'nôl i'ch gwaith – mi arhosa i efo Gae tan amser te, beth bynnag.'

'Diolch am fod mor ffeind, Chrissie.

'Ewch chi fyny i weld Gae, Mr Dafis. A' i i nôl chydig o ginio i chi.'

'Does dim rhaid i ti wneud ffasiwn beth, Chrissie. Ti ddim yn forwyn yn y tŷ yma.'

Winciodd Chrissie wrth wthio Daf tuag at y grisiau.

'Biti, achos mae'r meistr wastad yn cymryd mantais o'r forwyn fech, yn tydi o?'

Lan staer, roedd Gaenor yn edrych yn well, hýd yn oed yn ei chwsg. Roedd y gwrid wedi gadael ei bochau a phan gyffyrddodd Daf ei llaw, cynnes oedd hi yn hytrach na phoeth. Eisteddodd ar y gwely yn ei gwylio hi'n cysgu. Mwythodd ei gwallt meddal: roedd ei thalcen yn dal i fod braidd yn llaith. Trodd yn ei chwsg a chwympodd y dŵfe oddi arni. Wrth i Daf ei dynnu'n ôl drosti agorodd ei llygaid.

'Daf? Faint o'r gloch ydi hi?'

'Amser cinio. Sut wyt ti?'

'Dwi'n teimlo lot gwell, diolch i Chrissie.'

Roedd Daf yn anfodlon iawn trafod y busnes bwydo, ond penderfynodd y byddai'n rhaid iddo ddweud rhywbeth.

'Hm. Dwi 'di clywed am ei ... ei strategaeth.'

Gwenodd Gaenor o glust i glust.

'Ro'n i'n ffidlan efo'r blydi pwmp bach 'na ac roedd o'n brifo fel dwn i ddim be. Mae'r Health Visitor yn dweud nad ydi Mali fach yn yfed yr holl laeth sy gen i, ac y bydd yn rhaid i mi fod yn hollol wag cyn y bydda i'n gwella. Mae bois Berllan fel Dysons bach: ro'n i'n bwydo Mals pan oedd Chrissie yn eu bwydo nhw, wedyn mi rois i *top-up* iddyn nhw.'

'Plis paid â dweud dim byd mwy am y peth.'

Dechreuodd Gaenor chwerthin. O'r gegin, daeth arogl braf cig moch a winwns.

'Paid â bod yn anniolchgar, Daf – mae Chrissie wrthi'n paratoi cinio i ni, ac mae hi wedi addo aros nes daw'r plant adre o'r ysgol.'

'Mi ffonia i Carys. Fydd hi'n fodlon dod draw i helpu.'

'Does dim rhaid. Fydda i'n iawn.'

'Gawn ni weld, hei? A Gae, dwi mor sori am fynd i'r gwaith heddiw. Ro'n i'n gwybod nad oeddet ti'n iawn. Os wyt ti'n fodlon maddau i mi jyst unwaith, wna i byth dy esgeuluso di eto, dwi'n addo.'

'Paid â bod yn dwp, Daf. Roedd yn rhaid i ti fynd i'r gwaith.'

'Mr Dafis!' Roedd llais Chrissie fel petai'n atseinio dros sawl cae.

'Fydda i ddim yn hwyr, dwi'n addo.'

'Dim ond twtsh o wres y llaeth sy arna i, Daf, nid Ebola. Callia, plis, yn enwedig o flaen Chrissie.'

Roedd omlet yn aros amdano ar fwrdd y gegin.

'Does dim llawer o fwyd yn y tŷ, Mr Dafis.' Gwasgodd Chrissie ei fraich. 'A does dim hanner digon o gnawd arnoch chi,' barnodd.

Cymharodd Daf ei hun â Bryn, gŵr Chrissie, oedd â rhes o gyhyrau dan ei grys tyn a breichiau fel boncyffion.

'Mi alla i bicio draw a llenwi'r *freezer* i chi, os liciwch chi.'

'Den ni'n iawn, wir, Chrissie. Dwi'n gwneud braidd yn rhy dda – dwi wedi rhoi hanner stôn ymlaen ers symud i fan hyn.'

'A chwarae teg, dech chi wedi creu teulu clên iawn yma – a dwi'n cael mynd i sganio yn Neuadd.'

'Be?'

'Mae John Neuadd wedi fy mwcio fi, yn reit gynnar, i sganio'i ddefaid a'i wartheg nes ymlaen yn y flwyddyn.'

'Cymer ofal, Chrissie – mae o wastad wedi dy ffansïo di, a rŵan, mae o'n sengl ...'

Chwarddodd Chrissie'n uwch.

'Does dim rhaid i Bryn golli cwsg. Beth bynnag, sut mae'r achos llofruddiaeth yn mynd? Pwy sy wedi lladd y bitsh?'

'Doeddet ti ddim yn hoff ohoni?'

'Hithe a'r llo Car Wat 'na oedd wedi ceisio ymyrryd yn fy nghais cynllunio, yn dweud nad oedd Berllan yn lle addas i redeg garej, y ffycars. Ges i'r *planning* yn iawn, ond dim diolch iddyn nhw.'

'Pam hynny? Roedd Heulwen wastad yn sôn am gefnogi busnesau yng nghefn gwlad.'

'O, Mr Dafis annwyl,' meddai Chrissie, wrth orffen bwyta sleisen o fara menyn. 'Roedd hi o hyd yn dweud beth bynnag oedd yn ei siwtio hi ar y pryd, ond yn aml yn gwneud rwbeth hollol wahanol.'

Cododd Daf.

'Diolch eto, Chrissie: ti wedi bod yn grêt.'

'Pleser. Dech chi ddim yn cael paned cyn mynd?'

'Rhaid i mi fynd – dwi'n andros o brysur.' Rhoddodd Chrissie ei llaw ar ei gefn a'i arwain at y drws.

'O, a fetia i nad Rhys Bowen wnaeth.'

'Pam ti mor siŵr?'

'Dim lladd rhywun ar y slei ydi steil Rhys. Mi fase'n wahanol tase fo wedi cael ei gyhuddo o glecio rhywun tu allan i dafarn neu rwbeth tebyg, ond dim byd fel hyn.'

'Ti'n dipyn o ffan felly?'

'Cigydd sy wastad yn rhoi pris da am ŵyn tew i lodes mewn crys tyn: what's not to like, Mr Dafis?'

Roedd o'n chwerthin yr holl ffordd i lawr i'r Trallwng, yn falch o adael Gae yn ei dwylo saff.

Newyddion drwg oedd yn aros amdano yn yr orsaf. Safai Sheila yn y dderbynfa'n edrych yn syn arno.

'Wnei di ffonio Puw yn syth bìn, bòs?'

'Be sy?'

'Ddywedodd o ddim.'

Daeth y cyfan yn glir yn nhôn llais Dirprwy Brif Gwnstabl Puw.

'Dafydd, dwi wedi derbyn sawl adroddiad ffafriol hyd yn hyn ...'

'Falch o glywed hynny, syr,' meddai Daf, gan geisio osgoi'r 'ond' oedd yn amlwg ar ei ffordd.

'Ond does gen ti ddim hanner digon o dystiolaeth i gyfiawnhau cael gwarant i chwilio tŷ a ffatri Rhys Bowen. Mae o'n aelod o'r Cynulliad.'

'Dwi'n gwybod hynny. Ond roedd ganddo sawl rheswm i gasáu Heulwen Breeze-Evans.'

'Paid â dweud unrhyw beth am hynsh yr heddwas, plis, Dafydd. Am be yn benodol wyt ti'n chwilio?'

'Tystiolaeth sy'n cadarnhau bod Heulwen yn ei flacmelio fo.'

'Wel, chei di ddim. Does gen ti ddim rheswm i feddwl ei fod o'n cuddio unrhyw beth – mae o wedi cydweithio efo ni hyd yma, a wnaiff yr ynadon ddim ystyried gwarant mewn amgylchiad fel hwn. Os wyt ti angen rhywbeth penodol ganddo fo, gofyn. Os ydi o'n gwrthod, mi allwn ni ailfeddwl.'

'Ydi Mostyn Gwydyr-Gwynne wedi siarad efo chi, syr?'

'Ers dechrau'r ymchwiliad mae fy swyddfa i wedi bod fel stiwdio *Pawb a'i Farn*: ddoe, ffoniodd Kirsty Williams i gwyno dy fod di'n anwybyddu ymgeisydd y Democratiaid Rhyddfrydol yn yr ymchwiliad, gan dy fod di wedi cyfweld pawb arall.'

'Yn enw rheswm! Dwi ddim wedi siarad ag Ukip na'r Gwyrddion.'

'Jocian o'n i, Dafydd. Ond os wyt ti'n meddwl y bysen i'n gadael i unrhyw Siôn neu Siân roi pwysau arna i, ti ddim yn fy nabod i'n dda iawn.'

'Iawn, syr, dwi'n deall.'

'I'r gad felly, Dafydd.'

Rhoddodd y ffôn lawr.

'Ffyc.'

'Am groeso neis!'

Roedd yr Arolygydd Meirion Martin o Heddlu Gogledd Cymru yn sefyll yn y drws â ffeil drwchus yn ei law.

'Mei! Be wyt ti'n wneud ffordd hyn?'

'Heblaw gwneud yn siŵr dy fod di dal yn hyll, cont? Pasio drwadd a meddwl y byswn i'n dod i fysnesu yn dy ymchwiliad di, Acting Chief. Dwi'n ddigon hapus i brynu pryd o fwyd i ti, a dwi ddim yn poeni am y gost achos does 'na ddim llefydd crand yn dy dre fach geiniog a dima di.'

'Sori, Mei, ond mae'r lodes fwya rhywiol yn yr ardal newydd wneud omlet i mi. Coffi?'

'Dyna un o'r petha gora amdanat ti, Daf – ti'n fodlon rhannu dy ffantasïau bob amser. Coffi amdani – ac mi gei di ddeud wrtha i sut ma'r ymchwiliad yn mynd. Wyt ti isio crio ar ysgwydd dy Yncl Mei?'

'Mae'r busnes gwleidyddiaeth 'ma'n fy ngyrru fi'n wallgo. Dwi'n teimlo fel tasen i'n cerdded ar blisgyn wy. Ac mae Gae yn sâl hefyd.'

'Dim byd difrifol gobeithio?'

'Na, ond mi fyse'n braf cymryd cwpwl o ddyddiau i ffwrdd i ofalu amdani.'

Ddeng munud yn ddiweddarach roedd Meirion yn gorweddian dros y soffa lydan lan staer yn y Bay Tree, yn ceisio dewis rhwng brechdan gyw iâr a phlataid o de pnawn.

'Well i mi smalio bwyta'n iach a chael brechdan. Ty'd 'laen 'ta – dwi isio'r hanas.'

Bu awr yng nghwmni Meirion yn donig i Daf. Llwyddodd i ennill persbectif – hyd yn oed os nad oedd yn bosib iddo weld y darlun cyfan, o leia gallai ddilyn cyngor gwerthfawr Mei: 'Paid â thrio dallt pawb – dos yn ôl i'r hen ddull Cluedo: pwy, sut a pryd.' Yn ôl yn yr orsaf, chwiliodd am Sheila.

'Sheila – mi ffeindiais lun efo'r amlenni. Mae o'n dal yn y bag.'

'Mi welais i o. Darn o'r *Plu*.'

'Dwi isie gwybod hanes y pedwerydd plentyn. Cafodd ei fabwysiadu gan deulu Dolfadog, ond mi wnaethon nhw ei ddanfon yn ôl i'r system.'

'Be ydi'i enw fo?'

'Cai, neu Kyle, Breeze-Evans. Ond mae'n ddigon posib ei fod o wedi mynd yn ôl i ddefnyddio'i enw gwreiddiol.'

'Iawn. Mor sori am y warant.'

'Paid â phoeni. Dyn od ydi Bowen: petawn i'n gofyn iddo am y dystiolaeth, falle y byddai o'n rhoi popeth i mi.'

'Roedd Tom a finne yn ei drafod neithiwr. Mae Tom wedi gwneud dipyn o fusnes efo fo dros sawl degawd. Mae o'n ddigon strêt, yn ôl y sôn. Dyn craff ond byth yn twyllo neb.'

'Be am gynnwys yr amlen?'

Cochodd Sheila.

'Gofynnodd Tom gwestiwn reit ddilys – oedd un o'r merched 'ma'n disgwyl rwbeth mwy nag a gafodd hi gan Bowen?'

'Mmm. Roedd rhai yn leidis proffesiynol ond mi welais gwpwl o athrawon yn eu plith nhw.'

'Mae 'na ferch yn rhai o'r lluniau dwi'n ei nabod o'r Rotary. Ti isie i mi ofyn be oedd ei pherthynas hi efo Bowen?'

'Os wnei di. Hefyd, danfona Nia draw i Ddolfadog i ofyn am hanes Cai.'

'Iawn. Mi ffoniais y Tad Hogan – dydi o ddim yn rhydd tan chwech heno. Mae ganddo fo sesiwn paratoi'r plant ar gyfer eu cymun cyntaf.'

'Ocê. Os wyt ti'n gweld Nev, gofyn iddo fo bicio i mewn.'

Wrth ei ddesg, syllodd Daf ar y cloc. Roedd yn hen bryd galw'r patholegydd. Â chwys ar gledrau ei ddwylo, cododd y ffôn. Roedd Jarman mewn hwyliau da iawn.

'Falch o glywed dy lais, Dafydd. Roedd yn amhosib i mi gysylltu efo ti'n gynt: pwysau gwaith, wyddost ti.'

'Wrth gwrs, Dr Jarman.'

'Ac mae gen i gymaint i'w ddweud wrthat ti, Dafydd. Oes gen ti feiro a phapur?'

'Oes, Dr Jarman.'

'Achos ei marwolaeth: anadlu mwg. Dim syrpreis.'

'O. Iawn.'

'Ond pam oedd hi'n eistedd yn llonydd yn y gadair tra oedd y tân yn cryfhau? Doedd dim arwydd ei bod wedi ceisio dianc. Wel – achos y ketamine yn ei chorff.'

'Ketamine?'

'Wrth ystyried cyflwr ei chorff, mae'n anodd bod yn fanwl iawn, ond mi fyswn i'n dweud ei bod wedi cymryd rhwng 1.5 a 2 gram o'r cyffur. O edrych ar gyflwr y bledren, mae'n amlwg nad oedd hi'n ddefnyddiwr cyson. Cymerodd y ket drwy chwistrelliad yn ei braich: roedd y croen wedi mynd, ond gwelais dystiolaeth o hynny yng nghnawd ei harddwrn.'

'Felly, pan oedd y tân yn cael ei gynnau roedd hi yn y *K-hole*?'

'Oedd, y twll K. Oedd ganddi hanes o ddefnyddio cyffuriau?'

'Cyffuriau gwrth-iselder. Dim byd arall, hyd y gwn i.'

'Felly pam y penderfynodd hi gymryd K? Dyna'r pos i ti, Dafydd.'

'Diolch o galon, Dr Jarman.'

'Un peth arall. Dwi ddim cant y cant yn sicr oherwydd y ffordd mae'r croen wedi llosgi, ond mae'n bosib bod ganddi glais ar ei boch, fel petai rhywun wedi rhoi slap iddi hi.'

'Yn ôl y sôn, roedd llawer iawn o bobl isie rhoi slap iddi hi.'

'Dy fusnes di ydi hynny. Bydd fy adroddiad ar dy ddesg cyn y penwythnos.'

'Diolch unwaith eto, Dr Jarman.'

'Gwneud fy swydd ydw i. Sicrha dy fod dithau'n cyflawni dy ran di hefyd.'

Y twll K – cyflwr o fethu siarad na symud, o golli rheolaeth ar y corff yn gyfan gwbl ar ôl cymryd y cyffur. Dyna pam na symudodd Heulwen. Petai rhywun yn chwistrellu'r stwff yn syth i'r gwaed, roedd hynny'n debygol iawn o ddigwydd. Ffoniodd Nev.

'Ti'n cofio'r poteli bach ffeindiest ti yn y car, Nev? Ai ketamine oedd ynddyn nhw?'

'Dwi'n methu cael ateb gan y fet. Wedi gadael sawl neges.'

'Pa syrjeri? Four Crosses neu'r Trallwng?'

'Severnside, Trallwng.'

Roedd Daf ar ei ffordd drwy ddrws ffrynt gorsaf yr heddlu pan wthiodd dyn bach i mewn heibio iddo, ei wyneb yn llawn dicter.

'You're the boss bloke? Saw you on the telly.'

Llais fflat, fel petai unrhyw acen wedi cael ei gwasgu allan ohono.

'I'm Inspector Dafydd Dafis, yes.'

'And I'm Brian Clarke, UKIP candidate. Is it true that tonight's hustings is going to be cancelled?'

'I am afraid I have no idea.'

'Obviously the Nash woman is dead, but why has Bowen pulled out?'

'Really not my department,' atebodd Daf, ond roedd yn chwilfrydig iawn.

'It should be tonight, here in the Town Hall. With all the immigration here, we should get a good crowd.'

'Like I said, not my department, but live and let live is always a good rule.'

'With migrants filling our towns? Making our language a rarity in our own schools?'

Roedd yn rhaid i Daf ymateb, er ei fod o'n gwybod yn iawn ei fod yn beth twp i'w wneud.

'Oh, we're fine with you, Mr Clarke – we're used to you by now. I have to go now.'

Trodd Daf efo gwên gwrtais a gadawodd yr ymgeisydd yn sefyll ger y drws, ei geg ar agor. Ymhen eiliad neu ddwy, rhedodd Clarke ar ei ôl ar draws y maes parcio, gan gyrraedd car Daf o'i flaen o.

'What do you mean by that? I'm not an immigrant: my family have lived in Yorkshire for generations.'

'But you're not in Yorkshire now, Mr Clarke, which makes you a newcomer here, just like our friends from Poland and the Philippines. Live and let live.'

Ddeng munud yn ddiweddarach roedd Daf yn eistedd yn ystafell aros y fet ymysg tua deg o bobl efo cathod, cŵn, bochdewion a bwjis mewn caetsys ar eu gliniau. Tu ôl i'r ddesg roedd wyneb cyfarwydd – dynes o Feifod oedd â merch yr un oed â Carys.

'Helô, Wendy. Sut mae'r coleg yn plesio Mared?'

'Mae hi 'di setlo erbyn hyn. Newid mawr iddyn nhw, tydi? O, ond aeth Carys ddim wedi'r cyfan, naddo?'

Doedd Daf ddim yn rhiant cystadleuol, ond cafodd bleser pur wrth ei hateb:

'Dwyt ti ddim jyst yn cerdded i mewn i'r Conservatoire efo ffurflen UCAS. Rhaid iddi dreulio blwyddyn yn cael ei hyfforddi'n iawn.'

'Wrth gwrs. Rhaid eich bod chi fod mor falch.'

'Wrth ein boddau. Wendy, mae'n rhaid i mi gael gweld un o'r milfeddygon gynted â phosib, ar fusnes swyddogol.'

'Iawn. Arhosa fan hyn, ac mi yrra i un ohonyn nhw allan.'

Safodd Daf wrth y ddesg yn darllen y posteri am effaith llyngyr. Teimlodd rywbeth wrth ei draed ac edrychodd i lawr i weld ci bach yn neidio ar ei esgid.

'He really likes you,' meddai ei berchennog, dynes yn ei chwe degau, yn hunanfodlon.

Nid oedd Daf yn deall y busnes anifeiliaid anwes o gwbl. Dyma hon, er enghraifft – dynes efo golwg go barchus arni yn gadael i'w chi geisio hympio pobl ddieithr. Ystyriodd godi ei droed a chicio'r bastard bach digywilydd ond gwyddai o brofiad na fyddai hynny'n mynd i lawr yn dda mewn lle fel hyn. Ceisiodd anwybyddu'r creadur.

O'r diwedd, agorodd un o'r drysau gwyn a daeth dyn mawr moel allan a pheithon wedi ei lapio o gwmpas ei wddf fel sgarff. Roedd golwg flin arno.

'It's a fooking disgrace, not to have a herpetological specialist in a big practice.'

Yn ei ddilyn o'r ystafell ymgynghori roedd merch bengoch, dal. Roedd yr amynedd proffesiynol ar ei hwyneb yn amlwg.

'I'm sorry that you've been disappointed with your consultation, Mr Harper. You're very welcome to seek a second opinion, of course, but if I were you, I would just try warming Dolores' cage up by five degrees and see how she feeds then. And do give the frozen mice a try: most people find them very convenient.'

'You don't know fook all about pythons, you don't.'

Ni phallodd ei gwên am eiliad. Ar ôl iddo fynd, aeth Wendy draw ati i egluro perwyl Daf.

'Dewch i mewn am eiliad, Mr Dafis.'

Gwenodd Daf ar y ferch a sylwodd ar yr enw ar ei bathodyn: Assistant Veterinary Surgeon, Felicity Jones. Ai hon oedd y ferch ddywedodd wrth Gruff Dolfadog y byddai'n gallu ennill mwy drwy werthu K na bod yn filfeddyg?

'Sut alla i'ch helpu chi, Inspector?' gofynnodd, yn y math o lais a gysylltai Daf â phlant o deuluoedd hollol ddi-Gymraeg a fanteisiodd ar addysg cyfrwng Gymraeg.

'Dwi'n siŵr dy fod wedi clywed am y tân yn y dre nos Lun.'

'Do.'

'Yn ystod yr ymchwiliad, den ni wedi dod o hyd i dair potel o foddion milfeddygol a ddaeth yn wreiddiol o'r feddygfa yma. Mae rhifau'r poteli gen i fan hyn.' Tynnodd Daf ddarn o bapur o boced ei siaced a'i wthio ar draws y ddesg. Wnaeth y ferch ddim edrych arno o gwbl cyn ateb mewn llais ansicr:

'Dwi'n gwybod o ble ddaeth y stwff. O 'mag i. Nos Lun, ro'n i ar fy ffordd adre ar ôl diwrnod hir o brofion TB lawr ger Minsterley, ac mi welais ffrind i mi. Mi aethon ni i'r Bistro am dipyn o tapas. Anghofiais yn llwyr fod tair potel o Anesketin yn fy mag – fel arfer, fydda i ddim yn cario'r stwff.'

'Wnest ti gloi'r car a rhoi'r Controlled Drugs yn y blwch menig?'

Cochodd Felicity.

'O diar. Ti'n ymwybodol o'r rheolau. Mae'n rhaid i ti gadw pethau fel ketamine mewn lle saff, cudd. Oedd arwydd yn dy ffenest?'

'Vet on Call.'

'Nefi bliw, lodes, wnest ti ddim helpu dy hunan.'

'Wn i. Ond dwi wastad yn teimlo'n saff yn y Trallwng.'

'Mae hyn yn ddigon i ti gael dy erlyn – mi fyddet ti'n colli dy drwydded i weithio a gallai'r feddygfa golli'r hawl i gadw rhai moddion.'

Edrychodd i lawr mewn cywilydd.

'Dwi'n gwybod.'

'Ti wedi cysylltu efo'r swyddog cyswllt cyffuriau dan reolaeth?'

'Be?'

'Y CDLO?'

'Naddo.'

'Wel, myn diawl! Wyt ti wedi gwneud unrhyw beth ynglŷn â'r mater, lodes? Pan fydd y gofrestr yn cael ei gwirio mi ddaw'r peth i'r amlwg yn syth. Ti'n siŵr mai colli'r K wnest ti, nid ei werthu?'

Roedd ei hwyneb, erbyn hyn, yn wyn.

'Ges i banig llwyr. Dim syniad be i'w wneud. Ffoniodd plismon i holi am y poteli, a dwedais wrth Wendy y byddwn i'n delio efo'r mater, ond wnes i ddim. Cyngor fy ffrind oedd dweud wrtha i am ddarganfod pryd fyddai'r gofrestr yn cael ei gwirio nesa, er mwyn gweld faint o amser fyddai ganddon ni i wneud cynllun.'

'Rhaid i mi ofyn, lodes: ai dy ffrind sy wedi dwyn y stwff?'

'Nage. Roedd o efo fi yn y bistro; wedyn pan aethon ni i'r car, sylwais fod y bag wedi mynd.'

'Pam aeth o i dy gar di? Oedd ganddo gar ei hun?'

'Roedden ni wedi ffansïo mynd am sbin fach, a *short wheel based* Land Rover sy ganddo fo, hen Defender.'

Roedd Daf wedi dyfalu erbyn hyn pwy oedd 'ffrind' Felicity.

'Anaddas i garu?'

'Anaddas i siarad, mae mor swnllyd.'

'Lle wyt ti'n byw, Felicity?'

'Mae gen i fflat yn Glanmenial, y plasty ger Berriew. Mae o'n neis iawn.'

'Pam na est ti â dy gariad yn ôl i'r fflat?'

'Mae 'na dair ohonon ni'n rhannu, sy'n ddelfrydol ar gyfer gêm o Monopoly ond nid ar gyfer preifatrwydd.'

'Hmm. A wnaethoch chi lwyddo, chi'ch dau, i greu cynllun?'

'Mewn cyd-ddigwyddiad llwyr, torrodd rhywun i mewn i'r tacrŵm yng nghartref Gruff, fy ffrind, neithiwr. Mi gafodd o andros o brên wêf. Petawn i'n sgwennu sgript am dair potel ychwanegol, gallai o smalio mai ganddyn nhw y cafodd y ket ei ddwyn, nid gen i.'

'O, grêt!'

Roedd ei dagrau'n llifo erbyn hyn.

'Plis. Mi wn i pa mor dwp fues i, ond dim ond un camgymeriad oedd o.'

'Dwi'n gobeithio dy fod di wedi dysgu dy wers, lodes. I droi at y mater arall, welest ti rwbeth od nos Lun?'

'Pryd?'

'Pan oeddech chi'n bwyta.'

'O, sori, syr, ond roedden ni'n reit *involved* efo'n gilydd.'

'Dwi'n gweld.'

'Na, dech chi ddim. Nid cariadon ydi Gruff a fi, ond ffrindiau. Dwi'n poeni braidd ynglŷn â sut mae o efo merched eraill, rhai sy ddim yn deall y rheolau.'

'Pa reolau?'

'Dydi o ddim yn cael setlo am dipyn, felly does dim iws iddo fo garu'n selog efo neb. Mae'r rhan fwya o bobl den ni'n nabod, pobl y cobiau, yn deall hynny'n iawn.'

Cofiodd Daf ei sgwrs â Margaret Tanyrallt a'r cyfeiriad at y 'bowns bowns' gan Gruff ei hun.

'Ond?'

'Wel, mi gytunodd i ferch dynnu ei lun o, ac mae hi wedi bod yn rhedeg ar ei ôl o ers ...'

'Ers y Chase Me Charlie yn Sioe Berriew?'

'Ie – oeddech chi yno? Roedd o'n wych, yn doedd o?'

'Mi glywais.'

'Beth bynnag, ro'n i jyst isie gwneud yn siŵr bod y ffotograffydd yn deall y gêm, rhag ofn iddi gael ei brifo. Ond, wedi meddwl, dwi *yn* cofio rhwbeth anghyffredin.'

'Be?'

'Roedden ni'n eistedd yn y ffenest a cherddodd dyn heibio – dyn reit fychan, wyneb gwelw fel petai ar gyffuriau. Roedd o'n fy atgoffa fi o ddyn geisiodd werthu'r *Big Issue* i ni yn Wrecsam pan aethon ni i weld ffilm yr wythnos diwetha. Ro'n i ar fin rhoi pres iddo fo ond dywedodd Gruff, ei wyneb yn ei ffôn fel arfer, mai ar ddrygs fyddai o'n gwario bob ceiniog. A fo oedd yn cerdded heibio'r Bistro, dyn y *Big Issue*, yn gwisgo'r treiners mwya ffansi welais i erioed.'

O ddau sy ddim yn caru, maen nhw'n mynd ar lawer o ddêts, meddyliodd Daf, gan geisio anghofio'r hyn a welodd yn y tacrŵm y bore hwnnw.

'Pa fath o dreiners? Wyt ti'n digwydd cofio?'

'Mae gen i frawd yn ei arddegau, Mr Dafis, ac mae o'n *mad* am labeli, gwaeth nag unrhyw ferch. Nikes *high-end* oedden nhw, gwerth canpunt o leia, sy'n sgidiau braidd yn rhyfedd i ddyn sy'n gwerthu'r *Big Issue*.'

Cofiodd Daf y sgwrs tu allan i'r eglwys pan oedd ŵyr McAleese yn genfigennus o dreiners y dyn ifanc dreuliodd y noson yn nhŷ'r eglwys. A chofiodd hefyd ble gwelodd yr wyneb main o'r blaen. Yn ei ddychymyg, rhoddodd Daf het ar y pen a chôt drwchus am yr ysgwyddau main: Cai.

'Diolch, Ms Jones. Paid â phoeni'n ormodol am y ket: does gen i ddim rheswm i awgrymu y dylai'r awdurdodau dy erlyn. Ond mi gawn ni sgwrs arall am y peth ryw dro eto. Dyweda di wrth bawb mai'r digwyddiad yn Nhanyrallt oedden ni'n drafod heddiw, iawn?'

'Iawn.'

O'r olwg ar wyneb Sheila yn ôl yn yr orsaf, roedd hi wedi llwyddo yn ei hymchwil. Rhoddodd lun i Daf, o gofnodion carchar yr Amwythig.

'Kyle Holland, hefyd yn defnyddio'r enw Cai Evans, saith ar hugain oed. Daeth yn syth o'r system ofal i'r Young Offenders ac o fan'no i garchar go iawn. Mae o wedi treulio'r rhan fwyaf o'r degawd diwetha yn y carchar, bòs.'

'Am be?'

'Dipyn o bopeth, ond cyffuriau ydi ei broblem, mae'n amlwg. Dwyn, ymosodiadau, ond gan amlaf, Possession with Intent to Supply.'

'Be ydi ei gyffur o?'

'Dechreuodd ar y sgync, wedyn asid. Roedd o'n defnyddio heroin am gyfnod ond cafodd driniaeth lwyddiannus.'

'Triniaeth? Dyn efo problem heroin yn derbyn triniaeth lwyddiannus ar yr NHS?'

'Nid ar yr NHS, bòs, ond mewn clinig preifat yng Nghonwy, o bob man. Roedd o'n glir o heroin, ond doedd ganddo ddim swydd, dim cartref, yn un hen stori. Cafodd ei arestio wedyn am feddiannu asid a ket.'

'Ket?'

'Ie. Ers deunaw mis, dyna mae o wedi'i wneud, fel rhyw gêm. Torri i mewn i gar fet, ffarm neu stablau, dwyn y ket, cael ei ddal, tri mis yn y carchar, allan, dwyn ket eto.'

'Oes ganddo fo deulu?'

'Adict oedd ei fam. Roedd hi'n gallu ymdopi nes i'w thad farw, wedyn cymerodd y gwasanaethau cymdeithasol y mab, a chafodd ei fabwysiadu. Mae'n anodd ffeindio lle i fachgen un ar ddeg oed, heb sôn am un sy angen addysg cyfrwng Gymraeg.'

'Aros am funud, Sheila. Dwi'n cofio rhyw alwad am fwy o deuluoedd Cymraeg i faethu ...'

'Ie, ac yn y pen draw, i ddangos arweinyddiaeth, penderfynodd un o'r cynghorwyr sir faethu'r bachgen.'

'Heulwen Breeze-Evans. Ond mi wyddon ni nad oedd y diweddglo yn un hapus,' nododd Daf.

'O bell ffordd. Pan oedd Cai yn bymtheg, cafodd ei gyhuddo o gam-drin merch y teulu, Nansi. Gwadodd y cyhuddiad gan ddweud eu bod nhw'n caru ei gilydd, ond cafodd ei roi yn ôl dan ofal yr awdurdod.'

'Cai oedd y ffrind gadwodd Heulwen oddi wrth Nansi, felly? Nefi blŵ, Sheila, den ni angen pot cyfan o de i brosesu hyn i gyd.'

'Falle y byddi di angen diferyn o wisgi ynddo fo pan glywi di y tro nesa yn stori Cai, bòs.'

'Be arall allai ddigwydd? Mae fel stori arswyd yn barod.'

'Landiodd Cai mewn lle o'r enw Derwenlas, cartref i fechgyn efo problemau ymddygiad. Dair blynedd ar ôl i Cai adael, lladdodd rheolwr y lle ei hun ar ôl cael ei erlyn am dri deg saith o achosion o gamdriniaeth yn erbyn bechgyn dan ei ofal, gan gynnwys Cai Evans.'

Ni allai Daf atal y dagrau.

'Na!' ebychodd. Chwythodd ei drwyn i geisio cuddio'i wewyr a gafaelodd yn y llun. Roedd y bachgen yn y gôt rhy fawr wedi tyfu i fod yn ysbryd o ddyn, ei groen mor denau, ei freichiau yn greithiau drostynt ac yn denau fel breichiau hen ddyn. Roedd Sheila wedi argraffu gwybodaeth gan y gwasanaethau cymdeithasol, cofnodion sawl cyfarfod, yn rhoi esgyrn moel yr hyn ddigwyddodd: 'Father wishing to work through the issue if firm guidelines are set: mother will not permit C's return, states that protection of birth family must come first. Father suggests C is family: mother will not agree.'

'Mae'n rhaid i ni ddod o hyd iddo fo, Sheila. Danfona gopi o'r llun i bob hostel a ffonia Nia i ddweud wrthi fod raid i Nansi ddod yma ar unwaith, a Phil hefyd.'

'Dwi wedi siarad efo'r Tad Hogan – does ganddo fo ddim modd o gysylltu â fo. Mae o jyst yn ymddangos bob hyn a hyn.'

'Be oedd enw'r clinig lle gafodd o'i driniaeth?'

'Hafod Recovery Centre.'

Er bod ei ben yn troi aeth Daf at ei gyfrifiadur a gŵglo Hafod Recovery Centre. Gwefan ddeniadol; y math o le sy'n cynnig darpariaeth i blant o deuluoedd breintiedig, efo ffioedd o filoedd bob mis. Roedd Cai yn ddigartref – tybed sut y cafodd o ei dderbyn? Cliciodd Daf drwy'r lluniau a sylwodd yn syth ar ddyn tew wedi'i wisgo mewn du i gyd heblaw ei goler wen. Roedd pennawd i'r llun: 'Dr Fr Graham Parr founded Hafod ten years ago to provide a centre for whole-person recovery. Though Fr Parr's own vocation is to the priestly life, he is a clinical psychologist with twenty five years experience in the treatment of addiction and guests of all faiths and none are welcomed to Hafod.'

Hmm, meddyliodd Daf, byddai croeso cynnes i'r rheini efo llyfr siec, o leia. Deialodd y rhif ffôn oedd ar y wefan. Ddau funud yn ddiweddarach, roedd Daf yn siarad â'r Parchedig Ddoctor Parr. Roedd ganddo acen gref ardal Birmingham, a chymerodd yn ganiataol, gan mai o'r Trallwng roedd Daf yn ffonio, ei fod yn nabod Joe.

'Bane of my life, 'e is, Joe. Costs a fortune, keeping this place going, an' Joe sends me 'is down an' outs.'

'Did you treat a young man called Cai Evans?'

'Oi did. 'E got the H licked, that lad.'

'And the fees?'

'O, Joe got one of his rich old ladies to stump up for 'is keep, an', well, I didn't charge nothin' else. He did a few jobs round the place, 'specially the grounds.'

Roedd Parr yn obeithiol am Cai o safbwynt ei gyflwr corfforol ond roedd o angen sefydlogrwydd, a chael gwared â rhai o gysgodion ei hanes. Awgrymodd hefyd, os oedd Cai angen dianc yn llwyr, fod cwpl o lefydd y gallai fynd os oedd o'n fodlon addo aros yn lân.

Yn fuan wedyn, cafodd alwad gan Belle.

'Be goblyn ti'n wneud, Daf, yn 'y ngadael i ar bigau'r drain fel'ma?' Yn y cefndir, clywai Daf sŵn y cŵn. 'Be ddywedodd y patholegydd?'

'Newydd glywed ganddo fo. Roedd olion ketamine yn ei chorff.'

'Ket? Ro'n i'n meddwl mai gwraig ffarm barchus oedd hi.'

'Dynes efo gorffennol go gymhleth oedd hi.'

'Wel, mae'r theori yna'n fy mhlesio i'n arw, Daf, a wyddost ti pam?'

'Pam?'

'Mae unrhyw syniad, waeth pa mor crap ydi o yn y pen draw, yn well na dim syniad o gwbwl. Pan mae gen ti theori, mae gen ti fan cychwyn. Ti ar dy ffordd.'

'Sut mae'r adroddiad yn siapio?'

'W, rwyt ti'n feistr caled, Daf! Roedd Valentine angen mynd at y deintydd yng Nghaer a chymerodd hynny fore cyfan. Dwi wedi bod wrthi ers amser cinio.'

'A ti'n bendant am y ddau dân, a'r tanwyr gwahanol?'

'Mae'r SOCOs wedi cymryd sawl swab, ac maen nhw, hyd yn oed, yn gallu gwneud profion sylfaenol i gadarnhau hynny.'

'Ocê. Diolch am ffonio, Belle.'

'Wela i di ddydd Sul!'

'Siŵr iawn ... dydd Sul.'

'Daf, wyt ti'n dad ... neu wncwl ... beirniadol?'

'Ddim o gwbwl. Mae'n cymryd amser i ... wel, mae 'na dipyn o fwlch rhyngddoch chi.'

'Hei! Dwi ddim ar fy mhensiwn eto,' chwarddodd Belle.

'Na, nid dim ond y gwahaniaeth oedran. Ti wedi gweld y byd ac ati.'

'A wyddost ti be dwi wedi'i ddysgu ym mhedwar ban byd? Pethau prin iawn ydi dynion annwyl, ac os wyt ti'n baglu dros un ohonyn nhw, rhaid i ti gyfri dy fendithion.'

'Chwarae teg i ti, wir, Belle.'

Pan gyrhaeddodd Phil a Nansi roedd yn amlwg fod y ddau wedi bod yn llefain. Gafaelai Nansi yn dynn yn llaw ei thad.

'Maen nhw isie siarad ar y cyd, os ydi hynny'n iawn, bòs,' eglurodd Nia. 'Mae trafod hanes Cai wedi corddi'r dyfroedd iddyn nhw braidd.'

'Be am i chi ddechrau efo'ch gilydd a gweld sut aiff pethau, iawn?'

Nodiodd Phil ei ben.

'Dwi'n gwybod dy fod di'n brysur, Nia, ond byddai paned yn gwneud lles i bawb.'

'Dim probs, bòs.'

Eisteddodd Phil heb ollwng llaw Nansi, a chafodd hithau ei thynnu i lawr i'r gadair agosaf ato.

'Ti'n meddwl 'mod i'n fastard,' dechreuodd Phil mewn llais crynedig. 'Doedd gen i ddim syniad be oedd yn mynd i ddigwydd iddo fo.'

'Dadi, plis paid â phalu celwyddau: mae'n rhy hwyr. Mi ddwedest ti wrthi am y pethau oedd yn mynd ymlaen yn y llefydd yna, a hi wnaeth y penderfyniad, felly paid â chladdu ei chachu eto. Does dim rhaid – mae hi wedi mynd. Den ni'n rhydd. Mi allwn ni ffeindio Cai ac ymddiheuro, ac mae gen i fwy o ymddiheuriadau i'w gwneud na neb arall.'

'Pam hynny, lodes?' gofynnodd Daf. 'Merch ifanc oeddet ti bryd hynny.'

'Ie, ond ... God, mae'n anodd cychwyn.'

'Roedd o'n gyfnod od yn Nolfadog,' eglurodd ei thad. 'Roedd Heuls newydd ymuno â bwrdd y Cyngor Sir, roedd Jac yn treulio lot o amser yn nhŷ Low, a Gruff wastad yn Nhanyrallt efo'r 'ffyle.'

'A tithe?'

'Wel,' cyfaddefodd Phil, 'Mi ddois i o hyd i bishyn bach dymunol iawn yn Nolanog ac ro'n i yno gryn dipyn. Roedd Nans a Cai ar eu pennau eu hunain o hyd.'

'Roedd Gruff a finne wastad wedi bod yn agos,' parhaodd Nansi. 'Dim ond blwyddyn sy rhyngddon ni, a'r flwyddyn honno mi aeth o i aros ar Horse Hill reit drwy'r Royal Welsh ... wel, roedd 'na sôn am bartïon ac yfed a merched. Ro'n i'n ysu i dyfu fyny hefyd, fel fo.'

Daeth Nia i'r ystafell a gosod yr hambwrdd ar y ddesg heb ddweud gair. Ar ôl i'r drws gau ar ei hôl, ailgychwynnodd Nansi.

'Doedd Cai ddim fel brawd i mi. Doedden ni ddim wedi cael ein magu efo'n gilydd, a phan ddaeth o acw i ddechrau, peth dros dro oedd o i fod. Ddywedodd Dad wrthen ni am feddwl amdano fel un o'r efaciwîs ddaeth i aros efo Nain Maesgwastad yn ystod y rhyfel. Doedd neb yn sôn am gig a gwaed, brodyr a chwiorydd. Ro'n i'n licio siarad efo fo – roedd o'n llawn syniadau a chynlluniau. Isie bod yn gyfreithiwr oedd o, wastad yn sôn sut oedd o'n mynd i helpu pob un ohonon ni.' Dechreuodd Nansi wylo eto, a chysurodd Phil hi. 'Un noson, roedden ni'n gwylio ffilm ramantus, *The Notebook* neu rwbeth, a phan gusanodd y cymeriadau ar y sgrin, mi ddywedais fod hynny'n edrych yn hwyl. Mi gusanon ni, ac o'r noson honno ymlaen, yn ei wely o ro'n i'n cysgu.'

'Ac roeddech chi'n ...?' ceisiodd Daf chwilio am eirfa sensitif.

'Caru fel gŵr a gwraig? Oedden. Dwi ddim yn falch o hynny, ond am gyfnod, roedd y ddau ohonon ni'n hapus iawn efo'n gilydd.'

'Nes?'

'Nes i Gruff sylwi be oedd yn mynd ymlaen. Diwrnod Sioe Llanfyllin oedd hi. Mi es i i'r Sioe – roedd Jac yn dangos ei ddefaid Llŷn, Mam yn beirniadu yn y Celf a Chrefft a Gruff yn cystadlu yn y Show Jumping. Roedd Gruff yn awyddus iawn i 'nghyflwyno i i ryw ffrind, rhyw Marcus o Benybontfawr, ond doedd gen i ddim diddordeb. Y noson honno roedd Cai a finne ar y soffa, fel arfer, pan ddaeth Gruff drwy'r drws cefn fel corwynt, yn ein melltithio ni a sôn sut oedd ei ffrindiau'n dweud 'mod i'n ffrîc sy'n caru fy mrawd.'

'Wedyn, aeth pethau dros ben llestri, Mr Dafis,' torrodd Phil ar draws unwaith eto i helpu ei ferch. 'Doedd Heuls ddim yn fodlon gwrando ar neb – mi ddwedes wrthi sut sgandal fyddai petai Cai yn diflannu, ond ... Wel, doedd neb yn meddwl y bydden ni'n ei golli o. Mi awgrymais i ryw ysgol breswyl, i adael i bethau dawelu, ond na. Roedd yn rhaid iddo fo gael ei gosbi.'

'Roedd Gruff hyd yn oed yn ceisio'i pherswadio hi – gofynnodd i Margaret Tanyrallt gynnig llety iddo fo, ond yn ôl yr awdurdodau roedd hynny'n rhy agos i mi,' eglurodd Nansi. 'Oherwydd bod Mam wedi sôn am "gamdriniaeth", cafodd ei yrru i'r blydi ffycin lle 'na. Ffoniodd, jyst cyn Dolig, i ddisgrifio be wnaeth y ffycin bastard iddo fo. Dim ond un alwad ffôn lwyddodd o i'w gwneud. A dyna pam, ar ôl gwrando arni'n canu carolau yn y capel ac yn sôn am y baban Iesu, y gwnes i ymosod arni. Roedd hi'n eistedd yn ei chegin, gyferbyn â'i Aga bedair ffwrn, yn torri cnau ffansi nad oedd neb isie, yn canu "Teg Wawriodd ..." tra oedd un o ohonon ni'n ...'

'Dwi'n dallt,' meddai Daf rhag iddi orfod dweud mwy. 'Wyt ti wedi siarad efo fo ers hynny, Nans?'

'Erioed. Ond dwi'n ei weld o yn fy nghwsg, yn denau, yn ddiobaith, â baich o boen ar ei gefn am byth o'm hachos i.'

'A tithe, Phil?'

'Mae'n swnio'n hollol wallgo, ond neithiwr, nage, nos Fawrth, es i i nôl Basia o dŷ'r eglwys ac roedd wyneb yn y ffenest, mor debyg iddo fo.'

'Fo oedd o,' eglurodd Daf. 'Arhosodd efo Joe Hogan nos Fawrth. Cyn i chi fynd, mi fysen i'n hoffi gofyn un cwestiwn. Ydech chi'n meddwl y gallai Cai ladd Heulwen?'

Ystyriodd Phil am eiliad.

'Allwn ni ddim ateb y cwestiwn yna gan nad yden ni'n ei nabod o bellach, ond cog clên oedd o, braidd yn ddigywilydd ac yn rhegi fel dwn i ddim be, ond clên iawn yn y bôn. Wn i ddim sut un ydi o heddiw, ar ôl popeth.' Ochneidiodd Phil yn ddwfn a gwasgodd Nansi ei law yn dynn.

'Dwi ddim isie i Seth ddod i wybod am hyn i gyd, Mr Dafis. Mae o'n ystyried purdeb yn bwysig ac mae o wedi bod mor ffeind efo fi.'

'Mae hynny'n dibynnu ar ganlyniad yr ymchwil, Nans fach. Os mai Cai sy wedi lladd dy fam, bydd achos llys a sylw yn y wasg, yn anffodus.'

Nodiodd Nansi ei phen yn drist. Roedd golwg flinedig arni.

'Un cwestiwn arall. Oedd Heulwen yn defnyddio cyffuriau, heblaw be gafodd hi gan y meddyg?'

'Sgen i ddim syniad, wir,' atebodd Phil. 'Wnes i ddim sylwi ei bod hi'n cysgu efo merched, felly pwy a ŵyr.'

Oedodd Nansi am funud i ystyried ei hateb.

''Sen i ddim yn tybio, achos roedd hi wastad isie cadw rheolaeth ar bopeth, yn cynnwys hi ei hun. Dwi wedi gweld Dad yn feddw gaib sawl tro, ond hithe? Erioed.'

Wrth iddo gau'r drws ar eu holau gallai Daf gydymdeimlo ag unrhyw therapydd dan haul – roedd y storm o emosiwn wedi gwneud iddo deimlo'n reit sâl. Aeth allan i'r drws ffrynt am awyr iach a gwelodd Basia yn sefyll yn gryf rhwng Phil a Nansi, un fraich o gwmpas canol Nansi a'r llall ar ysgwydd Phil. Roedden nhw'n llefain ac roedd hi'n dweud wrthyn nhw, dro ar ôl tro:

'All o ddod yn ôl aton ni rŵan, all o ddod yn ôl.'

Gwyddai Daf na châi eiliad i ffonio Gaenor pan welodd Joe yn cyrraedd yr orsaf a Milek wrth ei sodlau fel ci anfodlon. Roedd o'n symud ei ben mawr o un ochr i'r llall fel llew mewn caets. Gwgodd ar Phil, ac arweiniodd Daf y ddau i mewn yn reit sydyn.

'Nev dal o gwmpas?' gofynnodd i Nia.

'Ydi, dwi'n meddwl.'

'Gofyn iddo fo beidio mynd adre tan dwi wedi gorffen yn fa'ma, wnei di?' Roedd Daf wedi gweld y perygl yn llygaid Milek ac roedd yn awyddus i wneud yn siŵr y byddai cymorth ar gael petai angen. 'Dwi ddim am eich cadw chi.' Trodd Daf ei sylw at Milek, oedd yn plygu ei gorff mawr i'r gadair fach. 'Heddiw, den ni wedi cael eich hanes chi gan heddlu Gwlad Pwyl.'

'Mae Milek yn dweud bod pob dyn ifanc yn camfihafio bob hyn a hyn.'

'Dim pob dyn ifanc sy'n rhoi dynion eraill yn yr ysbyty am fis.'

Tynnodd Milek ei wefus yn ôl i ddangos ei ddannedd hir. Siaradodd yn gyflym â Joe, a oedodd cyn cyfieithu fel petai'n rhoi cyfle i Milek newid ei feddwl.

'Mae o'n dweud mai darn o wastraff dynol oedd yr

Almaenwr wnaeth sarhau ei chwaer, ac mi fyddai'n gwneud yr un peth eto i'w hamddiffyn.'

Gwthiodd Daf yr amlen yn cynnwys lluniau Bowen ato ar draws y ddesg.

'Mi ddywedoch chi ddoe fod Heulwen yn chwilio am wybodaeth ynglŷn â materion Bowen. Ydech chi'n gwybod unrhyw beth am y rhein?'

Diflastod oedd ar wyneb Milek.

'Dydi stwff fel hyn ddim yn fusnes i neb,' daeth ei ymateb, drwy'r offeiriad. 'Ei faterion busnes oedd diddordeb Heulwen.'

'Ble oedd o nos Lun?'

'Yn y fflat tan wyth, wedyn yn y Wellington tan ddaeth yr heddlu yno i ddweud wrth bawb am adael.'

'Ar ei ben ei hun?'

'Efo Wiktor.'

'Be wnaethon nhw cyn mynd allan?'

Siglodd Milek ei ben eto.

'Ychydig o fusnes. Roedden nhw'n bwriadu dosbarthu peth o'r stwff gludodd Wiktor yn ôl o Wlad Pwyl.'

'I bwy?'

'Pwyliaid. Dyna'r cyfan mae o am ei ddweud.'

'Mae gen i un cwestiwn arall – ydi o'n gwybod pwy laddodd Heulwen Breeze-Evans?'

'Does ganddo fo ddim syniad, ond mi welodd ddigon o bobl od yn mynd a dod o'r swyddfa.'

'A welodd o Cai yno nos Lun?'

Gostyngodd Milek ei lygaid a dweud dim.

'Dwi'n gofyn am ateb.'

Fel argae yn torri, tywalltodd geiriau o'i geg.

'Yn fras, dydi o ddim yn cario clecs. Roedd stori go gymhleth am frawd ei hen daid a milwyr Rwsieg ond dydi hynny ddim yn berthnasol, heblaw'r ffaith mai nos Fawrth y cwrddodd â Cai, felly doedd o ddim yn ei adnabod o y noson cynt.'

Penderfynodd Daf roi sioc fach iddo.

'Ai chi laddodd Heulwen Breeze-Evans?'

Chwarddodd Milek, ac roedd y sŵn yn codi braw ar Daf.

'Petai o wedi ei lladd hi,' eglurodd Joe yn ei lais amyneddgar, 'Byddai wedi symud yr holl nwyddau o stafell Wiktor.'

Nid oedd ateb i'r rhesymeg honno. Ysgydwodd Daf law Milek i nodi diwedd y sgwrs, a chododd y dyn mawr heb ollwng llaw Daf.

'You do your job, I know,' grwmialodd. 'I not know who burn our place, I say.' Wedyn chwifiodd ei law i gyfeiriad yr amlen ar y ddesg. 'Welsh girls, they like fat men?'

'Not usually,' chwarddodd Daf. 'But Mr Bowen is a bit different.'

'Yes. Bit different.'

Roedd o'n teimlo'n euog. Heblaw am un tecst, doedd Daf ddim wedi cysylltu â Gaenor drwy'r prynhawn, felly roedd o'n falch iawn o weld bod pic-yp Berllan yn dal y tu allan i'r tŷ. Efo Chrissie yn llywio pethau, ni allai llawer fod o'i le. Synnodd braidd pan welodd Land Rover hefyd – nid Defender parchus glas Neuadd ond un coch metelaidd, efo arwydd mawr ar y drws yn hysbysebu'i system sain: Animal. Bryn oedd piau'r pic-yp a Chrissie y Land Rover – efallai ei fod o wedi picio draw i ffeirio ceir.

Am hanner eiliad, pan agorodd y drws, gwelodd Daf ddelwedd Arabaidd, fel petai Sultan a'i harem yn gwylio *Ffermio*. Ar y soffa, yn cymryd y lle i gyd efo clustog o dan bob babi, roedd Chrissie yn bwydo'r efeilliaid. Yn y gadair freichiau, yn edrych yn well o lawer, ac yn bwydo Mali, roedd Gaenor. A rhyngddyn nhw, yn gorweddian ar ei hyd ar lawr, roedd Bryn, ei goesau hir a'i freichiau cyhyrog ym mhobman. Sylwodd wedyn ar yr eneth chwech oed yng nghesail Bryn.

'Wel helô, bawb,' cyfarchodd Daf y criw, yn teimlo fel petai wedi gweithio shifft ugain awr.

Chwarae teg i Bryn, sgrialodd yn syth ar ei draed.

'Mor sori am dresbasu, Mr Dafis,' dechreuodd.

'Ro'n i'n ceisio disgrifio iddo sut i wneud swper acw ond,

yn y pen draw, roedd yn haws coginio fan hyn i bawb,' esboniodd Chrissie. 'Mae'ch swper chi'n twymo. Cer i nôl swper i Mr Dafis, Anni Mai.'

Rhedodd y ferch nerth ei thraed i'r gegin.

'Rho fo ar hambwrdd yn deidi,' galwodd Chrissie ar ei hôl.

Clwydodd Daf ar fraich cadair Gaenor. O fan'no gallai weld dau gog o oedran top yr ysgol gynradd yn eistedd wrth fwrdd y gegin yn chwarae Top Trumps Tractors.

'Massey Fergusson – dyna 4,' dywedodd un.

'If she's red, leave her in the shed,' atebodd y llall.

'Byddwch ddistaw, cogie,' taranodd Bryn. 'Gwesteion Mr Dafis yden ni.'

Ac ar ôl gwneud y datganiad hwnnw, suddodd Bryn yn ôl i'r llawr a gwneud ei hun yn gartrefol. Mor urddasol â Morwyn y Fro yn seremoni'r Cadeirio, daeth Anni Mai trwy ddrws y gegin yn cario plataid o ginio rhost. Roedd mynydd o fwyd; darnau o gig eidion yr un faint â dwylo Rhys Bowen, dim llai na chwech o datws rhost a myrdd o lysiau. A dros bopeth, fel ton o ddaioni, roedd y grefi.

'Chrissie, diolch i ti, mae hwn yn berffaith.'

Sylwodd Daf ei fod yn clemio, a heb feddwl am fod yn gwrtais llanwodd ei geg, yn ymwybodol o sawl pâr o lygaid yn syllu arno.'

'Dech chi'n iawn efo *Ffermio*, Mr Dafis?' gofynnodd Bryn, y remôt yn ei law. '*Eastenders* sy ar y llall.'

Efo'i geg hollol lawn, cytunodd i wylio'r rhaglen.

'Dewch drwodd, cogie,' gorchmynnodd Chrissie. 'Mae eitem am Speckles.'

Llwyddodd Bryn i wneud lle iddyn nhw a sylwodd Daf fod tri chwarter ei garped wedi ei orchuddio gan y teulu Humphries. Roedd y profiad o wylio *Ffermio* efo nhw yn debyg i bennod o *Gogglebox*: roedd un aelod o'r teulu neu'r llall yn trafod beth oedd o'u blaenau ar y sgrin o hyd. Roedden nhw'n sylwgar tu hwnt.

'Angen teiar newydd ar yr Isuzu 'na.' Bryn.

'Dwi'm yn licio'i goes o. O gwbwl.' Chrissie, yn barnu hwrdd.

'Yden nhw'n gallu cael pethau Wynnstay lawr yn y de, felly?' Y bachgen hynaf.

'Maen nhw'n dal y glaw mor agos i'r môr.' Y llall.

'Ro'n i'n siarad efo'r lodes 'ne yn y Winter Fair.' Bryn, yn plagio Chrissie ryw fymryn.

'Tro nesa welwn ni hi, alla i esbonio iddi be sy'n gwneud hwrdd gwerth chweil – does ganddi hi ddim syniad ar hyn o bryd.' Chrissie, yn syth yn ôl, fel chwip.

'Dwi ddim yn siŵr o hynny.' Bryn, yn hunanfodlon.

Taflodd Chrissie glustog at ei ben, a dechreuodd Daf deimlo braidd yn hen.

Trwy ei niwl caloriffig, cofiodd Daf rywbeth.

'Ble mae Rhods?'

'Wedi mynd allan efo Rob.'

'Be maen nhw'n wneud?'

'Wel, chwilio am ferched, wrth gwrs, Mr Dafis,' meddai Chrissie efo winc.

'Ond mae gan Rob gariad, yn does?' gofynnodd Daf.

'Wastad yn syniad cael rwbeth wrth gefen,' meddai Bryn, yn araf a gwybodus. Taflodd Chrissie y glustog arall ato.

'Anni Mai – mae Mr Dafis bron â gorffen: ble mae dy faners di?'

Agosaodd y ferch at Daf.

'Mr Dafis, dech chi isie dipyn bach mwy?' gofynnodd yn gwrtais. 'Mae digonedd o bopeth.'

'Dwi'n iawn, wir.'

'Cer i wneud y cwstard, da lodes.'

'Cwstard?' gofynnodd Daf, gan deimlo fel petai'n boddi mewn bwyd.

'Dim ond crymbl ydi o, peidiwch â chynhyrfu, Mr Dafis. Doedd gen i ddim llawer o amser heddiw.'

'Diolch i ti am bryd o fwyd bendigedig, Chrissie,' meddai Gaenor. 'A sôn am bryd o fwyd ...'

Roedd Mali wedi gorffen a phasiodd Gaenor y babi i'w thad. Roedd Daf yn falch iawn o gael Mali yn ei gôl i dynnu sylw oddi wrth yr hyn ddigwyddodd nesaf. Caeodd Chrissie ei chrys.

'Dwi'n wacach na hen Holstein ddeg oed. Ewch i gael eich pwdin gan Anti Gae, cogie.'

Chymerodd Bryn ddim sylw o gwbl o fronnau Gaenor, a llwyddodd Daf i godi ffrwydrad o wynt gan Mali cyn clywed sŵn slochian o gyfeiriad y soffa. Os na allai dderbyn Chrissie yn bwydo Mali, roedd y ffordd arall rownd yn waeth, yn enwedig ym mhresenoldeb Bryn.

'Lodes fech tsiampion ydi Mali, Mr Dafis,' canmolodd Bryn. 'Mi fydd y cogie 'ma'n paffio drosti 'mhen dim.'

'Ti isie i mi newid ei chlwt hi?' cynigiodd Chrissie, gan synhwyro bod Daf fymryn allan o'i ddyfnder.

'Plis. Dwi angen nôl papurau o'r car.'

Ar y stryd, roedd goleuadau mewnol y Defender ymlaen. Yn y seddi blaen roedd Rhodri a Rob Berllan, yn gwrando ar gerddoriaeth Americanaidd, a rhyngddyn nhw, merch tua'r un oed a nhw. Trwy'r ffenest gwelodd Daf fod Rhodri, yn amlwg, yn hoffi'r ferch, ond roedd hi'n edmygu Rob, ac yntau ddim yn rhoi smic o sylw iddi. Efallai mai ar ei chyfer hi y penderfynodd Rhod ailwampio'i wallt, ond yn anffodus ni welodd Daf siawns am fuddugoliaeth i'w fab – fel ei dad a'i Wncwl Bryn roedd sglein anhygoel ar gwrls du Rob Berllan, fel plu cigfran. Fel y dywedodd yr Efengyl yn ôl Disney, meddyliodd Daf, 'It's the Circle, the Circle of Life.'

Pennod 11

Bore Gwener, Ebrill 15, 2016

Doedd o ddim wedi cael ei ddeffro gan y larwm ers cyn geni Mali. Roedd y sŵn electronig yn anghyfarwydd, a byddai Daf yn cael yr un teimlad wrth ddeffro mewn gwesty ar wyliau – fod ei gorff wedi ymlacio'n llwyr dros nos. Pan welodd fod Gaenor yn dal i gysgu'n sownd, diolchodd i Chrissie, er bod ei theulu wedi mewnfudo fel Llychlynwyr i'w gartref y noson cynt. Byddai'n rhaid iddo ddiolch iddyn nhw'n iawn am eu caredigrwydd, ond gallai feddwl am hynny ar ôl yr ymchwiliad.

Derbyniodd Daf alwad ffôn cyn iddo gyrraedd y Trallwng: roedden nhw wedi dod o hyd i Cai.

'Cysgu yn nrws siop lyfrau yn Oswestry oedd o,' eglurodd Nev. 'Ond dydi o ddim mewn cyflwr da iawn. Maen nhw wedi mynd â fo i Ysbyty Maelor am brofion.'

'Be sy'n bod arno fo?'

'Mae ganddo fo beswch cas iawn – maen nhw'n amau mai bronceitis ydi o.'

'Reit, dwi'n mynd yn syth yno. Unrhyw beth arall o bwys?'

'Mae canlyniadau'r profion wedi dod yn ôl o'r labordy: *meths* oedd wrth y drws ffrynt a chymysgedd o betrol ac olew tu mewn.'

'*Two-stroke*. Roedd y cŵn carbon yn sbot on, felly.'

'O, ac mae Ms Rhydderch wedi clywed, rhywsut, dy fod di ar fin arestio rhywun. Mae hi'n gofyn gaiff hi drefnu cynhadledd i'r wasg pnawn 'ma?'

'Wnei di egluro nad yden ni wedi arestio neb? A dweud wrthi hefyd: pan fydda i'n bwriadu arestio rhywun y bydda i yn ei ffonio hi'n syth.'

'Ocê, bòs.'

Trodd Daf i'r chwith yn y gylchfan ger tafarn y Raven er mwyn mynd yn syth i Wrecsam. Ymhen chwe milltir cyrhaeddodd Ddyffryn Meifod yn ei ogoniant yn heulwen y gwanwyn. Jyst cyn troi i gyfeiriad Llansantffraid, arhosodd am eiliad i werthfawrogi lle oedd Rhys Bowen yn byw. Safai ei dŷ mawr Fictorianaidd ar silff o dir uwchben y dyffryn gyda pharc o'i gwmpas a choed derw aeddfed yn darparu cysgod i'r ceffylau. Yn hollol wahanol i geffylau egnïol Tanyrallt, roedd golwg ddiog ar geffylau Bowen, fel petaen nhw yno fel addurn yn unig. Ar fympwy, gyrrodd Daf i fyny'r allt. Tu allan i'r tŷ roedd BMW X5 newydd sbon, a Saxo bach. Oedodd Daf am eiliad i fwynhau'r olygfa: roedd afon Fyrnwy yn crwydro'n hamddenol drwy gaeau ffrwythlon, a dim yn amharu ar yr harddwch. Roedd yn dirlun rhy braf i'w golli, meddyliodd Daf, gan ddechrau deall ymgyrch Bowen yn erbyn y peilonau. Cerddodd dros y grafel tuag at y drws mawr derw. Hoffai Daf petai ganddo esgus i dynnu lluniau o'r tŷ i'w dangos i Gaenor – ond newidiodd ei feddwl wedi iddo ystyried y posibilrwydd y byddai Gae yn dechrau dychmygu sut fywyd fyddai ganddi petai wedi derbyn cynnig Bowen o lifft yr holl flynyddoedd yn ôl. Doedd dim cymhariaeth rhwng y plasty hwn a'u tŷ bach gyferbyn â'r Goat.

Canodd Daf y gloch fawr bres a chlywodd hi'n atseinio drwy'r tŷ fel mewn ffilm arswyd. Merch fach o ddwyrain Ewrop agorodd y drws, gan egluro mai dim ond Mrs Bowen oedd adref.

Arweiniwyd Daf i stafell ffurfiol, ac wrth edrych ar y papur wal o batrwm Tsieineaidd a'r dodrefn moethus, teimlodd Daf yn sosialaidd iawn wrth gofio mai chwys Milek a Basia a degau o rai tebyg iddyn nhw a dalodd am yr holl foethusrwydd. Ni welodd unrhyw beth a wnâi dŷ yn gartref – dim lluniau teulu, dim llyfrau na CDs ac, wrth gwrs, dim teganau.

Roedd Daf wedi disgwyl i wraig Rhys Bowen fod yn ddynes blaen, y fath o ferch y byddai angen gwaddol sylweddol i berswadio unrhyw ddyn i'w chymryd. Yn hytrach, cerddodd dynes eithriadol o hardd drwy'r drws. Doedd hi ddim yn ifanc – dros ei hanner cant, tybiai Daf – ond roedd ei chroen yn berffaith. Roedd hi'n dalach nad Daf, yn chwe throedfedd neu fwy yn ei hesgidiau fflat, ac yn fain. Cerddai fel model ffasiwn, ac fel sawl model y gwelodd Daf luniau ohonynt, roedd ei llygaid yn hollol wag.

'Yes?' gorchmynnodd.

'I was looking for Mr Bowen.'

'He isn't here.'

'I'm Chief Inspector Daf Dafis, Dyfed Powys Police.' Defnyddiodd ei reng dros dro fel tarian yn erbyn ei dirmyg.

'Oh. I thought you might have been one of the tiresome pylon people. They wear jackets like that.'

'I'm investigating a suspicious death. Do you know where your husband is?'

'No idea. Out canvassing?'

'Perhaps. Will he be home later?'

'Eventually. When there are no more throats to slit or legs to spread for the day. Unless he literally sleeps with one of the foolish sluts.'

Aeth ias i lawr cefn Daf. Roedd ei llais mor oer ond mor hamddenol, fel petai wedi diflasu gormod i gasáu ei gŵr. Sylwodd ar y fodrwy ar ei bys: diemwnt enfawr a dau saffir.

'Was he at home on Monday night?'

'Eventually, I suppose.'

'At what time?'

'I have no idea. He ate his breakfast here, unless we were burgled by someone with foul table manners.'

Doedd gan hon ddim o'r urddas a gysylltai Daf â'r merched ariannog fyddai'n dod i siop ei dad ers talwm, efo'u cwrteisi breintiedig, a doedd ganddo ddim syniad sut i gyfathrebu â hi. Doedd hi ddim yn codi mymryn o chwant ynddo, chwaith.

'Ah. You didn't notice ... before breakfast, like?' gofynnodd, yn ymwybodol o'i lais gwerinol.

Chwarddodd Mrs Bowen yn annaturiol, fel petai wedi cael ei hyfforddi i wneud hynny.

'You surely didn't ... Oh, but you did ... Poor Mr Policeman, I don't suppose you live a very varied life but still, you must have guessed that I would be scarcely likely to share my bed with something like him.'

Efallai na fyddai neb wedi rhagweld ei lwyddiant, yn ariannol na'i rôl yn Aelod Cynulliad, ond roedd Daf yn sicr na ragwelodd Rhys Bowen wraig fel hon. Doedd o ddim yn ei haeddu hi, chwaith.

'But you married him.'

'I was part of a business arrangement, like the leasing of the refrigerated lorries. I agreed because I was bored to sobs at home. Now I'm bored to sobs here.'

'I won't take up any more of your time, then.'

Roedd hi'n rhy ddigywilydd i hyd yn oed ffarwelio â fo. Safodd Daf am sawl munud ar y trothwy y tu allan i'r drws mawr, yn meddwl am Rhys Bowen; cog o nunlle yn Nyffryn Tanat efo tŷ crand, gwraig ddel fel pictiwr a gyrfa lewyrchus ond 'run eiliad o gwmni na chysur, ar ben ei hun yng nghanol y moethusrwydd. Ystyriodd eiriau Oscar Wilde: does ond dau fath o drasiedi – cael eich dymuniad, a pheidio â'i gael o.

Dyn ifanc na chafodd erioed ei ddymuniad oedd yn gorwedd yn y gwely uchel mewn ward ochr yn Ysbyty Maelor, ei wyneb mor wyn â'r gynfas. Bob hyn a hyn roedd o'n troi i besychu mewn powlen fach blastig.

'Sut wyt ti, cog?' gofynnodd Daf ar ôl cyflwyno'i hun.

'Go lew, o feddwl 'mod i wedi cysgu dwy noson allan yn y glaw.'

'Dwi'n gwybod pwy wyt ti, lanc, a thipyn o dy hanes di hefyd.'

'Dech chi'n gwneud yn well na fi, felly: sgen i ddim syniad pwy ydw i. Mae gen i hanner cof o bwy *oeddwn* i, flynyddoedd yn ôl, ond nawr, dim clem.'

Roedd chwys ar ei dalcen llwyd a chynigiodd Daf liain iddo.

'Gwres ydi hwn,' dywedodd wrth sychu ei wyneb. 'Nid *comedown*. Dwi ddim wedi cymryd dim byd ers ket Gruff a Margaret.'

'Ti wnaeth ei ddwyn o?'

'Wrth gwrs, a thrimio'r ffycin *ponies* hefyd.'

'Pam?'

'Ti 'di cael go ar yr asid, Mr Heddwas?'

'Dwi'n methu ymdopi efo merched a *carbohydrates*, heb sôn am bleserau mwy cymhleth.'

Yn amlwg roedd yr ateb yn plesio Cai, a gwenodd y llanc.

'Dwi wastad yn cael breuddwyd asid sy dipyn bach fel golygfa o *Lord of the Rings*, neu glawr albwm o'r saith degau – merched mewn ffrogiau hir, blodau gwyllt a mynyddoedd yn y pellter, a dwi'n ceisio dal gafael ar y freuddwyd hyd yn oed pan na alla i gael gafael ar asid. A dech chi'n gwybod pam? Achos os dwi'n meddwl gormod am fy mywyd go iawn, wel, dydi o ddim yn ddymunol. Rhyw bythefnos yn ôl, ro'n i'n gwerthu'r *Big Issue* tu allan i Debenhams yn Wrecsam, yn gobeithio na fyddai neb yn dwyn fy maco na phisio ar fy ngwely yn yr hostel, pan welais, drwy gornel fy llygad, ferch fel un o'r rheini yn y freuddwyd, efo gwallt hir, coch a llygaid mawr, tywyll. Pan ddaeth hi draw i brynu copi o'r *Big Issue* roedd hi'n gwenu, ac am eiliad mi feddyliais nad oedd bywyd go iawn mor ddrwg â hynny. Roedd hi ar fin agor ei phwrs pan ddaeth ei chariad i'r golwg – siaced ledr go ddrud, *dealer boots*, crys chwys efo llun cŵn hela arno a'r slogan 'F**k the ban'. Trodd ei ben i'w rhybuddio hi rhag fy helpu gan y byddwn i'n gwario pob ceiniog ar gyffuriau. Gruff Tanyrallt oedd o.'

'Cyn hynny, pryd welaist ti o ddiwetha?'

'Y diwrnod y gwnaethon nhw fy llusgo i, yn gorfforol, o Ddolfadog. I roi perffaith chwarae teg iddo fo; fo a Dad oedd yr unig rai yno'r bore hwnnw. Ti'n gwybod sut maen nhw'n ei wneud o, Mr Heddwas?'

'Dwi 'di bod efo gweithwyr cymdeithasol gwpwl o weithiau.'

'Mi benderfynais na fysen i'n crio, ond pan welais y car yn dod, ro'n i'n agos i wneud hynny. Gruff oedd yr unig un geisiodd stopio'r peth – mae'n rhaid bod Nans wedi gweithio arno fo. 'Mistêc ydi hyn,' dywedodd. 'Ddylai Cai aros yma.' Dipyn bach yn rhy hwyr yn y ffycin dydd, frawd mawr.'

Roedd saib. Cododd Daf nodiadau Cai o waelod ei wely.

'Dech chi ddim yn cael edrych ar rheina: dim ond ar gyfer y meddygon a'r nyrsys maen nhw.'

'O, dwi'n sobor o rebel,' atebodd Daf. 'A dwi'n gweld o fan hyn eu bod nhw'n bwriadu cael gwared arnat ti yn nes ymlaen heddiw. Be am i ti ddod lawr i'r Trallwng efo fi?'

'Pam?'

'Achos mae gen i lwyth o bethau i'w trafod efo ti. Ble arall ti'n mynd?' Gwgodd Cai. 'Be am i ti fynd at Joe Hogan? Gofyn oes ganddo unrhyw awgrymiadau?' gofynnodd Daf.

'Ydyn nhw'n dal yna, y *Poles*?'

'Ydyn.'

'Pan glywais i am Joe gynta, ro'n i'n meddwl mai un o'r *rheini* oedd o.'

'Un o'r be?'

'Rhai sy'n cam-drin. Llawer iawn o'u hoffeiriaid nhw wrthi, wyddost ti. Mae sawl un yn edrych mor ddiniwed ond be maen nhw wir isie ydi dynion ifanc bregus i chwarae efo nhw. Dim fel'na mae Joe.'

'Sut wnest ti gwrdd â fo?'

'Yn Shrewsbury. Y carchar. Ni oedd yr unig ddau yn y lle i gyd oedd yn siarad Cymraeg yn aml iawn.'

'Wyt ti'n Gatholig?'

'Na. Sgen i ddim llawer o ddiddordeb mewn unrhyw Dduw sy'n ffycio o gwmpas efo pobl ddiniwed. Ond mi glywais gan bobl eraill sy wedi bod yn ddigartref fod llety ar gael gan Joe.'

'Felly, wyt ti'n fodlon dod efo fi rŵan? Allwn ni siarad yn y car, safio lot o amser a *hassle*.'

Nodiodd Cai ei ben.

Cymerodd hanner awr i sortio'r gwaith papur ond pan aeth Daf i gyfarfod Cai, oedd yn sefyll yn y dderbynfa, ei ddillad yn faw i gyd a'i law yn crynu wrth ddal ei fag plastig, dechreuodd Daf deimlo'n amheus. Efallai y byddai Cai yn derbyn gwell gofal yn rhywle oedd ag arbenigwyr i'w helpu, ond wyddai Daf ddim am unrhyw le tebyg yng Nghymru gyfan, heb sôn am fod yn gyfleus i'r Trallwng.

'Be am i ni bicio mewn i'r dre a phrynu dillad i ti, hei, Cai?'

'Sgen i ddim pres.'

'Paid â phoeni am hynny.'

Deng munud yn TK Maxx ac roedd o'n llawer gwell. Gwenodd ar Daf.

'Heb gael dillad hollol newydd ers sbel.'

'Mae siopau elusen yn gallu bod yn *rip-off*, a dwyt ti ddim yn gallu dewis y maint iawn: mae hon yn ffordd gyflymach.'

Yn ôl yn y car, dechreuodd Cai holi:

'Dech chi'n cael prynu dillad i mi, Mr Heddwas?'

'Daf Dafis ydi fy enw i, a sgen i ddim syniad be ydi'r rheolau.'

'Ond be os dech chi ddim yn cael hawlio'r costau'n ôl?'

'Dim ond deg punt ar hugain oedd o.'

Roedd Cai yn dawel am dipyn, ond wrth iddyn nhw yrru heibio'r stadiwm pêl-droed, dechreuodd siarad.

'Pan wyt ti yn y system, mai rhai pobl yn neis. Maen nhw'n mynd i weld ffilm efo ti, maen nhw'n prynu hufen iâ. Ond bob tro, maen nhw'n gofyn am dderbynneb, hyd yn oed am ffycin hufen iâ. Mi sylwais ar y gwahaniaeth pan aethon ni i Ffair Llanerfyl am y tro cynta: rhoddodd Dad bumpunt bob un i ni, dim lol am dderbynneb. Ro'n i'n rhan o'r teulu.' Roedd Cai yn dal i syllu allan drwy'r ffenest.

'Os ydi o'n gysur i ti, mae Phil a Nans yn ysu i dy weld di.'

'Ydyn nhw wir?'

'Ydyn. Ond roeddet ti'n dweud hanes wrtha i, am yr hyn ddigwyddodd pan gwrddest ti â Gruff a Felicity?'

'Dyna'i henw hi, ie? Felicity. Cariad Gruff.'

'Mae eu sefyllfa nhw'n debycach i "mae'n gymhleth", ond ta waeth am hynny.'

'Wnes i geisio anwybyddu'r peth, ond wnaeth o ddim hyd yn oed edrych arna i, a ninne wedi bod fel brodyr. Pan oedden nhw'n cerdded i'r sinema, rhoddodd hi ei llaw ym mhoced gefn ei jîns.' Trodd i wynebu Daf am eiliad. 'Dwi ddim yn hoyw ond ers tair blynedd dim ond efo dynion dwi 'di bod, a dech chi'n gwybod pam? Achos dydi merched ddim yn codi dynion ifanc o'r palmant, yn eu bwydo nhw efo cyffuriau a gwneud be fynnen nhw iddyn nhw – ddim ffordd yma, beth bynnag. Mi weles i hi, Felicity, a pha mor rhwydd oedd popeth i Gruff, ac mi ddechreuais gofio.'

'Druan ohonot ti, lanc.'

'Na, mae wedi gwneud lles. Chwilio am atgof o'n i.'

Roedd ei fysedd tenau'n aflonydd ac roedd Daf yn ddigon profiadol i weld beth oedd o angen.

'Ti isie ffag?'

'Ydw i'n cael smygu yn dy gar di?'

'Dim ots gen i.'

'Mi welais sedd babi yn y cefn.'

'Dydi'r babi ddim ynddi hi, cog: paid â phoeni.'

Ochneidiodd Cai.

'Dech chi'n gwybod be? Heblaw am y ffycin *predators*, y peth gwaetha am fyw ar y strydoedd ydi'r nifer o ffycars sy'n gwybod yn union be ti'n wneud yn rong. Un diwrnod, dwi'n mynd i roi'r gorau i'r ffags, bwyta pump o ffrwythau a llysiau bob diwrnod, awr o ymarfer corff, bob ffycin dim. *Safe sex*, y cyfan. Ond alla i ddim sortio popeth dros nos, dech chi'n deall?'

'Dwi'n deall yn iawn. O leia ti wedi cael gwared â'r H.'

'Do. Ond mi ddwedodd o, Graham Parr, fod yn rhaid i mi geisio rhoi trefn ar y pethau yn fy mhen. Mae o'n iawn.'

'Felly wyt ti wedi penderfynu wynebu pethau?'

Taniodd Cai rôli fach denau.

'Do, Mr Dafis, oherwydd Taid. Mi wnes i addo iddo fo, beth bynnag ddigwyddai, y byddwn i'n dod drwyddi. Dwi'n mynd i oroesi, rywsut neu'i gilydd.'

'Wrth gwrs dy fod di. Mi wn i dy fod di wedi gwneud pethau dwl, ond mae gen ti sawl ffrind hefyd, Cai, pobl sy'n mynd i dy helpu di i sicrhau bywyd gwell i ti di hun.'

'Dwi'n mynd yn ôl i mewn beth bynnag.'

'Bosib. Ond os wyt ti'n fodlon rhannu'r gwir efo fi, mi allwn ni gydweithio i ... wel, i adfer dy fywyd di.'

'Y gwir? Dyna syniad braf, ond be ddiawl ydi'r gwir?'

'Wyt ti isie rwbeth o Starbucks tra den ni'n mynd heibio?'

'Well i mi beidio, rhag ofn i mi sbwylio 'nghinio,' meddai'n wawdlyd.

Cofiodd Daf am ei bryd o fwyd helaeth y noson cynt, a'r awyrgylch deuluol braf.

'Gei di bizza, kebab, tships, beth bynnag ti'n ei ffansïo, i ginio.'

'Dech chi'n gwneud i sesiwn holi yng ngorsaf yr heddlu swnio'n ddeniadol iawn, chwarae teg.'

'Nôl i'r stori 'ta. Ar ôl gweld Gruff ...?'

'Mi geisiais anghofio amdano ond ... wel, ro'n i'n cysgu yn y gysgodfan smygu tu allan i westy. Ges i gynnig llety a phryd o fwyd gan ddyn o gwmpas ei hanner cant. Roedd ei dŷ'n llawn lluniau o'i wraig a'i blant yn y coleg. Bastard budr. Pan aeth o i gysgu, o'r diwedd, es i i stafell gysurus ei fab ac mi gymerais dipyn o stwff: jîns, hwdi, y treiners yma ac, yn well na dim, hwn.'

Tynnodd grys T o'i fag i'w ddangos i Daf, wedi'i lapio'n ofalus mewn bag plastig trwchus. Oherwydd ei fod o'n gyrru, dim ond cip arno gafodd Daf ond teimlodd ias i lawr ei asgwrn cefn pan welodd beth oedd ar y blaen. Nid logo Nike neu Jack Wills, ond llun clawr llyfr o ganol y ganrif ddiwethaf, yn dangos ffermdy mawr efo cryman o'i gwmpas.

'Roedd Mrs Evans wastad yn dweud bod yn rhaid i ni siarad Cymraeg o safon, achos ein bod ni wedi etifeddu traddodiad Lleifior.'

'A gest ti'r crys o'r un tŷ?'

Chwarddodd Cai yn sur.

''Sen i wrth fy modd bod yn bry ar y wal pan fydd y tad parchus yn esbonio i'w deulu bod eu heiddo wedi cael ei ddwyn gan *rent boy* bach slei.'

Nid oedd rheswm am y llanw o dristwch a lanwodd calon Daf, ond addawodd iddo'i hun y byddai'n gwneud ei orau i'r dyn ifanc.

'Y bore wedyn, penderfynais fynd am dro yn y treiners newydd, lawr i Ddolfadog, i ofyn iddyn nhw oedden nhw'n deall yn union be oedden nhw wedi'i wneud i mi. Hithe yn enwedig.'

'Pryd wnest ti gyrraedd y Trallwng?'

'Mi gerddais yr holl ffordd. Fydda i ddim yn cael llawer o lwc efo liffts, am y rheswm syml 'mod i'n edrych yn union be ydw i, sef drygi wedi bod i mewn ac allan o garchar gydol ei oes. Doedd neb isie cynnig lifft i rywun fel fi, heblaw rhai sy isie rwbeth gen i – fy nghorff, gan amlaf. Felly mi gyrhaeddais y dre bnawn dydd Llun, jyst ar ôl amser cinio. Mi eisteddais am chydig, yn edrych ar y lorris a'r Landys yn dod allan o'r Smithfield, yn cofio Dad yn mynd â fi yno. Wedyn, es i i chwilio am rwbeth i'w fwyta.'

'Faint o bres oedd gen ti, lanc?'

'Dech chi ddim yn deall, Mr Heddwas. Os dech chi'n byw fel dwi'n byw, bob tro dech chi'n cysgu, mae pobl yn union fel chi yn dwyn popeth sy ganddoch chi. Does dim pwynt gweithio i ennill ugain punt os na allwch chi ei wario fo'n syth bìn. A dydd Llun, doedd dim ceiniog gen i.'

'Be am y banc bwyd?'

'Dydd Mawrth a dydd Gwener mae o ar agor. Steddais tu allan i Neuadd y Dre efo fy chwiban fach. Mae gen i radd pedwar ar y piano, ond dech chi ddim yn gallu tynnu piano o'ch poced a chwarae dipyn o Ravel i'r cyhoedd. Roedd Mrs Evans wastad yn dweud mai fi oedd y gorau ar y piano, gwell na Nansi, hyd yn oed.'

Bu Cai yn byseddu'r crys T wrth siarad, cyn ei blygu a'i roi yn ôl yn ei fag.

'Oes ganddoch chi frawd neu chwaer, Mr Dafis?'

'Na. Ar ôl gweld ffasiwn greadur roedden nhw wedi'i greu, rhoddodd Mam a Dad y ffidil yn y to, rhag ofn iddyn nhw gael rwbeth gwaeth.'

Cafodd Daf yr argraff fod Cai yn mwynhau'r sgwrs ysgafn, bron fel petai'n chwilio am unrhyw esgus i chwerthin.

'Na finne chwaith, cyn cyrraedd Dolfadog. Sôn am sioc i'r system. Dwi'n cofio mynd yn wallgo y tro cynta i mi weld Gruff yn gwisgo fy slipers, ond pan o'n i'n cael tipyn o drafferth yn yr ysgol, daeth Jac heibio a bygwth rhoi clec i rywun oedd yn fy mwlio i. Ymhen sbel, ro'n i'n hoffi'r peth. Lle prysur oedd Dolfadog, wastad lot o fynd a dod, wastad rhywun i rannu sgwrs efo fi – sgwrsio bob dydd yn hytrach na sgyrsiau dwfn y blydi *social workers*. "Wyt ti'n deall pam na chei di aros efo dy fam, Kyle?" Am ffycin cwestiwn dwl! Achos ei bod hi'n *smackhead*, dyna pam. Yn Nolfadog, roedd lot o fân-siarad: "Ffordd wyt ti, cog?" a neb yn disgwyl mwy na "Go lew, diolch" yn ôl, a falle rhyw air am y tywydd. Ro'n i'n licio hynny'n fawr iawn. Jyst rwtsh bach bob dydd.'

'Dwi'n deall. Ond, sbia, den ni wedi cyrraedd Four Crosses yn barod – 'nôl at hanes dydd Llun, plis?'

'Duwcs, mae pobl Trallwng yn dynn. Ches i 'mond tair punt drwy'r pnawn efo'r chwiban.'

'Welest ti ddim heddwas?' gofynnodd Daf, gan feddwl am eu strategaeth aml-asiantaeth ar gyfer pobl ddigartref.

'Na, ddim tan ddiwedd y dydd pan ddaeth dyn allan o dafarn yng nghanol y dre i ddweud wrtha i am hel fy mhac. Sais rhonc oedd o, ond do'n i ddim isie ffrae – ro'n i wedi ennill digon i brynu tships, beth bynnag.'

'Ac wedyn?'

'Es i i'r llyfrgell gynta, achos mae'r siop tships ar agor ar ôl i'r llyfrgell gau. Ro'n i'n darllen y *County Times* ac mi ddarllenais fod Mrs Breeze-Evans yn sefyll yn etholiadau'r Cynulliad. Roedd llun ohoni tu allan i'w swyddfa yn derbyn rhyw ddeiseb, â golwg brysur ar ei hwyneb hyll. Duw, roedd Dad yn haeddu gwell.'

Roedd Daf yn falch iawn o glywed llais y dyn ifanc yn meddalu pan oedd o'n trafod Phil: potensial am gymod, efallai? Teimlai Daf ei fod yn symbolaidd hefyd fod Cai yn galw Phil yn 'Dad', ond mai 'Mrs Breeze-Evans' oedd Heulwen iddo, yn union fel Gruff.

'Wedyn, darllenais y papurau eraill nes i'r llyfrgell gau. Cha i ddim defnyddio'r cyfrifiaduron gan nad oes gen i gerdyn aelodaeth. Alla i ddim cael cerdyn achos does dim cyfeiriad gen i, a dwi'n methu chwilio am gymorth i ffeindio lle i aros heb ddefnyddio'r cyfrifiaduron. Cylch bach perffaith.'

'Mae'n rhaid gwneud rhwbeth ynglŷn â hynny. Mi siarada i efo Joe, a'r Cyngor Sir.'

'Ond cofiwch, nid cyfrifoldeb Cyngor Sir Powys ydw i: dwi ddim yn ddyn lleol.'

'Nefi bliw, gest ti di dy fagu yn Nyffryn Banw, lanc! Allwn ni wneud rhwbeth, mae'n rhaid.'

'Dim eich cyfrifoldeb chi ydi hynny – chi sy'n fy arestio i, wedyn dwi'n mynd i'r carchar, wedyn dwi'n dod allan a throseddu eto a ...'

'Cym on, cog, den ni'n gallu gwneud yn well na hynny. Sortiwn ni rwbeth.'

Trodd Cai ei ben er mwyn i Daf gael gweld yr olwg sinigaidd yn ei lygaid.

'Beth bynnag. Ar ôl y tships, ro'n i ar fy ffordd i Tesco i brynu chydig o siocled. A cyn i chi ddechrau, dwi'n gwybod nad ydi siocled yn dda i mi, ac y dylwn i fod wedi dewis ffrwyth, ond ...'

'Dwi ddim yn bwriadu pregethu am dy ddeiet di, cog. Dwi ddim yn gymwys i roi cyngor felly i neb.'

'Ond ar y ffordd yno, mi welis i hi eto, y ferch gwallt coch, yn mynd i gael pryd o fwyd efo Gruff. Dech chi wedi eu gweld nhw efo'i gilydd?'

'Naddo.'

'Mae braidd yn od – mae fel petaen nhw'n ffrindiau, ond bob hyn a hyn mae'n amlwg eu bod nhw'n shagio.'

Gwenodd Daf.

'Ac maen nhw wedi fy ngwylltio i, Mr Dafis, efo ... wel, efo'r dyfodol sy ganddyn nhw. Y briodas, y babis bach, y Section A gynta i'r ferch a bob ffycin dim. A bydd Margaret yn gwarchod iddyn nhw os fyddan nhw isie mynd i'r ffycin Hunt Ball a chinio'r Severn Valley Pony and Cob Society, efo Gruff yn ei ddici-bô a hithe yn ei ffrog hir. Roedd Margaret wedi rhoi cynnig i mi fynd i Danyrallt – oeddech chi'n gwybod hynny? Ond mi gafodd ei gwrthod, am dri rheswm. Dynes sengl oedd hi, roedd hi'n byw yn rhy agos at Nansi a, coeliwch neu beidio, roedd hi'n smygu! Fel petai chydig o fwg ail law yn gwneud mwy o ddrwg i mi na chael fy ngham-drin yn Nerwenlas.'

Wnaeth Daf ddim mentro geiriau o gydymdeimlad bas.

'Gyda llaw, be wyt ti am i mi dy alw di: Cai ta Kyle?' gofynnodd i'r llanc.

'Cai. Mae'r enw, fel yr iaith Gymraeg, yn blanced gysur i mi.'

'Hyd yn oed ar ôl yr hyn ddigwyddodd yn y tŷ lle gest ti'r treiners?'

'Ie. Cymro Cymraeg oedd Taid, dech chi'n gwybod, o'r Rhos. Beth bynnag, ar ôl eu gweld nhw'n bwyta'u tapas neis, yr unig beth ro'n i isie oedd anghofio. Gwelais gar yn y maes parcio efo arwydd Vet on Call yn y ffenest. Doedd o ddim ar glo, a'r bag yn y cefn. Lapiais y bag mewn chydig o blastig rhag ofn i mi dynnu sylw ataf fy hun – dyn digartref efo bag smart – ac es i fyny i barc y castell i'w agor o. Wedyn, bingo. Tair potel o ket.'

'Wyt ti'n gwybod bod Felicity mewn trwbwl mawr ar ôl gadael ei char ar agor efo cyffuriau cyfyngedig ynddo fo?'

'Felicity?'

'Ei char hi oedd o. Milfeddyg ydi hi.'

'Handi, i ddyn sy'n meddwl cymaint o'i geffylau, i garu efo fet. Dwi'n siŵr y gall Gruff ddod o hyd i ryw ffordd o roi cysur iddi hi.'

'Be wnest ti efo'r ket?'

'Ges i andros o syniad da. Mynd i weld Mrs Breeze-Evans, yn ei swyddfa a ...'

'A be, Cai?'

'Dech chi erioed wedi bod yn y twll K? Mae'n gallu bod yn brofiad go ryfedd. Tydi o ddim yn digwydd bob tro ond pan dech chi yno, dech chi'n gallu gweld a chlywed popeth, jyst methu symud. A ges i brên wêf. Oeddech chi'n nabod Mrs Breeze-Evans o gwbwl?'

'Ddim yn dda.'

'Doedd hi byth yn gwrando ar neb. Bob tro ro'n i'n ceisio esbonio unrhyw beth wrthi, roedd hi'n cerdded i ffwrdd. Pethau pwysicach i wneud. Felly, os fyse hi yn y twll K, mi fyse gen i gyfle i ddweud fy marn, fy hanes, am unwaith yn fy mywyd. Dwi'n gwybod bod y cyfan yn swnio'n hollol boncyrs i chi, Mr Dafis.'

'Dwi'n deall y rhesymeg yn iawn, er ei fod o'n beth gwirion i'w wneud. Mae llawer ohonon ni'n cael y ffasiwn syniadau, ond does neb yn eu gweithredu nhw.'

'Dech chi'n gwybod faint o weithiau mae pobl wedi gweithredu eu ffantasïau arna i, Mr Dafis? Nid pethau erotig, ond eu breuddwydion am greulondeb a phoen? Hen bryd i mi geisio gwneud rhwbeth i rywun arall, am unwaith. Felly, es i draw i'r swyddfa. Mi ges i air efo rhyw ferch, ddywedodd wrtha i fod Mrs Breeze-Evans yn brysur, bod rhywun efo hi. Mi arhosais am dipyn, a chlywais sŵn ffrae o'r cefn ac ro'n i bron yn bendant i mi glywed slap. Wedyn, martsiodd dynes allan.'

'Welest ti'r ddynes?'

'Drwy ddrws y stafell aros. Tri degau, falle, go smart.'

'Fyset ti'n ei nabod hi eto?'

'Dwi'n meddwl, ond dim ond am eiliad welais i hi.'

'Ocê. Rŵan, Cai, dwi jyst isie dweud wrthat ti nad cyfweliad ffurfiol ydi hwn, ti'n deall? Mae gen i deimlad dy fod di ar fin dweud pethau sy ynghlwm â throsedd ddifrifol. Dwi ddim isie gosod unrhyw fath o drap i ti, ti'n deall?'

'Dwi ddim yn *newby*, Mr Dafis. Dwi 'di bod mewn ac allan o'r carchar am ddegawd.'

'Ond does neb efo ti, a ...'

'Bob tro dwi wedi cael fy erlyn, mae popeth wedi cael ei wneud *by the book*, a dwi erioed wedi elwa dim o hynny. Hyd yn hyn, dech chi wedi rhoi gwrandawiad teg i mi, ac o leia mae'n neis ac yn gynnes yma yn eich car chi.'

'Ocê. Felly dim ond sgwrs anffurfiol ydi hon, iawn?'

'Iawn. Daeth y ferch o'r swyddfa, yr ysgrifenyddes neu beth bynnag oedd hi, i mewn a dywedodd Mrs Breeze-Evans ei bod hi'n rhy brysur i siarad efo neb, felly danfonais fy enw i mewn. Yn amlwg, cododd hyn fraw arni achos yr eiliad nesa, ges i wahoddiad braf i ddod i mewn am baned.'

'A sut oedd hi efo ti?'

'I ddechrau, neis iawn, fel roedd hi'n gallu bod, ond roedd hi'n dweud, dro ar ôl tro: "Does dim cysylltiad rhwng fy nheulu i a tithe".' Ro'n i wedi gobeithio y byse hi'n sidro fy "achub" i unwaith eto, a gwneud stori o'r peth fel o'r blaen, ar gyfer y lecsiwn. Ond doedd hi ddim yn fodlon gwrando arna i. Pan symudodd yn ei chadair, fel petai hi'n mynd i sefyll, mi ddaliais ei llaw, ei throi drosodd, wedyn pigyn yn syth i mewn.'

Chwythodd Cai ei wynt o'i wefus fel mae pobl yn ei wneud wrth gofio darn o waith crefftus.

'Roedd hi'n glasur! Syth 'nôl i'r gadair, ceg ar agor, llygaid yn syllu. Wedyn, ges i hwyl yn dweud y cyfan wrthi. Ar ôl hanner awr roedd fy ngheg yn sych braidd – mae'n dipyn o gamp siarad am amser mor hir heb ddiod. Wrth gwrs, doedd hi ddim yn gallu dangos ei bod hi'n deall, ond mi welais yng nghannwyll ei llygaid ei bod hi'n clywed pob gair. Roedd Graham Parr yn iawn – ges i gymaint o ryddhad, fel tase'r geiriau wedi lladd ryw chydig o'r hen boen. Pan es i i nôl diod roedd y ddynes yn y ffrynt wedi mynd, ond mi welais rywun wrth y drws, drwy'r ffenest fawr.'

'Welest ti wyneb y person?'

'Na, dim ond cefn ei ben. Dyn mawr oedd o, yn dal ac yn drwm.'

Ceisiodd Daf guddio ei ddiddordeb.

'Be wnest ti wedyn, lanc?'

'Un peth dwi wedi dysgu ei wneud dros y blynyddoedd: dwi wastad yn tshecio bod ffordd allan. Mi sylwais fod 'na ddrws cefn ac mi es allan yn go handi.'

Cofiodd Daf pa mor anodd fu hi i symud y bollt.

'Allan drwy'r drws cefn, wedyn be?'

'Roedd bollt y ddôr yn sownd felly dringais y wal a ffwrdd â fi.'

'Welodd rhywun ti?'

'Na. Ro'n i'n bwriadu mynd yn ôl i barc y castell, ffeindio rhywle i gysgu, felly es i fyny drwy'r maes parcio a drwy gornel stad Oldford.'

'Welest ti neb?'

'Rhyw hen ddyn sy'n gweithio i'r cyngor, mewn côt *hi vis* yn y lôn tu ôl i'r swyddfa. Neb arall. Ro'n i'n dechrau teimlo'n oer, ac roedd y *buzz* yn dechrau diflannu, wedyn mi ges i syniad. Es i yn ôl i'r swyddfa ac aros am dipyn tu ôl i'r drws cefn: roedd y lle yn berffaith dawel. Yn rhyfedd, roedd arogl mwg dros y lle, fel petai rhywun wedi ceisio tanio barbeciw, ond welais i ddim fflam, ac yn bendant, doedd dim gwres yno. Ro'n i'n cofio bod ei goriadau ar y ddesg felly codais nhw o flaen ei llygaid, a hithau'n gallu gwneud dim byd. Ro'n i'n flin efo fy hun am beidio mynd â'i bag hefyd. Mi ffeindiais ei char yn hawdd. Roedd y tanc yn dri chwarter llawn felly es i am sbin hyfryd i ochr Llyn Llanwddyn, yn cadw draw o'r ffordd fawr achos yr heddlu. Byddai'r dyn mawr, pwy bynnag oedd o, yn sicr wedi galw'r ambiwlans a'r heddlu, felly mi fysen nhw'n chwilio am y car. Ac wrth gwrs does gen i ddim leisens – mi wnaeth Dad fy nysgu sut i yrru ar y ffarm ond ches i erioed wersi. Gyrrais yn ôl drwy Lanfyllin, Pentrebeirdd, Red Bank i'r Trallwng, ac wrth fynd yn ôl mi welais fwg yn codi. Gyrrais i lawr heibio Tesco a throi at yr orsaf ond roedd y ffordd ar gau. Mi ddywedodd rhywun fod swyddfa ar dân, swyddfa Plaid Cymru. Sylweddolais fod yn rhaid i mi gael gwared â'r car.'

'Be am y poteli ket?'

'Adewais i un yn swyddfa Mrs Evans yn fwriadol, er mwyn i bobl feddwl mai *K head* oedd hi. Pan o'n i fyny ger Llyn Llanwddyn, rhoddais gynnwys y poteli eraill yn fy mhotel *stash*.'

Y poteli gwag ffeindiodd Nev yn y car, meddyliodd Daf.

'A be ddigwyddodd i'r hylif wedyn?'

'Ar ôl cael gwared â'r car, mi gerddais gwpwl o filltiroedd a chuddio dros nos mewn sgubor ger Pool Quay. Ro'n i angen dipyn o foddion cysgu.'

'Be oeddet ti'n feddwl pan glywaist ti fod Heulwen wedi marw?'

'Dwi ddim yn prowd iawn ohonof fy hun, Mr Dafis. Dwi ddim wedi byw'r math o fywyd mae dyn yn ymfalchïo ynddo. Dwi'n nabod fy hun rhy dda i smalio y bysen i'n gallu lladd rhywun – dwi'n ormod o gachgi.'

Erbyn hyn, roedden nhw wedi cyrraedd y Trallwng.

'Rhaid i ti fod yn hollol glir ynglŷn â hyn, Cai – roddest ti'r ket i Heulwen i roi high iddi hi, nid i'w lladd hi?'

'Mr Dafis, dwi'n gwybod ble dech chi'n mynd efo hyn. Actus reus not facit reum nisi mens sit rea.'

'I'r dim,' atebodd Daf, a ddeallodd eiriau olaf y frawddeg Ladin: nid yw trosedd yn drosedd heb fwriad. Cofiodd Nans yn sôn am uchelgais Cai i fod yn gyfreithiwr.

Wrth gyrraedd gorsaf yr heddlu sylwodd Daf ar newid corfforol yn Cai, fel petai o'n tynhau ei gyhyrau i gyd yn barod am yr helynt oedd o'i flaen.

'Paid â phoeni, cog. Beth bynnag ti'n feddwl, fy nghastell bach i ydi'r lle yma, a does dim byd drwg yn mynd i ddigwydd i ti. Awn ni i archebu pryd o fwyd a gorffen ein sgwrs dros y bwrdd, ie?'

'Ocê.' Ar ôl saib o hanner munud, gofynnodd: 'Be ydi eich ongl chi, Mr Dafis? Pan mae pobl yn neis efo fi, mae 'na wastad reswm. Fel arfer, maen nhw ar ôl rwbeth, fel dyn tŷ'r treiners; neu, fel Joe, maen nhw'n meddwl bod y Baban Iesu'n llefain bob tro mae dyn fel fi'n cymryd cyffuriau. Mae pobl broffesiynol yn meddwl amdana i fel ffordd hawdd o wella'u hystadegau – 'sen i'n cyfaddef i bob trosedd sy wedi cael ei chofnodi yn yr ardal ers blwyddyn, byddai eu *clear-up rate* yn mynd drwy'r to. Ond dwi ddim yn eich deall chi o gwbwl. Be dech chi isie?'

Am gwestiwn! Meddyliodd Daf am eiliad cyn ateb.

'Cyfiawnder, dwi'n tybio. Dipyn o drefn a chwarae teg i bawb.'

Ni ddywedodd Cai air wrth adael y car. Agorodd Daf ddrws

yr orsaf a gwelodd, yn eistedd ar y fainc, yr unig ddyn fu'n arwr iddo ers pan oedd o'r un oed â Rhodri. Gwynlyn Huws, bardd, gwleidydd, actor, dyn egwyddorol. Dipyn o bopeth, ond andros o Gymro. Erbyn hyn, roedd o wedi hanner ymddeol, ond yn dal i gyflawni mwy mewn wythnos nag y gallai dynion eraill ei wneud mewn mis. Gydol ei oes roedd Daf wedi ysu i gwrdd â fo, i drafod dyfodol Cymru a sut i danio pobl ifanc i garu eu diwylliant eu hunain yn lle rwtsh Americanaidd. Roedd o'n ddyn golygus er ei fod dros ei saith deg, efo mwng o wallt gwyn a'r math o broffil y byddai rhywun yn ei weld ar gerflun neu ddarn o arian. Wrth ei ochr ar y fainc roedd dynes o'r un oed â fo, ond gwyddai Daf nad ei wraig oedd hi gan fod honno'n awdur plant adnabyddus. Cododd Huws ac estynnodd ei law i Daf.

'Arolygydd Dafis. Rydan ni'n gwybod pa mor brysur ydach chi, yng nghanol yr holl drafferth, ond fyddai'n bosib i ni gael sgwrs? Mae Dr Elizabeth Wilkes yma efo fi; mam Janet Cilgwyn.'

Roedd Daf mewn penbleth. Roedd Mr Huws yn ddyn prysur, adnabyddus; dyn sy'n haeddu pob parch. Ond eto, doedd Cai ddim wedi gorffen ei stori eto, ac roedd Daf wedi addo rhannu cinio efo fo. Roedd yn rhaid iddo fod yn anghwrtais ag un ohonyn nhw, a doedd o ddim eisiau colli ymddiriedaeth y bachgen ifanc â marciau trac ar ei freichiau. Ochneidiodd yn isel wrth ddatgelu ei benderfyniad.

'Mae'n fraint cwrdd â chi, syr, yn wir. And you too, Dr Wilkes.'

Teimlodd lygaid Cai yn syllu arno.

'Ond yn anffodus, dwi ddim yn rhydd am dipyn – rhyw awr, falle? Mae'n ddrwg iawn gen i am fod mor ddigywilydd ond ...'

'Ni sy'n ddigywilydd,' mynnodd Gwynlyn Huws, 'yn dod yma'n ddirybudd, ond rydyn ni wir angen siarad efo chi, Arolygydd Dafis. Be am i ni fynd am ginio a dod yn ôl wedyn?'

'Dwi'n ddiolchgar iawn i chi, syr.'

Pan gaeodd y drws ar ôl yr hen ŵr urddasol, roedd Daf yn

teimlo'n rhwystredig, ond meddyliodd am un o ddywediadau ei Nain Siop: 'Os wyt ti'n methu osgoi rhoi loes i rywun, rho'r loes i'r un sy'n gallu diodde ore.' Roedd o'n sicr y gallai ysgwyddau llydan Gwynlyn Huws gario'r siom yn well na Cai.

'Ty'd, cog. Be ti'n ffansïo i ginio?'

Dros ei kebab, gorffennodd Cai ei stori. Roedd o wedi cerdded yn ei ôl i'r Trallwng a threulio'r dydd Mawrth cyfan yn y llyfrgell. Gwelodd ragolygon y tywydd yn y papur a phenderfynodd fynd i ofyn i Joe am lety. Treuliodd noson gysurus yno, ond wrth glywed cymaint o sôn am yr ymchwiliad a'r hyn ddigwyddodd i Heulwen, penderfynodd adael yn y bore. Rhannodd sawl sylw diddorol efo Daf am ei gymdeithion yn nhŷ'r offeiriad.

'Ro'n i wedi hanner poeni am Joe, achos bod cymaint ohonyn nhw'n *nonces* ond mi weles i'r gwir nos Fawrth. Mae o'n ei charu hi, y Bwyles, ond dydi hi ddim yn ei weld o fel dyn o gwbwl, dim ond offeiriad.'

'Well i ti ddod i arfer efo'r ffaith fod Basia yn caru dy dad, Phil Dolfadog.'

Chwibanodd Cai.

'Mae'n reit handi fod Mrs Breeze-Evans wedi mynd felly, yn tydi? Achos petai 'na ysgariad, mi fyddai ei phres hi'n mynd allan o'r ffarm a fyddai Jac byth yn caniatáu hynny.'

Ongl newydd ar y sefyllfa. Waeth beth oedd Cai wedi'i wneud i'w gorff dros y ddegawd ddiwetha, roedd ei feddwl yn dal yn finiog. Gorffennodd yr hanes: ar ôl gadael Joe, roedd o'n ysu i fynd i Ddolfadog felly cerddodd o'r Trallwng i Lanfair Caereinion. Ar ôl prynu brechdan efo'r ddeg punt roddodd Joe iddo, cerddodd i gyfeiriad Dolfadog. Doedd ganddo ddim syniad beth oedd ei fwriad wrth fynd yno, ond o sylwi ar y wên ar ei wyneb wrth drafod y lle, byddai jyst bod yno yn ddigon, barnai Daf.

'Dydi Jac erioed wedi gwneud dim byd drwg i mi, heblaw bod yn ormod o frawd mawr weithie. Es i i'r goedwig fach, lle adeiladon ni den ryw dro, Gruff, Nans a finne. O fanno, dech chi'n gallu gweld y rhan fwya o'r ffarm, a Tanyrallt hefyd. Roedd hi'n braf yna, yn eistedd yn y cysgod, yn gwylio'r mynd a dod. Mi glywais Margaret, o bell, yn galw ar Gruff i mewn am baned ac, yn nes, glec morthwyl Jac oedd yn trwsio'r ffens rhwng Dolfelyn a'r Ffald. Ro'n i'n eistedd yno drwy'r dydd, yn hanner meddwl am gysgodi yn y gafell dros nos – dwi 'di cysgu mewn llefydd gwaeth sawl tro.'

Ond, yn y llwydolau, roedd yr atgofion a'r pryderon yn berwi yn ei ben ac roedd o angen anghofio. Tybiodd y byddai ket yn Nhanyrallt, ac arhosodd nes iddi dywyllu'n gyfan gwbl cyn cerdded i fyny'r lôn gyfarwydd. Roedd y buarth yn dawel a drws y tacrŵm ar agor.

'Doedd dim clo clap?'

'Roedd clo clap yno, ond doedd o ddim wedi'i gau.'

Cofiodd Daf y clo clap oedd wedi'i dorri – smalio cadw'r ket yn ddiogel oedd Margaret a Gruff felly. Tueddai i gredu fersiwn Cai o'r stori.

Cymerodd y botel gynta o ket ar ei ffordd yn ôl i lawr y lôn. Roedd hi'n dechrau bwrw glaw mân a chwiliodd am gysgod yn y sied wrth ymyl y cae lle gwelodd y Section As.

'Meddyliais eto am Gruff, ac am y gofal roedd y ceffylau yn ei dderbyn. Doedd o ddim yn deg. Roedd penffrwyn yn hongian ar hoelen yn y sied – mi ddaliais i nhw fesul un, a thorri eu gwalltiau nhw efo fy nghyllell fach.'

'Wnaethon nhw ddim gweryru'n uchel?'

'Nes i ddim eu brifo nhw, jyst isie ... wel, roedd o'n teimlo fel petawn i'n poeri yng nghwrw Gruff.'

'Be am Margaret? Doedd hi ddim wedi dy frifo di, a'i cheffylau hi ydyn nhw – hi sy wedi'u bridio nhw.'

'O, dwi'n gwybod hynny, ond tydi pethau ddim wastad yn glir yn fy mhen, i fod yn onest, Mr Dafis. Y delweddau, maen nhw'n cymysgu fel lluniau sialc ar balmant yn y glaw. Mi welais i ddwylo Gruff, ei fysedd hir, cryf, yn anwesu gwallt y ferch, y Felicity 'na, yn cael pleser drwy ei berchnogaeth ohoni.

Wedyn ... wel, roedd mwng y blydi *ponies* mor braf, a fo sy biau nhw 'fyd. Bwriadu ... na, celwydd ydi hynny. Wnes i ddim *bwriadu* gwneud dim byd, ond brifo Gruff. Achos fo ddywedodd wrth Mrs Breeze-Evans am be oedd yn ... wel, am Nansi a finne.'

'A be yn union oedd dy berthynas di efo Nansi, Cai?'

'Chwarae oedden ni. Roedden ni'n ffrindiau, y tri ohonon ni, ond yn sydyn reit, roedd Gruff yn ein gadael ni ar ôl, yn brysur efo'r ceffylau o hyd. Tan hynny, roedden ni, Gruff a finne, yn rhannu llofft ac yn gyrru 'mlaen yn iawn, ond ges i hen ddigon o'i straeon am ei lwyddiant, yn enwedig efo merched. Symudodd o i gysgu yn atig bach yr hen dŷ, yn nes i'r drws cefn iddo fo allu mynd a dod heb i neb sylwi. Roedd Nansi a finne'n trafod ei straeon, yn ceisio dyfalu be oedd yn wir a be oedd yn frolio, ac roedd hi, yn enwedig, yn llawn cenfigen. Roedden ni i gyd yn gwybod hanes Dad – ei fod o wastad yn trefnu rhyw shag bach cyfleus yn rhywle.'

'Oeddet ti'n caru Nansi?'

'Plant oedden ni, Mr Dafis. Roedd y peth yn debycach i gêm o doctors a nyrsys na Romeo a Juliet. Oeddwn, ro'n i'n ei charu, ond fel chwaer. Ond chwaer sy ddim yn chwaer chwaith. Roedden ni'n agos cyn ... y busnes corfforol ac yn agosach byth wedyn, ond doedd dim rhamant rhyngddon ni. Rhannu pleser oedd o, fel petaen ni wedi penderfynu mynd i'r *gym* efo'n gilydd.'

'A phwy ddechreuodd y berthynas?'

'Hithe. Roedd hi'n hoff iawn o drafod Gruff, ac roedd hyd yn oed cog ifanc fel fi yn gallu gweld ei diddordeb. Isie dangos iddo fo, rywsut, nad merch fach ddiniwed oedd hi, er nad oedd ganddo syniad be oedd yn digwydd. Roedd y gyfrinach ei hun yn rhoi pleser iddi.'

'Ac i ti, Cai?'

'Mae wastad rwbeth braf am eich profiad cynta, Mr Dafis.'

Atgoffwyd Daf o'r noson gynnes un mis Medi, pan oedd o'n ddwy ar bymtheg a Falmai newydd ddechrau yn y chweched dosbarth, pan swatiodd y ddau yn nhas wair ei thad efo blanced a thortsh a photel o win roedd Daf wedi ei dwyn o'r siop. Serch y diffyg gwybodaeth, yr ofn a sawl draenen yn y gwair, cafodd y ddau brofiad bythgofiadwy; rhywbeth mwy na jyst gweithred rywiol. Cariad oedd o, a osododd sylfaen i briodas a theulu, ac wrth feddwl am ymosodiad Nansi ar ei mam, nid oedd Daf yn fodlon derbyn mai dim ond hwyl fu rhwng Cai a Nansi.

'Gest ti amser caled ar ôl mynd o Ddolfadog, dwi'n deall.'

'Does dim rhaid i chi ofyn am yr hanes. Mae'r cyfan yn y ffeil.'

'Wnest ti ddweud dipyn o'r stori wrth Nansi?'

'Dim ond dwywaith lwyddais i i siarad efo hi. Roedden nhw i gyd yn fy nisgrifio fi fel troseddwr, felly do'n i ddim yn cael siarad efo hi – ond roedd yn rhaid i mi gael disgrifio iddi hi be yn union oedd bod yn ddioddefwr go iawn.'

'Wyt ti'n gwybod ei bod hi wedi ymosod ar ei mam wedyn? Ceisio torri ei chorn gwddw.'

'Chwarae teg iddi hi.'

'Peth peryglus i'w ddweud, ar ôl cyfadde dy fod di wedi rhoi ket i Mrs Breeze-Evans.'

'Nid fi laddodd hi. Ond dwi'n falch iawn ei bod hi wedi mynd.'

Welodd Daf ddim celwydd yn ei lygaid, ac roedd o wedi cyfaddef i sawl trosedd.

'Be wnawn ni efo ti, Cai?'

'Wel, wnei di ddim fy rhyddhau i ar fechnïaeth.'

'Pam lai?'

'Does neb wedi gwneud o'r blaen.'

'Lle allet ti fynd, ar fechnïaeth? Rhaid cael cyfeiriad penodol, ti'n gwybod hynny.'

'At Joe.'

'Efo tri o bobl eraill sy'n dystion yn yr ymchwiliad o dan yr un to?'

'Dolfadog. Neu Danyrallt. Ffonio Margaret.'

'Be, ar ôl i ti chwalu ei chyfle i ennill yn y Sioe Frenhinol? Ddim yn syniad da. Be am y lle yng Nghonwy? Hafod House?'

'Mae'n ocê yno, ond pwy sy'n mynd i dalu?'

'Gawn ni ofyn i Joe?'

Disgynnodd tawelwch rhyngddyn nhw. Yn amlwg, roedd Cai wedi blino'n llwyr. Pesychodd unwaith a cheisiodd rwystro'i hun rhag poeri.

'Ti'n sâl, cog. Ti angen rhywle i orffwys am gwpwl o wythnosau.'

'A be wedyn?'

'Beth bynnag sy'n digwydd wedyn, fyddi di ddim ar dy ben dy hun. Mi glywais dy hanes ddoe gan Nansi a Phil – maen nhw'n edifar iawn am be ddigwyddodd i ti, ac maen nhw'n daer isio dy helpu di. A Basia hefyd. Allwn ni ddim anwybyddu dy droseddau i gyd, ond os wnawn ni dy helpu i weithio drwy bopeth, mae 'na wir siawns am fywyd gwell i ti.'

'Alla i ddim cael y pethe dwi wedi'u colli yn ôl.'

'Well i ti beidio â meddwl fel'na. Ti'n hoffi Basia? Wel, mae hi'n mynd i fod yn llysfam i ti. Roedd Phil yn sôn am yr hwyl gawsoch chi efo'ch gilydd, yn gweithio ar y ffarm.' Yn fwriadol, dewisodd beidio â thrafod Nansi.

Nodiodd Cai ei ben sawl tro a gollyngodd ebychiad o waelod ei galon. Dechreuodd guro'i dalcen ar y ddesg, yn udo fel blaidd.

'Paid, Cai.'

Tynnodd Daf ei siaced a'i rhoi ar y ddesg rhwng y pren caled a phen Cai. Yn groes i bob rheol, rhoddodd ei fraich am ei ysgwyddau.

'Yr unig beth sy raid i ti'i wneud ydi gwella, wedyn mi gei di symud ymlaen. Mynd i goleg. Swydd, cartref, ffrindiau, cariad, plant – yn union fel pawb arall. Mae gan Joe ffydd ynddat ti ac mae dy dad yn deall yn iawn ei fod o wedi dy adael di i lawr ym mhob ffordd ond mae o isie dy helpu di.'

Ystyriodd Daf drafod yn union pa droseddau fyddai o'n eu hwynebu ond doedd Cai ddim mewn cyflwr i wneud hynny. Wrth gwrs, byddai'n rhaid iddo gael ei gosbi, ond pa mor llym? Os mai bwriad unrhyw ddedfryd oedd ei wneud o'n well dyn, dim ond gofal a sicrwydd allai gyflawni hynny, nid carchar. Ffoniodd Joe ond doedd dim ateb felly gadawodd neges. Aeth i chwilio am Nia, gan egluro i Cai, oedd yn bryderus ynglŷn â'r syniad o Daf yn ei adael, ei fod mewn dwylo diogel.

'Nia, dwi'n gwybod ei fod o'n droseddwr, ond mae o'n ddioddefwr hefyd, ac yn fregus.'

'Dwi'n deall.'

'Wnei di ofalu amdano fo? Hefyd, dangosa gwpwl o luniau iddo fo, plis – Lisa Powell a Rhys Bowen?'

'Dim probs.'

'Oes Glade yn y cwpwrdd tu ôl i'r ddesg?'

'Oes.'

Chwistrellodd Daf yr arogl lafant o gwmpas ei swyddfa i gael gwared ag arogl y kebab. Eisteddodd i lawr i aros am Gwynlyn Huws. Roedd hanes hwnnw'n gyfres o lwyddiannau ac yn rhestr o ymdrechion dros ei gymuned, dros Blaid Cymru, dros yr iaith. Yn ystod ei gyfnod yn San Steffan, enillodd barch gan bawb am ei gyfraniad dwys i sawl dadl ond arhosodd yn agos i'w wreiddiau, gan fyw efo'i deulu mewn bwthyn bach nid nepell o'r Bala. Bu'n arwain ei blaid am ddegawd ond, fel pob arweinydd, roedd rhai yn methu aros am gyfle i gipio'i le. Daeth y cyfle pan gafodd Gwynlyn ei arestio yn ystod protest yn erbyn cau ysgol fach. Gan sôn am 'ei ddelwedd hen ffasiwn' a'r angen i 'gyflwyno wyneb cyfoes' i ddenu cefnogwyr o'r tu allan i'r fro Gymraeg, llwyddodd ei elynion i greu'r argraff fod Gwynlyn yn garreg yn llwybr y Blaid yn hytrach na chonglfaen. Bu'n rhaid iddo ymddeol, a gwnaeth hynny'n urddasol, i ganolbwyntio ar ei waith llenyddol, meddai, a'i gyfrifoldebau fel taid. Roedd yn rhaid i Daf gyfaddef, fel un o edmygwyr Gwynlyn Huws, ei fod braidd yn nerfus pan glywodd ei guriad ar y drws.

Agorodd Huws y drws i Dr Wilkes fel bonheddwr a thynnodd ei chadair allan iddi hi gael eistedd i lawr. Fyddai Daf ddim wedi disgwyl llai. Roedd ei merch yn debyg iawn i Dr Wilkes, ond doedd yr angerdd a'r cysgod o anhapusrwydd a welodd Daf yn llygaid Jan Cilgwyn ddim i'w weld yn llygaid ei mam.

'Ryden ni mor ddiolchgar i chi, Arolygydd Dafis, am roi o'ch amser i ni. Dydi Dr Wilkes ddim yn siarad Cymraeg ond mae hi'n deall bob gair.'

'Chwarae teg iddi.'

'Heb wamalu, ryden ni'n poeni am Jan. Daeth y ferch i'r Blaid o dan fy adain i, os liciwch chi, a dwi wastad wedi cadw llygad arni. Dwi wedi dod i nabod y teulu ac erbyn hyn, yn ffrindiau agos â nhw. Maen nhw'n poeni am berthynas Jan – nid oherwydd mai dynes yw Lisa – ac mae'n rhaid i chi ddeall nad homoffobia yw hyn ond pryder am eu merch. Mae Lisa yn gallu bod yn dreisgar ac yn ceisio rheoli Jan o hyd.'

'Angel pen ffordd, diawl pentan mae Lisa,' dywedodd Dr Wilkes yn ofalus.

'Dwi'n deall,' atebodd Daf.

'Tydw i ddim wedi dod yr holl ffordd i'r Trallwng i gael sgwrs am wleidyddiaeth, Mr Dafis, ond erbyn hyn mae rhywioldeb Jan yn ddarn o sut mae'r Blaid ei hunan yn cyfathrebu efo'r byd, yn dweud nad pobl hen ffasiwn o gornel bellaf Prydain yden ni ond plaid sy'n adlewyrchu bywydau cyfoes ein cefnogwyr. Ond – a dyma'r broblem – os ydech chi'n trafod eich ffordd o fyw fel darn o'ch neges, mae'n anodd os yw rhywbeth yn mynd o'i le. Cysondeb, dyna sy'n bwysig.'

'Jan can't admit there is anything wrong because of her high profile.'

'Ydech chi'n darllen *Golwg*?' gofynnodd Huws.

'Ddim yn ddigon aml, rhaid i mi gyfaddef.'

'Ddwy flynedd yn ôl roedd erthygl swmpus ynddo am Lisa a Jan, gyda lluniau o'u cartref moethus; yn eu trafod fel rhyw fath o "gwpwl euraidd" ac yn dweud pa mor bell roedd y Blaid wedi dod ers cyfnod deinosoriaid fel fi.'

'Dim deinosor ydech chi, syr,' roedd yn rhaid i Daf ddweud.

'Os ydech chi'n dweud hynny, mwy na thebyg eich bod chi'n un ohonon ni! Beth bynnag, mae'r ddelwedd o Jan fel dynes gyfoes hollol fodlon sy wedi cyflawni ei nod, wel, mae'r ddelwedd honno'n bwysig iawn iddi hi. Nid fel dioddefwr mae hi isie i bobl feddwl amdani.'

'Dwi'n gweld.'

'Hefyd, mae hi wedi bod yn flaengar yn ei hymdrechion yn erbyn trais yn y cartref ac wedi sôn am sut ryden ni'n magu'n bechgyn i fod yn greulon, heb sôn unwaith am ferched: ond nid dim ond dynion sy'n cam-drin eu partneriaid. Problem gudd yw trais yn y cartref yn y gymuned LGBT, ond yn enwedig o safbwynt merched ...'

'Ond, pobl yw pobl yn y bôn. Mae rhai yn fwy ymfflamychol nag eraill, merched a dynion.' Meddyliodd Daf am deulu Berllan – gwelsai Chrissie yn rhoi slap i Bryn bob hyn a hyn ond ni chodai o fys yn ei herbyn hi, byth.

'Yn union, Mr Dafis.'

'She had painted herself into a corner.'

'A chornel peryglus hefyd,' ategodd Gwynlyn. 'Ro'n i'n gobeithio y byddai'r ddeddf newydd, y ddeddf yn erbyn partneriaid sy'n gormesu, o gymorth iddi ond mae hi'n dewis ymddwyn fel dynes gibddall, yn siarad am droseddau casineb heb weld beth sy o flaen ei thrwyn. Mae Lisa'n ferch obsesiynol â hanes o drais, a chanddi bob rheswm i gasáu Heulwen Breeze-Evans. Ac mi ddaeth hi i fyny i'r canolbarth bnawn dydd Llun.'

'We've done some amateur sleuthing,' esboniodd Dr Wilkes.

'Ond yr hyn sy'n ein poeni ni yw Jan, a sut allwn ni ei diogelu. Yn fy marn i, mae'n debygol fod Lisa Powell wedi lladd unwaith, a gallai ladd eto, yn hawdd.'

'We need your help, Inspector.'

'Oes modd defnyddio'r ddeddf newydd, Arolygydd Dafis?'

'Os nad ydi Ms Cilgwyn yn gwneud cwyn swyddogol mae'n anodd iawn i ni wneud unrhyw beth, ond mi wna i bob ymdrech i'w helpu, dwi'n addo.'

Gollyngodd Daf wynt hir ar ôl iddyn nhw adael. Teimlai fel petai'n rhedeg dros dywod meddal. Byddai'n rhaid iddo gael hanner awr o seibiant i geisio prosesu'r wybodaeth newydd ac asesu faint o wirionedd oedd yng ngeiriau Cai ac amheuon Gwynlyn Huws. Bu i'r hen ŵr ddod yn agos iawn at adfer parch Daf tuag at wleidyddion, ac roedd yn braf cael treulio amser yng nghwmni cymeriad cyfrifol a deallus, yn enwedig ar ôl cwrdd â gwraig Rhys Bowen.

Piciodd Daf allan i wneud paned am ddau reswm. Roedd o wedi gofyn am gymaint o ymdrech gan ei dîm yn ddiweddar, mi fydden nhw'n gwerthfawrogi dipyn o ymdrech ganddo fo. Yr ail reswm oedd bisgedi dirgel Nev. Roedd o wastad yn gwadu bod ganddo guddfan bisgedi ond roedd y briwsion ar allweddfwrdd ei liniadur yn dweud stori hollol wahanol.

Roedd dyn yn sefyll yn y cyntedd, yn edrych braidd yn anesmwyth. Gruff. Doedd neb wrth y ddesg i siarad efo fo, a chyn i Daf allu galw ei enw, agorodd drws y tŷ bach a daeth Cai drwyddo. Trodd Gruff ei ben a syllu arno. Penderfynodd Daf wylio'r ddrama fach.

'Cai,' ebychodd Gruff, ei lais yn isel ac yn fflat.

Syllodd Cai arno am gyfnod hir. Fel bachgen deg oed, gafaelodd Gruff yn llaw Cai, ffurfiodd ddwrn ohoni a phwniodd ei ên ei hun.

'Rho glec i mi, Cai, dwi'n ei haeddu o.'

O gofio'r geiriau chwerw ddefnyddiodd Gruff i ddisgrifio Cai, cafodd Daf ei synnu. Efallai fod Gruff wedi creu bwystfil o Cai i guddio ei euogrwydd, a'i fod wedi anghofio'r cyfan pan welodd gyflwr ei gyn-frawd. Llwyddodd Cai i ryddhau ei law, a heb wenu, cynigodd ei ên ei hun i Gruff.

'Fi sy'n haeddu clec. Fi sbwyliodd Section As Margaret.'

'Dim ond ffycin 'ffyle ydyn nhw.' Llwyddodd Gruff i siarad drwy wefusau crynedig, a rhoddodd ei fraich dros ysgwyddau Cai. Ymatebodd Cai ag ergyd gyfeillgar i fraich ei frawd. 'Dwi 'di bihafio fel, wel, wn i ddim be.'

'*Wankstain*. Ti 'di bihafio fel *wankstain* llwyr.'

'Do. Dwi'n cyfadde – ond be amdanat ti, *loser*?' ymatebodd Gruff yn yr un cywair.

Rhoddodd Cai bwniad i Gruff ac am eiliad roedden nhw'n syllu ar ei gilydd heb ddweud gair.

'Mae'r *monobrow* wedi gwaethygu,' sylwodd Cai.

'Ti'm yn ffilm star dy hun.'

Chafodd Daf ddim cyfle i astudio'r ddau ymhellach gan i'r drws agor. Daeth Joe i mewn yng nghwmni dynes yn ei saith degau mewn cot Loden ddrud a sgidiau *brogue*. Cofiodd Daf iddo'i gweld yn y gwasanaeth eglwysig nos Fawrth. Roedd ei gwallt gwyn fel coron ar ei phen gan wneud iddi edrych yn dalach na'i chwe throedfedd, a'i chefn mor syth â merch yn ei harddegau.

'Cai,' meddai Joe, 'alla i ddim dy yrru di draw i Gonwy heno ond mae Lady Beatrice wedi cynnig lifft i ti. Daf, wyt ti angen rhywun i dalu mechnïaeth drosto fo?'

'Wyt ti'n cynnig, Joe?'

'Dydi'r Esgob ddim yn cîn, a dweud y gwir. A does gen i ddim cweit digon wrth gefn.'

'If you require bail,' meddai'r hen ddynes mewn llais oedd yn atgoffa Daf o'i mab, 'I will provide it.'

'I'm not sure that's necessary, Lady Beatrice. If Cai settled at that place before, I'm sure he will be fine.'

'Diolch i ti, Daf. Mi wnaiff Graham Parr gadw llygad arno.'

'Aros di eiliad,' chwyrnodd Gruff, yn tynnu ei waled o boced gefn ei jîns. 'Os oes raid i unrhyw un dalu, fi fydd yn gwneud. Does dim rhaid i Cai ddibynnu ar *charity* rhyw hen snob.'

'My Welsh is bad but not non-existent, young man,' atebodd yr Arglwyddes yn swta.

'Dwi'm yn gofyn am bres gan neb,' eglurodd Daf. 'Os ydi Cai yn aros yn y ganolfan nes bydd yr ymchwiliad drosodd, mae hynny'n ddigon da i mi.'

Nodiodd Cai ei ben. Sylwodd Daf ar ei ymateb i gynnig sur Gruff: roedd yn amlwg bod ei eiriau blin yn cyfri mwy na geiriau blodeuog.

'Mi ro i lifft iddo fo hefyd, os oes rhaid.'

Roedd pethau'n datblygu'n rhy gyflym. Nid brodyr agos

oedden nhw ond dau ddyn ifanc efo pob rheswm i gasáu ei gilydd. Byddai taith hir yn y car yng nghwmni ei gilydd yn syniad ffôl.

'Sut gyrhaeddest ti Hafod House tro diwetha, Cai?'

'Lifft gan Lady Beatrice.'

Doedd ganddo ddim digon o swyddogion rhydd i wastraffu pedair awr o amser neb yn wasanaeth tacsi, ond doedd Daf ddim yn esmwyth o gwbl yn gadael i hen ddynes deithio ar ei phen ei hun gyda throseddwr oedd newydd gyfaddef iddo ymosod ar Heulwen Breeze-Evans, hyd yn oed os nad oedd o wedi ei lladd. Tynnodd Daf restr o bawb oedd ar ddyletswydd o'r tu ôl i'r ddesg: roedd tri CPSO ar gael.

'Lady Beatrice, Cai is currently involved in the investigation of a serious crime, so I will have to send one of my community officers with you, if that's acceptable?'

Edrychodd yr hen ddynes at Joe am ei ymateb.

'Certainly, Inspector.' Newidiodd y foneddiges drywydd y sgwrs i faterion ysgafnach. 'I believe we are to see you at Plas Gwynne next month, Inspector, for my son's engagement party?'

'Looking forward, Lady Beatrice,' atebodd Daf, oedd yn gelwydd noeth.

Gadawodd Daf drefniadau cludiant Cai i Nia, a thywysodd Gruff i'w swyddfa. Disgynnodd Gruff ar un o'r cadeiriau, ei goesau hir yn syth o'i flaen.

'Nawr 'te, Gruff, be ti'n wneud fan hyn?'

'Wel, Mr Dafis. Cai,' eglurodd ar ôl saib. 'Mae Nans wedi bod yn siarad efo fi. Wnes i erioed fwriadu ... yr holl *crap*. Ro'n i'n meddwl bod rwbeth o'i le ynglŷn â busnes Nans a fo – isie i oedolyn roi stop ar y busnes o'n i, achos er nad oedd hi'n berthynas waed roedd o'n frawd i ni, a ddylai o ddim bod wedi mynd efo Nans.'

'A ddylai Nansi ddim bod wedi mynd efo fo, chwaith.'

'Gwir, Mr Dafis, ond ar y cog mae'r bai, wastad. Beth bynnag, chwip din oedd o angen, dim yr holl *crap*. Ydi o'n ... ydi o'n mynd i farw?'

'Mae hynny'n dibynnu sut yrrwr ydi Lady Beatrice.'

'Pwy ydi'r bobl 'ma sy'n ymyrryd ym mywyd Cai?'

'Paid â bod yn flin efo nhw, Gruff. Mae Joe Hogan wedi bod yn dda efo Cai ac mae'r hen leidi jyst yn dilyn ei esiampl.'

Canodd ffôn Daf ond anwybyddodd o.

'Wnes i gamgymeriad ddoe, Mr Dafis,' dechreuodd Gruff, yn arddangos bron bob un o'r arwyddion sy'n dweud bod rhywun yn dweud celwydd. 'Roedd tair potel arall o ket yn y tacrŵm – presgripsiwn ges i gan Felicity.'

'Wyt ti wedi siarad efo hi ers ddoe?'

'Na. Dydi *charger* fy ffôn ddim yn gweithio.'

Aha, meddyliodd Daf. Roedd o'n teimlo'n euog ynglŷn â'r hwyl gafodd o efo'r ffotograffydd.

'Ti'n chwarae pocer, Gruff?'

'Ddim yn aml. Pam?'

'Wel, paid â dechrau. Ti'n anobeithiol am ddweud celwydd. Ges i sgwrs hir efo Felicity ddoe ac mi esboniodd hi'ch cynllwyn chi.'

Cochodd Gruff fel bachgen deg oed.

'Ro'n i ... wel, fy mai i oedd yr holl fusnes. Petawn i wedi gwrthod Clara, fyddai Felicity ddim wedi bod yn ysu i siarad efo fi nos Lun, a fyddai hi ddim wedi gadael y car ar agor chwaith.'

'Ddywedest ti nad ydech chi'n gariadon.'

'Ddim eto. Mi fyddwn ni, yn y dyfodol.'

'Ond dydi hi ddim yn hoffi dy fod di'n mynd efo merched eraill, mae'n siŵr?'

'Dibynnu ar y ferch. Roedd Felicity'n poeni am Clara, rhag iddi droi i fod yn niwsans. Ac mae Fflis yn cael ei hwyl ei hun hefyd, wrth gwrs. Ond ta waeth, fy mai i oedd yr holl drafferth. Dwi'n mynd i ddweud mai fi wnaeth ddwyn ei bag, achos wedyn fydd hi ddim yn cael stŵr am beidio cloi'r car. Dyna be ddigwyddodd, Mr Dafis. Es i am sbin efo Felicity, yn ei char hi, ac wrth adael, mi wnes i gipio ei bag er mwyn gwerthu'r ket am dipyn o bres poced.'

'Cau dy ben, Gruff Evans. Does gen i ddim llawer o

ddiddordeb yn esgeulustod Felicity: rhaid ei bod hi ddim hanner call i garu ffwlbart fel tithe. Falle dy fod ti'n giamstar ar y Chase Me Charlie, ond ti'n crap am raffu celwyddau. Cer o'ma, cyn i fi dy jarjio di am wastraffu amser yr heddlu.'

'Mae Felicity yn mynd i fod yn iawn, felly?'

'Wn i ddim, os ydi hi'n ffansïo lembo fel ti. Ond, dwi ddim yn bwriadu gwneud ffwdan ynglŷn â'r drefn y gwnaeth Cai ddwyn y poteli. Gwranda, sticia di at y gwir yn y dyfodol, ie?'

'Ocê, syr. Sori a diolch.'

'Ond cofia di, catffwl, am ryw reswm, mae Margaret a Felicity yn dy garu di, a rhaid i ti haeddu'r ffydd maen nhw'n ei roi ynddat ti.'

'Dwi'n deall. Dwi ddim yn stopio i feddwl cyn gwneud pethe, dyna'r drwg.'

'Dwi'm yn sicr dy fod di'n meddwl o gwbwl, Gruff. Fel torri'r clo clap – dy syniad di oedd hynny?'

Nodiodd ei ben.

'Cynllwyn i wyrdroi cwrs cyfiawnder ydi hynny, lanc. Jyst bihafia, hei?'

Arhosodd Gruff am eiliad â'i law ar ddwrn y drws.

'Ddigwyddodd peth rhyfedd nos Lun, Mr Dafis. Ro'n i'n go hwyr yn dod adre, ar ôl un ar ddeg, ac mi welais oleuadau ger Dolfadog, yn y cae den ni'n ei alw'n Ffald. Mae cryn dipyn o ddwyn stoc wedi bod yn yr ardal, fel dech chi'n gwybod yn well na fi, a hyd yn oed os ydi Jac yn dipyn o nob, mae o'n dal yn frawd i mi. Felly, mi es i ag un o'r cŵn, Pero, draw i jecio be oedd yn digwydd. Ond y peth oedd, Jac oedd yno, yn dadlwytho'r stôrs, yr amser hynny o'r nos. Rhyfedd iawn, achos roedd o wedi'u prynu nhw yn gynnar yn y pnawn.'

'Diolch am yr wybodaeth,' atebodd Daf, gan ddechrau meddwl bod Gruff yn ceisio bod o gymorth yn fwy o boen na Gruff y cynllwyniwr.

Edrychodd ar ei ffôn ar ôl i Gruff adael er mwyn gweld pwy oedd wedi ceisio'i ffonio: yr ysgol uwchradd. Fel pob rhiant cafodd eiliad o banig. Ffoniodd Rhods: dim ateb. Ffoniodd yr ysgol, ei law yn crynu wrth glywed opsiynau'r system: 'Os hoffech chi ein hysbysu am absenoldeb eich plentyn, pwyswch un; am yr adran gyllid, pwyswch dau. Os hoffech chi siarad â rhywun yn y dderbynfa, pwyswch tri.'

'Dafydd Dafis yma: roeddech chi wedi fy ffonio i ugain munud yn ôl.'

'O ie, Mr Dafis, diolch am alw'n ôl. Den ni'n ceisio trefnu pwyllgor gwahardd ar gyfer yr wythnos nesa – ydech chi'n rhydd yn ystod y dydd ddydd Mawrth?'

'Sgen i ddim syniad ar hyn o bryd.'

'Mi ddanfona i'r manylion i chi ar e-bost. Mae'r prifathro isie delio efo hyn cyn gynted â phosib. Bachgen o flwyddyn deg ydi o: Robert Humphries.'

Llifodd yr emosiynau: rhyddhad bod Rhodri'n iawn a dicter am iddo gael ei styrbio ar ddiwrnod mor brysur. Beth bynnag roedd Rob wedi ei wneud, roedd Daf yn sicr nad oedd yn haeddu cael ei wahardd. Roedd Chrissie wedi magu ei phlant i fod yn gwrtais a meddylgar – gwyddai hynny o brofiad. Cofiodd hefyd am ofal caredig Chrissie am Gaenor.

'Mi wna i yn siŵr y bydda i yna ddydd Mawrth.'

Rhoddodd y ffôn i lawr ar y ddesg a cheisiodd droi ei feddwl yn ôl at yr ymchwiliad. Byddai'n rhaid iddo siarad â Bowen a'i *sidekick* ifanc, y Tori Boi. Byddai'n rhaid iddo chwilio am y gwir gan Lisa Powell a cheisio sicrhau nad oedd Jan Cilgwyn dan fygythiad. Byddai'n rhaid iddo weithio efo Anwen i greu amserlen fanwl o'r holl fynd a dod yn swyddfa Heulwen. Ar ben hynny, byddai'n ddiddorol iawn gwybod pam roedd Jac mor hwyr yn rhoi ei stôrs yn y cae.

Agorodd Sheila'r drws, ond camodd yn ei hôl pan welodd yr olwg ar wyneb Daf.

'Dech chi ddim yn edrych yn siriol iawn, bòs.'

'Ceisio creu patrwm. Dwi wastad yn edrych yn filain pan dwi'n meddwl.'

'Falch na tydi hynny ddim yn digwydd yn aml, felly, bòs,' atebodd Sheila'n chwim.

Cam arall yn ei thaith i'r iaith, meddyliodd Daf: roedd hi'n ddigon hyderus i fentro jôc.

'Beth bynnag,' ychwanegodd Sheila, 'Mae Cai wedi cadarnhau mai'r ddynes welodd o yn y swyddfa, yr un wnaeth ffraeo efo Heulwen, oedd Lisa Powell. Doedd o ddim mor bendant am Bowen achos na welodd ei wyneb, ond mae o'n cofio'i siaced: brethyn brown garw, fel siaced saethu.'

'Grêt, mae hynny'n help mawr.'

Oedodd Sheila cyn parhau.

'Ac mi ges i air efo fy ffrind, yn un welson ni yn un o'r lluniau o Rhys Bowen. Dysgu yn ysgol Churchstoke mae hi, dynes sengl yr un oed â fi. Roedd hi braidd yn swil i ddechrau ond dwi'n meddwl y ces i'r gwir ganddi.'

'Sef?'

'Roedd hi'n trafod sut mae hi'n teimlo ar ôl wythnos brysur yn yr ysgol – gwaith papur at ei chlustie, rhieni'n cwyno, Estyn yn stelcian rownd y gornel. Mae hi'n rhy flinedig i roi colur ymlaen a mynd allan, ond tydi hi ddim isie bod o flaen y teledu, jyst hi a'r gath, chwaith. Pan fydd hi'n teimlo fel hyn, mae hi'n danfon tecst i Rhys Bowen ac mae o'n picio draw efo tair potel o Prosecco, y stêc orau yn y byd a digon o facwn i wneud brecwast i gatrawd.'

Gwenodd Daf. Doedd o ddim wedi gweld potensial carwriaethol cigydd o'r blaen.

'Mae hi'n dweud ei fod o wastad mewn hwyliau da, byth yn gofyn cwestiynau ac yn barod i wrando. Pan mae o'n gadael, nos neu fore, mae ganddi wên ar ei hwyneb sy'n para am weddill y penwythnos.'

'Digon teg. Ac mae hynny'n cadarnhau yn union be o'n i'n feddwl, sef nad oedd Heulwen yn llwyddo efo'i chais blacmel. Er mwyn rhoi pwysau ar rywun rhaid bod ganddyn nhw gyfrinachau ac mae'n amlwg, beth bynnag mae ein Haelod Cynulliad yn wneud, dydi o ddim yn twyllo neb.'

'Yn ei fywyd personol, beth bynnag.'

'Pwynt dilys, Sheila. Rhaid i ni ddarganfod dipyn bach mwy

am ei fusnes. Wnei di gysylltu efo Tŷ'r Cwmnïau ac ati er mwyn casglu'r wybodaeth?'

'Dim problem, bòs. Paid ag aros yma'n rhy hwyr heno.'

'Pam ti'n dweud hynny?'

'Ti'n edrych yn *shattered*.'

'Dwi isie pori drwy adroddiad y safle cyn mynd adre. Dwi bron yn bendant bod gan Rhys Bowen gryn dipyn o *meths* o gwmpas.'

'Ocê. Jyst un peth. Y dyn ifanc, Cai?'

'Ie.'

'Ddywedodd Nia fod Lady Beatrice Gwydyr-Gwynne wedi cynnig *bail* iddo fo.'

'Do, a "mechnïaeth" den ni'n ddweud yn y Gymraeg.'

'Peth od i ddynes fel hithe wneud, yn enwedig i ddyn digartref sy'n hoff o gymryd ket.'

'Mae Joe Hogan yn ei hatgoffa hi, yn reit aml dwi'n credu, ei bod hi wedi mwynhau bywyd breintiedig, a hithe'n ymateb i hynny drwy rannu dipyn o'i chyfoeth cyn wynebu dydd y Farn.'

'O. Beth bynnag, pob lwc efo'r adroddiad.'

Treuliodd Daf awr a hanner yn mynd drwy'r adroddiad gan fagu mwy o barch at waith Belle a'i chŵn gyda phob tudalen. Tu mewn i'r drws ffrynt roedd y tân lleiaf wedi dechrau, ac ar y paent ar ochr fewnol y blwch llythyrau roedd pedwar cylch bach – olion y matsys a wthiwyd i mewn er mwyn ceisio tanio'r *meths*. Yn achos y prif dân, gwasgarwyd sawl litr o hylif ledled y swyddfa, fel petai'r troseddwr wedi cael digon o amser i wneud ei waith. *Two-stroke* a *meths*. Dau gatalydd, dau droseddwr. Oedd dau berson gwahanol wedi ceisio lladd Heulwen ar yr un noson?

Derbyniodd e-bost gan Nev. Cyn ymuno â'r heddlu yn llawn amser bu Nev yn CPSO tra oedd o'n gweithio yn y banc, felly pan oedd angen i rywun astudio materion arianol, roedd Nev wastad ar gael, a gallai ddadansoddi dogfennau ariannol yn llawer cynt na Daf. Roedd o wedi trefnu prif bwyntiau ei adroddiad:

- Doedd dim byd o'i le yn yr un o bedwar cyfrif Heulwen, a dim tystiolaeth o dderbyn arian blacmel na thalu ditectif preifat.
- Ar ôl codi'r sied fawr, doedd dim llawer o arian sbâr yn Nolfadog. Roedd y gostyngiad ym mhrisiau ŵyn wedi bod yn ergyd i'w trosiant, a heblaw'r ieir (a gafodd eu disgrifio gan Nev fel 'yn dwyn elw ond *over-geared*'), yr agwedd fwyaf proffidiol o'r busnes oedd y gwartheg sugno. I gadw'r rheini i fynd byddai'n rhaid i Ddolfadog gael y tir ar brydles yn Llangadfan.
- Roedd Heulwen wedi awgrymu diddymu'r bartneriaeth, gan ofyn am ei rhan hi o asedau'r fferm. Nid bygythiad gwag oedd o – roedd Heulwen wedi penodi tîm o ymgynghorwyr i'w helpu. Roedd ei phrisiwr wedi cynnig swm o £1.2 miliwn fel man cychwyn i'r drafodaeth.

Cofiodd Daf eiriau Jac am faich ei ddyled. Roedd o'n styfnig yn ei agwedd tuag at y fferm – er bod ei frawd a'i chwaer wedi mynd roedd o'n benderfynol o gadw'i etifeddiaeth. Sylweddolodd fod yr wybodaeth a gawsai gan Gruff yn werthfawr wedi'r cwbl: os oedd Jac yn dadlwytho stoc mor hwyr â hynny, ble oedd o yn gynharach? Cwestiwn arall: os na dderbyniodd Heulwen arian blacmel, beth oedd ei bwriad? Fel y dywedodd Sheila, efallai mai siwrans oedd cynnwys yr amlenni, jyst rhag ofn. Ond os hynny, sut y cafodd hi'r holl wybodaeth? Danfonodd e-bost i Nev, yn gofyn iddo fo geisio darganfod o ble ddaeth y lluniau.

Yr eitem nesa ar restr Daf oedd ffonio Jeff, brawd Gaenor. Roedd y teulu i gyd yn bobl wych, ddiffwdan, gweithgar a llawn hiwmor, yn union fel Gae. Saer oedd Jeff, a dreuliodd bum mlynedd yn adeiladu tŷ i'w deulu, gan fyw mewn carafán yn y cyfamser. Roedd ei wraig, Del, wastad yn dweud y gallai ymdopi gydag unrhyw beth dal haul ar ôl goroesi'r garafán efo fo. Yn ei amser hamdden byddai Jeff a'r plant yn teithio ledled Cymru efo fan a threler yn rasio beiciau cwad gan ddod adre yn faw i gyd ac yn llawn straeon.

'Ffordd wyt ti, cog?' gofynnodd Jeff yn gyfeillgar.

'Go lew, Jeff. Yn brysur, braidd.'

'Wel, pwy wnaeth?'

'Tasen i'n gwybod hynny, sen i adre rŵan efo 'nhraed i fyny.'

'Ddywedodd Gae dy fod di isie trafod Rhys Weirglodd?'

'Os oes gen ti eiliad.'

'Dim probs, ond dwi ar yr *hands free* ar y ffordd 'nôl o 'Soswallt, felly sori os ydw i'n colli'r signal.'

'Pa mor dda wyt ti'n ei nabod o?'

'Wel, er gwaetha bob dim den ni'n dal yn ffrindie mawr.'

'A'i wraig?'

'Am ast snobyddlyd. Dydi o ddim yn rhoi rhech amdani hi ... na ffordd arall rownd.'

'A'r merched mae Rhys yn eu gweld, dim ond rwbeth i basio amser ydi hynny, ie?'

'Hwyl, dyna'r cwbwl. Mae Del yn meddwl ei fod o'n ddylanwad drwg arna i ond does neb tebyg iddo fo. Ti'n cofio be oedden nhw'n ddweud ar *Blue Peter* 'stalwm? "Don't try this at home." Dyna be fydda i'n feddwl bob amser pan dwi'n clywed hanes diweddara Rhys Weirglodd.'

'Ydi o'n brolio felly, am y merched i gyd?'

'Nac'di, Daf – nid felly mae hi. Gan ddynion eraill dwi'n cael ei hanes, ond bob hyn a hyn, dwi'n clywed bod ganddo *soft spot* am un ohonyn nhw.'

'Oes ganddo fo ffefryn ar hyn o bryd?'

'Duwcs, oes. Cracar o flonden o ochre Bettws – Daisy Davies. Gawson ni sesh a hanner efo nhw yn y Bull and Heifer ryw fis yn ôl, Del a finne.'

'Ydi Rhys yn ddyn treisgar?'

'Wastad wedi bod yn ddigon handi efo'i ddyrnau, ond *self-defence* yn aml iawn. Mi fydde fo'n dipyn o darged ar noson allan, ac ynte'n gog mor fawr. Doedd o ddim yn helpu bod y merched i gyd drosto fo fel brech yr ieir. Mi yden ni wedi cael sawl ffeit yn ein dyddie, sori i gyfadde, heddwas yng nghyfraith.'

'Allai o ladd rhywun?'

''Sen i ddim yn dweud hynny. Dydi o ddim yn ddyn creulon a dyna pam mae o mor dda am ladd ... anifeiliaid dwi'n feddwl. 'Sboniodd i mi ryw dro pa mor bwysig i safon y cig oedd bod yn dawel o gwmpas y bustych cyn eu stynio nhw. Cadw lefelau rhyw asid yn y cig mor isel â phosib. Mae o'n dal i ladd, er bod ganddo fo staff i wneud hynny yn y ffatri, er mwyn cadw'r grefft. Lladdodd fochyn i ni llynedd. Ond lladd person? Na.'

'Diolch, Jeff. Sori am ofyn.'

'Mae'n iawn – mae'n rhaid dal pwy bynnag laddodd y ddynes 'ne. Ond ti'n gwybod be Daf? Mae Rhys wrth ei fodd efo'i fywyd. Ges i gyfle i fynd i gêm rygbi efo fo gwpwl o weithie, a blydi hel, mae o'n dal yn giamster ar sbri. Cwmpeini braf, pres yn ei boced, fflat fech foethus yn y Bae a digon o ferched hardd yn mynd a dod – mae ganddo fo ormod i'w golli.'

'Dwi'n gwerthfawrogi dy help di, Jeff.'

'Falch o fedru helpu. A gad i ni wybod pan dech chi'n barod i adael Miss Fech am y noson a mynd allan.'

'Mi wna i.'

Cafodd Daf lonydd am bron i awr, ac yn yr amser hwnnw llwyddodd i bori drwy'r rhan fwyaf o'r adroddiad fforensig. Roedd o ar fin codi i wneud paned pan glywodd gnoc ar ddrws y swyddfa. John Neuadd, ac wrth ei gwt roedd dyn tenau mewn siwt dda. Pan welodd Daf y tei oren a'r olwg benisel arno, gwyddai'n syth mai ymgeisydd y Democratiaid Rhyddfrydol oedd o.

'Dwi'n gwybod dy fod ti'n brysur ofnadwy, Dafydd,' meddai John gan sefyll o flaen y ddesg fel bachgen yn disgwyl pryd o dafod gan brifathro, 'ond mae Crispin yn fa'ma angen eglurhad ynglŷn â dyfodol yr ymgyrch. Heno, er enghraifft, roedd hustings wedi ei drefnu yn Neuadd y Dre, ond derbyniodd

Cripsin neges gan clerc Cyngor y Dre yn dweud ei fod wedi'i ganslo.'

Ochneidiodd Daf.

'Dwi wedi cael y sgwrs yma unwaith yn barod. Does gan yr heddlu ddim dylanwad ar benderfyniadau clerc y dre.'

'Ond mae Crispin yn dweud bod Brian UKIP yn dweud dy fod di wedi dweud wrtho fo ...'

'John, yn enw rheswm, paid â chwarae Chinese Whispers efo fi. Oes tafod yng ngheg Crispin?'

'Oes, ond dim ond yr iaith fain mae o'n ei siarad a dydi o ddim isie edrych yn dwp.'

'Mae o'n edrych yn hollol hurt yn sefyll yn fan'na fel pysgodyn aur.'

Nodiodd John ei ben i gyfeiriad yr ymgeisydd i'w annog i siarad. Pan ddechreuodd yn ei acen Saesnig hollol ddigymeriad, ystyriodd Daf unwaith eto'r posibilrwydd o gefnogi Rhys Bowen.

'Brian Clark says you banned the hustings because you had public order concerns, with migration being such an issue locally and one of the candidates having been killed by a migrant from Eastern Europe.'

Neidiodd Daf ar ei draed gan bwyso ar ei ddesg.

'Total nonsense. If I was certain who had killed Heulwen Breeze-Evans, I would have made an arrest by now. Mr Clark appears to have a vested interest in damaging community relations but I will not tolerate any such insinuations being made about this enquiry.'

Dechreuodd yr ymgeisydd grynu a dechreuodd Daf deimlo ychydig bach iawn o gydymdeimlad tuag ato.

'Cŵlia lawr, wnei di, Dafydd,' gorchmynnodd John. 'Dim ond ailadrodd be ddywedodd Brian oedd Crispin.'

'A be ddywedodd y Clerc ei hun?'

'Wel, fod Bowen yn anfodlon cymryd rhan mewn unrhyw ddigwyddiad etholiadol sy ddim yn hollol deg, a chyn i'r Blaid ddewis rhywun i sefyll yn lle Heulwen, fydd y noson ddim yn deg.'

'Dyna ni, felly.'

'Ond, a dyma'r rheswm ryden ni wedi dod yma heno, mae'n anodd cynllunio'r ymgyrch pan mae pethe mor annifyr. Mae'r Democratiaid Rhyddfrydol angen gwybod y drefn – pwy sy'n mynd i gael ei arestio a phryd fydd hynny.'

Gwelodd Daf fymryn o ansicrwydd yn llygaid John, ac roedd yn rhaid iddo durio ymhellach.

'John, pan oeddet ti'n sôn am y Democratiaid Rhyddfrydol rŵan, wnest ti ddim dweud "ni" o gwbwl. Pam hynny, a theulu Neuadd yn un o deuluoedd enwog y Liberals yn Sir Drefaldwyn?'

Plygodd John dros y ddesg i sibrwd yng nghlust Daf.

'Dwi'n cefnogi Rhys Bowen ond dwi ddim isie eu poeni nhw wrth ddweud hynny. Does gan y Crispin 'ma ddim gobaith caneri.'

Edrychodd Daf drwy'r ffenest dros ysgwydd lydan John a sylwi bod yr heulwen wedi troi'n wyll. Cofiodd awgrym Sheila y dylai fynd adre'n gynnar a chofiodd fod ganddo bethau pwysicach i'w gwneud na malu awyr efo John Neuadd cyn dychwelyd at Gaenor a'r plant.

'Gentlemen, you really must excuse me. I'm in the middle of a very complex inquiry at the moment and I'm not able to spare you any more time. Let me just assure you that the investigations are proceeding with all possible speed.'

Estynnodd ei law i Crispin ond edifarhaodd yn syth. Roedd llaw'r ymgeisydd yn oer a braidd yn damp, fel darn o gig oedd wedi bod yn chwysu mewn plastig ar sedd y car. Aeth yr anffodus Crispin allan yn gyntaf ac arhosodd John i siarad â Daf.

'Ddaeth hi fyny, merch y cŵn, fore dydd Mercher, Dafydd.' Baglodd dros ei eiriau, ei wyneb yn goch. 'Ducws, mae hi'n lodes smart, a reit ddymunol hefyd. Wnest ti ddim dweud ei bod hi mor smart â hynny, Dafydd, wir.'

'Dwi'n cofio dweud ...'

'Llanc ffodus iawn ydi Siôn, a chwarae teg iddo fo am geisio.

Be 'di ei hanes hi, dwêd? Pa fath o deulu den nhw? Ydi hi awydd setlo, ti'n meddwl?'

'Newydd gwrdd â hi ydw i, John, yn union fel tithe. A Siôn hefyd.'

'Wyddost ti be, Daf, mae'r Belle 'ma yn fy atgoffa i o rywun. Dyfala pwy.'

'O Iesu gwyn, sgen i ddim syniad, John. Cameron Diaz? Un o Little Mix neu'r merched sy'n cyflwyno *Ffermio*?'

'Chrissie Berllan. Nid ei golwg hi ond sut mae hi'n symud, a'i hagwedd, rywsut. Mae Chrissie'n dod i sganio i ni, bendant.'

'A be fydd gan Gemma o'r siop emwaith i'w ddweud am hynny?' pryfociodd Daf.

Cochodd John.

'Camgymeriad oedd hynny. Mi gyflwynodd ei hun fel dynes neis ond mi welais ochr arall ei natur noson y tân. Sôn am ddim byd ond pres, pan oedd rhywun wedi marw yno.'

Fyddai dim rhaid i Fal boeni felly, meddyliodd Daf.

'Ai nhw sy wedi gwneud y peth, Dafydd, y dynion o Wlad Pwyl? Achos mae 'na sôn am berthynas rhwng Phil Dolfadog a ...'

'John, mae gen i gant a hanner o alwadau ffôn i'w gwneud. Pan fydd y busnes yma i gyd drosodd, awn ni am beint bach tawel, ie?'

Wnaeth Daf ddim gwthio John allan drwy'r drws ond llwyddodd i'w hebrwng drwyddo gyda'i gorff. Pan welodd y golau yn fflachio ar y ffôn a rhif Diane Rhydderch ar y sgrin, penderfynodd ddianc. Casglodd y papurau oddi ar y ddesg a'u stwffio rywsut rywsut i'w fag gliniadur a hastiodd drwy'r drws.

Doedd ganddo ddim bwriad penodol o wneud hynny, ond gyrrodd Daf draw i ffatri Bowen yn ddwfn yn y stad ddiwydiannol. Parciodd tu allan a syllodd ar y ffens uchel, yr adeilad mawr plaen a'r arwydd Cig y Canolbarth Mid Wales Meats. Roedd rhwystredigaeth yn berwi ynddo: roedd yn ysu i fynd i mewn. Cofiodd yn sydyn am oriadau Basia oedd ym mhoced ei siaced – rhwng popeth, anghofiodd yn llwyr eu rhoi nhw iddi. Danfonodd decst i Nev, oedd ar ddyletswydd yn yr orsaf:

'Os ydi larwm Cig y Canolbarth yn canu, paid â chymryd sylw.'

Ymatebodd Nev efo llun wyneb yn wincio.

Gwelodd Daf glo clap swmpus ar y llidiart uchel a chwiliodd am y goriadau: un mawr, trwm. Agorodd y clo yn rhwydd. Gan ddilyn yr arwydd Ymwelwyr, cyrhaeddodd Daf ddrws y dderbynfa: clo Yale. Diolchodd fod Basia mor drefnus – roedd sticer bach ar bob goriad a ffeindiodd Daf yr un iawn: 'MWM 1'. Roedd 'MWM 7568' ar un arall, felly pan welodd y bocs larwm, agorodd ei glawr bach plastig a phwysodd y rhifau. Newidiodd y golau o goch i wyrdd. Gan ymlacio fymryn, edrychodd o gwmpas yng ngolau ei dortsh. Yn y dderbynfa roedd cerflun mawr efydd o darw a thystysgrifau a gwobrau wedi eu gosod o'r nenfwd i'r llawr fel papur wal: 'Best Faggot in Show', 'All-Wales Unusual Sausage Champion 2013', 'Pastai Stêc a Lwlen Ffair Aeaf 2012', 'Blas o Gymru: Risôl y Flwyddyn', ac yn y blaen. Tu ôl i'r ddesg roedd rhes o ddrysau ac enwau arnyn nhw, a'r enw 'Rhys Bowen' ar y drws agosaf i'r ffatri. 'MWM 2' oedd yn agor hwnnw. Gan ddefnyddio'i hances i osgoi gadael olion bysedd, trodd Daf y golau ymlaen.

Roedd swyddfa Rhys Bowen yn gymysgedd o steil gyfoes rhaglen *The Apprentice* a phlasty hen ffasiwn. Roedd ynddi glamp o ddesg fawr wedi ei gwneud o ddur a choedyn du, goleuadau modern a chyfrifiadur Apple enfawr, ond mewn cyferbyniad, roedd pen carw yn crogi yn y gornel, a chadair fawr ledr Chesterfield yn ei wynebu. Roedd y llun oedd mewn ffrâm ar y bwrdd ger y Chesterfield yn werth ei weld. O dan faner All Welsh Unusual Sauasage Champion safai Rhys Bowen, yn cynnig ei selsig anarferol i ddynes mewn côt smart oedd yn crio chwerthin: Camilla, Duges Cernyw. Roedd yn rhaid i Daf edmygu ei hyfdra, yn fflyrtio efo gwraig y Tywysog Siarl yn union fel roedd o'n fflyrtio efo Gaenor. Llenni i gyd oedd dros un wal: roedd yn anodd gweld yn y tywyllwch ond tybiai Daf mai golygfa o'r ffatri oedd yr ochr arall, fel y gallai Bowen gadw llygad barcud ar ei weithwyr. Gyferbyn â'r prif ddrws roedd drws llai, ac wrth ei ymyl roedd cas mawr yn arddangos arfau'r cigydd: cyllyll, bachau a sawl bwyell. Dyna neges gref i'w ymwelwyr, myfyriodd Daf.

Roedd pob un o'r pedwar cwpwrdd ffeilio ar glo ond roedd droriau'r ddesg ar agor. Yn y drôr uchaf gwelodd Daf sawl beiro, dyddiadur nad oedd yn cynnwys dim byd mwy personol na rhestr o amseroedd dosbarthu cig a dyddiadau sawl arwerthiant yn y Smithfield. Yn y drôr nesaf, pecyn o Custard Creams, hip-fflasg llawn brandi a phecyn o Durex. Yn y drôr isaf, yr un ddyfnaf, roedd sawl tarian, cwpan a rosét, yn siang-di-fang fel petai o wedi ennill gormod i ofalu amdanyn nhw. O dan yr holl gybôl roedd ffolder frown. Gan fod y ffolder wedi ei chuddio roedd ei chynnwys yn siom i Daf – dim byd ond nifer o anfonebau gan gwmnïoedd cig o bob cornel o Brydain. Oedodd llygaid Daf ar enw un cwmni: Fazakerly's Premier Meats, the North-West's largest supplier of South American Beef.

Gan barhau i fod yn ofalus rhag gadael olion bysedd, a gresynu na ddaeth â menig plastig efo fo, agorodd Daf y drws bach. Gwelodd stafell fel cell, heb ffenest. Uwch ei ben rhedai dwy relen, y ddwy â sawl bachyn arnynt. Roedd y llawr a'r waliau'n goncrit ond roedd ychydig bach o saim i'w weld yma ac acw, fel petai braster y blynyddoedd wedi creu sglein er gwaetha'r *pressure washer*. Safai bwrdd pren solet gyferbyn â'r drws, ei wyneb wedi'i dreulio yn siâp cafn dros flynyddoedd o dorri, a sylwodd Daf ar ddrws llai yn y pen draw – mynedfa i'r anifeiliaid, tybiodd. Roedd blas gwaed yn dal yn yr awyr. Roedd cwpwrdd metal tal, fel locer, yn un gornel ac yn y gornel arall roedd gwter fach i gael gwared â dŵr a gwaed. Ystafell ladd Rhys Bowen.

Yn y cwpwrdd roedd sawl brat mawr, menig a chas tebyg i fag dogfennau, ond pan gododd Daf y clawr lledr du, gwelodd resi o gyllyll yn disgleirio fel trysorau. Ar y silff ger y cas roedd tri thun Fray Bentos gwag a photel fawr blastig yn llawn hylif porffor: gwirod methyl.

Teimlodd Daf lif yr adrenalin: mentrodd ar hap i'r ffatri a dod o hyd i'r union beth roedd o angen ei ffeindio. Tynnodd lun o gynnwys y cwpwrdd ar ei ffôn, ei gefn at y drws. Nid sŵn wnaeth Daf yn ymwybodol fod rhywun arall yn agos ato ond yn hytrach awel fach o awyr iach. Â'i galon fel gordd, trodd rownd. Greddf a dim byd arall barodd i Daf gyrcydu, a hwyliodd y fwyell dros ei ben gan daro'r wal gyferbyn, a'r llawr, yn swnllyd. Cododd Daf a chamodd yn ôl i swyddfa Bowen. Roedd y cas ar y wal ar agor a bwyell ar goll, ond doedd neb yno. Rhedodd i'r dderbynfa – roedd fan'no hefyd yn wag ond roedd y drws i'r ffatri yn gilagored. Yn ofalus, camodd Daf i'r gwacter mawr a chwilio am y swits golau. Tarodd ar banel bach i'r chwith o'r drws a phwysodd bob switsh. Llifodd golau pwerus gwyn dros y lle, gan ddangos rhes ar ôl rhes o feinciau dur gwrthstaen. Clywodd sŵn injan car yn tanio a rhedodd allan drwy'r fynedfa: doedd neb yno ond gwyntodd arogl diesel. Yn y pellter clywodd sŵn injan yn diflannu.

Yn chwys i gyd, safodd Daf tu allan yn yr awyr fwyn. Nawr bod y perygl i'w fywyd drosodd meddyliodd am berygl arall, sef colli ei swydd. Roedd o leiaf un person yn gwybod iddo dresbasu yn y ffatri heb warant, ac yn ôl yr hyn roedd Daf newydd ei brofi, roedd hwnnw'n berson peryglus iawn. Gan gamu ar flaenau ei draed, aeth yn nôl i'r ystafell ladd. Cododd y fwyell yn ofalus a'i rhoi yn ôl yn y cas a'i gau gyda chlic isel a swniai fel ergyd gwn yn y tawelwch. Wrth ailosod y larwm, gwelodd ôl traed gwlyb ar y llawr na sylwodd arnynt o'r blaen. Tynnodd lun ohonynt ar ei ffôn a sylwodd, wrth wneud hynny, fod ei law yn crynu. Clodd y drws a'r clo clap ar y giât, neidiodd i'w gar a gyrrodd i ffwrdd.

Roedd Daf wedi hen arfer â thrais – allai 'run heddwas, hyd yn oed ym Mwynder Maldwyn, osgoi hynny. Treuliodd ddau gyfnod yn yr ysbyty: unwaith ar ôl iddo gael ei bwnio a dro arall trywanwyd ef yn ei fol gan lanc llawn cocên. Doedd neb erioed o'r blaen wedi ymosod ar Daf o nunlle. Stopiodd y car i gael awyr iach, a chwydodd lond ei berfedd.

Pwysodd ar ochr y car i ddod ato'i hun. Bowen. Neb arall. Pwy arall allai agor y lle? Wedyn cofiodd nad oedd o wedi ei gloi ei hun i mewn felly gallai unrhyw un fod wedi ei ddilyn o. Ond pwy arall fyddai'n gwneud y ffasiwn beth? Pwy fyddai'n elwa o'i ladd o? Yn sydyn, ar ôl i'w stumog sadio, sylwodd Daf faint o amser oedd wedi mynd heibio ers ei kebab efo Cai – roedd yn hen bryd iddo fynd adre am bryd o fwyd a chwtsh fawr gan Mali fach.

Byddai'n amhosib i gartref fod yn fwy cartrefol. Arogl saws bolognese, sŵn y teledu'n isel ac wynebau cariadus. Cododd Mali o freichiau ei mam a'i gwasgu'n dynn, gan ystyried beth fyddai wedi digwydd petai o ddim wedi osgoi llafn y fwyell. Gwyntodd rywbeth dieithr yn y stafell: sent eillio.

'Nefi bliw, mae'n braf bod adre. Mae heddiw wedi bod yn dipyn o ddiwrnod. Den ni 'di cael fisitors?'

'Mae Siôn newydd adael – mi gafodd swper efo Rhods.'

Os oedd Siôn yn arogli o sent yn hytrach na'i gymysgedd arferol o silwair a sebon cryf, roedd dylanwad Belle i'w weld yn barod.

'Gwranda, Daf,' dechreuodd Gaenor, yn codi ar ei thraed i'w gofleidio, 'Mae Rhods mewn hwyliau rhyfedd. Wnei di bicio fyny i'w weld o tra mae'r pasta'n berwi?'

'O'r gore.'

Nid oedd Daf yn awyddus iawn i glywed am broblemau ei fab ar ôl ei brofiad ysgytwol, ond ceisiodd baratoi ei hun i wrando.

'Sut hwyl, cog?'

Roedd Rhodri ar ei ffôn, ei iPad ac yn chwarae Call of Duty ar yr un pryd.

'Heia, Dad. Sut mae'r ymchwiliad?'

'Fel lobsgóws, yn llawn o lot o bethau gwahanol. Ti angen sgwrs?'

Rhoddodd y teclyn rheoli'r gêm a'r iPad i lawr, ond daliodd ei ffôn yn dynn.

'Rhaid i ti helpu Rob. Mae o yn y *shit* yn yr ysgol, ac nid ei fai o oedd y busnes o gwbwl.'

Roedd o'n ymwybodol, fel aelod o'r Pwyllgor Gwahardd, y dylai dawelu Rhods yn syth.

'Be sy?'

Nid allai Rhodri edrych i lygaid ei dad, ac am y tro cyntaf roedd Daf yn amheus ohono.

'Maen nhw isie cael gwared â Rob oherwydd ei ffigyrau absenoldeb. Maen nhw'n chwilio am esgus i'w wahardd o.'

'Dwi'n bendant nad ydi hynny'n wir o gwbwl. Ond be mae o wedi'i wneud?'

'Roedd ganddo lun o ferch ar ei ffôn.'

'A.'

'Hi dynnodd o, a hi ddanfonodd o.'

'Ond mi wnaeth o ei gadw fo?'

'Do, ond am reswm da. Ti'n nabod Ben Jones, flwyddyn yn hŷn na ni?'

'Dwi'n gwybod pwy sy gen ti. Bachgen tal, chwarae lot o bêl-droed?'

'Ie. Wel, mae gan Ben gariad, a Dad, dwi ddim yn bod yn secsist pan dwi'n dweud ei bod hi'n rêl fflŵsi. Mae hi ar ôl y bechgyn yn seriws, yn enwedig Rob. Ond mae Ben yn meddwl y byd ohoni ac mae o'n ffrindie penna efo Rob: mae'r holl beth mor *awkward*.'

'Dwi'n deall.'

'Mae Rob yn gwybod y sgôr – mae o'n llawer mwy aeddfed na'r rhan fwya ohonon ni. Mae'r Lwsi 'ma wedi cysylltu â 'Brillwen, yn dweud bod Rob wedi treulio'r nos efo hi a bob dim. Lwcus fod 'Brillwen yn lodes gall.'

Roedd Ebrillwen Pennant, cariad Rob, yn byw yr ochr arall i Aberystwyth yn rhywle ond roedden nhw efo'i gilydd ers Steddfod Meifod. Nid oedd eu perthynas yn plesio tad Ebrillwen ond, er gwaethaf ei ymdrechion, roedden nhw'n dal efo'i gilydd.

'Llun o Ebrillwen oedd o?'

'Nage, nage, Dad: llun o Lwsi Lewis. Hi dynnodd o, hi ddanfonodd o i Rob. Mae Rob wedi bod yn poeni am Ben ers tipyn, achos dydi o ddim yn un o'r cyllyll mwya miniog yn y drôr ond dydi Ben ddim yn coelio dim byd drwg amdani. A chwarae teg, mae hi'n ddel ond mae o'n haeddu gwell, wir. Felly penderfynodd Rob ddangos y llun i Ben, i ddangos cystal slwten ydi hi.'

'Ond?'

'Ond mi ddywedodd Lwsi wrth ei thad, sy ar y staff. Dwi ddim wedi'i weld o, ond yn ôl y sôn mae'n andros o lun budur. Mi ddywedodd Rob ei bod hi ... o, na, dwi'n methu dweud. Ond mae o'n waeth na jyst ei chnawd noeth, dyna be dwi'n ceisio'i ddweud.'

'Alla i ddychmygu.'

'Yr un oed â ni ydi hi, ac mae hi'n dweud bod Rob yn paedo, yn casglu lluniau anweddus o blant.'

'Mae hynny'n hurt.'

'Ond maen nhw'n ei choelio hi! Mae hi'n dweud bod Rob wedi'i phoenydio hi, yn swnian am lun a ballu. Maen nhw'n mynd i'w wahardd o, bendant.'

'Am lol!'

'Y gwir ydi, Dad, mae hi'n flin efo Rob achos na dydi o ddim yn ei ffansïo hi. Ti ar y panel, yn dwyt ti, Dad?'

'I fod, Rhod, ond, o feddwl pa mor agos i'r teulu yden ni, falle y byse'n well i mi gynrychioli Rob yn lle hynny, i fod yn hollol deg i bawb.'

'Ti'n sôn am fod yn deg – mi fydd pob aelod o'r staff ar ochr Lwsi am ei bod hi'n ferch i Lembo Lewis sy'n dysgu busnes.'

'Falle, ond dwi'n gwybod yn union be ydi'r dystiolaeth. Fydd popeth yn iawn.'

'Ga i ddweud hynny wrtho fo? Mae'n poeni'n ofnadwy, yn enwedig am ei fam.'

'Wrth gwrs.'

Galwodd Gaenor i fyny'r staer fod y spaghetti'n barod.

Esboniodd Daf drafferthion Rob iddi hi dros eu pryd o fwyd. Roedden nhw bron â gorffen pan ddaeth Rhodri i'r gegin, ei ffôn yn ei law.

'Rob wedi ffonio, isie gair, Dad.'

'Iawn.'

Roedd llais Rob dipyn bach yn uwch nag arfer.

'Mr Dafis, dwi wir yn sori i fod yn boen i chi, wir Dduw.'

'Twt lol, lanc. Mae dy fam wedi bod mor ffeind efo ni yn ystod yr wythnos yma, dwi'n falch o wneud rwbeth i helpu.'

'Dwi'm yn ei licio hi o gwbwl, y ferch 'na, Mr Dafis. Does gen i ddim diddordeb o gwbwl yn ei *lady garden*.'

'Goelia i.'

'Dech chi'n gwybod yn well na neb, Mr Dafis, dwi'n hen ddyn 'di setlo. Mae 'Brillwen yn siwtio fi yn tshampion.'

'Pam na gest ti wared â'r llun?'

'Isie'i ddangos o i Ben o'n i. Boi iawn ydi Ben, ond mae ei fam yn dod o Lanidloes a dech chi'n gwybod be mae pobl yn ddweud amdanyn nhw: "Llani born, Llani bred, strong in the arm, weak in the head." Mae'r Miss Lwsi 'na yn ei drin o fel ... fel baw.'

'Mae hyn yn bwysig: heblaw Ben, wyt ti wedi danfon neu ddangos y peth i rywun arall?'

'No wê. Mi ddisgrifiais o i Dad Bryn.'

Roedd Daf yn hoffi'r ffordd roedd y llanc yn cyfeirio at yr ewythr a ddaeth yn ŵr i'w fam.

'Be ddywedodd Bryn?'

'Deletio fo'n syth bìn.'

'Biti na wnest ti hynny.'

'Dwi'n gwybod, ond mae Ben yn gystal twmffat, rhaid i ni ofalu amdano fo. Dwi wir isie aros yn yr ysgol, Mr Dafis.'

'Wrth gwrs dy fod ti.'

'Mae gen i gynlluniau: dwi 'di trefnu prentisiaeth yn Fowlers, ochor Chirbury.'

''Sen i'n dweud nad oes neb yn Fowlers yn gwybod mwy am dractors na dy fam.'

'Debyg iawn, ond mae ganddi hi ryw *thing* am yr hen Masseys. Claas a John Deere sy gan Fowlers a dipyn bech mwy o waith ar y teclynnau *arable*. Ar ôl eu gadael nhw, mi fydda i'n gweithio i Mam am bum mlynedd a dechre busnes fy hun wedyn, yn trwsio a gwerthu. Codi tŷ pan dwi'n bump ar hugain a dyna fi. Ond rhaid cael digon o *exams* ar gyfer y brentisiaeth, felly rhaid aros yn yr ysgol.'

'Mi wna i fy ngore glas i ti.'

Rhywsut, ni chafodd Daf eiliad i ddweud wrth Gae am yr hyn ddigwyddodd yn y ffatri. Yng nghanol y nos, deffrodd o freuddwyd frawychus, yn falch o weld ei bod hi'n cysgu'n sownd wrth ei ochr: yn ei freuddwyd, roedd hi'n hongian o fachyn yn stafell ladd Rhys Bowen.

Pennod 12

Bore Sadwrn, Ebrill 16, 2016

Synnodd Daf pa mor dawel oedd y tŷ, cyn cofio mai bore Sadwrn oedd hi. Teimlai fel lleidr yn sleifio drwy'r drws ffrynt heb siarad â neb na hyd yn oed wneud paned iddo'i hun ond roedd amser yn brin. Roedd ganddo restr o bethau i'w gwneud, ac roedd mynd ar ôl Bowen ac ailgychwyn y broses o gael gwarant, os oedd rhaid, ar y top. Yng nghefn ei feddwl gwyddai mai dim ond rhan o'r ateb oedd Bowen oherwydd yr ail dân, ond a oedd yn bosib i Bowen ddychwelyd efo catalydd arall ar ôl methu efo'r *meths*? Dau dân, ond un troseddwr efallai?

Cyn cyrraedd cornel Heniarth, clywodd sŵn tecst yn cyrraedd. Trodd i mewn i fuarth Tŷ Brith i'w ddarllen. Neges gan Nia:

'Sori i fod yn niwsans, bòs, ond allwch chi ddod i weld Jac heddiw bore? Mae o'n bihafio'n od a Low yn poeni.'

Atebodd: 'Rhif ffôn Lowri?'

Danfonodd decst i Low cyn ffonio: doedd ddim pwrpas cysylltu â hi os nad oedd hi'n rhydd i siarad. Atebodd yn syth.

'Os allwch chi ddod yn gynnar, mi fydde hynny'n grêt.'

Newidiodd Daf gyfeiriad y car a chyrraedd Dolfadog ymhen deng munud. Roedd y gwlith yn dal ar y porfeydd a'r gwe pry cop ar bob shettin yn drwm efo perlau bach yn disgleirio yn haul y bore. Sylwodd ar y goedwig fach lle roedd Cai yn arfer chwarae efo Nansi a Gruff – tybed fyddai'n bosib i'r teulu ail-greu perthnasau gwerth eu cadw?

Pan gurodd ar y drws i'r tŷ clyd a grëwyd yn yr helm, cafodd groeso braf gan Lowri. Roedd pob trawst yn y gegin wedi cael ei drin efo olew nes roedden nhw'n sgleinio, ac yn gyferbyniad llwyr i Ddolfadog ei hun, roedd popeth yn ei le. Llanwyd y tŷ ag arogl braf: roedd Jac wrthi'n rhyddhau torth o beiriant bara.

'Y toes dipyn bach yn rhy wlyb, am wn i,' sylwodd Jac, yn amlwg yn cael trafferth.

'Bysedd dipyn bach yn rhy lletchwith, 'sen i'n dweud,' atebodd Low, gan gyflawni'r gwaith yn rhwydd.

Eisteddodd Jac yn y gadair ar ben y bwrdd. Roedd ei symudiadau'n lletchwith fel petai wedi yfed sawl peint o gwrw, a chysgodion o dan ei lygaid. Bob hyn a hyn, rhedai ei fysedd drwy ei wallt. Cododd y gyllell fara er mwyn torri'r dorth ond llithrodd y llafn o'i afael.

'Be sy'n bod ar y ffycin peth!' taranodd.

'Na, Jac,' meddai Low mewn llais isel, gan godi'r gyllell a thorri'r dorth o dan ei chesail yn y dull hen ffasiwn, 'be sy'n bod arnat ti? Mae Mr Dafis wedi dod i dy weld di. Dwi'n mynd lan staer i newid y gwely – wnei di plis ddweud wrtho fo be sy'n dy gnoi di? A phaid smalio mai hanes Cai ydi o.'

Trefnodd bedair sleisen o fara ar blât mawr iddyn nhw cyn mynd.

'Gymerwch chi goffi, Mr Dafis?'

Coffi da oedd o hefyd, o *cafetiére*.

'Myn uffar, ti'n byw yn ddedwydd fan hyn, Jac! Bara ffres, tŷ bach clyd, gwraig ddymunol a'r coffi gore yn Sir Drefaldwyn.'

Edrychodd y dyn ifanc i lawr.

'A be dwi wedi'i wneud, Mr Dafis? Rhoi'r cyfan dan fygythiad.'

'Sut hynny, felly?'

'Dwi ddim wedi cysgu na bwyta'n iawn ers nos Lun. Alla i ddim byw fel hyn. Ga i ofyn, Mr Dafis, pan mae dyn yn y carchar, yden nhw'n cael cymryd eich holl eiddo chi – tir, stoc, y busnes cyfan?'

'Ddim o reidrwydd. Os wyt ti wedi elwa o'r drosedd, ti ddim yn cael cadw'r elw.'

'O.' Roedd golwg o obaith ar wyneb Jac. 'Felly, y pres dech chi'n ennill trwy waith caled, dech chi ddim yn colli hwnnw?'

'Mae pob achos yn wahanol ond fel arfer, na.'

Roedd eiliad o dawelwch tra oedd Jac yn ail-lenwi'r *cafetiére*.

'Wnes i rwbeth gwallgo nos Lun, mwy nag un peth, ac maen nhw yn fy mhen i, Mr Dafis, dwi'n methu dod drostyn nhw. Ydw i'n cael brêcdown?'

'Cydwybod ydi o. Dweud yr hanes, lanc.'

Stori ddigon syml oedd hi i ddechrau. Gan ei fod eisiau perswadio Heulwen i lofnodi'r brydles cyn iddo golli'i dir aeth Jac draw i weld ei fam yn hwyr yn y pnawn. Gwrthododd arwyddo.

'Roedd hi mor sbeitlyd, yn sôn am gael ei siâr allan o'r ffarm, dro ar ôl tro, fel record wedi sticio. Roedd ei gwên mor ffals pan ddwedodd hi: "Dyma nhw, fy amodau i: rho i mi fy etifeddiaeth o Ddolfadog ac mi wna i lofnodi unrhyw ddogfen dan haul." Mi welais ar ôl bron i hanner awr nad oedd siawns i mi newid ei meddwl felly penderfynais wneud rhwbeth hurt a drwg. Petawn i'n aros i'r ferch ifanc adael yr adeilad, mi allen i ei gorfodi i lofnodi'r brydles.'

'Sut?'

Cochodd Jac.

'Peth ffiaidd i fab ddweud am ei fam, ond ro'n i'n meddwl am dorri ei bysedd, fesul un. Mi sylwais, ar ôl i Nans ... ei brifo hi, ei bod hi'n rhoi mwy o barch iddi wedyn.'

'Ti'n iawn, mae o'n beth ffiaidd hyd yn oed i'w ystyried. Ond wnest ti ddim gweithredu'r syniad erchyll, beth bynnag.'

'Sut dech chi'n gwybod hynny?'

'Erbyn hyn, dwi wedi casglu gwybodaeth go fanwl am yr hyn ddigwyddodd yn y stafell. Ond ymlaen efo'r stori – sut oeddet ti'n gwybod pryd fyddai Anwen yn gadael?'

'Ro'n i wedi parcio'r Landy jyst tu allan i swyddfa Gwilym Bebb. Roedd rheswm da gen i i fod yno, sef trefnu'r brydles. Prynais fag o jips i lenwi cornel ac mi 'rosais.

Am lwc, meddyliodd Daf, tyst da.

'Am faint oeddet ti yno?'

'Tair awr. Heb symud, heblaw pan sylwais 'mod i'n blocio'r lôn ... dech chi'n gwybod, y lôn sy'n arwain y tu ôl i'r stryd. Roedd car, wel, pic-yp, isie mynd i fyny, felly mi symudais.'

'Pa fath o pic-yp?'

'Un Carwyn Watkin, Brynybiswal. Roedd o'n gwneud jobsys bech i ... iddi hithe, ac i sawl un arall. Ar *odd jobs* oedd o amser hynny, fysen i'n tybio, achos *lawn mower* oedd yn y cefn, un go fawr.'

'Felly – ac mae hyn yn bwysig, Jac – pwy aeth i mewn ac allan drwy ddrws y swyddfa yn ystod y cyfnod yna?

'Dwi'n ceisio cofio ...'

'Mae'n bwysig, cyn mynd ymhellach, Jac, i mi ofyn yn blwmp ac yn blaen: laddest ti dy fam?'

'Na, Mr Dafis, ond wnes i ddim ei hachub chwaith.'

'Iawn. Ymlaen efo'r hanes.'

O'r drôr ym mwrdd y gegin, tynnodd Jac bensil bach a darn o baced grawnfwyd i'w ddefnyddio fel papur sgrap.

'I ddechrau, aeth tri o bobl i mewn, dyn a dwy ddynes. Ro'n i'n ei nabod o – mae o'n dysgu yn Ysgol Bro Ddyfi, neu beth bynnag maen nhw'n ei galw hi'r dyddie yma.'

Yr unig gyfarfod oedd yn nyddiadur Heulwen: Undeb Athrawon Cymru.

'Wedyn, tua awr ar ôl iddyn nhw adael, falle, daeth Rhys Bowen i'w gweld hi. Wnaeth o ddim aros yn hir. Wedyn, Carwyn Watkin, sy'n beth arferol, wedyn dynes fusnes mewn sodle uchel.'

Carwyn Brynybiswal oedd yr un annisgwyl, meddyliodd Daf.

'Cyn i'r ddynes *posh* ddod allan, aeth dyn ifanc go ryff, main, efo barf, i mewn. Do'n i ddim yn ei nabod o, ond roedd rwbeth cyfarwydd amdano fo 'fyd.'

'Cai oedd o.'

'O *shit*, na! Doedd 'na erioed lawer o fraster arno fo, ond ...'

'Gawn ni drafod Cai nes ymlaen, hwyrach. Pryd welest ti o'n gadael?'

'Wnes i ddim. Gadawodd yr Anwen 'na ar ôl y ddynes posh.

Ddigwyddodd peth rhyfedd wedyn. Roedd hi bron â nosi erbyn hyn, ond ddaeth Cai ddim allan drwy'r drws ffrynt o gwbwl. Mi ddaeth i'r golwg o'r lôn gefn, ond ar yr un pryd cerddodd Bowen eto at y drws ffrynt. Safodd o flaen y drws a – mae hyn yn mynd i swnio'n hollol wirion, ond ...'

Mwmialodd Jac weddill y frawddeg.

'Be welest ti Bowen yn wneud?'

'Wel ... y ffordd roedd o'n sefyll, meddyliais am eiliad ei fod o'n ceisio pisio drwy'r blwch llythyrau.'

Bingo, meddyliodd Daf.

'A be nesa?'

'Daeth y dyn garw, Cai, yn ôl i'r lôn, wedyn diflannodd tu ôl i'r adeilad a daeth heibio unwaith eto, fel petai o wedi picio i rywle i nôl rwbeth. Mi arhosais am ddeng munud arall, falle: roedd popeth yn dawel, felly es i mewn drwy'r drws ffrynt a gweld chydig o hylif ar y llawr. Ond doedd o ddim yn gwynto fel pi-pi o gwbwl, ond fel yr hen sbirit 'na roedd pobl yn arfer ei ddefnyddio i lanhau. Beth bynnag, wnes i ddim cymryd fawr o sylw, dim ond mynd yn syth i mewn i'w gweld hi.'

Cuddiodd ei wyneb â'i law chwith.

'Pan welest ti dy fam, oedd hi'n dal yn fyw?'

'Oedd, dwi'n meddwl.'

'Dim ond meddwl?'

'Roedd ei chalon yn dal i guro a'i llygaid, wel, roedd rwbeth yno, ond wnaeth hi ddim symud na dweud gair.'

'Effaith ketamine oedd hynny.'

'Beth bynnag oedd y rheswm, allwn i ddim cael ei llofnod, felly mi sgwennais ei henw, gan gopïo'r sgrifen o lythyr oedd ar ei desg. Roedd hi'n gallu gweld be o'n i'n wneud, ond yn methu gwneud dim am y peth. Rhaid cyfadde, mi ges i fymryn o bleser wrth ei gweld hi fel'na. Ar ôl copïo'r llofnod mi ges i syniad digon gwirion – codais ei llaw a'i rhoi hi ar y cytundeb, i wneud yn siŵr fod digon o'i holion bysedd dros y peth, petai rhywun yn codi cwestiwn.'

'Ac mi adewest ti hi felly?'

'Do. Yn y gadair, yn methu symud na siarad, yn methu helpu ei hun. Dwi ddim yn falch iawn, ond dyna be wnes i.'

'Allan drwy'r drws ffrynt est ti?'

'Ie. Ro'n i ar fy ffordd adre pan gofiais fod y brydles yn dal gen i. Nôl i'r Trallwng felly, ond jyst cyn y Raven, daeth Carwyn Watkin i 'nghwfwr i, yn gyrru fflat owt, a phan godais fy llaw, chymerodd o ddim sylw. Ges i siawns i roi'r brydles drwy ddrws Gwilym Bebb ond pan yrrais heibio i swyddfa'r Blaid, roedd y ffenest yn edrych yn od. Roedd golau yno ond nid golau trydan, roedd o'n fwy oren – roedd y lle ar dân. Es i drwy'r goleuadau traffig ond ro'n i'n methu mynd yn bellach. Roedd yn rhaid i mi alw'r dynion tân, ond ddim o fy ffôn fy hun. Mae 'na giosg tu allan i Pinewood: mi ffoniais i nhw o fan'no. Chwarae teg, ymhen deng munud, ro'n i'n gallu clywed y seiren.'

Unwaith eto roedd Belle yn iawn: roedd hi'n dweud bod y tân wedi cael ei ddiffodd yn gyflym. Brwydrodd Jac i orffen y stori.

'Mi welais injan dân Llanfair yn mynd heibio – roedden nhw, ffrindiau a chymdogion, yn fodlon mentro eu bywydau a finne wedi'i gadael hi yno.'

'Does neb yn gallu rhagweld tân, Jac.'

'Ond ti'n gallu rhagweld rwbeth drwg yn digwydd i ddynes yn hongian fel'na rhwng byw a marw. Ro'n i'n ysu am beint felly es i'n ôl ar y ffordd gefn, a stopio yn y Beehive, yn Castle. Wedyn adre, ac roedd Low yn poeni'n arw. Rŵan, mae ganddi hi reswm i boeni.'

'Jac, os yden ni'n anghofio am y mater bach o ffugio llofnod am eiliad, be yn union ti'n feddwl ti wedi'i wneud?'

'Wel, ei gadael hi.'

'Rhaid i mi ddweud, doedd o ddim y peth neisia y gallai mab ei wneud, ond dydi hi ddim yn drosedd. Yn Ffrainc, mae gen bob un ddyletswydd i helpu, ond nid ym Mhrydain.'

Cododd Jac ac aeth at y ffenest. Newidiodd y pwnc, ei lais yn ysgafnach.

'Den ni ddim wedi dangos y stydi i chi, Mr Dafis, draw yn y tŷ. Nid y swyddfa fawr, ond stydi fech Mam. Dech chi isie'i gweld hi?'

'Plis.'

Teulu Nansi oedd yr unig breswylwyr yn Nolfadog. Agorodd Jac y drws heb gnocio tra oedd Seth yn dweud gras cyn brecwast. Rowliodd Jac ei lygaid ond yr hyn welodd Daf oedd teulu bach tyn a chariadus, hyd yn oed os oedden nhw braidd yn hen ffasiwn yn eu harferion.

'Dwi'n mynd â Mr Dafis i weld pethe Mam,' esboniodd Jac.

Nodiodd Nansi, yn canolbwyntio ar dorri tost yn ddarnau bach i'w phlant i fynd efo'u hwyau meddal.

'Ble mae dy dad, Jac?' gofynnodd Daf wrth iddyn nhw ddilyn y coridor dryslyd drwy'r hen dŷ.

'Wedi dod o hyd i *love nest* bach yn y Trallwng, sy'n gyfleus iddi hi. Yn ôl y sôn, mae hi isie gweithio nes y byddan nhw wedi priodi, ond mi fydd raid iddo fo wneud ei siâr fan hyn, ble bynnag mae o'n byw.'

'Digon teg.'

Agorodd Jac y drws i ystafell fach, dim llawer mwy na chwpwrdd, ac ynddi ddesg fach, argraffydd ac, yn ddiddorol iawn, gliniadur.

'Ga i fag bin i roi pethe ynddo fo, Jac?'

'Iawn siŵr.'

A'r gliniadur yn saff o dan ei fraich, wedi lapio yn un o'r sachau porffor roedd yn rhaid i bawb ei ddefnyddio ar gyfer sbwriel sy'n methu cael ei ailgylchu, dychwelodd Daf i'r gegin.

'Mae gen i waith i'w wneud, os ydi hynny'n iawn, Mr Dafis?' gofynnodd Jac mewn llais llawer mwy addfwyn nag arfer.

'Dim problem, lanc, a diolch yn fawr am y sgwrs. Buddiol iawn.'

Arhosodd Daf yn y gegin am y gwahoddiad a ddaeth ymhen hir a hwyr gan Seth.

'Nancy, I think Mr Davies would like a cup of tea.'

'Of course. Gymerwch chi baned efo ni, Mr Dafis?'

'Diolch o galon.'

Tra oedd ei wraig yn llenwi'r tegell sylwodd Daf fod Seth yn osgoi edrych arno. Pan orffennodd y plant eu brecwast, gorchmynnodd:

'Now children, go quietly to the parlour to play. I will be with you in a few minutes.'

Newidiodd yr awyrgylch yn yr ystafell ar ôl iddyn nhw adael. Clodd wyneb Nansi fel petai'n paratoi ei hun am beth bynnag oedd i ddod.

'Mr Davies,' meddai Seth, gan godi ar ei draed fel petai'n paratoi i bregethu, 'I do not know if you are a man of faith but you probably know that for us, service of the Lord is at the heart of our lives. We strive to avoid sin though we do care for sinners. But those who find themselves deep in sin in this modern world often choose to describe their actions as choices, which they have a right to make. Those people are dangerous because they infect others with their wrong-doing and that, Mr Davies, is the difference between Nancy's parents.'

Roedd bochau Nansi'n fflamio ag embaras. Rhoddodd baned o flaen Daf: cwpan a soser, nid mẁg. Roedd yn amlwg nad oedd Seth wedi gorffen ei lith.

'Nancy's father is a fornicator but to give him his due, he does not want the God-gifted institution of marrige destroyed. Last year, when she was a guest in our home, Nancy's mother chose to ... indulge her unnatural desires in our spare bedroom. When I confronted her, and the degraded woman she described as her partner, she started to recite a confection of dangerous nonsense, describing the unnatural lust they shared as "love". I was obliged to expel her from my house and from that time, my family have had no contact with her. It is not easy to say this about my wife's mother, but she was a corruption, an evil influence who was not to be permitted to imperil my family.'

Efo'r frawddeg feirniadol hon, trodd y Parchedig yn araf a

cherddodd yn urddasol allan o'r stafell. Disgynnodd distawrwydd dwfn, llawn embaras.

'Mae o'n ddyn da,' mentrodd Nansi ymhen sbel. 'Traddodiad gwahanol, dech chi'n deall, Mr Dafis. Yn y Gambia, cartref Seth, mae'n dal i fod yn erbyn y gyfraith i ...'

'Dwi'n gweld, ond Nansi – os ydi rhywun yn siarad fel y siaradodd Seth am berson sy newydd gael ei lladd, mae'n codi cwestiynau.'

'Pan agorodd y drws, mi gafodd andros o fraw.' Gwenodd Nansi yn sydyn a gwelodd Daf fflach o'r ddynes ifanc fywiog y gallai hi fod petai'r cysgodion heb ddisgyn arni. 'A dwi'n deall yn iawn fod llawer iawn o ddynion yn mwynhau'r ffantasi o weld merched yn y gwely efo'i gilydd, ond nid Janet Cilgwyn a fy mam, yn bendant.'

Roedd yn rhaid i Daf chwerthin ond roedd geiriau Seth yn dal i atseinio yn ei ben. Roedd o'n siarad am ei fam yng nghyfraith fel petai'n facteriwm yn hytrach na dynes efo enaid, dewisiadau a hawliau.

'Nansi, ble oedd Seth nos Lun?'

'Ar ei ffordd adre o ryw gyfarfod.'

'A ble oedd hwnnw?'

Cochodd cyn ateb.

'Lle uwchben y Drenewydd. Dolfor.' Roedd ochenaid wan yn ei llais, fel petai hi'n rhagweld rhyw fath o drafferth.

'Pa fath o gyfarfod oedd o?'

'Mae 'na gymuned go fawr yn y Drenewydd, yn chwilio am fugail. Mae'r cyflog dipyn go lew yn fwy na'r hyn ryden ni'n ei dderbyn rŵan, yn cynnwys swydd i mi – swyddog teuluoedd ac ieuenctid – a chlamp o dŷ braf hefyd.'

'Ond?'

'Ond all dyn ddim arwain ei braidd yn foesol os nad ydi ei fam yng nghyfraith yn ymddwyn yn briodol. Mi gawson ni drafodaeth ar y dydd Sul cyn y cyfarfod: roedd yn rhaid iddo wrthod y swydd oherwydd fy mam.'

'Oedd o'n flin?'

'Wrth gwrs ei fod o'n flin. Byddai wedi bod yn gyfle braf i ni fel teulu, a does nunlle gwell yn y byd i fagu plant na Sir Drefaldwyn.'

'Faint o'r gloch ddaeth Seth adre?'

'Cyn saith. Mae o wastad yn gwneud ymdrech i fod adre i ddarllen stori cyn cysgu i'r plant, hyd yn oed os oes raid iddo fynd allan eto wedyn.'

'Aeth o allan wedyn?'

'Dim ond i'r neuadd, drws nesa i'r tŷ. Pwyllgor cyllid.'

'Felly doedd Seth ddim yn Sir Drefaldwyn tua ...?'

Neidiodd Nansi o'i chadair, ei llygaid yn fawr a'i hwyneb yn goch.

'Dwi'n deall i'r dim be dech chi'n feddwl, Mr Dafis, a dech chi'n hollol anghywir. Dyn caredig ac addfwyn ydi Seth. Dwi'n synnu atoch chi: dydi Seth ddim yn caniatáu ffordd o fyw fel yr un ddewisodd fy mam ond mae hynny'n wahanol iawn, iawn i'w lladd hi.'

'Ddywedes i ddim gair.'

'Ond dwi'n gweld yr ensyniad yn eich llygaid chi, Mr Dafis. Dwi'n gwybod, y dyddie yma, fod pobl ifanc yn cael eu hannog i dorri rheolau, gwneud fel mynnen nhw ac wfft i unrhyw ganlyniad, ond o 'mhrofiad i, dydi rhyw ddim yn beth i'w gymryd yn ysgafn, yn beth i ddewis ei fwynhau fel mynd am dro neu fwyta cacen; dydi o ddim, Mr Dafis. Fy chwant i chwalodd obeithion Cai, ac anhapusrwydd rhywiol Mam a Dad sy wedi dinistrio'n hapusrwydd ni, eu plant nhw. Mae rhyw fel tân – gall rhywun gynhesu ei hun os ydi o'n cymryd gofal ond mae digon o bobl sy'n cael eu brifo, ac mae hynny'n gadael creithiau cas ar bawb o'u cwmpas.'

'Dwi wedi gweld hynny fy hun sawl tro, lodes.'

'Peidiwch â barnu Seth am ddweud y gwir: roedd ffordd o fyw fy mam yn ffiaidd ac yn hunanol a dwi'n falch ei bod hi wedi mynd.'

Rhedodd Nansi o'r gegin fel merch ddeg oed yn methu ennill dadl. Cododd Daf y gliniadur ac oedodd am eiliad ar y trothwy, yn ystyried y cyferbyniad rhwng y gegin fach glyd yr ochr arall i'r buarth a gwacter y ffermdy. Gobeithiodd, wrth gau'r drws, y gallai dylanwad Low greu cartref o'r tŷ mawr, oer.

Canodd ei ffôn eto gyferbyn â Tŷ Brith: Dilwyn Puw, a hynny ar fore Sadwrn.

'Wyt ti wedi gweld y papurau, Dafydd?' gofynnodd.

'Dwi 'di bod yn Nolfadog efo teulu Heulwen Breeze-Evans tan rŵan, bòs.'

'Well i ti edrych arnyn nhw. Mae cwpwl o erthyglau sy'n haeddu chydig o sylw, yn fy marn i.'

'Pam hynny, syr?'

'Yn yr *Express*, mae'r pennawd: 'Fear of unrest prevents arrest in Welsh slaying.' Mae ganddyn nhw ddarn go hir gan ddyn o'r enw Brian Clarke, sy'n disgrifio ei hun fel "pencampwr y gymuned leol" neu "local community champion" os leci di – dydi'r teitl ddim yn gwneud synnwyr mewn unrhyw iaith, i mi.'

'Yr ymgeisydd UKIP ydi o, syr, yn ceisio codi stŵr.'

'Dwi'n cymryd nad oes elfen o wirionedd yn y peth, Dafydd?'

'Dim smic. Den ni wedi siarad â dau ddyn o Wlad Pwyl, un a chanddo gefndir go dreisgar, ond doedd gan 'run ohonyn nhw reswm i ladd Mrs Breeze-Evans. Roedd stordy bach o nwyddau yn eu fflat nhw uwchben y swyddfa: sigaréts, fodca ac ati. Petaen nhw'n bwriadu cynnau tân mi fysen nhw wedi symud eu stwff gynta.'

'Smyglo?'

'Falle. Ond talu treth neu beidio, roedden nhw'n gwerthfawrogi cynnwys eu cuddfan.'

'Digon teg. Well i ti siarad efo Diane Rhydderch, beth bynnag.'

'Dyna'r cyfan?'

'Yn anffodus, na. Mae mwy i boeni amdano yn y *Guardian*. 'Rural forces fail on hate crime, says victim's lover.' Wedyn, mae 'na ddisgrifiad ohonat ti sy ddim yn deg o gwbwl, a all greu problemau os ydi'r wasg yn dilyn y trywydd hwnnw. Maen nhw'n dy alw di yn hen ffasiwn, y math o blismon fyddai'n helpu'r Famous Five, yn awgrymu bod dy ddiffyg profiad yn dy rwystro di rhag ymchwilio'n effeithiol. O leia dydyn nhw ddim yn dy alw di'n homoffôb.'

'Rwtsh llwyr. Dwi ddim yn dwp, a dwi ddim yn rhagfarnllyd, chwaith, syr. Gofynnwch i Mei Martin o Heddlu'r Gogledd.'

'Dwi wedi siarad â Sergeant Martin yn barod.'

Bu saib bach, tra oedd Daf yn prosesu'r syniad o'r Dirprwy Brif Gwnstabl yn ffonio Mei ar fore Sadwrn. Ceisiai Mei osgoi shifft dydd Sadwrn os yn bosib, er mwyn mwynhau'r diwrnod cyfan gyda Graham, ei bartner, a'r ci mawr blêr oedd bron â malu ei gartref yn rhacs, Ffagot. Gresynai Daf fod ei ffrind wedi cael ei styrbio heb reswm ond roedd o'n ffyddiog y byddai ymateb Mei i alwad Puw wedi lleddfu ychydig ar feddwl ei bennaeth.

'Be yn union dech chi'n awgrymu y dylwn i wneud, syr?' gofynnodd Daf, gan lwyddo i osgoi bod yn swta.

'Cerdda'n ofalus, dyna'r cyfan. A plis, Dafydd, defnyddia sgiliau Diane Rhydderch: mae hi yna i dy helpu di.'

'Iawn, syr.'

'Oes modd i ti a Diane lunio datganiad o ryw fath mewn pryd i gyrraedd y papurau dydd Sul?'

'Digon posib, syr.'

'Llywio'r sylw i gyfeiriad hollol wahanol, dyna'r amcan. Gyda llaw, Dafydd, ddoist ti i ben heb y warant?'

'Do diolch, syr,' atebodd Daf, yn rhaffu celwyddau.

Newidiodd llais Puw, fel petai'n siarad â ffrind yn hytrach na phlismon o reng is.

'Cysyllta, Dafydd, os oes rhaid. Dros y penwythnos hefyd, dim problem, jyst coda'r ffôn.'

'Diolch i chi, syr. Mae'n fusnes go gymhleth.'

'Siŵr iawn. Hwyl am y tro.'

Rhan o natur Daf oedd ei duedd anarchaidd, ei amharodrwydd i barchu awdurdod, felly roedd derbyn cefnogaeth gan ddyn fel

Puw yn deimlad rhyfedd, ond yn deimlad braf. Wrth yrru heibio i'r gilfan ble chwydodd y noson cynt roedd o'n llawn egni, yn barod am unrhyw beth. Cyn iddo hyd yn oed gyfarch ei gydweithwyr yn yr orsaf, cyflwynodd y gliniadur i Nev.

'Dipyn bach mwy o waith i ti, cog,' meddai, 'a'r eiliad y byddi di'n darganfod o ble ddaeth y lluniau 'na, tyrd i 'ngweld i efo'r wybodaeth a dwy Garibaldi. Paid â gwadu fod gen ti *stash* ddirgel, dwi ddim yn ffŵl.'

'Sgen i ddim syniad am be dech chi'n sôn, bòs, ond diolch am y laptop. Mae merch y Blaid yma, a'r Tori ifanc hefyd, ac yn ôl y sôn, mae Bowen ei hun ar ei ffordd draw.'

'Iawn. Dwi isie gair efo Carwyn Watkin, Brynybiswal, hefyd – ceisia gael gafael arno fo, plis. Ble mae Steve?'

'Wedi mynd i chwarae pêl-droed, *away* yn y Fflint.'

'*Part-timer*.'

Ar y fainc yn y cyntedd, yn trafod y llyfr *Sex, Lies and the Ballot Box*, roedd Einion ac Anwen yn gyrru mlaen yn dda.

'Ond yn ôl Piketty ...' cynigiodd Anwen.

'Wfft i Piketty,' atebodd Einion yn swta. 'Dydi ei sỳms o ddim yn gweithio: mi ddanfona i linc i ti. Beth bynnag, mae o'n Ffrancwr – faint o economyddion o Ffrancwyr alli di enwi? Ty'd mlaen, jyst tri ...?'

Roedd Daf wedi gweld rhywbeth tebyg o blaen, yr hyn yr oedd Carys yn ei ddisgrifio yn *geek love*. Wrth drafod y pwnc roedd eu llygaid yn llydan a'u calonnau'n curo fel morthwylion stêm. A hwythau'n dadlau am y dull gorau o ddatblygu cefn gwlad Cymru, fyddai hi ddim yn hir cyn iddyn nhw ddechrau tynnu dillad ei gilydd.

Torrwyd ar draws eu dadl gan ffôn Anwen. Agorodd y tecst a diflannodd pob tamaid o liw o'i bochau crwn.

'OMB,' hisiodd.

'Ti'n iawn, Anwen?' gofynnodd y Tori Boi yn gwrtais.

'Mae ... maen nhw wedi dewis ymgeisydd newydd i'r sedd.'

'Pwy?'

'Fi, os dwi'n derbyn.'

Heb feddwl, lapiodd Einion ei freichiau o'i chwmpas a'i gwasgu'n dynn.

'Mae hynny'n wych!'

Cerddodd Bowen drwy'r drws cyn i Einion ollwng Anwen.

'Wel, dwi 'di bod yn disgwyl rwbeth tebyg ers sbel, dweud y gwir,' meddai Bowen gan daflu cipolwg awgrymog i gyfeiriad Daf. 'Blantos, mae'n hollbwysig adeiladu clymblaid yn erbyn Llafur a dwi'n falch o'ch gweld chi'n clymbleidio'n barod.'

Syllodd Daf arno, ar ei wên lydan a'i lygaid llawn hiwmor. Roedd yn anodd credu i'r dyn o'i flaen geisio'i ladd ychydig oriau ynghynt. Cofiodd sylw Jeff am ddawn Bowen i sicrhau fod anifail yn ymlacio'n llwyr cyn ei ladd.

'Anwen, Einion: mi fyse'n well gen i siarad efo Mr Bowen yn gynta, os ydi hynny'n iawn. Allwch chi aros am ryw hanner awr?'

'Iawn gen i,' atebodd Einion, a nodiodd Anwen ei phen. Roedd y cynnig roedd hi newydd ei dderbyn yn amlwg yn sioc iddi.

'Hei, Einion,' awgrymodd Bowen, 'be am i ti ddangos ein *canvas returns* iddi hi? Fel *etchings* ers talwm.'

'Den ni wedi colli ein bas data ni yn y tân,' meddai Anwen yn hiraethus. 'Mi gymerodd fisoedd i'w greu.'

'Dwi o ddifri rŵan,' ategodd Bowen. 'Ti'n dechrau'n hwyr, ac mewn amgylchiadau anffodus iawn, lodes. Dim ots gen i i ti gael cip ar ein *returns* ni: does gen ti ddim amser i'w wastraffu. Er enghraifft, mae 'na gefnogwyr selog i'r Blaid ym Mach, a mwy na thebyg dy fod di'n gwybod ble maen *nhw*, ond pwy sy ar y ding-dong, yn methu gwneud penderfyniad? Den ni wedi gyrru pobl dros y lle fel morgrug – picia fyny i'n swyddfa ni am hanner awr, os leci di. Ac Einion, os ydi'r leidis yn cwyno am Anwen fech, cyfeiria nhw ata i, iawn? Dwi'n mynd i ennill ond dwi isie ennill gornest deg, hefyd.'

'Mae hynna'n andros o garedig, Mr Bowen.' Llifodd gwerthfawrogiad Anwen fel dŵr a chafodd wên lydan yn ymateb.

Agorodd Daf ddrws y swyddfa iddo a llamodd Bowen i mewn dan chwibanu. Ceisiodd Daf feddwl am y fwyell ac anghofiodd bob ffurfioldeb.

'Ti mewn hwyliau da, Rhys.'

'Mae'r haul yn tywynnu, ges i frecwast bendigedig, mae'r pôl pinwn lleol yn dweud ein bod ni ddeg pwynt ar y blaen – ac mi ges i noson werth chweil neithiwr hefyd.'

'Ble oeddet ti neithiwr?'

'Canfasio, yn y Bull and Heifer yn Bettws, ac ar y canfas wedyn.'

'Daisy Davies?'

'Dyn busneslyd wyt ti, Daf Dafis.'

'Heddwas ydw i. Hi oedd yn derbyn y pecyn stêc, Prosecco a bacwn neithiwr?'

'Mae'r Bull and Heifer wedi prynu bustach Welsh Black gen i – rhaid i mi sicrhau eu bod nhw'n ei goginio fo'n iawn.'

'A sut oedd o?'

'Perffaith.'

'Alla i ofyn faint o'r gloch oedd y dêt?'

'Wyth.'

'A chyn hynny, ble oeddet ti?'

'Dwi ddim yn cael dweud.'

'Pam?'

'Achos mi biciais i mewn i weld lodes a dwi'm yn cael defnyddio ei henw hi heb ganiatâd.'

Roedd sifalri fel hyn gan gystal cnuchiwr yn dechrau mynd ar nerfau Daf.

'Ocê, ond mae gen i reswm i gredu dy fod di neithiwr, tua chwarter i saith, wedi ceisio lladd rhywun.'

'Ffor ffyc sêc, Dafydd Dafis, be sy'n bod efo ti?'

'Be sy'n bod arnat ti ydi'r cwestiwn. Dwi 'di bod yn amyneddgar hyd yn hyn ond mae'n rhaid i ti ddechrau siarad yn blaen. Dwi'n gwybod dy fod di wedi mynd i weld Heulwen nos Lun. Pam?'

'Mi ofynnodd hi i mi fynd yno.'

'Be oeddech chi'n drafod, chi'ch dau? Polisi addysg?'

'Na.'

'Be, felly? Be fydd canlyniad y pôl pinwn nesa os wyt ti'n cael dy arestio am wastraffu amser yr heddlu?'

'Gwranda, mae'r hen ast wedi marw erbyn hyn. Be 'di'r ots pa fath o wenwyn oedd hi'n ceisio'i ledaenu?'

Gwthiodd Daf yr amlen o luniau dros y ddesg.

'Roedd yn bwysig iawn i Heulwen ei bod yn dy guro di, Rhys. Ei bwriad oedd creu bywyd efo'i phartner newydd yng Nghaerdydd a doedd dim i'w rhwystro hi ond tithe.'

Erbyn hyn roedd Bowen yn pori dros y lluniau fel arbenigwr, yn rhoi rhyw sylw bach bob hyn a hyn.

'Efeilliaid go wir oedden nhw, a *double jointed* hefyd, uffern o noson dda ... Dyna i ti lodes lyfli – gweithgar, gonest, *tits* bendigedig. Be sy'n bod efo dynion sengl ...? Mi ffeindiais hon yn yr Eli Jenkins yn aros am ddêt, wnaeth ei siomi hi, druan ...'

Cipiodd Daf y lluniau oddi wrtho'n flin.

'Cau dy ben, Rhys. Mi gawson ni'r rhain yn sêff Heulwen – wnaeth hi geisio dy flacmelio di?'

'Do, do. Mrs Gwybodaeth-Wrth-Gefn fu hi erioed – dyna sut mae hi wedi cadw'r creadur Car Wat 'na ar dennyn ers oes Noa.'

'Lwyddodd hi i dy flacmelio di?'

'Be ddwedodd Dug Wellington, "Cyhoeddwch, ac ewch i'r diawl" ie? Dyna be ddwedais wrthi hi, ac mi ofynnais iddi adael yr adeilad achos 'mod i'n anfodlon rhentu i rywun mor anfoesol. Ei hateb hi oedd bod y les yn para tan fis Mehefin. Ro'n i'n ffycd off efo hi, seriws.'

'Be wnest ti wedyn?'

'Dwi'n gwybod be ti'n feddwl ohona i, Daf Dafis, a mwy na thebyg dy fod di'n iawn: dwi'n llanc sy heb dyfu fyny. Ro'n i mor rhwystredig – a be ydi'r ateb gorau i hynny?'

'Mi alla i ddychmygu.'

Rhoddodd Bowen ei ddwylo mawr ar y bwrdd a syllodd ar eu cefnau blewog fel petai erioed wedi eu gweld nhw o'r blaen.

'Ti'n gwybod sut dwi 'di byw, ers blynyddoedd maith. Oerni adre a hwyl pen ffordd. Ges i andros o bryd o dafod ddoe gan hen ffrind, rhywun sy'n fy nabod i ers oes pys. A wyddost ti be? Roedd hi'n iawn. Dwi'n ddyn unig. Ond dwi wedi sylweddoli be dwi isie: cyfeillgarwch, dipyn o 'peini fin nos, plant hyd yn oed. Nos Lun, er enghraifft, ro'n i'n ysu i weld rhywun penodol, ond roedd ganddi noson rieni tan yn hwyr. Petawn i wedi mynd yn syth draw i'w gweld hi, falle na fysen i wedi ...'

'Nid bai'r ferch ydi o os wyt ti wedi gwneud rwbeth gwirion.'

'Mae gen i stafell fach yn y ffatri,' dechreuodd Bowen egluro, 'lle dwi'n lladd. Dwi'n dal i ladd yn reit aml – mae pobl yn gofyn i mi wneud, yn enwedig efo anifeiliaid maen nhw wedi eu magu'n arbennig. Hefyd, bydd hen ffrindie, fel teulu Jeff Morris, yn gofyn am gymorth efo ambell ffowlsyn amser Dolig, a'r mochyn Gloucester Old Spot hyfryd fagodd Del yn y *back end*. Mae 'na oergell yn y stafell ladd felly dwi'n cadw cwpwl o boteli o Prosecco yno – mae'r leidis yn gwirioni ar y stwff ond mae'n well gen i rwbeth coch o Dde America ...'

Unig oedd y gair, sylwodd Daf: roedd Bowen yn ei atgoffa o'r hen ffermwyr ddeuai i mewn i'r siop pan oedd o'n ifanc, y rhai allai gymryd awr i brynu pecyn o de, gan fanteisio ar bob cyfle i siarad.

'Beth bynnag, pan es i i nôl y Prosecco iddi hi, mi welais y meths. Dwi dal yn ei ddefnyddio i gael gwared ar fân blu'r ieir a'r hwyaid.'

'Be yn union oedd dy fwriad di?'

'Creu dipyn o helynt iddi hi. Ro'n i'n meddwl, petawn i'n gwneud rwbeth tebyg i be wnaeth Meibion Glyndŵr ...'

'Pam fyse Meibion Glyndŵr yn targedu swyddfa Plaid Cymru?'

'Sgen i ddim syniad. Wnes i ddim meddwl yn iawn am y peth. Dipyn o fwg, hithe'n rhedeg allan, ei ffeiliau dirgel o dan ei chesail hyll ...'

'A be am y teulu Bartoshyn? Sut mae'r pranc gwirion wedi effeithio arnyn nhw?'

Teimlai Daf fel petai'n siarad â chog deunaw oed yn hytrach na dyn oedd yn rhannol gyfrifol am greu deddfau gwlad.

'Dim ond chydig o fwg o'n i wedi bwriadu'i greu. Beth bynnag, mae gen i dŷ clên yn wag ar hyn o bryd, ym Mryn Siriol. Byddai hynny'n eu siwtio nhw'n well na'r fflat. Mae Basia'n cadw'r lle yn deidi – mae hi'n haeddu cartre gwell.'

'Felly mi wnest ti benderfynu creu bom tân er mwyn llosgi dy adeilad dy hun?'

'Nid bom oedd o, dim ond rwber llawn meths. Wnes i ddim ei danio fo beth bynnag.'

'Dwi'n gwybod hynny. Pum matsien, neu chwech ddefnyddiest ti?'

Synnodd Bowen.

'Sut ... sut wyt ti'n gwybod hynny?'

'Dyna ydi fy job i. Mae rhaid i mi ddweud, mae'r syniad o ddyn fel tithe yn sefyll wrth ddrws adeilad yn Stryd y Gamlas, yn ceisio fflicio matsien drwy'r drws, bron yn anghredadwy; ond fel mae Sherlock Holmes yn dweud ...'

'O, paid â mwydro efo dy Sherlock ffycin Holmes. Wyt ti'n mynd i fy arestio i?'

'Digon posib, ond ar hyn o bryd mae gen i gwestiwn pwysicach i'w ofyn. Os na gyneuodd dy dân di, pwy oedd yn gyfrifol am y tân arall a laddodd Heulwen Breeze-Evans?'

'Sgen i ddim syniad.'

'Ocê, yn ôl at nos Lun felly. Mi wnest ti dy nonsens efo'r matsys, be nesa?'

'Es i fyny i'r Oak am goffi.'

'Coffi?'

'Dwi 'di dweud wrthat ti, Daf – dwi ddim yn ddigon ffôl i beryglu'r ymgyrch efo glasied o win. Ro'n i'n mynd i gael glasied neis nes ymlaen, draw yn Bettws, beth bynnag.'

'A sut oeddet ti'n teimlo, yn eistedd yn yr Oak yn sipian dy goffi?'

'Wel, fel twpsyn llwyr. Mi oedd hi wedi fy nychryn i, a dweud y gwir. Nid y busnes efo'r leidis achos mae pawb yn gwybod sut un ydw i, ond does neb yn hoffi'r syniad fod rhywun yn ... ceisio darganfod pob un o dy gyfrinachau.'

'Pa gyfrinachau ydi'r rheini?'

'Dyn busnes ydw i. Does neb erioed wedi gwneud ffortiwn drwy ddilyn pob rheol fach.'

Amser pysgota, meddyliodd Daf.

'Fel, er enghraifft, gwerthu cynnyrch Cymreig o safon ond, ar yn un pryd, mewnforio llwyth o gig o'r Ariannin gan Mr Fazakerly?'

'Www, ti'n gog siarp! Fel hyn mae hi. Cymer di bastai, ie? Mae rhai yn fodlon talu pedair punt am bastai wych, cynhwysion o safon, tip top. Rhai eraill angen bwydo plant efo rwtsh rhad ac maen nhw angen pastai am bunt. Bodloni'r cwsmer ydw i, dim byd mwy, ond dwi ddim isie colli fy enw da chwaith.'

Roedd yn rhaid i Daf ofyn, allan o ddiddordeb, cwestiwn oedd â dim cysylltiad o gwbl â'r ymchwiliad.

'Be am gig ceffyl? Ti wedi rhoi Shirgar yn dy risôls?'

'No wê. Mae gen i reol syml – dwi ddim yn fodlon prosesu unrhyw beth dwi ddim yn ei ddeall. Dwi erioed wedi lladd ceffyl a does gen i ddim syniad sut i'w dorri o, felly gallai rhywun werthu cig ceffyl cachu i mi, heb i mi weld y gwahaniaeth.'

'Reit. Be am ar ôl i ti gael dy goffi nos Lun?'

'Piciais i mewn i'r swyddfa i jecio e-byst, dim byd diddorol, wedyn draw i weld fy ffrind yn Bettws.'

'Daisy Davies?'

'Daisy Davies.'

Daeth golwg ramantus i lygaid Bowen pan ddywedodd ei henw.

'Aros dros nos?'

'Es i adre yn y bore i newid.' Oedodd am eiliad. 'Ti'n gwybod be? Pan fydd yr holl fusnes 'ma drosodd, yr ymchwiliad a'r etholiad, dwi'n mynd i roi dipyn o drefn ar bethe. Setlo lawr ryw fymryn.'

'Gyda phob parch, Rhys, does gen i ddim digon o amser i

drafod dy gynlluniau di ar hyn o bryd, jyst isie gwybod y ffeithiau ydw i. Felly fel hyn oedd hi: bom tân, coffi, swyddfa, Bettws, ie?'

'O, a siop Berriew, am dusw o flodau ar fy ffordd i Bettws.'

'Iawn. Be am bnawn ddoe?'

'Canfasio yn y Drenewydd tan bedwar, wedyn daeth Einion ac aelodau eraill y tîm yn ôl i'r swyddfa yn y Trallwng. Roedd yn rhaid i mi fynd i'r *works*: problem HR.'

'Problem HR?'

'Wyddost ti be oedd gwraidd y broblem HR? Cyflogi Saeson. Wastad yn cwyno, brefu am eu blydi hawlie, byth yn rholio llawes fyny i wneud gwaith caled. Mae'r Cymry a'r Pwyliaid yn iawn, ond blydi Saeson ...'

'Mae 'na ffasiwn beth â Racial Discrimination Act.'

'Maen nhw'n haeddu pobl yn discriminatio yn eu herbyn nhw, y diawled diog.'

'Faint o'r gloch wnest ti adael y ffatri?'

'Does gennon ni ddim shifft hwyr ar nos Wener. Anodd llenwi'r llinell a wastad llwyth o broblemau. Mae'r math o bobl den ni'n gyflogi isie mynd allan nos Wener am sbri, ond maen nhw'n hapus i weithio shifft hwyr ar ddydd Sul. Felly mae'r lle yn cau lawr am hanner awr wedi pump. Ro'n i'n gadael toc cyn chwech.'

'Gadael i fynd i ble?'

'Dwi ddim yn cael dweud.'

'Felly alli di ddim rhoi unrhyw fanylion i mi am dy symudiadau rhwng gadael y ffatri a chyrraedd y Bull and Heifer.'

'Sori.'

'Pam wyt ti mor styfnig? Wyt ti'n sylweddoli fod gen i hawl i dy arestio di rŵan?'

'Twt lol. Does gen i ddim hawl i ddweud.'

'Pam hynny?'

'Oherwydd ei fod o'n fater preifat.'

'Den ni'n gallu defnyddio manylion dy ffôn i weithio allan ble oeddet ti.'

'Gwna hynny, felly.'

'Dwi bron yn sicr nad trosedd oedd beth bynnag oeddet ti'n wneud yn gynnar neithiwr, felly pam na wnei di bethau'n haws wrth ddweud?'

'Be am i mi gael gair efo fy ffrind, ac os ydi hi'n fodlon i mi ddweud, mi wna i hynny.'

'Ocê. Dwi'n desbret am baned.'

Erbyn hyn, roedd Einion ac Anwen wedi dychwelyd ac yn pori dros ffeil, eu pennau'n ddigon agos i gyffwrdd. Roedd yr orsaf yn dawel: Nev a'i ben yng ngliniadur Heulwen, a CPSO y tu ôl i'r ddesg. Gwnaeth Daf de i bawb a chafodd fflach o ysbrydoliaeth. Yn y cwpwrdd ffeilio, roedd y ffeil G yn hongian yn gam. Yng ngwaelod y ffeil roedd pecyn: y Garibaldis. Dyn ifanc trefnus oedd Nev, yn cuddio'i fisgedi yn nhrefn yr wyddor. Canodd ffôn Daf: Gaenor.

'Bore da, cariad.'

'Bore da, Daf. Dwi'n gwybod pa mor brysur wyt ti, felly dwi ddim yn mynd i wastraffu dy amser. Paid â gwneud môr a mynydd o hyn, ond daeth Rhys draw ddoe, am goffi a sgwrs. Rhys Bowen.'

Tynhaodd cyhyrau stumog Daf fel petai wedi derbyn ergyd gorfforol.

'Be?'

'Roeddet ti'n gofyn ble'r oedd Rhys neithiwr, cyn mynd draw i Bettws? Ar ein soffa ni oedd o, yn yfed coffi ac yn edmygu Mali fach.'

Cododd cenfigen a dicter yng ngwddf Daf fel chwd.

'Pam wnest ti wahodd Bowen i'n cartref ni? Braidd yn hwyr arno fo'n galw, doedd? Ond eto, petai o wedi dod yn gynt, byddai Rhodri wedi gallu torri ar draws beth bynnag oeddech chi'n 'i wneud.'

Bu tawelwch ar ochr arall y ffôn am rai eiliadau.

'Wnes i ddim gwahodd neb, Daf,' atebodd Gae o'r diwedd mewn llais trist. 'Ar ei ffordd i weld rhyw leidi oedd o, a jyst isie sgwrs. Ond mae'n amlwg nad wyt ti'n fy nhrystio i. Rhaid i ni gael sgwrs ddeche nes ymlaen. Dwi ddim yn haeddu hyn gen ti, wir, Daf.'

Hi orffennodd yr alwad. Cuddiodd Daf ei ben yn ei ddwylo am eiliad, a gorfododd ei hun i fynd yn ôl i'w swyddfa. Roedd y cloc Horlicks yn ei watwar, yn ei atgoffa fod ei rieni wedi llwyddo i greu perthynas a barodd am hanner canrif. Taflodd y cwpan ar ei ddesg o flaen y sarff Bowen, fel roedd Jan Cilgwyn yn ei ddisgrifio.

'Gae roddodd bryd o dafod i mi,' eglurodd Bowen. 'Ro'n i'n poeni braidd, pan oeddet ti'n dal i ofyn, nad oedd hi wedi dweud wrthat ti 'mod i wedi galw heibio. Duw, mae'r babi'n ddel!'

'Plis, paid â thrafod fy nheulu i.'

'Ocê, ocê, ond mae hi'n gorjys, yn union fel ei mam.'

Curodd Daf ei ddwrn ar y ddesg.

'Pwy roddodd yr hawl i ti drafod pob dynes fel petai'n ddarn o gig? Mae Gaenor Morris a finne'n caru ein gilydd – caru, sy'n beth hollol wahanol i'r ffordd ti'n trin merched. Dydi'r ffaith dy fod di wedi'i nabod hi fel lodes ifanc ddim yn caniatáu unrhyw gysylltiad rhyngot ti a ni rŵan. Rwyt ti dan amheuaeth yn yr achos dwi'n ymchwilio iddo, nid ffrind wyt ti, ti'n deall?'

Doedd Daf erioed wedi gweiddi fel hyn yng ngorsaf yr heddlu o'r blaen. Gollyngodd ei hun i'w gadair yr eiliad yr agorodd Nev y drws.

'Popeth yn iawn, bòs?'

'Dim probs,' atebodd Daf, yn crynu o'i gorun i'w sodlau.

Ar ôl i Nev gau'r drws ar ei ôl, ymestynnodd Bowen ei bawen fawr i gyffwrdd cefn llaw Daf.

'Dwi'n gwybod dy fod di a Gae mewn cariad. Roedd hi'n disgrifio pa mor braf oedd ei bywyd hi, yn rhannu popeth efo dyn sy'n wir ffrind iddi yn ogystal â'r cariad gorau erioed. Roedd hi'n sôn pa mor wag a diflas oedd ei bywyd yn Neuadd, cyn iddi dy garu di, ac roedd hi'n dweud – na, mwy na hynny, roedd hi'n gorchymyn i mi geisio dod o hyd i'r un peth. "Nid *life-sentence* ydi priodas anhapus, lanc," meddai wrtha i. Felly, mi es i draw i Bettws, a dros bwdin, mi ofynnais i Daisy oedd hi'n fodlon rhoi cynnig ar rwbeth mwy ... sefydlog efo fi. Mae hi wedi cytuno hefyd, ar ôl cryn dipyn o berswâd. Felly, wnei di ddweud wrth Gaenor 'mod i wedi bod yn gwd boi, a dilyn ei hordors hi?'

Roedd Daf yn bendant na fyddai'r dagrau oedd yn pwyso ar ei amrannau yn cael dianc. Cododd yn araf .

'Sori. Dwi wir yn sori am fod mor flin.' Yn sydyn, penderfynodd y byddai'n ymddiried yn y dyn mawr, ond wyddai o ddim pam. 'Neithiwr, es i i mewn i dy ffatri di, i gael sbrot.'

'Ond does gen ti ddim gwarant!'

'Dwi'n gwybod hynny. A phan o'n i yno, cododd rhywun fwyell o'r cas yn dy swyddfa a cheisio fy lladd i.'

'Be?'

'Oes gen ti unrhyw syniad pwy allai wneud y ffasiwn beth?'

'Na, dim syniad. Sut est ti fewn?'

'Goriadau Basia. Wnaeth hi ddim eu rhoi nhw i mi ond mi welais i nhw yn ei fflat.'

Daeth ffrwydrad o chwerthin o enau Bowen.

'Finne efo bom tân, tithe efo dy *breaking and entering* – am gwpwl o weilch! Dwi'm yn synnu dy fod di'n teimlo'n flin heddiw.'

'Felly does gan neb reswm i grwydro o gwmpas y ffatri fin nos?'

'Nag oes. Mae system ddiogelwch ar y stad, a boi yn gwylio'r sgrin a lluniau o'r camerâu i gyd arni. Ond wyddost ti be? Dwi wedi bod yn cael teimlad reit od ers ... tua chwe mis, fel petai rhywun yn fy nilyn i.'

'Rhys Bowen – callia, wnei di? Ti 'di gweld yr holl luniau yn yr amlen: wrth gwrs bod rhywun yn dy ddilyn di!'

'Falle mai'r un person oedd o.'

'Mae tynnu llun efo lens hir a cheisio lladd rhywun efo bwyell yn ddau fater gwahanol iawn.'

'Pa fwyell oedd hi, o ran diddordeb?'

'Sgen i ddim syniad. Bob un yn edrych yn debyg i fi.'

'Dim bwys. Alla i fynd rŵan? Den ni'n gwneud Carno,

Clatter a Chaersws heddiw, a dwi wastad yn derbyn dipyn o *rough ride* yng Ngharno – maen nhw'n dwlu ar eu melinau gwynt yno.'

'Iawn. A sori eto am fflipio fel'na.'

'Paid â meddwl ddwywaith am y peth. Ti 'di bachu dynes gwerth ei chadw. Dwyt ti ddim isie ei cholli hi.'

Nid oedd Nev yn hapus pan roddodd Daf y dasg o gyfweld Einion ac Anwen iddo ond pan welodd wyneb Daf gwyddai fod rhywbeth o'i le, felly ddywedodd o ddim gair. Gyrrodd Daf yn syth adre, a phan agorodd y drws gwelodd fod Mali yn y bygi, yn barod i fynd allan.

'Rhods!' galwodd. 'Wyt ti'n fodlon mynd â Mals am dro?'

'Dim problem.'

Ar ôl i Rhodri gau'r drws, mentrodd Gaenor jôc fach.

'Mae o'n ddigon call i sylwi gymaint o *babe magnet* ydi babi bach del.'

Gafaelodd Daf yn ei dwylo gan nad oedd yn teimlo fod ganddo hawl i'w chofleidio.

'Dwi 'di dod i ymddiheuro am fod yn gystal ... wel, does dim digon o eiriau mewn unrhyw iaith i ddisgrifio faint o ffŵl dwi wedi bod.'

'Cydymdeimlo efo Rhys o'n i, ar ôl cymharu popeth sy gennon ni efo gwacter ei fywyd o.'

'Dwi'n dallt. Wn i ddim be sy'n bod efo fi.'

'Dwi'n gwybod i'r dim be ydi dy broblem di, achos dwi'n diodde o'r un peth. Does dim rhaid i ti fynd yn syth yn ôl i'r gwaith, dwi'n gobeithio?'

'Wel, mae gen i ryw ddeng munud ...'

'Dwi'n teimlo'n barod am rwbeth sy'n mynd i gymryd dipyn bach mwy na deng munud, lanc: *pace yourself.*'

Arweiniodd Gaenor ef i fyny'r staer.

Pennod 13

Dydd Sadwrn, 16 Ebrill 2016 ... yn hwyrach

Roedd gan Gae y ddawn i newid ei hwyliau yn gyfan gwbl gan ei bod yn ei ddeall yn well na neb arall, ond cyfaddefodd hefyd iddi dderbyn cyngor gan Chrissie.

'Trafod y busnes geni oedden ni,' esboniodd. 'Roedd hi'n dweud pa mor hawdd oedd geni'r efeilliaid achos eu bod nhw'n gymharol fychan fesul un, ond wrth gwrs mae hi'n pryderu oherwydd iddyn nhw golli efaill Rob.'

'Mae dipyn o gachu wedi digwydd i Chrissie dros y blynyddoedd, ond mae hi wastad yn gwthio'i ffordd drwy bob dim.'

'Mae hi'n ffan fawr ohonat ti, fel ti'n gwybod, ac yn dy nabod di'n well na ti'n feddwl. Ro'n i'n sôn wrthi am y pwythau, ac meddai: "Dyna pam mae Mr Dafis yn edrych fel Krakatoa, felly?" Mae hi'n un graff, yn tydi?'

'Krakatoa?'

'Llosgfynydd. Hen ffilm oedd hi – *Krakatoa East of Java*. Wel, Krakatoa West of Welshpool oeddet ti.'

Roedden nhw'n iawn, y merched doeth. Wrth orwedd yn ddedwydd ar ei gefn, yn syllu ar y nenfwd, teimlai fel petai newydd ddarganfod gêr arall, uwch, a'i fod yn barod i ganolbwyntio ar yr achos. Clywodd sŵn y drws ffrynt yn agor heb boeni llawer gan fod Rhodri'n fachgen call, byth yn ymyrryd. Ond daeth ei lais i fyny'r staer:

'A' i i'w nôl o i chi rŵan, Mrs Humphries. Gymerwch chi baned?'

'Dwi'n iawn, diolch, dim ond wedi picio draw i Wynnstay am fag o Ovilac ydw i.'

Tynnodd Daf ei drowsus amdano'n sydyn ond roedd o'n methu gadael Gaenor heb un gusan hir arall, felly roedd o'n dal i gau botwm olaf ei grys wrth ddod i lawr y staer. Sylwodd Chrissie'n syth.

'Hoe fech ganol bore, Mr Dafis?' gofynnodd, efo winc.

'Rhwbeth fel'na. Sut hwyl, Chrissie?'

'Be ydi'r peth gore i'w wneud efo'r busnes gwahardd 'ma? Cog clên iawn ydi o, Mr Dafis.'

Ar ôl i Rhodri ddatod Mali o'i choets, gosododd hi ar benglin Chrissie cyn diflannu i'w lofft.

'Dwi'n gwybod yn iawn ffasiwn fachgen ydi o, Chrissie, ond mae'n anffodus ei fod o wedi colli cymaint o ysgol yn ddiweddar.'

'Be allwn ni wneud? Roedd Bryn wedi cael ei fwcio ar sawl contract cyn i mi ffeindio 'mod i'n feichiog.'

'Ond mae ei addysg o'n bwysig, yn tydi?'

Llyfodd Chrissie ei gwefus.

'Dwi'n teimlo fel merch fech ysgol yn derbyn pryd o dafod gan ei hoff athro, Mr Dafis. Dwi mor sori am fod yn lodes ddrwg, Mr Dafis.'

'Ti ddim yn cael newid y pwnc fel hyn, Miss – rhaid i ti geisio sicrhau gwelliant yn ei bresenoldeb.'

'Dwi'n addo, Mr Dafis. *One-off* oedd o. Fel arfer, dwi'n mynd yn syth o'r ward geni i'r sied ond mae popeth yn cymryd dipyn bach hirach efo dau.'

'Wrth gwrs ei fod o,' cytunodd Daf, yn sylwi ar y cwmwl bach yn ei llygaid llachar. Roedd hi wedi cael gefeilliaid o'r blaen ond heb gael y cyfle i fagu'r ddau. 'Beth bynnag, ddyle hynny ddim bod yn berthnasol i fusnes y llun. Yden ni'n sicr na wnaeth Rob ofyn am y llun?'

'Wn i ddim lle dech chi'n sefyll efo'r busnes porn 'ma, Mr Dafis. Dwi ddim yn ddynes swil, o bell ffordd, ac mae gen i andros o lot o ddiddordeb mewn pethau secsi ond dim llunie na ffilms. Un corff efo'r llall, dyna'r hud i mi, nid rhyw ddelwedd – mae'r porn ffiaidd 'ma'n stopio'r cogie ddeall mai pobl ydi'r lodesi, pobl efo bronnau, wrth gwrs, ond pobl fel nhw.'

'Cytuno'n llwyr.'

'Dwi ddim isie i fy nghogie i gael y syniad bod miloedd o ferched ar gael jyst wrth sweipio sgrin. I ddenu merch, mae'n rhaid iddyn nhw fod yn gwrtais – yn enwedig o 'styried bod merched mor brin yn y filltir sgwâr 'ma – nid meddwl am lodes fel tegan.'

'Waw, Chrissie, ddylet ti roi sgwrs am y peth i ddisgyblion yr ysgol.'

'Peidiwch â bod yn wirion, Mr Dafis. Beth bynnag, mae Rob yn gwybod yn well na mynd i lawr y lôn yna. Mae Bryn wedi ei ddysgu o, beth bynnag.'

'Ei ddysgu o?' gofynnodd Daf â diddordeb annaturiol.

'Jyst y *basics*, Mr Dafis – hanner dwsin o'r tricie sylfaenol. Rhaid iddo fo ddatblygu ei steil ei hun dros amser.'

Roedd teulu Berllan, yn amlwg, yn trafod rhyw fel roedd rhai teuluoedd yn trafod coginio, yn pasio tips rhywiol i'r genhedlaeth nesa fel ryseitiau.

'Felly wnaeth Rob ddim gyrru'r llun na gofyn amdano fo?'

'Llaw ar fy nghalon,' meddai Chrissie, yn rhoi ei llaw fach ar ei brest mewn ystum bwriadol i godi chwant arno. Gwenodd Daf, yn edrych ymlaen at drafod y cyfan â Gaenor yn nes ymlaen.

'Gad o efo fi, Chrissie. Mi alla i ei sortio fo.'

Erbyn hyn roedd Mali wedi troi ei hwyneb at fron Chrissie, yn chwilio am laeth.

'Well i ti fynd at dy fami annwyl, cariad siwgwr,' meddai Chrissie, yn rhoi Mali yn nwylo Daf. 'Diolch o galon, Mr Dafis. Den ni'n anobeithiol mewn sefyllfaoedd fel hyn. Dwi jyst isie rhoi slap i'r ferch.'

'Mae ei mam hi wedi gadael y teulu gwpwl o flynyddoedd yn ôl. Mae'n anodd i ddyn sengl fagu merch yn ei harddegau.'

'Wel, mae o wedi magu fflŵsi go iawn. Mi weles i hi yn y Winter Fair, yn codi embaras ar Rob druan.'

'Paid â phoeni.'

Daeth Gaenor i lawr y staer jyst mewn pryd i weld Chrissie wrth y drws, ar flaenau ei thraed yn rhoi cusan ar foch Daf.

'Diolch eto, Mr Dafis.'

Caeodd Daf y drws a throdd at Gaenor, oedd yn chwerthin.

'Dech chi mor hilêriys, chi'ch dau. Mae Chrissie'n fflyrtio ôl-awt a tithe'n smalio'i hanwybyddu hi ond yn sticio dy frest allan fel ... fel twrci.'

'Dwi'm yn dy haeddu di, wir, Gaenor.'

'Dwi'n gwybod hynny'n iawn. Does dim brocoli ar ôl felly os gei di siawns, rhwng datrys pob achos a fflyrtio efo pob merch, picia draw i Tesco.'

'Ocê, bòs.'

Yn Tesco oedd o, yn prynu tusw o flodau, bocs o siocledi siâp cregyn môr, brocoli a dau becyn o fisgedi Garibaldi, pan dderbyniodd decst gan Nev.

'Wedi datrys problem y lluniau.'

Aeth Daf i nôl pecyn arall o Garibaldis i ddiolch iddo.

'Roedd o'n ddigon syml yn y pen draw,' esboniodd Nev, yn wên i gyd, ar ôl i Daf gyrraedd yr orsaf. 'Roedd yn rhaid i bwy bynnag dynnodd y lluniau eu danfon nhw i Heulwen. Roedden nhw'n rhy gall i'w danfon drwy e-bost agored, ond ddim digon profiadol i fentro i'r *dark net* chwaith, felly PGP amdani.'

'PGP?'

'Pretty Good Privacy. Mae'r negeseuon wedi cael eu hamgryptio ond mae'n ddigon hawdd i unrhyw un sy'n rhan o'r un cylch cyfrin ar y we eu darllen. Wedyn, mi allan nhw ddanfon unrhyw beth drwy Hotmail, a dyna be wnaethon nhw. Dwi wedi ffeindio'r cyfeiriad IP ac wedi cysylltu efo darparwr y gwasanaeth, sef Microsoft yn yr achos yma. Maen nhw wedi addo ateb i mi ymhen yr awr.'

'Da iawn, wir, Nev – mi fyddai wedi cymryd dyddiau i mi ddod i'r un casgliad, os o gwbwl. Ac allen i ddim gofyn i'r gîcs lawr yng Nghaerfyrddin chwaith achos doedd gen i ddim syniad be i'w ofyn!'

'Dim problem o gwbwl, bòs. Ges i ddigon o amser i greu dipyn o *timeline* i ti o dystiolaeth y ddau ifanc: un ddogfen sy'n dangos symudiadau Bowen, a'r llall yn canolbwyntio ar y safle ei hun, y mynd a'r dod o'r swyddfa.'

'Mae gen i dipyn i'w ychwanegu, dwi'n meddwl. Bu Jac Dolfadog yn eistedd tu allan i'r swyddfa am oriau, yn aros am gyfle i siarad efo'i fam.'

'Ac yn achos Bowen, dim ond un bwlch sy yn ei symudiadau ddoe, rhwng canfasio a mynd am ddêt efo rhywun o'r enw ...'

'Daisy Davies.'

'Dech chi'n ei nabod hi, bòs?'

'Na. Mae Bowen yn hen ffrind i Gae. Yn y bwlch, cafodd Bowen gyfarfod HR yn y ffatri, ac ar ei ffordd i weld y ferch yn Bettws, piciodd mewn acw i'w gweld hi. Roedd o wedi addo dod i weld y babi,' eglurodd Daf.

'Reit.'

'Yden ni'n digwydd gwybod ble mae'r Lisa Powell 'na, Nev? Ydi hi'n dal yn yr Oak?'

'Nac'di, bòs. Yn ôl y sôn, roedd hi'n gwneud ymholiadau ynglŷn â bwthyn i'w rentu. Ddywedodd y ferch ar dderbynfa'r Oak ei bod hi wedi awgrymu Nantbriallu ond doedd ganddi ddim syniad oedd hi'n llwyddiannus.'

'Dwi'n nabod Derek Nantbriallu. Mi hola i.'

Teimlai Daf drueni dros Derek, oedd flwyddyn yn iau na Daf yn yr ysgol. Priododd ddynes o'r ochr arall i'r ffin oedd yn dipyn o snob, felly bu'n rhaid i Derek arallgyfeirio, yn rhannol i gyrraedd disgwyliadau ei wraig a'i chadw mewn steil, ac i dalu am yr estyniad a'r gwyliau tramor. Roedd ganddyn nhw ddau o blant yn rhywle y disgrifiodd Derek fel *pre-prep*, beth bynnag oedd hynny, ac yn y buarth roedd rhes o adeiladau carreg oedd wedi eu haddasu ers pum mlynedd i fod yn bedair uned wyliau. Ceisiodd Daf ffonio Derek: dim ateb.

Safai Nantbriallu yng ngwaelod cwpan yn y bryniau rhwng Cegidfa a Llanfair, yng nghanol drysfa o ffyrdd bach. Roedd coedwig braf o amgylch y fferm, a'r derw, y ffawydd a'r coed castan yn arddangos eu dail newydd mewn tapestri o wyrddni.

Arhosodd Daf am eiliad ar ben yr wtra ger yr arwydd Primrose Brook Holiday Homes. Primrose Brook! Roedd y buarth fel pìn mewn papur – nid oherwydd trefn effeithiol y ffermwr, ond oherwydd nad oedd llawer iawn o ffermio yn cael ei wneud yno.

Parciodd Daf o flaen y ffermdy a churo'r drws: dim ateb. Roedd popeth yn dawel ond roedd car tu allan i'r drydedd uned. Pan welodd ffenestr ar agor cerddodd Daf yn nes. Clywodd sŵn llefain.

Dros y blynyddoedd, roedd Daf wedi dod yn gyfarwydd â phob emosiwn dan haul: ofn, dicter, siom ac, yn fwy na dim, galar wrth iddo dorri newyddion drwg. Yr eiliad y clywodd y sŵn gwan, rhwystredig yn dod o'r bwthyn gwyddai fod rhywun yn ceisio'i dawelu ei hun, i osgoi dicter. O'i brofiad, roedd Daf bron yn siŵr mai sefyllfa o drais domestig oedd yn aros amdano. Safodd wrth y ffenest am eiliad, o'r golwg.

'Wy 'di clywed hen ddigon o'r sŵn 'ma, 'merch i.'

'Sori, Lisa, dwi mor sori.'

'Wel, wy'n falch dy fod di'n sori ar ôl yr helynt ti wedi'i achosi 'da dy holl lol. Chwytha dy drwyn, wnei di: ti'n ddigon salw fel wyt ti.' Wedyn newidiodd tôn y llais, ac i glustiau profiadol Daf roedd y tinc nawddoglyd yn fwy brawychus o lawer na'r tymer. 'Dere 'ma, y ferch fach frwnt, i mi ga'l dy sorto di mas.'

Trwy'r ffenest, gwelodd Daf fod Lisa'n gafael ym mhen Jan ac yn troi ei hwyneb i fyny efo grym poenus. Sychai ddagrau Jan yn dyner efo darn o bapur cegin, gan dynnu ei gwallt yn egr efo'r llaw arall. Roedd y galar yn llygaid Jan wedi mynd ac ofn wedi dod yn ei le. Gan gerdded yn dawel, cyrhaeddodd Daf y drws a'i agor heb gnocio.

'Ms Powell,' meddai'n gadarn, 'dyna hen ddigon.'

'Be y'ch chi'n wneud fan hyn?' atebodd yn swta. Ddywedodd Jan ddim gair ond cododd ei llaw i rwbio cefn ei phen.

'Yn gynta, mae un ohonoch chi'n mynd i adael y tŷ 'ma.'

'Ond ry'n ni wedi bwcio ...' protestiodd Lisa.

'Dwi ddim yn mynd i ganiatáu ymddygiad fel hyn.'

'Pa fath o ymddygiad? Mae Jan a finne'n caru'n gilydd yn fawr iawn.'

'Mi welais i chi'n ei brifo hi.'

'Sgen Jan ddim rheswm i gwyno. Mae hi'n falch iawn 'mod i'n ei charu hi, yn gofalu amdani. Does dim byd o'i le yn ein perthynas ni, Mr Dafis, a falle mai'r unig beth ry'n ni'n ei weld fan hyn yw'ch homoffobia chi.'

'Mi welais drwy'r ffenest ffasiwn ofal dech chi'n ddarparu, Ms Powell. Ydech chi angen meddyg, Ms Cilgwyn?'

Ysgydwodd Jan ei phen ond gwelodd Daf na allai hi symud yn rhwydd o achos clais mawr ar ei gwddf. Gan syllu'n syth i wyneb Lisa, tynnodd Daf ei ffôn o'i boced.

'Huw, wnei di ddod draw i Nantbriallu? Cwpwl sy'n aros yn y bythynnod. Ocê, diolch.'

'Dwi'n iawn, wir. Bydd Lisa'n gofalu amdana i,' mentrodd Jan mewn llais bach dienaid.

'Mae'r sefyllfa allan o'ch dwylo chi erbyn hyn, Ms Cilgwyn.'

'Ond dwi ddim isie ...'

'Nid chi sy'n gwneud y penderfyniad.'

Penderfynodd Daf ffonio Sheila gan ei bod fel arfer yn barod i helpu mewn achosion fel hyn, hyd yn oed os nad oedd hi ar ddyletswydd. Roedd yr alwad nesa yn anoddach i Daf, ond beth oedd mymryn o embaras, meddyliodd, os y byddai'n sicrhau bod dynes fregus yn saff. Aeth yr alwad yn syth i'r peiriant ateb.

'Heia Haf, Daf sy 'ma. Mae gen i DV fan hyn sy angen dipyn o gyngor cyfreithiol gen ti. Nantbriallu, rhwng Llanfair a Cegidfa. Cyn gynted â phosib, os alli di. O ... a diolch am y gwahoddiad. Bydd Gae a finne wrth ein boddau'n dod i dy barti dyweddïo di.'

Eisteddodd Daf wrth ben y bwrdd bwyd ac arwyddodd i Lisa a Jan ymuno ag o, un ar bob ochr.

'Reit 'ta, leidis, rhaid i ni wynebu'r sefyllfa yma. Lisa, dwi ddim yn amau nad ydech chi'n caru Jan yn fawr iawn, ond dech chi'n ei brifo hefyd ac mae hynny'n annerbyniol. All sefyllfa fel hyn ddim para. Ym Mhowys, mae cynllun i helpu pobl sy'n stryglo efo'u tueddiad i fod yn dreisgar – merched yn ogystal â dynion.'

''Sa i'n dreisgar.'

'Lisa, mi welais i chi, efo'm llygaid fy hun, yn tynnu gwallt Jan yn ddifrifol.'

'Cofleidio oedden ni, ystum o gariad oedd e. Wy'n iawn, yn tydw i, Jan fach?'

Ddywedodd Jan ddim gair. Roedd hi'n syllu ar ei dwylo, yn crafu ewin ei bawd. Aeth Lisa ymlaen i geisio cyfiawnhau ei hun.

'*Fe* sy'n ein bwlio ni, y dyn *macho* hwn, yn torri i mewn i ...'

'Gwranda, gall pethe wella, ond rhaid i chi'ch dwy gyfadde bod 'na broblem. A beth bynnag arall sy'n digwydd, dydi hi ddim yn saff i Jan aros efo chi ar hyn o bryd, Lisa. Be am ffonio'ch mam, Jan? Ddaeth hi i fyny i 'ngweld i, yn poeni amdanoch chi, a Gwynlyn Huws efo hi.'

Chwarddodd Lisa'n sbeitlyd.

'Mae hyn yn hen, hen hanes, yn dyw e, Jan? Jan gyflwynodd e i'w theulu, a chyn bo hir, ro'dd yr hen hwrdd yn shagio'i mam hi!'

Neidiodd Jan ar ei thraed, ei llygaid yn wenfflam.

'Dydi o ddim! Un arall o dy hen straeon sur. Dwi'n mynd i ffonio Mam rŵan.'

'Dwi'n deall pa mor ddrwg 'yt ti'n teimlo am y peth, Jan. Chwalest ti briodas dy rieni drwy ddenu Huws i'r pictiwr, a so ti'n gallu cyfadde hynny. Ry't ti wedi neud cyment o gamgymeriadau, a dim ond fi sy'n fodlon madde i ti, achos 'mod i'n dy garu di.'

Estynnodd Lisa ar draws y bwrdd i fwytho llaw Jan. Disgynnodd Jan yn ôl i'w chadair fel balŵn wedi ei thyllu.

'Paid â phoeni dy fam. Mae 'da hi ddigon ar ei phlât, yn ymdopi 'da'r holl drafferthion 'yt ti wedi'u hachosi. Ti'n ferch sili, Jan, ti'n gwybod 'ny.'

Roedd Daf wedi clywed hyn sawl gwaith o'r blaen – y geiriau meddal sy'n tanseilio person, sy'n rhedeg fel gwenwyn yn eu gwaed. Ar ôl blynyddoedd o hyn, roedd dianc yn anodd.

'A drycha'r loes 'yt ti wedi'i achosi i Heulwen 'fyd. Fe raffest ti dy brobleme iddi, isie pwyso arni hi fel 'yt ti'n pwyso arna i, a phenderfynodd ei theulu ei lladd hi, i osgoi'r sgandal. Arnat ti mae'r bai, Little Miss Raincloud. Bob tro ti'n bihafio'n sili, mae rhywun yn ca'l ei frifo.'

'Dyna ddigon,' gorchmynnodd Daf, yn dawel ond yn awdurdodol. 'Does neb wedi'i gyhuddo o ladd Heulwen Breeze-Evans, felly peidiwch â siarad lol. Jan, mi fydda i'n ffonio'ch mam os na wnewch chi.'

Nodiodd Jan ei phen.

'Alla i fynd i orffwys am chydig, plis, Mr Dafis?' gofynnodd yr Aelod Cynulliad fel merch fach.

'Na chewch, sori – mae'n rhaid i chi weld y meddyg a'r cyfreithiwr. Bydd aelod o 'nhîm i yma mewn eiliad, i ofalu amdanoch chi.'

'Fi sy'n gofalu amdanat ti, Jan, ti'n gwybod hynny. So ti'n gallu ymdopi heb dy annwyl Lisa.'

Cododd Daf ei ffôn.

'Nev? Drycha drwy lòg ddoe – mi siaradais efo dynes o'r enw Dr Wilkes jyst ar ôl cinio. Ffonia hi a dweud bod yn rhaid iddi hi ddod fyny i nôl ei merch, a rho gôd post Nantbriallu iddi ar gyfer y *sat nav*.'

Trawodd Lisa'r bwrdd efo cledr ei llaw.

'So chi'n cael gwneud hyn. Wy'n gwybod faint o homoffôb ych chi, a wy'n mynd i chwalu'ch gyrfa chi. Bydd eich enw chi yn y llaid.'

'Fel mae'r bobl ifanc yn dweud, Ms Powell, *bring it on*. Mae Jan yn haeddu bywyd gwell na hyn.'

'Ond dwi mor flinedig ...' sibrydodd Jan.

Unwaith eto, roedd profiad Daf yn gefn iddo. Ddwywaith, mewn sefyllfaoedd tebyg, roedd dynes roedd o'n ceisio'i hachub wedi diflannu'n dawel i geisio lladd ei hun, a llwyddodd un ohonyn nhw gan adael tri o blant.

'Jyst arhoswch fan hyn am bum munud, nes i Sheila gyrraedd, wnewch chi?'

'Drycha gyment o fwli yw e, Jan.'

Roedden nhw'n dal wrth y bwrdd yn cweryla pan gyrhaeddodd Haf Wynne a Dr Mansel, a Sheila funud neu ddau wedyn. Sylwodd Daf ar y fodrwy Fictorianaidd ar law chwith Haf, ac roedd yn rhaid i Daf gyfaddef ei bod yn chwaethus; trysor teuluol, mwy na thebyg. Hefyd, roedd hi wedi torri ei gwallt gan greu delwedd fwy sidêt na'r tonnau hir fu ganddi am flynyddoedd.

'Jan, ewch chi â Dr Mansel i'r stafell wely, os gwelwch chi'n dda, iddo gael rhoi *check-up* bach sydyn i chi, a phan fyddwch chi wedi gorffen bydd Ms Wynne ar gael i'ch helpu chi i benderfynu be i'w wneud am y gorau. Yn y cyfamser, Ms Powell, dwi isie siarad efo chi, iawn? Dech chi'n fodlon siarad fan hyn, neu fydde'n well ganddoch chi ddod lawr i'r orsaf? Sheila, aros di efo Jan, iawn?'

'Wy'n gwrthod gadael y tŷ tra mae Jan yn dal i fod 'ma,' atebodd Lisa'n herfeiddiol. 'Sgen i ddim syniad be wnewch chi iddi hi.'

'Fan hyn, felly. Haf, wyt ti'n fodlon aros yn y lolfa nes bydd Dr Mansel wedi gorffen efo Jan?'

'Wastad yn barod i fod yn gi bach i ti, Daf,' atebodd Haf yn siriol. Roedd rhaid i Daf gyfaddef ei bod yn gwenu'n amlach ers iddi ddechrau caru â'r Tori.

Ar ôl i bawb eu gadael nhw, hisiodd Lisa ar Daf:

'Os y'ch chi'n meddwl y gallwch chi alw rhyw griw o hambôns i wahanu Jan a finne, ry'ch chi'n rong.'

'Ms Powell, mae gen i hawl i'ch arestio chi o ganlyniad i'r hyn welais i drwy'r ffenest. Falle bydd noson yn y celloedd yn eich helpu chi i weld yn gliriach. Ond rŵan, mae'n hen bryd i chi ddweud y gwir wrtha i ynglŷn â'r hyn ddigwyddodd nos Lun.'

'Nos Lun? Es i i ddosbarth yoga ar ôl gwaith, wedyn ...'

'Aethoch chi ddim i'ch gwaith ddydd Llun. Ac mi wn i eich bod wedi aros yn yr Oak, gan defnyddio enw ffug: Mrs Wilkes, fel petaech chi'n wraig i Jan.'

'Ry'n ni'n priodi y flwyddyn nesa.'

‘Ta waeth am hynny. Pam ddaethoch chi’r holl ffordd fyny i’r Trallwng?’

Edrychodd Lisa ar ei dwylo.

‘Alla i brocio’ch cof chi? Roeddech chi wedi trefnu cyfarfod efo Rhys Bowen, o bawb. Pam hynny, Ms Powell? Mae Jan yn llysieuwraig felly doedd dim awydd risôls arnoch chi.’

‘Ro’n i ... Wel, roedd e angen pryd o dafod am yr holl fwlio yn y Siambr ...’

‘Mae hynny wedi bod yn broblem iddi hi ers pum mlynedd, medde hi, a dech chi ddim wedi siarad efo fo cyn hyn. Na, ynglŷn â’r ymgyrch yn Sir Drefaldwyn roeddech chi’n siarad.’

‘Shwt y’ch chi’n gwybod ’ny?’

‘Oherwydd roedd Bowen, sy ddim yn ddyn ffôl o gwbwl, wedi trefnu i gwrdd â chi yn ei swyddfa’i hun, efo’i gynorthwyydd drws nesa yn recordio pob gair ar dâp sain a llaw fer. Doedd o ddim yn eich trystio chi o gwbwl, Ms Powell, a phan wnaethoch chi awgrymu cwrdd, jyst y ddau ohonoch chi, roedd o’n amheus.’

‘Mae’n rhaid i chi gael caniatâd rhywun i recordio’u llais nhw – mae’n drosedd gwneud hynny’n ddirgel.’

‘Ond mae blacmel yn drosedd waeth, Ms Powell.’

‘Am beth y’ch chi’n sôn?’

‘Dech chi wedi darparu gwybodaeth i Bowen ynglŷn â’r affêr rhwng Jan a Heulwen.’

‘Nid blacmel o’dd e – ofynnes i ddim am geiniog.’

‘Nid dim ond gofyn am bres ydi’r drosedd. Dech chi wedi ceisio brifo siawns Heulwen o ennill yr etholiad, ac mae hynny’n ddigon i gyflawni gofynion y Ddeddf Dwyn 1968. Ond nid cyhoeddi’r wybodaeth oedd cynllun Bowen: martsiodd lawr i’w gweld hi fel petai ganddo arf niwclear. Ond yn anffodus i chi, roedd gan Heulwen ei hun becyn o wybodaeth digon difyr i’w ddefnyddio yn erbyn Bowen. Mutual Assured Destruction, felly. Ddigwyddodd dim byd.’

Gwgodd Lisa a sylwodd Daf ei bod hi’n cael trafferth i ymdopi ag unrhyw fath o awdurdod.

'Be oedd y testun trafod rhyngoch chi a Heulwen nos Lun?'

'Weles i ddim o Heulwen.'

'Den ni'n gwastraffu amser, Ms Powell. Mae gen i o leia dri thyst welodd chi yno, yn cynnwys cynorthwyydd Heulwen a siaradodd efo chi.'

'Ocê, iawn, es i i'w gweld hi.'

'A rhoi dipyn o glec iddi hefyd?'

'Do's 'dach chi ddim tystiolaeth o gwbwl!'

'Oes. Roedd dau o bobl yr ochor arall i'r drws, ac mae gen i dystiolaeth fforensig wrth gefn.'

'Ddwedodd hi... rwbeth ffiaidd.'

'Be?'

'Ddwedodd hi fod ... wel, fod Jan heb ga'l ei bodloni gen i, yn y gwely.'

'Peth creulon i'w glywed. Felly, mi ddaethoch chi'n ôl, yn nes ymlaen, a llosgi'r lle.'

'Shwt allen i losgi'r lle? 'Da beth? A beth oedd Heulwen yn 'i wneud pan gyneues i dân mawr jyst tu allan i'w drws: gwau?'

'Sut dech chi'n gwybod mai ger y drws y cyneuwyd y tân?'

'Wydden i ddim. Dyfalu wnes i. Os – os – fysen i wedi tanio'r lle, pen y coridor, jyst tu fas i'w drws, fydden i'n ei ddewis.'

'Tu allan i'w drws? Nid tu mewn?'

'Ond, Mr Dafis, fydde Heulwen ddim yn ishte'n llonydd yn ei chadair tra oedd rhywun yn llosgi'r lle! Am awgrym twp.'

Felly roedd Daf yn bendant, waeth faint o bethau cas eraill wnaeth Lisa Powell, nad hi laddodd Heulwen Breeze-Evans.

Cludodd Daf Lisa Powell i'r orsaf i'w chyhuddo o anafu corfforol, ymosod a blacmel. Roedd yn fodlon cynnig mechnïaeth iddi ar yr amod ei bod yn cadw draw oddi wrth Jan a chartref ei rhieni. Cysylltodd â'r cyfreithiwr ar ddyletswydd a bu cryn dipyn o drafod ar yr amodau, ond roedd Daf yn sicr y byddai'r ynadon yn anfodlon newid yr amodau os mai'r bwriad oedd amddiffyn rhywun dan fygythiad. Ac yn yr achos yma roedd cadeirydd y fainc yn gryf iawn yn erbyn trais domestig: yr Arglwyddes Beatrice Gwydyr-Gwynne.

Erbyn hyn, roedd Daf ar lwgu ac wedi blino'n lân, ond fel pwced o ddŵr oer, roedd gweld enw ar ddarn o bapur yn ddigon i'w ddihuno.

'Be mae hyn yn 'i olygu, Nev?'

'Daeth y lluniau yna, y lluniau yn ffeil blacmel Heulwen Evans, o gyfrifiadur y Cynghorydd Sir Carwyn Watkin, Brynybiswal, Bettws Cedewain.'

'Ffonia fo, Nev, a gofyn iddo ddod i 'ngweld i fan hyn am ddeg o'r gloch bore fory – a phaid â chymryd unrhyw lol am golli gwasanaeth capel. Wedyn, edrycha ar ei gyfrif banc: falle ei fod o'n cuddio elw ei fusnes blacmel drwy ei gyfrif busnes.'

'Iawn, bòs – ac un job fach arall. Mae Heddlu West Mercia isie i rywun arestio Gwilym Bebb.'

'Be? Gwilym Bebb? Cynghorydd Sir arall? Fydd neb ar ôl yn Llandrindod.'

'Dwi ddim yn sicr faint o golled fydd ar eu hole nhw, wir i chi, syr. Fel y gwyddoch chi, rhannwyd cynnwys y ffeiliau yn sêff Heulwen Evans ar system genedlaethol yr heddlu, ac mae West Mercia wedi darganfod fod Bebb yn rhan o dwyll reit eang. Dwi ddim yn gwybod y manylion i gyd, ond mae 'na gwpwl o bobl ynghlwm â'r cynllwyn sy'n debygol o ddiflannu dramor tasen nhw'n ymwybodol fod siawns iddyn nhw gael eu dal. Felly, mae'n rhaid i bob un ohonyn nhw gael ei arestio cyn wyth o'r gloch heno.

'Mae gen i ormod ar fy mhlât i feddwl am hynny.'

'Ond mae o'n byw ger Llanfair, syr; fyddech chi'n gallu picio heibio.'

Ochneidiodd Daf a chododd y ffôn. Ffoniodd Banwy Hall, cartref Gwilym Bebb. Ei wraig, dynes fain, sur, atebodd y ffôn.

'O, Defi Siop. Bron yn sicr bod y Cynghorydd Gwilym Bebb yn rhy brysur i siarad efo ti.'

'Ddrwg gen i'ch poeni chi, Mrs Bebb, ond mae'n fater pwysig.'

'Pwysig, wir! Pwysig i *ti*, Defi Siop.'

Arhosodd Daf am sawl munud tra oedd Mrs Bebb yn chwilio am ei gŵr.

'Ro'n i'n iawn: dydi Mr Bebb ddim ar gael.'

Daeth Diane Rhydderch drwy'r drws wrth i Daf daflu'r ffôn yn ôl i'w grud.

'Ms Rhydderch! Gweithio dros y penwythnos?' cyfarchodd Daf hi'n gwrtais.

'Wastad yn rhoi cant y cant i achos mawr fel hyn. Sylw braidd yn anffodus yn y papurau heddiw: rhaid i ni roi rhywbeth arall i'r siarcod ei fwyta, ydych chi'n cytuno?'

'Dallt yn iawn. Newydd arestio dynes.'

'Am y llofruddiaeth?'

'Nage, yn anffodus. Ond roedd hi'n dyst yn yr achos. Blacmel ac ymosodiad ar ei phartner.'

Siglodd Ms Rhydderch ei phen ryw fymryn.

'Nid cariad Jan Cilgwyn?'

'Ie. Roedd Ms Cilgwyn yn diodde o drais yn y cartref, a ...'

'O, Arolygydd Dafis, rydych chi wedi arestio'r ail lesbiad i chi gwrdd â hi erioed! Fydd hynny ddim yn edrych yn dda o gwbwl.'

'Mae hi'n ddynes beryglus, yn rheoli ei phartner drwy ofn.'

'Dwi'm yn amau hynny am eiliad, ond be sy angen arnon ni yw ongl hollol wahanol ar yr achos, i wneud i bawb anghofio'r busnes rhywioldeb 'ma yn gyfan gwbwl.'

'Wel, mae tystiolaeth gafodd ei ddarganfod fel rhan o'r achos yma wedi bod yn allweddol i ddarganfod sawl cynllwyn a thwyll, yng Nghymru a'r tu hwnt, ac mae 'na enwau cyfarwydd iawn ymhlith y rhai sy'n mynd i gael eu harestio.'

'Addawol iawn. Dydi o ddim mor ddeniadol i'r wasg â cham-drin plant hanesyddol, dywedwch, ond efallai y bydd yn ddigon i'w temtio nhw i ddilyn trywydd arall.' Cyffyrddodd Diane fraich Daf mewn ystum nawddoglyd. 'Newid y naratif, dyna'r tric. Nid homoffôb hen ffasiwn fyddwch chi erbyn bore fory, ond heddwas craff sy wedi datgelu cynllwyn troseddol grymus.'

'Tydw i ddim yn homoffôb.'

'Tydi pawb ddim wedi cael y fraint o ddod i'ch nabod chi, Arolygydd Dafis,' meddai, ei llais dipyn yn uwch nag arfer. Rhedodd ias oer i lawr asgwrn cefn Daf ac ystyriodd, am eiliad, ofyn am gymorth gan Rhys Bowen – petai Ms Rhydderch yn derbyn sylw gan yr AC, efallai na fyddai mor barod i hanner fflyrtio efo Daf.

'Beth bynnag,' dywedodd Daf, yn sefyll ar ei draed, 'mae'r holl fanylion gan Sarjant Sheila Francis, a bydd mwy o wybodaeth yn cael ei rhyddhau ar ôl wyth heno.'

'Cyffrous! Mae'r wasg wastad yn meddwl mai dim ond y pethau pwysicaf sy o dan embargo. Petawn i'n rhoi fy rhestr siopa dan embargo, fe fydden nhw i gyd ar dân i'w chyhoeddi.'

'Diolch am eich cymorth, Ms Rhydderch. Dwi wir yn gwerthfawrogi'ch cyfraniad.'

'Ydych chi'n meddwl y bydd datblygiadau mawr eraill dros weddill y penwythnos, Arolygydd Dafis? Dwi awydd mynd adre tan ddydd Llun – fe fyddai noson dawel arall yn yr Oak yn ormod i mi.'

'Mae hynny'n iawn gen i,' atebodd Daf, yn dal yn ansicr o'i hagwedd tuag ato, 'ond mae nos Sadwrn yn y Trallwng yn gallu bod yn reit brysur.'

'Dim llawer o hwyl heb gwmni. Adre amdani, felly.'

Cychwynnodd Daf ar ei daith yn ôl i Lanfair Caereinion â rhyddhad er gwaethaf Gwilym Bebb. Ceisiodd ganolbwyntio ar eistedd yng nghwmni Gaenor a Rhodri i gael pryd o fwyd braf wrth iddo yrru i Banwy Hall. Nid oedd car i'w weld ar y graean tu allan i'r tŷ crand, a phan gurodd Daf ar y drws mawr gwyrdd, chafodd o ddim ateb.

Penderfynodd stopio yn Spar am botel o Shiraz – ac yn ôl pob golwg roedd Margaret Tanyrallt wedi cael yr un syniad. Yn wahanol i sawl dynes yn yr ardal fyddai'n cuddio'u poteli o *rosé* yn eu bagiau, roedd top potel litr o Bells yn amlwg ym mhoced *oilskin* Margaret.

'Wel, cog y siop, mae Gruff wedi bihafio fel ffŵl llwyr.'

'Mae o'n ifanc, ac isie amddiffyn Felicity oedd o.'

'Hm. Lodes go stedi ydi hi.'

'Ac mae hi'n meddwl y byd o Gruff hefyd.'

'Hm. Dwi braidd yn hen i symud i garafán, wyddost ti.'

'Fyddai dim rhaid i chi. Allen nhw godi tŷ: mae milfeddyg yn derbyn cyflog gwerth chweil.'

'Neu allen i rentu'r helm gan Jac. Beth bynnag, diolch am fod yn ffeind efo nhw.'

'Dim ond fy nyletswydd wnes i: dal pwy bynnag laddodd Heulwen ydi'r flaenoriaeth.'

'Ti ddim wedi gofyn i mi ble o'n i nos Lun. Yng nghyfarfod y WPCS, yr ochor arall i Dregaron, a wnes i ddim cyrraedd Tanyrallt tan ddeg.'

'Wnes i ddim gofyn achos wnaeth y tystion ddim sôn amdanoch chi.'

'Dwi'n falch iawn 'i bod hi wedi mynd. Tasen i'n gwybod be ddigwyddodd i Cai druan, 'sen i wedi'i lladd hi fy hun, yr hen ast iddi.'

Taniodd Margaret sigarét.

'Ac ydi o'n wir mai caru efo merched oedd hi?'

'Roedd hi'n cael perthynas efo dynes, oedd.'

Syllodd Margaret i lygaid Daf.

'Fel arfer, Daf Dafis, dech chi'r dynion yn meddwl mai chi sy'n nwydus ond tydi hynny ddim yn wir. Alli di ddim perswadio dynes i adael Neuadd am gwt ieir gyferbyn â'r Goat heb dipyn o serch. Mae gen Phil enw da efo'r leidis, ond doedd Heuls ddim yn hapus am awr fel gwraig iddo fo. Ro'n i'n meddwl mai cysgod marwolaeth How oedd yn gyfrifol am hynny ond falle mai rhwbeth arall oedd o, rhwbeth dwfn yn ei natur.'

'Debyg iawn.'

'A sut wnaeth y Reverend Paul Robeson gymryd y ffaith fod ei fam yng nghyfraith yn hoyw?'

'Tydi hynny ddim yn fater i'r heddlu.'

'Ddywedodd Gruff ei fod o wedi gweld Heuls ar y job gyda merch. Ydi hynny'n wir?'

'*No comment.*'

Chwarddodd Margaret.

'Sy'n golygu ei fod o'n wir! Amhrisiadwy.'

'Rhaid i mi fynd, beth bynnag.'

'Picia heibio ryw dro, pan ti'n rhydd. Well i ni feddwl am Section A i'r babi 'ne cyn bo hir, iddyn nhw gael tyfu efo'i gilydd.'

Wrth droi i adael, gwelodd Daf boster yn ffenest siop y cigydd:

'Cyngerdd Codi Arian i'r Urdd, Nos Sadwrn, Yr Institiwt. Gwledd o dalent lleol, yn cynnwys Carys Dafis, Parti Cut Lloi a Thriawd Pontgaseg. Cyfeilyddion: Mary Morgan a Siôn Jones. Arweinydd: y Cynghorydd Gwilym Bebb.'

Tynnodd ei ffôn allan ar stepen y siop a gadawodd neges i Steve. Bron yn syth, derbyniodd neges gan Nev:

'West Mercia braidd yn *jumpy*. Un o'r criw wedi mynd i Birmingham heddiw i newid arian i Reals – pres Brasil.'

Atebodd Daf:

'Ty'd fyny i Lanfair, a Steve hefyd. Mae'r dyn ei hun yn arwain cyngerdd heno.'

'*Sweet*, bòs, *sweet*.'

Nid oedd Daf yn ystyried y sefyllfa'n felys o gwbl. Fel y tad gwaetha yng Nghymru, roedd o wedi anghofio fod Carys yn cymryd rhan yn y cyngerdd, ac ers iddo adael Falmai, roedd ei gysylltiad efo'r Urdd wedi gwanhau. Dringodd staer yr Institiwt i siarad â Mrs Howells, oedd ar y drws:

'Alla i gael gair efo Mr Bebb, plis?'

'Rhag cywilydd i chi, wir, Defi Dafis: mae tocynnau'n wyth bunt.'

'Ond dwi ddim isie gwrando ar y cyngerdd – rhaid i mi siarad efo Mr Bebb.'

'Dech chi ddim isie gwrando ar lais hyfryd eich merch, wir? Na chefnogi'r mudiad sy wedi rhoi cystal hwb iddi hi?'

'Iawn 'te, tocyn amdani felly.'

Tynnodd bapur deg o'i boced yn hollol anfodlon.

'Ac mi fyddwch chi'n cymryd dau docyn raffl efo'r newid?'

Nid cwestiwn oedd o. Camodd i'r neuadd a synnodd faint o bobl oedd ynghlwm â'r ymchwiliad oedd wedi mentro allan. Yn y rhes flaen, ei goesau hir yn creu rhwystr sylweddol, roedd Rhys Bowen. Welodd Daf ddim llai na phump o ferched o ffeil blacmel Bowen, i gyd yn edrych yn hollol barchus yn eu cardigans anghymesur a'u gemwaith swmpus. Allai Daf ddim eu henwi a cheisiodd ddyfalu pa un oedd Daisy Davies: methodd. Yn annisgwyl, roedd Nansi a Seth yno, efo'r plant. Roedd y poster wedi rhybuddio Daf am bresenoldeb Carys a Siôn, felly, wrth gwrs, roedd Falmai yno, yn smart heb fod yn ddeniadol. Ers iddi golli Daf, roedd hi hefyd wedi colli stôn a hanner a lliwio'i wallt – digon i ddenu sylw Jonas ond dim digon i'w berswadio i fynychu cyngerdd yr Urdd efo hi. Roedd yn amlwg bod Ivy Trin Gwallt wedi cael modd i fyw efo Falmai: highlights, lowlights a phob lliw arall y gallai cemegau eu cynnig. Wrth ochr Fal roedd John fel y disgwyliodd, ond yn setlo'r ochr arall i John roedd Belle. Fel chwaer i drefnydd yr Urdd doedd dim esgus dros sgert ledr mor dynn, a phan blygodd hi i roi ei bag ar y llawr o dan ei sedd, cochodd John fel betysen.

Ar ochr arall y neuadd, yn trafod prisiau gwair, roedd Carwyn Brynybiswal. Doedd o ddim yn edrych fel y math o ddyn allai fod yn rhan o unrhyw gynllwyn, efo'i wyneb agored a'i lygaid diniwed. Syllodd Daf arno am eiliad – pan gerddodd un o'r merched yn y lluniau heibio iddo, ei siwmper wlân yn dynn dros ei bronnau, cochodd Carwyn yn sydyn. Penderfynodd Daf fynd draw am air.

'Sori i dy dynnu di i mewn fory, Carwyn,' dywedodd yn hamddenol. 'Dim byd difrifol.'

'Dim problem, Dafydd. Methu dod dros y peth.'

'Ond mae bywyd yn mynd yn ei flaen ... mae digon wedi troi fyny heno, yn do?'

'*Turnout* go iawn.'

'Wyddost ti be, Car, mae 'na gymaint o fynd a dod yn yr

ardal 'ma, dwi'm yn nabod hanner y bobl. Pwy oedd y ferch 'na yn y siwmper las?'

'Cymydog i mi,' mwmialodd Carwyn. 'Athrawes. Dwi'n gwneud dipyn iddi hi, yn yr ardd a ballu. Pwy sy'n eistedd wrth ymyl John Neuadd?'

'Cariad newydd Siôn. Merch o'r gogledd.'

'Mae hi'n bishyn smart, yn tydi?'

'Wel, lanc, den ni wedi cyrraedd yr oed lle mae'r merched i gyd yn edrych yn smart i ni.'

Camodd Carys o'r drws ger y llwyfan yn ei ffrog hir, ddu. Bob tro y gwelai Daf ei ferch, teimlai mor falch ohoni, ac nid oherwydd ei thalent yn unig. Roedd hi'n lodes garedig, alluog, benderfynol a rhoddgar, heb sôn am ei dawn perfformio. Aeth Carys draw at Mair, ei ffrind gorau, oedd yn y gynulleidfa efo'i chariad, ŵyr i Gwilym Bebb. Aeth Daf ar ei hôl.

'Dadi!' ebychodd Carys. 'Do'n i ddim yn disgwyl dy weld di heno! Be am yr ymchwiliad mawr?'

'Dwi'n dal i weithio. Rhaid i mi gael gair efo dy daid, Arwel.'

'Peidiwch â dweud mai Taid laddodd Heulwen?' gofynnodd Arwel, yn ffug-ddifrifol.

'Nage, nage, ond rhaid i mi siarad efo fo, rŵan.'

'A' i i'w nôl o rŵan,' cynigodd Carys: 'Mae o wrth ochor y llwyfan.'

Sylwodd Daf ar y cloc mawr uwchben y fynedfa. Cyn wyth, meddai heddlu West Mersia. Roedd hi'n hanner awr wedi saith yn barod, a'r neuadd yn llawn.

Dechreuodd Daf holi Mair ac Arwel am eu cyrsiau coleg tra oedd o'n aros i Carys ddod yn ei hôl, gan gadw un llygad ar y mynd a'r dod o'i gwmpas. Ymhen ychydig funudau camodd Carys o gefn y llwyfan â golwg ddryslyd ar ei hwyneb.

'Dydi o ddim yn fodlon siarad efo ti, Dadi. Mae o'n dweud y bydd raid i ti aros tan yr egwyl.'

Tynnodd Daf gornel y llen a galwodd i'r twyllwch:

'Mr Bebb? Mr Bebb, rhaid i mi gael gair efo chi rŵan.'

O'r twyllwch, daeth llais uchel, soniarus:

'Does gen i ddim amser am dy lol di rŵan, Defi Siop.'

Tynnodd Falmai ar ei lawes.

'Oes raid i ti godi cywilydd ar Carys? Fyddai dim ots gen i petaet ti'n cerdded i mewn yn noeth borcyn, ond ti'n dal i fod yn dad iddi hi.'

'Dwi'n gwybod hynny'n iawn, ond dwi yma ar ddyletswydd. Rhaid i mi siarad efo Mr Bebb cyn wyth o'r gloch heno.'

'O, ti'n dal i hoffi chydig o ddrama dwi'n gweld, Daf. Rhy dawel adre, efo'r butain a'i chyw?'

'Dwi o ddifri, Falmai. A ti'n gwybod yn iawn nad oes dim i'w ennill wrth drafod Gae a Mali fel'na.'

Agorodd y llen a chamodd Gwilym Bebb ar y llwyfan i agor y cyngerdd. Dychwelodd Falmai i'w sedd.

'Ydi o'n bwysig, Dad?' sibrydodd Carys. 'Mi allen i wrthod perfformio nes bydd o wedi siarad efo ti, ond tydw i ddim i fod i ganu tan ddiwedd yr ail hanner.'

'Diolch am y cynnig. Yn ystod yr eitem nesa, dweda wrtho fo ei fod o'n fater difrifol.'

O dan y cloc, oedd yn dangos chwarter i wyth, gwelodd Steve a Nev. Yn rhwystredig, trodd Daf ei sylw at barti deulais yr ysgol uwchradd, ac yn ystod eu perfformiad cofiodd Daf ble roedd o wedi gweld pen-ôl eu harweinyddes, oedd yn symud efo'r rhythm, o'r blaen. Un arall o ferched Bowen. Yr eitem nesaf oedd cân ysgafn gan ddau aelod o'r Ffermwyr Ifanc, Ed Mills a Tom Topbanc, oedd wedi'u gwisgo fel hen wragedd, Cawsant dderbyniad gwresog iawn er gwaetha safon eu canu. Yn ystod eu cytgan olaf daeth Carys yn ei hôl, yn ysgwyd ei phen. Trodd Daf a gwelodd Steve yng nghefn y neuadd, yn codi'i fraich a chyffwrdd ei arddwrn i atgoffa Daf o'r amser. Tynnodd Daf yr amlen frown o'i boced a syllodd ar y nodyn bach oedd wedi'i sticio ar gornel y ddogfen swyddogol: 'To be served by 8pm 16th April 2016'. Tynnodd Daf y nodyn i ffwrdd a chamodd i fyny i gefn y llwyfan. Roedd Bebb wedi symud i ganol y llwyfan.

'Mr Bebb. Mr Bebb, mae'n rhaid i mi siarad efo chi ar unwaith.'

Cododd yr hen gyfreithiwr ei law fel petai'n cael gwared ar bry.

'Mr Bebb, dwi o ddifri.'

'A'r eitem nesaf yw'r ddeuawd cerdd dant, felly rhowch groeso cynnes i'r llwyfan i'n telynor heno, Siôn Jones, Neuadd.'

Gwthiodd Siôn ei Salvi i'w lle ond collodd ei ddiddordeb yn y delyn pan welodd Daf yn cerdded ar draws y llwyfan, gan ddweud:

'Gwilym David Bebb, mae gen i warant i'ch arestio chi, ar ran Heddlu West Mercia. Mae gennych chi hawl i ddweud dim, ond ...'

Arhosodd yr eiliadau nesaf yng nghof Daf fel ffilm: ceg Bebb ar agor, sŵn y Salvi yn disgyn, llais Falmai'n sgrechian, llaw Arwel yn codi'i ffôn i fyny i ffilmio'r digwyddiad.

'Y bastard bach, Defi Siop,' hisiodd Bebb, yn troi ar ei sawdl. Un o bob ochr, cyrhaeddodd Nev a Steve y llwyfan. Gan sefyll yn agos iawn i Bebb ond heb ei gyffwrdd, llwyddodd y ddau i'w dywys i lawr y grisiau.

'Tynna'r llen, Carys,' galwodd Daf ar ei ferch.

Yn y tywyllwch, clywodd sŵn traed mawr Siôn yn agosáu ato.

'Ti wir yn *legend*, Wncwl Daf.'

'Gofala di am y blydi Salvi, neu mi fydd dy fam yn hanner fy lladd i.'

Baglodd i lawr y grisiau i'r corwynt o sŵn. Roedd Falmai wedi penderfynu smalio llewygu, hen dric pan oedd hi'n methu ymdopi ag unrhyw sefyllfa. Safodd Steve yn y drws cefn a Bebb wrth ei ochor.

'Bòs,' meddai Nev, 'dech chi'n edrych yn *shattered*. Allwn ni ddelio efo fo?'

'Iawn. Diolch i ti. Paid â'i gadw fo i mewn – dwi'n casáu'r syniad o'r hen greadur yn hongian o gwmpas fy ngorsaf i. Cymerwch ei ffôn. A Nev, gwna'n siŵr dy fod di'n gwneud cofnod o'r holl oriau ychwanegol ti wedi'u gwneud, ie?'

'Mi wna i. Saith munud i wyth – cael a chael oedd hi, bòs.'

Yr eiliad y diflannodd Bebb, dechreuodd yr anhrefn go iawn. Roedd y dorf yn trafod, mewn lleisiau llawn sioc, y ddrama orau iddyn nhw ei gweld erioed ar lwyfan yr Institiwt, Llanfair Caereinion. Ymddangosodd Ed Mills a Tom Topbanc, yn dal â chryn dipyn o bowdwr gwyn yn eu gwalltiau, o'r stafell newid, yn flin eu bod wedi colli'r cynnwrf.

Dechreuodd cadeirydd y pwyllgor rhanbarthol feichio crio. Er mai fo achosodd yr holl helynt, theimlodd Daf ddim dyletswydd o gwbl i'w thawelu: byddai'n rhaid i unrhyw arweiniad ddod o gyfeiriad arall. Cerddodd tuag at y drws rhwng y seddi a'r wal, gan anwybyddu pawb.

'Ffrindiau oll,' taranodd llais o'r tu blaen – roedd Bowen wedi codi ar ei draed. 'Den ni wedi colli ein harweinydd heno, ond ydech chi'n awyddus i gario 'mlaen efo'r cyngerdd? Mae'r perfformwyr i gyd yn barod i'n diddanu ni, ac os dech chi'n fodlon diodde hynny, mi alla i arwain. Be dech chi'n feddwl?'

Derbyniodd gymeradwyaeth sylweddol ac aeth Daf allan i'r nos yn hiraethu am Gaenor, ei deulu annwyl, a glasaid o Shiraz.

'Be am eich tocynnau raffl?' gwaeddodd Mrs Howells ar ei ôl.

'Stwffio'r raffl,' atebodd Daf, brawddeg oedd yn heresi pur yn Sir Drefaldwyn.

Pennod 14

Bore Sul, Ebrill 17, 2016

Am chwarter wedi pedwar, a'i fraich o gwmpas ysgwydd Gae tra oedd hi'n bwydo Mali, rhannodd Daf hanes ei antur yn ffatri Cig Canolbarth Cymru.

'Pwy oedd o, Daf?' gofynnodd Gae mewn llais tawel, llawn pryder.

'Ddim dy hen ffansi di, beth bynnag, achos tra oedd fy mywyd i mewn peryg, roedd o'n bwyta fy misgedi i fan hyn.'

'Be am y dyn ifanc, Cai? Petai o wedi cymryd mwy o ...?'

'Na, roedd o hanner ffordd i Gonwy erbyn hynny.'

'Aelod o deulu Dolfadog?'

'Falle. Rhaid i mi jecio lle oedd pawb – ond mae'n rhaid i mi fod yn ofalus achos ddylen i ddim bod yno yn y lle cynta.'

'Ond os wyt ti wedi cyfadde wrth Rhys, does dim rhaid i neb wybod nad oedd gen ti ganiatâd..'

'Syniad da.'

'Plis, plis cymer ofal, Daf. Den ni, Mali a finne, wel ... ti ydi canolbwynt ein bywyde ni. Dwi ddim isie ystyried bywyd hebddat ti.'

'Twt lol. Fydde 'ngwely i ddim yn oer cyn i ti chwythu dy drwyn a symud draw i Blas Bowen, i fagu Miss Fach fel aeres i'r ffortiwn selsig,' meddai Daf yn gellweirus.

'Neu mi alla i symud draw i Berllan yn forwyn i Bryn ...'

Erbyn tua hanner awr wedi pump, roedd y llwydolau cyn y wawr yn dangos drwy'r llenni, ac allai Gaenor ddim cadw ei llygaid ar agor am eiliad yn hwy. Ar ôl codi Mali o'i chôl, rhoddodd Daf y fechan yn ei basged ond ymhen llai na munud llwyddodd Mali i floeddio'n ddigon uchel i godi'r meirw. Clywodd Daf sŵn Rhodri yn stwyrian – roedd yn hollol annheg iddo fo ddiodde gwrando ar Mali yn crio'i hun i gysgu, felly chwiliodd Daf am ddillad iddo'i hun a siwt gwiltiog iddi hi er mwyn mynd am dro plygeiniol.

Torrai'r wawr yn lliwgar uwchben Mount, gan raddol lenwi'r cwpan bach rhwng y bryniau â golau mwyn.

'Yn tydi hi'n fore braf, cariad?' meddai wrth Mali, oedd yn glyd yn y sling ar ei frest. 'Be am i ni fynd am dro go iawn, i Mami druan gael dipyn o gwsg?'

Dawn unigryw oedd cerdded efo coesau babi yn hongian wrth ei gluniau, ond cawsai Daf ddigon o ymarfer efo Carys a Rhodri. Trodd heibio i hen dafarn y Wynnstay, oedd erbyn hyn yn fflatiau, heibio i'r hen farchnad, oedd yn dai newydd, a fyny Bryn y Grogbren. Roedd y bryn serth yn achosi tipyn o straen i Daf, yn enwedig gan ei fod yn siarad yn ddi-stop, yn esbonio'r hyn roedd o wedi'i ddarganfod yn ystod yr ymchwiliad i Mali.

'Mae'n ddigon hawdd i mi ddweud nad Rhys Bowen, Cai Evans na Lisa Powell wnaeth, ond pwy sy ar ôl, Miss Mali? Wyt ti'n gallu helpu Dadi ddwl i ddatrys y broblem? Falle mai rhywun hollol newydd laddodd hi, rhywun arall oedd dan fygythiad y blacmel. Mi fydde'n hynod o ddiddorol clywed be sy gan Carwyn Brynybiswal i'w ddweud am y busnes. Os oedd Gwilym Bebb yn ddwfn mewn pethau mor gymhleth â'r hyn roedd West Mercia yn ei awgrymu, pwy a ŵyr be arall sy yn y trysordy 'na.'

Erbyn hyn, roedden nhw'n sefyll ar y groesfan wrth Penarth, yr olygfa'n ymestyn cyn belled â bryniau'r Berwyn a Chader.

'Wel, Mals, roedd yr hen Rufeiniaid yn gwybod eu stwff pan ddewison nhw godi caer fan hyn. Drycha, mi alli di weld gelyn yn dod o unrhyw gyfeiriad. Dydi Dadi ddim wastad mor lwcus.' Gydag anadl ei ferch yn cynhesu ei groen drwy ei siwmper, penderfynodd gerdded ymhellach, i wneud cylch ar y topiau a dod i lawr Ffordd Mount, heibio'r cae pêl-droed.

Welodd o neb o gwbl nes oedd hi bron yn saith. Tua hanner ffordd rhwng Rhosfawr a Fferm y Mount daeth rhedwr i'r golwg, yn pwffian i fyny'r rhiw. Roedd ei wyneb yn wyn i gyd – nid jyst yn welw ond yn wyn, fel petai'n gwisgo mwgwd. Wrth iddo ddod yn nes sylwodd Daf mai eli trwchus oedd o, yn union fel y stwff roedd Carys yn ei roi ar ei chroen pan oedd hi ym mlwyddyn wyth. Cymerodd sbel i Daf ei adnabod, ond jyst cyn iddo redeg heibio sylweddolodd mai Lembo Lewis, athro busnes yr ysgol uwchradd oedd o, tad y bondigrybwyll Fflwsi Lewis.

'Bore da, Mr Lewis, dech chi ar eich traed yn gynnar.'

'A chithe, Mr Dafis – ond dwi'n gweld y rheswm fan yne.'

'Wyddoch chi be? Mae'n well gen i hanner dwsin yr un oed â Mali nag un yn ei harddegau.'

O dan y stwff gwyn roedd yn amhosib gweld oedd Lewis yn cochi ai peidio. Bwriodd Daf ymlaen.

'Hen fusnes cas ydi busnes y llun ar eu ffôns nhw, yntê?'

'Ddylen ni ddim trafod hynny.'

'Roedd yn rhaid i mi gamu'n ôl o'r Pwyllgor Gwahardd y tro yma – mae 'na dipyn o fynd a dod rhyngdden ni a chriw Berllan. Mae fy mhartner a mam Rob yn ffrindiau, a ...'

'A dech chi'n go agos iddi hi hefyd,' meddai Lewis yn sbeitlyd.

'Ddylech chi ddim coelio popeth dech chi'n glywed mewn tre fach fel Llanfair, Mr Lewis. Ond, beth bynnag, dwi'n mynd i gynrychioli Rob yn y cyfarfod ac, yn bendant, fydd o ddim yn cael ei wahardd. Yn lle hynny, mi fydd eich merch chi'n cael enw drwg – am dynnu'r llun yn y lle cynta ac am ddweud straeon.'

'Dydi fy merch i byth yn dweud celwydd!'

'Does 'run ohonyn nhw'n seintiau. Mae'r lodes wedi mynd yn rhy bell, wedi peintio ei hun i gornel. Falle ei bod hi'n meddwl y bydde hi'n sicr o gael ei ffordd ei hun yn erbyn cog o deulu annysgedig fel yr Humphries. Yn anfoddus, os mai felly oedd Lwsi'n meddwl, mi wnaeth hi gamgymeriad mawr. Mae cariad Rob yn perthyn i hanner newyddiadurwyr Cymru, ac os caiff Rob gam, mae peryg i Lwsi ddod yn adnabyddus am y rheswm anghywir.'

Yn y saib a ddilynodd ei eiriau, clywodd Daf sŵn llafurus fel petai Lewis yn brwydro i gael ei wynt.

'Mae'n ... mae'n dipyn o straen i ddyn fagu merch,' meddai o'r diwedd. 'Does dim modd i mi drafod pynciau fel hyn efo hi ond, fel pob rhiant, mae'n rhaid i mi ei hamddiffyn.'

'Wrth gwrs, ond sut? Petai achos Rob yn mynd i apêl, wedyn i'r llysoedd barn, sut fyddai hynny'n helpu Lwsi? Dech chi'n gwybod be ydi *paedo*, Mr Lewis, ac yn bendant dydi Rob dim yn haeddu'r enw hwnnw o gwbwl. Falle, Mr Lewis, nad ydech chi wedi gweld y math o ddelwedde dwi wedi'u gweld, yn dangos pethau mor afiach fel bod pobl normal yn chwydu ar ôl eu gweld nhw. Dwi wedi gweld lluniau felly, Mr Lewis, a dyna pam na wna i byth ganiatáu i neb, hyd yn oed eich merch chi, chwarae gemau efo pwnc mor greulon. Os ydi Miss Lwsi Lewis isie gwybod be ydi delwedde anweddus o blant, mae croeso iddi fynychu un o gyrsiau hyfforddi'r CEOPS.'

Gwyddai Daf ei fod wedi dechrau pregethu, oedd yn hollol groes i'w ddulliau arferol o gyfathrebu. Roedd yn anodd iawn cynnal sgwrs gyfartal â dyn oedd yn wyn i gyd ond doedd hynny ddim yn esgus. I Daf, roedd Lewis yn cynrychioli'r holl rieni dosbarth canol oedd wedi ei wylltio dros y blynyddoedd, y rhai oedd yn gwadu natur eu plant ac yn ceisio perswadio'i swyddogion prysur nad ar eu cywion bach nhw oedd y bai. A dyma hi, Miss Fflwsi Lewis, yn ceisio dinistrio cynlluniau a gwaith caled Rob Berllan o ran sbeit a dim byd arall.

Cafodd geiriau Daf effaith sylweddol ar y dyn y tu ôl i'r eli gwyn.

'Ond Mr Dafis, sut all unrhyw un ei pherswadio i gamu'n ôl cyn gwneud loes iddi'i hun?'

'Oes ganddi hi ffrind pennaf?'

'Dim un gall.'

'Sut oedd hi'n gyrru 'mlaen efo Carys, fy merch i, pan oedden nhw yn yr ysgol efo'i gilydd llynedd?'

'O, mae Lws wastad wedi bod yn ffan fawr ohoni, y ferch efo popeth.'

'Beth am i Carys bicio heibio heddiw bore am sgwrs?'

'Wel, mi wn i fod Lwsi'n ferch styfnig iawn, ond os fydde hi'n barod i wrando ar unrhyw un, Carys fydde honno.'

'Werth ceisio, felly.'

'Diolch, Mr Dafis.'

Wrth gerdded yn hamddenol i lawr yr allt roedd Daf yn llawn cydymdeimlad. Nid bai Lembo oedd y cyfan – roedd ei wraig wedi mynd ac, yn amlwg, doedd o ddim yn gallu cyfathrebu â'i ferch. O leia roedd o'n gwneud ymdrech i gael gwared ar y plorod melyn oedd wedi gwneud ei flynyddoedd yn yr ysgol yn uffern – ond waeth pa mor anffodus oedd Lewis, doedd gan ei blentyn ddim hawl i chwarae efo bywydau pobl eraill.

Dychwelodd Carys o dŷ Mair am wyth, mewn pryd i fwynhau brecwast gorau'r wythnos o facwn, wyau, ffa pob, ychydig o stwnsh neithiwr wedi ei gynhesu i greu *hash brown*, a selsig.

'Fel hyn mae Rob yn dechrau pob diwrnod,' ochneidiodd Rhodri, yn gorffen cornel ola ei fara wedi ffrio.

'Nage wir – efo dwyawr o waith caled mae Rob yn dechrau pob diwrnod,' cywirodd Daf.

'Dech chi'n gwybod pan fydd Siôn a Belle yn dod draw nes ymlaen?' gofynnodd Carys i Gaenor. 'Fyse'n iawn i Garmon alw heibio hefyd?'

'Wrth gwrs – does dim rhaid i ti ofyn.'

'Mi fydd o ar ei ffordd o sesiwn hyfforddi yn Stoke, felly ...'

'Ac mae o'n ysu i gwrdd â Belle?' awgrymodd Gaenor.

Cochodd Carys.

'Dim cweit. Mali mae o'n ysu i'w gweld – mae dros bythefnos ers iddo'i gweld hi ddiwetha.'

'Paid â dweud 'i fod o'n mynd yn glwc, Carys?' pryfociodd Gaenor.

'Sgen i ddim syniad, ond mae o wedi mynd yn rwbeth. Bob tro den ni'n siopa, mae o'n ffeindio owtffit newydd iddi hi, neu lyfr neu degan. Mae o wedi gwirioni.'

'Reit,' meddai Daf, yn anfodlon â thrywydd y sgwrs. Tad

newydd oedd o, heb unrhyw awydd i fod yn daid. 'Hen bryd i mi fynd. Car, alla i gael gair bach?'

Cytunodd Carys i siarad efo Lwsi ond roedd Daf braidd yn anesmwyth ynglŷn ag un o'r sylwadau yr addawodd hi ei rannu efo'r ferch.

'Y ffaith ydi, den ni i gyd isie cael rhyw efo aelodau teulu Berllan, ond den ni ddim yn cael. Dydi Lwsi ddim yn wahanol i mi, neu Gaenor, neu Wncwl John neu tithe, Dadi. Neu Mam, hyd yn oed, tase hi'n ddigon gonest i gyfadde. Mae'n wastraff ar adnoddau'r byd i un teulu fod mor secsi, ond dyna ni. Does dim byd allwn ni wneud am y peth.'

'Ond, Carys, mae Garmon yn ddyn ifanc golygus iawn.'

'Wrth gwrs 'i fod o, ond dydi o ddim yn Bryn Berllan.'

'Pob lwc efo Lwsi, beth bynnag.'

O ystyried mai bore Sul oedd hi, roedd yn orsaf yn brysur.

'Wel, bòs,' meddai Sheila, 'roedd mam Tom wrth ei bodd neithiwr efo'r stori orau erioed.'

'Do'n i ddim yn ceisio creu stori. Doedd yr hen ffwlbart ddim yn fodlon gwrando, ac roedd amser yn brin ...'

'Roedd WM yn hapus iawn, bòs,' cyfrannodd Nev. 'Maen nhw wedi dal rhyw hanner dwsin o gyfreithwyr oedd yn chwarae gemau efo pres eu cleientiaid, a dau ymgynghorwr ariannol amheus. A jyst mewn pryd – roedd un ohonyn nhw wedi bwcio awyren i Brasil.'

'Os fydda i'n byw tan dwi'n gant a hanner, ac yn cael yr yrfa fwya llewyrchus yn hanes Heddlu Dyfed Powys, mi fydden nhw'n siŵr o fod yn trafod arestio Gwilym Bebb yn fy nghynebrwng, wir.'

'Absolute classic, boss,' oedd barn Steve. 'And speaking of classics, Ms Wynne is here to see you.'

Bum munud yn ddiweddarach, roedd Haf ac yntau'n rhannu paned ac yn trafod achos Jan Cilgwyn.

'Nododd Dr M sawl clais, ac ôl llosg ar ei choes. O brofiad, fysen ni'n dweud ei bod hi wedi bod yn diodde ers tro.'

'Ond eto, roedd Jan yn ddigon dewr i gael affêr,' sylwodd Daf.

'Pwy oedd yr un ddewr – hi ynteu Heulwen? Beth bynnag, dwi'n bendant bod Jan yn ystyried ei pherthynas â Heulwen fel drws iddi.'

'Does gen i ddim syniad am be ti'n sôn, sori.'

'Yn aml iawn, os ydi rhywun yn teimlo'n gaeth, yn methu symud ymlaen o'u hamgylchiadau, maen nhw'n chwilio am rywun arall i'w helpu nhw i newid neu adael.'

Adlewyrchodd yr haul ar y diemwnt ar ei bys ac roedd yn rhaid i Daf ddweud rhywbeth.

'Fel tithe, yn agor y drws i Blas Gwynne?'

Rhoddodd Haf ei mẁg i lawr ac ochneidiodd.

'Ro'n i mor falch pan ddywedodd Mostyn dy fod di wedi derbyn ein gwahoddiad. Mi fydda i'n falch iawn o'ch gweld chi'ch dau yn y parti.'

'A den ni'n edrych ymlaen i ddod, ond jyst dweud wrtha i pam wyt ti'n ei briodi o, Haf.'

'Dwi ddim yn cofio gofyn yn union pam wnest ti benderfynu peryglu dy deulu cyfan drwy redeg i ffwrdd efo dy chwaer yng nghyfraith.'

'Dwi'n caru Gaenor.'

'A dwi ddim yn caru Mostyn? Diolch am adael i mi wybod.'

'Ond mae o mor wahanol i ti. Ti'n lodes asgell chwith, mae o'n Dori. Ti 'di gweithio dros bobl ddifreintiedig, mae o'n dilyn cŵn hela. Ti'n dwlu ar lyfrau ac mae o'n ... wel, sgen i ddim syniad be mae o'n wneud, ond dydi o ddim yn darllen y *Guardian*, beth bynnag.'

'Mi fyset ti'n synnu, Daf, wir. Den ni'n mynd i'r theatr yn aml iawn, yn lleol ac yn Llundain, dwi'n hoffi llyfrau: mae ganddyn nhw lyfrgell yn y Plas. Ti'n gwybod 'mod i'n dwlu ar geffylau pan o'n i'n ifanc: mae Mostyn wedi prynu *hunter* hyfryd i mi, nid 'mod i awydd hela. A sôn am helpu pobl, pwy dalodd am driniaeth atal heroin Cai Evans? Nid cangen leol y Blaid Lafur na darllenwyr y *Guardian*, ond Mostyn a'i fam.'

'Cyfiawnder sydd ei angen ar bobl fel Cai, nid elusen.'

'Pob lwc efo'r ddelfryd, Daf – yn y cyfamser, mae Cai wedi gwella o'i broblem heroin, diolch i deulu Plas Gwynne.'

Bu distawrwydd hir cyn i Haf ailafael yn y sgwrs.

'Ti wedi anghofio un peth, Daf, yn dy ddadansoddiad cymdeithasol-economaidd. Dwi'n ddynes unig dros ddeg ar hugain oed ac mae Mostyn yn ddyn unig dros ei bedwar deg. Dyn da yw Mostyn, dyn caredig a ffyddlon er ei fod braidd yn hen ffasiwn ac yn anhyblyg. Mi ga i fywyd braf yn wraig iddo, a gobeithio y ca' i fagu Gwydyr-Gwynnes bach a chario 'mlaen i weithio yr un fath yn union. Mae'n rhaid i mi fynd, Daf. Mi fydd eu gwasanaeth nhw yn yr eglwys drosodd erbyn deg.'

'Ti'm yn mynd efo nhw?'

'Dwi'n gweld hen ddigon o dy ffrind Joe Hogan yn y blydi gwersi, diolch.'

'Gwersi? Y Pre-Cana?'

'Ie. Chwe wythnos i ddysgu'r ffasiwn bagan sut i ymuno mewn traddodiad sy'n mynd yn ôl i'r Oesoedd Canol. Felly mae gen i dipyn o waith cartref i'w wneud cyn y briodas ym mis Mehefin.'

'Lyfli.'

Chwarddodd Haf yn uchel.

'Dwi wrth fy modd pan wyt ti'n ffuantus, Daf,' meddai wrth adael.

Canodd y ffôn. Nev.

'Mae Carwyn Watkin newydd ffonio: mae o wedi cael teiar fflat – ydi hi'n iawn iddo fo ddod fymryn yn hwyrach?'

'Iawn gen i. Dwi angen cyfle i ailedrych ar gynnwys sêff Heulwen beth bynnag.'

'A' i i nôl popeth i chi, rŵan, bòs. Dech chi wedi gweld y papurau heddiw bore?'

'Naddo.'

'Llawn canmoliaeth am lwyddiant yr ymchwiliad heddiw ar sail faint o bobl gafodd eu harestio ddoe.'

Roedd Diane Rhydderch yn iawn, felly, oedd yn golygu llai

o drafferth iddo fo, ond suddodd calon Daf wrth feddwl y byddai'n rhaid iddo wrando arni'n amlach.

Gwasgarodd Daf yr amlenni dros ei ddesg a chlymodd y nodiadau sgwennodd o nos Fawrth i bob un. Roedd rhai ar goll.

'Nev!' gwaeddodd drwy'r drws agored. 'Faint o'r ffeiliau sy wedi mynd, ac i ble? Oes ganddon ni gopïau?'

Cyn iddi dderbyn ateb, canodd ei ffôn. Joe.

'Daf, wyt ti'n digwydd gwybod ble mae tŷ Phil Evans, yr un mae o'n ei rentu?'

'Dwi ddim yn sicr.'

'67 Bronwylfa ydi'r cyfeiriad. Ty'd ar unwaith, os alli di, Daf – dwi'n meddwl y byddai'n well i ni gyrraedd o flaen Milek.'

Taith o bum munud oedd rhwng yr orsaf a'r tŷ o'r saith degau oedd â golygfeydd hardd dros y wlad. Neidiodd i'w gar ond methodd gyrraedd y tŷ mewn pryd.

Fel sawl dyn, roedd Phil yn treulio'i fore Sul yn twtio'r ardd. Doedd y lle ddim yn flêr ond doedd o ddim wedi derbyn llawer iawn o ofal chwaith. Ar ben ysgol fach oedd o, yn dadfachu basgedi blodau oedd yn hongian ger y drws ffrynt, pan redodd Milek i fyny'r allt, yn bloeddio un gair, dro ar ôl tro:

'Bastard!'

Curodd Milek yr ysgol a chwympodd Phil cyn i Daf gael cyfle i ddod o'i gar. Roedd y dyn mawr yn pwnio Phil, ergyd ar ôl ergyd yn cysylltu â'i wyneb golygus, yn denu gwaed a phoer a dagrau. Neidiodd Daf ar gefn Milek i'w dynnu oddi ar Phil, ond roedd o'n ddigon call i osgoi'r rhan fwyaf o'r ergydion. Cododd Phil ar ei draed yn sigledig a chamodd draw i helpu Daf i ddal Milek i lawr, a rhwng y ddau ohonyn nhw roedd Milek ar ei gefn erbyn i Joe gyrraedd. Daeth Basia allan o gar Joe mewn ffrog felen hardd oedd yn addas iawn ar gyfer gwasanaeth eglwysig ar fore braf o wanwyn. Rhedodd ar draws y lawnt i gofleidio Phil ac ymhen eiliad neu ddwy roedd ei ffrog yn waed i gyd, fel Jackie Kennedy yn Dallas ers talwm. Eisteddodd Milek i fyny i dderbyn y pryd o dafod mewn Pwyleg, gan Joe i ddechrau, wedyn gan Basia.

'Reit,' gorchmynnodd Daf, 'Mae o'n dod i lawr i'r orsaf efo fi.'

'Dwi ddim isie erlyn,' mwmialodd Phil drwy wefusau chwyddedig. 'Mater teuluol ydi o.'

'Mi fu o bron â thorri dy drwyn di, Phil!'

'Dim ots gen i.'

Diflannodd Basia i'r tŷ a daeth yn ôl efo powlen o ddŵr cynnes er mwyn glanhau wyneb Phil. Roedd dagrau ar ei bochau wrth iddi ofalu am ei chariad, gan atgoffa Daf o luniau'r Cyn-Raffaeliaid. Pan oedd hi wedi gorffen ei chymwynas, rhoddodd y lliain gwaedlyd a'r bowlen llawn dŵr budr i'w brawd.

'Be sy'n mynd mlaen rhyngddyn nhw?' gofynnodd Daf i Joe.

'Ddaeth Basia ddim adre neithiwr. Roedd Milek ar bigau'r drain, wedyn pan welodd fod Basia'n gwrthod y cymun, daeth i'r casgliad ei bod hi wedi pechu o flaen Duw. Den ni ddim yn derbyn y cymun os nad yden ni'n llawn gras, heb bechod.'

'Trueni na chafodd Milek frecwast go drwm i setlo'i stumog cyn dechrau'r dydd, felly.'

'Chawn ni ddim bwyta brecwast tan ar ôl i ni dderbyn ein Gwaredwr Iesu Grist yn y cymun sacredig.'

'Wyddost ti be, Joe? Roedd yr hen Karl Marx yn iawn: mae crefydd yn opiwm i'r werin a dech chi i gyd yn chwil arno fo. Rhaid i mi fynd – cadwa lygad barcud ar Tyson Fury yn fa'ma, wnei di?'

Roedd Carwyn Watkin yn llawn ymddiheuriadau.

'Mae rhaid 'mod i wedi codi rhyw hoelen yn rhwle,' esboniodd.

'Digon hawdd gwneud,' cytunodd Daf, gan feddwl, am ryw reswm, am y pentwr o hen balets welodd o ar y palmant llydan gyferbyn â ffatri Bowen nos Wener. 'Ges i fy ngalw allan, beth bynnag.'

'Duwcs, ti'n brysur o hyd, Dafydd. Dwi'n synnu nad wyt ti'n drysu efo'r holl fynd a dod.'

'Wedi hen arfer efo fo, Car.' Daeth sŵn bach o'i boced:

neges gan Gaenor i'w atgoffa fod Siôn a Belle yn dod draw tua thri o gloch. Rhoddodd y ffôn ar y ddesg a syllodd ar y dyn oedd yn eistedd gyferbyn ag o. Doedd o ddim yn dal ond, fel sawl ffermwr, roedd ei gorff yn soled a'i ddwylo'n gryf. Yr unig newid i'w ddewis o ddillad dros ugain mlynedd oedd ei fflîs Dectomax – ac fel y byse Carys yn dweud, does dim esgus i neb wisgo hysbyseb ar gyfer moddion atal llyngyr. Cofiodd Daf yr holl oriau braf a dreuliodd ym Mrynybiswal ond methodd yn lân â chofio llawer o bethau penodol am Carwyn. Byddai Mr Watkin yn pryfocio'i wraig yn aml am ei sbwylio fo, ond ni welsai Daf unrhyw dystiolaeth o hynny. Dyn ifanc tawel oedd o, yn byw yng nghysgod ei rieni, oedd yn bobl dipyn bach mwy rhadlon. Beth oedd ei hoff bethau? Oedd o wedi teithio o Gymru erioed? Doedd gan Daf ddim syniad. Gwelodd fod Carwyn yn ceisio darllen y nodyn oedd wedi'i glymu i un o'r amlenni, felly casglodd y dystiolaeth yn bentwr mawr a chau clawr y ffeil drosto.

'Reit, Carwyn, ti'n gwybod yn iawn be sy gen i fan hyn. Dwi angen dipyn o'r cefndir, hanes dy berthynas efo Heulwen.'

'Dynes gall oedd hi, Daf, wastad yn sylwi ar bopeth. Aethon ni lawr i Landrindod ar yr un pryd, i'r Cyngor Sir, ti'n gweld.'

'Cyn i ti fynd ymhellach, Carwyn, pam wnest ti benderfynu sefyll yn y lle cynta?'

'Isie gwneud rhwbeth gwerth chweil o'n i, a gwneud Mam yn browd. O'n i ddim wedi sylwi faint o waith darllen oedd 'na. Dweud y gwir, Dafydd, mae angen pobl beniog i wneud y job y dyddie yma, nid cogie caib a rhaw fel finne.'

'Ac ymunodd Heulwen ar yn un pryd, ddwedest ti?'

'Do, do, ac roedd hi'n gefen i mi ers y diwrnod cynta oll. Esbonio pethau, fy rhwystro i rhag gwneud ffŵl ohonaf fy hun, fy helpu i. Hefyd, roedd hi'n 'peini braf – roedden ni'n dau'n teithio i lawr yn ei char hi'n aml iawn, i gael sgwrs ar y ffordd.'

'Dyn a dynes, yn treulio lot o amser efo'i gilydd: oeddet ti'n ei charu hi, Carwyn?'

Roedd y syniad fel petai'n codi braw arno fo.

'Nag o'n wir, Dafydd. Roedd hi'n wraig i rywun arall, a hefyd ... wel, ddim lodesi fel hi dwi'n eu licio.'

'A sut rai yn union wyt ti'n eu licio, Carwyn?' gofynnodd Daf, o ddiddordeb yn fwy na dim arall.

'Wel, lot 'fancach na Heulwen i ddechrau. Lodes sionc, dipyn o sbarc yn ei llygaid a digonedd o gnawd ar ei hesgyrn, dyna fy siort i.'

Digon tebyg i chwaeth Bowen, meddyliodd Daf, cyn sylwi y gallai'r disgrifiad ffitio Gaenor hefyd.

'Ocê, ond oeddech chi'n ffrindiau reit agos, Heulwen a tithe?'

'Oedden.'

'Mi glywes i rywun yn dweud dy fod di'n dilyn pob gorchymyn gan Heulwen. Oedd hynny'n wir?'

'Ddim felly oedd pethau, Dafydd. Roedd hi wastad yn gwybod be i'w wneud felly dim ond synnwyr cyffredin oedd gwrando arni.'

'Ond roedd hi'n gofyn i ti wneud pethau iddi?'

'Oedd.'

'Iawn, Carwyn. O ble ddaeth y llunie 'ma?'

Cododd Daf amlen a thynnodd lun ohoni i'w ddangos i Carwyn. Cochodd hwnnw.

'Doeddwn i ddim yn hoffi gwneud pethe fel hyn, ond roedd yn rhaid ei stopio fo.'

'Stopio Rhys Bowen?'

'Ie, stopio'r bastard. Mae o'n cael get awê efo bob dim.'

'Ti ddim wedi ateb y cwestiwn eto, Carwyn. O ble ddaeth y lluniau?'

'Dwi'n dipyn o ffotograffydd, Dafydd. Roedd cwrs yn neuadd y pentre, dros ugen mlynedd yn ôl. Es i jyst er mwyn cefnogi rhwbeth lleol, ti'n gwybod, ond duwcs, roedd o'n ddiddorol. Wedyn, prynodd Mam gamera i mi.'

'Ti wnaeth dynnu'r lluniau?'

'Mae gen i sawl gwahanol lens, a chwpwl o weithiau mi wnes i ddefnyddio camera bech cudd, yn union fel dwi'n wneud pan dwi isie tynnu lluniau o adar sy'n nythu.'

'Gyda phob parch, Carwyn, mae 'na wahaniaeth enfawr rhwng lluniau o fywyd gwyllt a phethau fel hyn.'

'Ddaeth rhai gan dditectif yng Nghaerdydd.' Roedd o'n trafod y peth heb arddangos mymryn o siom nac edifeirwch.

'Doedd o ddim yn beth braf i'w wneud – tynnu lluniau o fywydau preifat pobl – dwyt ti'm yn meddwl?'

'*Fo* oedd yr un wnaeth bethau drwg. Druan o'r holl ferched.'

'Be tasen i'n dweud wrthat ti ein bod ni wedi siarad efo un o'r merched a'i bod hi'n hollol hapus efo pob dim?'

'Roedd o'n gallu eu perswadio nhw i wneud pob math o bethe.'

Cymerodd Carwyn yr amlen a didolodd ei chynnwys. Pasiodd un llun yn ôl i Daf. Nid hon oedd y ddelwedd fwyaf rhamantus: Bowen yn eistedd ar soffa, ei gopis ar agor a merch noeth ar ei phengliniau rhwng ei goesau, ond sylwodd Daf hefyd ar y ddwy botel o Prosecco ac, ar agor ar y soffa wrth glun Bowen, y bocs siocledi mwyaf yn y byd.

'Ydi hynna'n gyfreithlon, Dafydd? Ddyle fo ddim bod. Druan o'r lodes.'

'Gwranda, Carwyn; does gen i ddim diddordeb yn yr hyn mae Rhys Bowen yn ei wneud efo merched sy'n cydsynio. Does neb yn fan hyn dan oed, dan ddylanwad na dan fygythiad. Ocê, dydi ei ymddygiad ddim yn glodwiw, ond sefyllfa hollol breifat ydi hi.'

'Ond mae ganddo fo statws, mae o'n ein cynrychioli ni yn y Cynulliad ...'

'Dwi ddim yn meddwl bod Bowen erioed wedi gwneud unrhyw addewidion ynglŷn â'i foesoldeb. Cnuchiwr ydi o, wastad wedi bod, ond dydi hynny ddim yn drosedd. Mae blacmel, ar y llaw arall, yn drosedd ddifrifol.'

'Ond, ond, ond ....' Gwaniodd ei llais i dawelwch, fel yr oedd Daf wedi rhagweld.

'Ti isie paned, Carwyn?'

'Diolch, Dafydd, oes. Mae 'ngheg i mor sych â nyth cathod.'

Piciodd Daf allan i nôl y te ac i weld sut oedd pethau efo'r pentwr gwaith papur, gan adael Carwyn i roi trefn ar ei feddyliau.

'Mae'r CPS yn flin iawn efo ti, bòs,' dywedodd Sheila. 'Mae datganiad *all leave cancelled* wedi cael ei gyhoeddi.'

'Ha, ha.'

'Dwi ddim yn jocian! Paid â dweud nad wyt ti wedi sylwi faint o achosion sy gennyn ni erbyn hyn, heb sôn am Gwilym Bebb, sy'n broblem i'n ffrindiau draw yn y West Mids. Rhwng y Lisa Powell 'na, Cai Evans a'i ket a blacmel Carwyn Watkin, does gennyn ni ddim amser o gwbwl i fynd ar ôl y ffrae ddigwyddodd yn ym Mryn Gungrog heddiw bore. Heb sôn am yr achosion eraill yn yr amlenni.'

'Ro'n i yno bore 'ma, i weld y ffrae. Dydi'r dioddefwr ddim isie erlyn: Phil Dolfadog oedd o. Trafferth teuluol, medde fo.'

'Mae'r achos 'ma'n ddiddiwedd, bòs,' sylwodd Nev. 'The gift that keeps on giving.'

'Wel, all rhywun wneud paned i mi? Nev? Steve?'

Roedd Carwyn yn edrych yn well pan aeth Daf yn ôl ato, yn eistedd yn fwy naturiol.

'Paned ar ei ffordd,' meddai, gan sylwi nad oedd ei ffôn yn union ble y gadawodd o. Dilynodd Carwyn lygaid Daf.

'Sori, roedd dy ffôn yn canu – mi geisies ei droi o ffwrdd.'

'Paid â phoeni. Nôl at y busnes. Carwyn, dwi wedi dy nabod di gydol fy oes. Dwyt ti ddim y math o ddyn sy'n gwthio'i lens hir drwy ffenestri pobl eraill, yn bendant.'

'Ond roedd yn rhaid i mi wneud rhwbeth i'w dynnu o i lawr, y blydi Bowen 'na.'

Doedd Daf erioed wedi clywed Carwyn yn rhegi o'r blaen.

'Oeddet ti'n ymwybodol, Carwyn, fod gan Heulwen ffeil fach arnat ti hefyd?'

'Dim ond cwpwl o gamgymeriadau oedden nhw, pethau dwi wedi'u camddeall,' meddai, gan gochi at ei glustiau.

'Ond maen nhw'n edrych yn ddrwg, tydyn?'

'Wel, falle.'

'Carwyn, dwyt ti ddim cweit yn deall be dwi'n ceisio'i wneud fan hyn. Os wyt ti wedi troseddu, sef yr holl fusnes cynllwynio, blacmel ac ati, ti'n mynd i gael dy gosbi – carchar mwy na thebyg. Ond os gest ti dy orfodi i wneud hynny, oherwydd y dylanwad oedd gan Heulwen drostat ti, mae hynny'n fater hollol wahanol. Doedd gen ti dim llawer o ddewis. Ai dyna sut oedd pethe?'

Agorodd Sheila y drws.

'Steve sy wedi gwneud y te ond mae o wastad yn gollwng ei hanner o ar yr hambwrdd,' eglurodd, gan chwilio am ddigon o le i'w roi i lawr. Symudodd Daf y lluniau. Cochodd Carwyn pan welodd hi.

'O, helô, Mrs Francis,' mwmialodd.

'Helô, Mr Watkin. Mwynhewch eich te.'

Roedd yn amlwg bod presenoldeb gwraig fferm fel Sheila wedi codi embaras mawr arno, yn enwedig a'r lluniau anweddus ar y ddesg.

'Rŵan 'te, Carwyn, mae'n hen bryd i ni siarad yn blwmp ac yn blaen. Doedd dim dewis o gwbwl gen ti, nag oedd? Heulwen oedd yn gorchymyn, a tithe'n ufuddhau.'

'Wel,' ystyriodd Carwyn, gan sipian ei de, 'roedd yn anodd dweud "na" wrthi, yn bendant, ond ... ddylen ni ddim dweud pethau drwg am y meirwon.'

'Dyfyniad arall: mud pob marw. Den ni wedi clywed llawer iawn amdani'n barod yn yr adeilad yma, Carwyn.'

'Debyg iawn.' Rhoddodd Carwyn ei gwpan ar y bwrdd yn ysgafn, er gwaetha'i ddwylo trwm.

'Be wnest ti ddydd Llun, Carwyn?'

'Piciais lawr i'r Smithfield.'

'Prynu, neu werthu?'

''Run, jyst tshecio prisie a ... wel, gweld pobl. Ges i bryd o fwyd yn y caffi.'

'Efo pwy?'

'Wel, roedd mab Heulwen yno, Jac, ond does ganddo fo ddim llawer o sgwrs fel arfer: mae o ar ei ffôn o hyd. Pwy arall, dwêd? Glyn y Rhos, Ed Topbanc a Gethin Glanhafren. Dim llawer o neb arall.'

'Be wedyn?'

'Chydig o siopa. Ar ôl hynny, es i draw i'r swyddfa gynllunio, i edrych ar blanie cwpwl o dai yn fy ardal i sy yn y system ar hyn o bryd. Ges i alwad ffôn gan Heulwen i f'atgoffa i 'mod i wedi addo torri'r lawnt i Mrs Richards, hen ddynes sy'n byw tu ôl i'r siop wlân.'

'Cymydog i swyddfa'r Blaid, felly?'

'Ie. Ddim drws nesa, ond digon agos.'

'A doedd hynny ddim yn broblem i ti, ufuddhau i Heulwen?'

'Nag oedd, Dafydd. Mae Mrs Richards yn hen ddynes glên iawn – roedd hi'n arfer dysgu yn yr ysgol ramadeg, ac mae hynny'n mynd yn ôl dipyn.'

'Dwi'n gyfarwydd iawn â hi.'

Felly, es i adre i nôl y mowar a'r strimar, ges i fag o jips a draw wedyn i ladd y gwair.'

'Faint o'r gloch oedd hynny?'

'Wn i ddim yn union. Roedd gen i gwpwl o jobsys bech i'w gwneud acw, cyn dod yn ôl i'r Trallwng, rhoi bwyd i'r cŵn, tshecio am negeseuon ar y ffôn.'

'Ac oedd 'na negeseuon ar y ffôn?'

'Dim ond Heulwen, yn sôn am Mrs Richards.'

Sylwodd Daf yn sydyn fod bywyd Carwyn mor wag fel ei fod o'n croesawu gorchmynion Heulwen.

'Ond cyn mynd i weld Mrs Richards wnest ti bicio draw i weld Heulwen hefyd?'

'Dim ond am eiliad.'

'I drafod be, yn union?'

'Dim byd o bwys.'

'Carwyn, dwi'n ceisio gwneud fy ngorau glas fan hyn ond rhaid i ti fod yn onest efo fi. Os nad oedd o'n ddim byd gwerth ei drafod, pam oeddet ti'n gwastraffu amser dynes brysur?'

'Busnes Bowen oedd o. Roedden ni angen penderfynu yn union pryd i gyhoeddi'r dystiolaeth, achos roedd Heulwen yn poeni: petai pobl yn cael gormod o amser i ddod i arfer efo'r peth, falle y câi o ei ethol p'run bynnag.'

Roedd Carwyn Brynybiswal yn trafod ei gynllwyn fel petai'n paratoi ar gyfer rhyw ymdrech gymunedol er lles pawb, fel peintio neuadd y pentre neu drefnu trip ysgol Sul.

'A be oedd casgliad y sgwrs?'

Daeth golwg bwdlyd dros wyneb Carwyn a chofiodd Daf unwaith eto eiriau'r hen Mr Watkin am ei fab yn cael ei sbwylio.

'Roedd hi wedi newid ei meddwl. Doedd hi ddim yn fodlon gwneud unrhyw beth – ar ôl popeth ... popeth wnes i!'

Fel bachgen tair oed, roedd dagrau'n disgleirio yn ei lygaid, yn arwydd o bwl o dymer.

'Ddywedodd hi beth nasti wrtha i pan brotesties i ynglŷn â hynny. Ddywedodd hi 'mod i'n siŵr o fod yn mwynhau gwylio ... busnes Bowen, ond nid felly oedd hi, o gwbwl. Maen nhw'n dangos pethe reit goch ar y teledu'r dyddie yma, dyn a dynes yn y gwely. Dwi'n dwlu ar hanes, ac roedd dipyn go lew o secs yn y gyfres *Tudors* 'na. O'n i'n hoff iawn o Ann Boleyn, er ei bod hi mor fain. Dwi'n mwynhau pethe fel'na, ond nid y busnes Bowen. Weithie, roedden nhw'n dadwisgo mor araf, yn stripio i'w blesio fo ac roedd hynny'n neis i'w weld, wrth reswm, ond wnes i erioed fwynhau. Do'n i ddim yn ei wneud o am bleser. Sut allen i fwynhau gweld Daisy fech annwyl yn cropian fel anifail i wneud ...'

'Felly roeddet ti'n flin efo Heulwen?'

'O, wir i ti, Dafydd, be ydi'r iws? Dros bymtheng mlynedd, weithie roedd hi'n gwneud pethe do'n i ddim yn eu deall ond, yn y pen draw, hi oedd yn iawn. Ond ro'n i wir isie gwneud rwbeth i Bowen, i chwalu dipyn o'i dail o gwmpas.'

'Welest ti rywun arall yn swyddfa'r Blaid?'

'Ro'n i'n rhy flin i sylwi. Ond ar ôl gadael y swyddfa, roedd yn rhaid i mi ofyn i Jac, mab Heulwen, symud ei pic-yp – roedd o wedi parcio wrth swyddfa Gwilym Bebb, efo treiler. Es i i fyny'r wtra fech wedyn, tu ôl i'r adeilade mawr – dyna lle mae Mrs Richards yn byw.'

'Gest ti sgwrs efo Mrs Richards o gwbwl?'

'Cnociais ar y drws ond mi allwn i ei gweld hi'n cysgu yn ei chadair wrth y stôf. Mae hi dros ei naw deg.'

'Be wedyn?'

'Lladdais yr hances o wair ac es i o'na. Weles i neb a sylwes i ar ddim. Syth adre i'r gwely.'

'Gwely'n gynnar?'

'Does gen i ddim rheswm i aros fyny'n hwyr, os nad oes rwbeth da ar y teledu. Drama dwi'n hoffi, unrhyw beth gan David Attenborough neu ein Iolo ni, neu hanes. Gas gen i chwaraeon, gas gen i sioeau cwis.'

Doedd dim gofyn iddo fod yn hyblyg, wrth gwrs, ac yntau'n byw ar ei ben ei hun, ond dyma ddyn oedd wedi arfer cael ei ffordd ei hun, nododd Daf.

'Ocê, iawn, Carwyn. Dyna ni am chydig. Mi fydd yn rhaid i ni sgwrsio eto, ond yn y cyfamser, dwi isie gweld dy gyfrifiadur a bob camera sy gen ti.'

'Iawn. Fydd bore fory'n iawn?'

'Cyn gynted â phosib, Carwyn. Os ydi hi'n anghyfleus, mi ddanfona i rywun draw i'w nôl nhw?'

'Ar ôl i mi gael fy nghinio felly?'

'Tshampion.'

Roedd ymwelwyr yn aros am Daf wrth y ddesg: Phil a Basia. Doedd ei wyneb o ddim yn edrych yn ddeniadol iawn ond roedd hi wedi gwneud ei gorau i'w dacluso. Yn ei dwylo daliai blât a chacen arno. Roedd y gacen yn dal yn gynnes ac yn arogli'n braf tu hwnt. Peth arall braf oedd y wên ar wyneb Basia, a chofiodd Daf am bryderon ei brawd – roedd yn amlwg o'i hwyliau fod Basia wedi cael ei bodloni y noson cynt.

'Sori am yr helynt,' meddai, gan roi'r gacen i Daf. 'Dyn ffôl ydi Milek weithiau.'

'Ddylet ti fynd at y meddyg, Phil. Ti angen pwyth wrth dy glust.'

'Mi fydda i'n iawn, Daf.'

'Bydd craith yna os na chaiff o'i bwytho.'

'Dim ots gen i os ydw i'n greithiau i gyd,' atebodd yn siriol.

'Ti'n sicr nad wyt ti isie i mi roi dipyn o wers i Milek? Ei gadw fo i mewn dros nos neu rwbeth?'

Ysgydwodd Basia ei phen.

'Mae Milek yn gwybod yn iawn sut le ydi carchar. Ceisio fy amddiffyn i oedd o, ond does dim rhaid iddo boeni am hynny rhagor.'

Amddiffyn Basia ynteu ei morwyndod oedd ei brawd, dyfalodd Daf, gan geisio peidio meddwl sut noson fu hi.

'Rhaid i ni fynd,' eglurodd Phil, 'den ni angen prynu chydig o *bedding plants* i'w rhoi yn y basgedi.'

Rhannodd Daf y gacen efo'r tîm, wrth gwrs, a chladdu mynydd o jips hefyd. Pan oedd o hanner ffordd drwy ei drydydd darn o gacen, cododd Nev y polisi o dderbyn anrhegion gan dystion yng nghanol ymchwiliad.

'Paid â bod yn goc oen, Nev,' oedd ymateb swta Sheila.

'Geirfa ffraeth ac addas,' canmolodd Daf. 'Nev, ti angen dipyn o awyr iach – dos fyny i Brynybiswal i jecio pa fath o beiriant lladd gwair sy gan yr hen Carwyn: un lectric neu un sy'n defnyddio ...'

'*Two-stroke*!' gwaeddodd pawb efo'i gilydd.

'Parti cydadrodd ar gyfer Steddfod Powys, ffrindie!'

'Ti ddim yn meddwl mai Carwyn Watkin annwyl sy wedi ei lladd hi, bòs?' gofynnodd Sheila'n bryderus. 'Ro'n i'n meddwl ceisio trefnu dêt dwbwl iddo fo a ffrind i mi ...'

'Nid yr un sy'n dysgu yn Churchstoke, plis. Mae o wedi gweld digon o honno'n barod. A chofia, hyd yn oed os oes gan Carwyn gan o *two-stroke* yn ei pic-yp, dydi hynny ddim yn golygu mai fo laddodd Heulwen. Ond falle, ar y llaw arall, y byddwn ni un cam yn nes at wybod pwy wnaeth ar ôl dysgu hanes y *two-stroke*.'

O – bòs,' cofiodd Sheila, 'mi edryches i ddoe ar sefyllfa ariannol Rhys Bowen: mae o'n rholio mewn pres.'

'Den ni'n arfer dweud "mae o'n graig o arian", Sheila.'

'Wel, mae'n graig go fawr. Ar ben y ffatri a Cig y Canolbarth, mae ganddo fo ladd-dy yn Oswestry ac un ger Lerpwl. Hefyd, mae ganddo fo'r tŷ yn Nyffryn Meifod, fflat swanc yng Nghaerdydd a dros bedwar deg o dai eraill i'w rhentu allan. Ac mae ganddo fo *pre-nup*: os ydyn nhw'n gwahanu, bydd y wraig yn derbyn miliwn a dim mwy. Rhwbeth ynglŷn â busnes ei dad yng nghyfraith, dwi'n tybio.'

Cyfle braf i Daisy Davies, tase hi'n ffansïo hynny, ystyriodd Daf wrth glywed sŵn ar ei ffôn. Gaenor, mae'n debyg, angen pot o jam neu rywbeth i greu'r te perffaith i groesawu cariad newydd ei mab i'r teulu estynedig. Cyn edrych ar ei ffôn, datganodd:

'Dwi'n mynd adre am gwpwl o oriau ond mi fydda i'n ôl cyn chwech. Wedi meddwl, mae'n well i Steve fynd i Frynybiswal achos mae Carwyn wedi addo dod â'i gyfrifiadur i mewn, felly gall Nev gychwyn ar hwnnw yr eiliad mae o'n cyrraedd.'

'Bòs,' dywedodd Nev yn amheus, 'ti *yn* gwybod nad oes gen i arbenigedd o gwbwl yn y maes? Jyst dipyn o chwilota sylfaenol dwi'n wneud.'

'Ti'n llawer gwell na fi, cog, a chofia – nid yn erbyn Anonymous neu adran ryfela seibr Tsieina yden ni, ond Carwyn Brynybiswal a Heulwen Dolfadog.'

Roedd o'n falch o'r cyfle i ddianc o'r ddrysfa o waith papur, gan wybod bod popeth mewn dwylo saff. Nia oedd yr orau am gadw trefn ar ymchwiliadau cymhleth fel hyn. Yn barod, roedd hi wedi rhoi llythyren i bob trosedd a rhif i bob troseddwr i sicrhau fod y cysylltiad rhwng pob darn o dystiolaeth a'r achos cywir yn gyson.

Dywedodd Sheila rywbeth am bicio allan hefyd, yn cyfeirio at y gwahoddiad roddodd Daf iddi hi a Tom yn gynharach yn yr wythnos, cyn bod rheswm i wahodd Belle o gwbl. Byddai'r tŷ yn llawn dop, ond efallai y byddai hynny'n beth da.

Roedd digon o amser i Daf alw draw i weld Mrs Richards, i gadarnhau stori Carwyn. Byddai'n gyrru heibio Tesco – byddai'n well iddo agor tecst Gaenor rhag ofn bod rhestr siopa. Ond nid neges gan Gaenor oedd hi, ond un gan rif anghyfarwydd:

'Tystiolaeth bwysig wedi dod i law ynglŷn â nos Lun. Ty'd draw i'r ffatri am sgwrs 3 y.p. RB.'

Ddiddorol. Dim ond deng munud fyddai'n gymryd i fynd i weld Bowen, wedyn adre. Ond yn gyntaf, Mrs Richards.

Yn ogystal â Chastell Powys a'r Smithfield, roedd Mrs Richards yn ddarn o hanes y Trallwng. Cyn-athrawes goginio oedd hi, a gweddw'r haearnwerthwr; roedd pobl yn ei disgrifio yn 'sefydliad', ond i Daf, roedd hi'n hunllef. Am gyfnod, roedd ganddi rywbeth yn erbyn cŵn, a thynnai luniau o bob trosedd berthnasol cyn martsio draw i'r orsaf i'w trafod. Y bygythiad nesaf i'r Trallwng ym marn Mrs Richards oedd llifogydd, a threuliodd Daf oriau yn egluro iddi nad cyfrifoldeb yr heddlu oedd hynny. Gyda phob dyrchafiad a enillodd Daf, roedd yn rhaid iddo ymdopi efo mwy o'i lol. Bu'n llawer llai o boen yn ddiweddar gan nad oedd yn mentro llawer o'r tŷ, ond er hynny, doedd Daf ddim yn edrych ymlaen at fynd i'w gweld.

Curodd ar ei drws gwelodd ei llygaid llonydd yn syllu arno drwy'r llenni net.

'Mrs Richards? Dafydd Dafis sy 'ma, o'r heddlu.'

Clywodd hi'n symud yn araf, a'r gadwyn yn tincian. Pan agorodd y drws, roedd y gwres a'r drewdod yn llethol.

'Be ti angen, Dafydd Dafis?'

'Jyst gofyn cwestiwn syml. Oedd Carwyn Watkin yma nos Lun?'

'Oedd.'

'Dech chi'n siŵr? Achos, mi ddywedodd o eich bod chi'n cysgu pan alwodd o.'

'Smalio cysgu i'w osgoi o oeddwn i. Mae'n gas gen i'r holl lol. Ac mae o mor ddigywilydd. Sbia di ar gât fy ngardd i.'

Gwelodd Daf ddôr yn y wal, un debyg iawn i'r un tu ôl i swyddfa Heulwen Evans.

'Os dwi'n cau'r giât yma'n dynn, mae hynny'n golygu nad ydw i isie neb yma yn fy mwydro fi, ond be wnaeth y Carwyn 'na? Ffetlodd declyn bach i agor bollt yn rhwydd o'r ochr arall, y maigrim bach digywilydd.'

Maigrim: gair mor lleol nad oedd neb yn gwybod ym mha iaith oedd ei darddiad, ond erbyn hyn roedd yn sarhad amlbwrpas effeithiol. Diolchodd Daf i'r hen ddynes. Cerddodd yn araf heibio i giât gefn safle'r drosedd. Os oedd modd cael mynediad rhwydd drwy'r drws cefn, ac os na chafodd 'run o'r rhai ddaeth drwy'r drws ffrynt gyfle digonol, rhaid bod y tân mawr wedi cael ei gynnau gan rywun ddaeth o'r cefn. Bu Carwyn yn torri'r glaswellt wrth yr wtra fach, ond welodd o ddim byd. Digonedd o *two-stroke*, teclyn bach i agor bollt yn rhwydd, ac andros o ffrae efo Heulwen ynglŷn â lluniau Rhys Bowen. Tynnodd Daf ei ffôn o'i boced i ffonio'r orsaf a sylwodd mai dim ond deng munud oedd ar ôl cyn ei gyfarfod â Bowen.

'Nev?'

'Bòs?'

'Ydi Carwyn Watkin wedi dod efo'i gyfrifiadur eto?'

'Dim eto, na.'

'Dal dy afael arno fo, Nev, pan ddaw o: os nad ydi o'n hapus i gydweithio, cyhudda fo.'

'Efo be?'

'Cynllwynio, blacmel ... a gwastraffu amser yr heddlu falle. Jyst dal o. A danfona Nia a pha un bynnag o'r CPSOs sy ar gael i dŷ athrawes o'r enw Daisy Davies ym Mettws Cedewain, i sicrhau ei bod hi'n saff. Dwi'n dechrau teimlo'n amheus iawn o'n ffrind Carwyn: mae ganddo fo sawl cwestiwn heb ei ateb.'

Pennod 15

Pnawn Sul, Ebrill 17, 2016

Roedd Daf yn disgwyl prysurdeb yn y ffatri ond roedd pobman yn dawel er bod y giât ar agor. Cerddodd draw i'r dderbynfa; roedd honno ar agor hefyd. Ar wal yn y dderbynfa gwelodd restr o shifftiau'r ffatri, oedd yn cadarnhau bod y shifft hwyr ar nos Sul yn dechrau am chwech o'r gloch. Fel gwahoddiad, roedd drws swyddfa Bowen ar agor, a synnodd Daf pa mor dawel oedd hi – hyd yma, roedd pob eiliad a dreuliodd yng nghwmni Bowen yn swnllyd: byddai'n siarad, yn chwerthin ac yn chwibanu, fel petai heddwch yn erbyn ei natur. Efallai ei fod o'n wahanol yn y gweithle, ystyriodd Daf wrth gerdded drwy'r drws, ond roedd yr ystafell yn wag. Gobeithiodd fod Bowen wedi dod o hyd i wybodaeth fyddai'n ei gyfeirio at bwy bynnag a daflodd y fwyell: roedd yr arf ei hun yn ôl yn ei le ond roedd sawl cyllell ar goll. Cofiodd Daf yr hyn ddywedodd Jeff am awydd Bowen i barhau i ladd – efallai fod ffrindiau wedi gofyn iddo fo helpu i ladd mochyn. Ar y ddesg fawr roedd nodyn ar ddarn o bapur gwyn mewn llawysgrifen hen ffasiwn:

'Ail ddrôr, yn y cefn.'

Roedd y nodyn bach cynnil yn wahanol iawn i ymddygiad arferol Bowen. Byddai Daf wedi disgwyl iddo weiddi a thaflu cyhuddiadau, ond nid sgwennu nodyn twt iddo. A ble oedd y dyn ei hun? Yn y tŷ bach? Yn yr ystafell ladd? Caeodd Daf y drws cyn eistedd yn y gadair ledr er mwyn ymestyn i'r drôr. Teimlodd fin llafn miniog ar ochr ei wddf, o dan ei glust. Roedd rhywun wedi bod yn cuddio tu ôl i'r gadair fawr.

'Yn fan'na mae dy *carotid artery*, Dafydd,' meddai Carwyn Watkin mewn llais dychrynllyd o sgwrsiol. 'Tasen i'n ei thorri hi, mi fyset ti'n farw ymhen llai na dau funud. Fyddet ti ddim yn diodde fawr o gwbwl. Yn wahanol i gael bwyell yn dy gefn. Sori am hynny. Penderfyniad ar hap. Sori eto.'

'Be wyt ti'n wneud, Carwyn?' Llwyddodd Daf i gadw'i lais yn gadarn ac yn naturiol ond roedd rhes o emosiynau'n rhuthro drwy ei ben.

'Mae hon wedi bod yn wythnos go heriol i mi, wyddost ti, Dafydd. Ro'n i'n arfer dibynnu ar Heulwen ond mae hi wedi 'ngadael i lawr yn sobor. Isie helpu ei hun oedd hi, a doedd hi ddim isie i Bowen gyhoeddi beth bynnag oedd ei chyfrinachau bach hi.'

'Pa gyfrinachau?'

'Ti ddim yn cael gofyn y cwestiynau. Doeddwn i ddim yn hoffi eistedd wrth dy ddesg di fel cog drwg o flaen y prifathro. Nid prifathro wyt ti – Defi Siop wyt ti, bachgen fyddai'n dod draw i chwarae dipyn o chwist achos nad oedd ganddo lawer o ffrindie.'

Pwysodd ar y llafn ryw fymryn. Nid poen deimlodd Daf ond gwres yr hylif poeth yn llifo dros ei groen. Arhosodd yn hollol lonydd, fel y gwnaeth mewn sawl sefyllfa debyg o'r blaen.

'Dwyt ti ddim yn crynu, Dafydd? Pam hynny? Mae gen i andros o gyllell fawr. Sbia draw fan'cw, yn y cês mawr, y drydedd res, dyna ble mae hi'n byw. Dwi'di tynnu sawl un arall hefyd, a'r llif, achos ro'n i'n ystyried dy dorri di'n ddarnau er mwyn cael gwared â dy gorff. Byddai cynnau tân arall yn beth twp. Wedyn mi gofiais i: mi alla i ladd dwy fran efo un ergyd. A dyma ni rŵan. Ti wedi dod yma i gwrdd â Rhys Bowen – mae'r neges ar dy ffôn yn cadarnhau hynny. Pan fyddan nhw'n dod o hyd dy gorff di, yn ei swyddfa o, wedi dy ladd efo'i gyllell o, sydd â'i ôl bysedd o drosti i gyd, mi fydda i wedi cael gwared â'r ddau ohonoch chi ar yr un pryd. Dwi'n reit falch o 'nghynllun. Ddylen i fod wedi dechrau meddwl yn strategol fel hyn yn gynt, wyddost ti, Dafydd. Do'n i ddim wir angen Heulwen, ond ro'n i wedi mynd yn ddiog, braidd, yn disgwyl iddi hi gynllwynio popeth.'

Roedd y llif bach o waed wedi cyrraedd coler crys Daf, y brethyn yn sugno'r hylif i gyd. Cofiodd Daf am y mwsog o fainc Dolfadog ar ei drowsus: byddai angen y Vanish eto ar gyfer ei grys. Nid oedd yn sicr ai adrenalin Carwyn roedd o'n ei arogli neu ei ofn ei hun.

'Mae pawb yn dweud dy fod di'n ddyn peniog, yn dipyn o sgolar, ond wnest ti ddim datrys y pos bach yma o gwbwl.'

'Wel, roedd y *two-stroke* yn gliw mawr. Pwy arall, o'r rhai oedd gwmpas y swyddfa ar y pryd, oedd yn meddu ar gryn dipyn o *two-stroke*? Hefyd, mi newidiais fy meddwl amdanat ti ar ôl deall mai ti dynnodd y lluniau.'

'Ti'n wahanol i fy syniad i ohonet ti hefyd, Dafydd. Dyn stedi o'n i'n feddwl oeddet ti, ond ar ôl i ti fod yn y *news* o hyd, efo busnes Plas Mawr wedyn yr helynt yn y Steddfod, mi droeodd dy ben di, mae'n siŵr. Roedd gen ti wraig neis, ac yn lwcus i'w chael hi – ond na, yn sydyn doedd hynny ddim yn ddigon i ti. Roedd yn rhaid i ti ganlyn y slwten Chrissie Humphries 'na, ac wedyn, yn waeth na dim byd, dwyn gwraig dy frawd yng nghyfraith. Wyt ti'n meddwl dy fod di'n dipyn o darw, Defi Siop? Yn well na dynion ... moesol fel finne?'

'Dwi ddim yn meddwl 'mod i'n well na neb, Carwyn. Ac mae'n teulu ni'n agos i deulu Berllan, dyna'r cwbwl.'

'Dech chi'n meddwl mai chi ydi rhodd Duw i ferched, pobl fel tithe a Rhys Bowen.'

'Gyda phob parch, Carwyn, dwi ddim yn bihafio fel Bowen o gwbwl.'

'Faint o ferched dech chi angen?'

'Mae un yn ddigon i mi.'

'Ond dyn arall oedd piau hi!'

'Dydi pobl ddim yn berchen ar ei gilydd, wir.'

Yn yr hanner munud o dawelwch, ceisiodd Daf weld y byd drwy lygaid Carwyn, a sylweddolodd yn sydyn beth oedd gwreiddyn ei broblem. Roedd Basia wedi dewis, hyd yn oed wedi brwydro, i gadw'i morwyndod ond chafodd Carwyn ddim siawns i ddewis fel arall. Roedd y surni yn ei lais wrth drafod bywyd Daf yn dystiolaeth o flynyddoedd o rwystredigaeth ac unigrwydd, a doedd dim rhaid bod yn seiciatrydd i sylweddoli sut y gallai hynny newid natur dyn. Penderfynodd geisio dilyn trywydd arall.

'Busnes cas, y tynnu lluniau 'ma, dwi'n siŵr.'

'I fod yn deg, Dafydd, doeddwn i ddim wedi sylweddoli y gallwn i wneud y ffasiwn beth nes i Heulwen ofyn i mi. Dyna oedd ei chamgymeriad, fy ngorfodi i'w wylio fo, dro ar ôl tro. A merched neis oedden nhw i gyd, heblaw'r *tarts* fachodd o yng Nghaerdydd. Roedd o fel petai o'n eu swyno nhw rywsut, ac yn eu gorfodi nhw i wneud yr holl bethau budur 'na.'

'Fel y dwedais i wrthet ti gynne, roedden nhw'n hollol fodlon. Ddylet ti, yn fwy na neb arall, ddeall hynny – roedden nhw'n gofyn iddo fo ddod yn ôl atyn nhw, sawl tro. Merched unig isie sbri bach cyfleus.'

'Sbri? Am lol. Nid merched unig oedden nhw chwaith: yr un sy'n byw yn Bettws, mae llwyth o ffrindie ganddi hi. Mi gafodd hi barti ryw dro, ac roedd ei thŷ'n llawn dop. Llwyth o ffrindie.'

'Daisy Davies? Ti'n ei nabod hi, felly?'

'Mwy na hynny, Dafydd: dwi'n mynd i'w phriodi hi.'

Adnabu Daf nodyn newydd yn ei lais: roedd Carwyn yn diodde o ryw fath o salwch meddyliol, yn sicr, ac os na allai feddwl yn glir, roedd y gyllell mewn dwylo peryclach fyth.

'Llongyfarchiadau mawr. Dech chi wedi dewis dyddiad?'

'Dim eto. Dydi hi ddim yn gwybod eto, ond hanner tymor yr hydref flwyddyn nesa, dwi'n tybio. Cyfnod go dawel ar y ffarm.'

'Dech chi'n canlyn?'

'Den ni'n gwneud lot efo'n gilydd. Dwi wastad yn torri ei choed iddi hi, a'r glaswellt, wrth gwrs.'

'Ydech chi wedi cusanu?'

'Roddodd hi sws i mi llynedd, noswyl Calan, yn y Bull and Heifer, o dan yr uchelwydd. Mae ganddi hi arferion mor braf, mae hi bron yn *dainty*, fel y fuwch fach Jersey gafodd Mam pan o'n i'n ifanc, rhwbeth go sbesial.'

'Yn y cyngerdd neithiwr, hi oedd y ferch yn y siwmper las?'

'Ie.'

'Lodes bert iawn.'

'Mwy na hynny, Dafydd. Mae ei natur, ei harferion, ei llais, i gyd yn sbesial.'

Rhedodd Daf drwy sawl golygfa yn ei ben ynglŷn â sut i ddod allan o'r sefyllfa, gan geisio peidio â symud modfedd. Yn y pellter, tarodd cloc Neuadd y Dre yr hanner awr. Hanner awr wedi tri, felly. Fyddai neb yn debygol o ddod i ddechrau paratoi ar gyfer y shifft am awr o leia. Ceisiodd Daf asesu'r sefyllfa yn rhesymegol. Er mai gan Carwyn roedd y gyllell, roedd ganddo fo fwy o brofiad mewn sefyllfaoedd tebyg. Yn gorfforol, roedd Daf yn dalach ond Carwyn yn fwy solet, felly dim llawer o wahaniaeth. Yn y pen draw, cystadleuaeth o nerfau, adweithiau a phledrennau fyddai hi. Heddwas ifanc oedd Daf pan ddywedodd swyddog profiadol wrtho: 'Mae'n rhyfedd,ond y gwir ydi nad ydi pobl sy'n fodlon torri dy gorn gwddw fel tasen nhw'n torri brechdan jam yn fodlon pisio'u hunain. Arhosa di nes y bydden nhw'n teimlo braidd yn anghyfforddus – dyna dy siawns.' Cadw'n llonydd, yn wyliadwrus ac yn amyneddgar amdani felly; chwarae'r gêm i ennill amser. Llwyddodd i beidio â meddwl am y te parti, lle byddai Belle yn gwrdd â Garmon, pawb yn canmol y babi a Gaenor yn darparu digonedd o ddanteithion i bawb.

'Yn Ysgol y Chwiorydd Davies mae hi'n dysgu?' gofynnodd Daf, gan frwydro yn erbyn y llafn i ynganu enw'r ysgol.

'Ie, ac mae hi'n athrawes benigamp. Dwi ar y corff llywodraethol, ac mae hyd yn oed Estyn yn canmol ei safonau.'

Mae 'na reswm pam ei fod o mor unig, meddyliodd Daf. Roedd o mor ddiflas â phostyn.

'Dyna pam ei bod hi mor anodd, ei gwylio hi'n bychanu ei hun efo Bowen. Ddim jyst pethe normal oedden nhw'n wneud. Ac ar Heulwen oedd y bai. Un peth oedd gwybod bod Daisy fech yn mynd efo Bowen, peth arall oedd eu gwylio nhw. Mae o'n ddyn mawr, fel ti'n gwybod, ac yn drwm. Druan o Daisy fech.'

Roedd ei lais yn torri a chododd gobeithion Daf. Byddai'n ddigon hawdd dianc o afael dyn sy'n wylo fel llif yr afon. Ond tawelodd Carwyn, a phan ailafaelodd yn ei stori, roedd nodyn peryglus yn ei lais.

'Dwi ddim yn meddwl ei bod hi erioed wedi caru neb ...

Heulwen. Ddim Phil, ddim hyd yn oed ei phlant. Mi glywais stori am y cog wnaethon nhw ei fabwysiadu – a be ddigwyddodd iddo fo yn y pen draw. Ro'n i'n ei galw hi'n ffrind, ond doedd hi ddim yn ffrind i mi. Arf oeddwn i, rhwbeth iddi hi'i ddefnyddio fel fynne hi. Mi ofynnes iddi ddydd Llun, dro ar ôl tro, be oedd pwrpas tynnu'r blydi llunie erchyll 'na os nad oedden ni'n mynd i'w defnyddio nhw yn erbyn y bastard? A dyma hi'n gwenu, ac yn fy atgoffa fod yn rhaid i mi fynd i dorri lawnt yr hen wrach fyny'r wtra.'

'Mrs Richards?'

'Mrs Richards. Doedd yr hen ast ddim digon cwrtais i gynnig paned i mi. Smalio cysgu oedd hi, dwi'n ei nabod hi'n iawn. Ddechreues i feddwl – pa fath o ddyn ydw i, yn gwneud y pethe 'ma i'r hen leidis i gyd, ond heb ddigon o amser rhydd i'w treulio yng nghwmni unrhyw lodes neis. Dwi 'di bod yn gaeth iddyn nhw, Dafydd, i'r ffycin gwrachod, a ble mae 'mywyd i wedi mynd? Pan oedd pobl fel tithe'n cael 'peini merched braf a'r cyfle i fagu teulu, ro'n i'n golchi *support stockings* ac yn aros am y ffycin *carer* fydde wastad yn hwyr. Dyna sut oedd pethe: nyrsio'r Bòs i ddechre, wedyn Mam, gan weld pobl fel Bowen yn cael gwledd o bleser a finne'n methu gadael y ffycin buarth. Es i'n ôl i siarad efo Heulwen, i ddweud 'mod i wedi penderfynu danfon y llunie i'r *County Times* beth bynnag oedd hi'n ddweud, ond roedd hi'n eistedd yn y gadair, yn syllu i'r pellter, â rhyw hanner gwên ffals ar ei hwyneb.'

'Be oeddet ti'n feddwl oedd wedi digwydd iddi hi?'

'Strôc. Felly oedd y Bòs ryw dro. Ac yn sydyn, mi sylweddoles na fase hi'n gallu fy nhroi i efo'i geirie clefer y tro yma. A ges i syniad arall: tasen i'n gwneud yn siŵr ei bod hi wedi marw, fydde dim rhaid i neb ei nyrsio hi, fel ro'n i'n nyrsio Mam a'r Bòs. Doedd Jac ddim yn haeddu'r cyfrifoldeb. Roedd hi yn y ffordd, y ddynes oedd wedi 'ngorfodi i i weld yr holl bethau hyll.'

Roedd balchder yn ei lais, fel petai'n disgwyl canmoliaeth.

'A Bowen sy biau'r adeilad hefyd. Byddai colli'r lle mewn

tân yn drafferth fawr iddo fo. Wrth gwrs mi fydde ganddo fo siwrans, ond mi fydde pobl yn dechrau holi, yn ei feio fo hyd yn oed.'

'Be am y bobl yn y fflatiau lan staer?'

'Dau labwst tramor a phutain? Be amdanyn nhw?'

'Be tasen nhw wedi cael eu lladd yn y tân?'

'Dydyn nhw byth yn y fflat fin nos, byth. Mae'r dynion yn slotian yn rhwle a hithe'n rhedeg ar ôl Phil Dolfadog fel gast dwym.'

Doedd Daf erioed wedi clywed disgrifiad oedd yn bellach o'r gwir, ond penderfynodd beidio â chodi'r pwynt o ystyried lleoliad y gyllell.

'Felly, mi benderfynest ti gynnau tân?'

'Do. Roedd o'n ddigon rhwydd, efo dipyn o'r *two-stroke*. Dwi erioed wedi smygu ond dwi'n cadw leiter yn fy mhoced, rhag ofn. Llosgi chydig o bethe yn yr ardd ac ati. Peth braf oedd gweld ei hwyneb hi, drwy'r mwg. Allai hi ddim dweud gair ond duwcs, roedd yr ofn yn ddigon amlwg yn ei llygaid. Trodd yn goch efo mwg, a dagrau heb ystyr yn llithro lawr ei bochau. Nid llefain oedd hi, dim ond effaith y mwg, ond o leia roedd dagrau yn ei llygaid o'r diwedd. Dagrau o'r diwedd.'

Yn amlwg, roedd y dywediad wedi ei blesio: roedd yn troi'r geiriau yn ei geg fel dyn yn blasu gwin safonol. Cododd ei ddiffyg cydymdeimlad â Heulwen – arwydd o'i natur seicopathig – fraw ar Daf. Ond eto roedd Carwyn yn anfodlon i Jac ddiodde'r problemau a surodd ei ieuenctid ei hun. Ai cydymdeimlad go iawn oedd hynny, ynteu oedd Carwyn wedi penderfynu defnyddio Jac yn gymeriad yn nrama ei hunandosturi? Cofiodd Daf am henaint ei rieni ei hun a'r holl gyfnodau o straen a gofid a achosodd eu salwch, a phwysau ariannol ffioedd eu cartrefi gofal. Ond er y cyfnodau anodd, roedd ei fywyd wedi mynd yn ei flaen: y plant, ei yrfa, hyd yn oed gwyliau tramor bob hyn a hyn. Roedd Carwyn wedi aros ym Mrynybiswal, fel petai amser wedi'i rewi.

Llifodd atgofion o'i deulu a cheisiodd Daf ei orau i droi ei feddyliau o'r cyfeiriad peryglus hwnnw rhag iddo ddangos ei wendid. Er gwaetha'r seicopath y tu ôl iddo, roedd yn rhaid i Daf gadw rheolaeth arno'i hun. Byddai'n rhaid iddo lywio'r sgwrs oddi wrth Heulwen, y trais a'r tân.

'Ro'n i wedi anghofio dy fod di'n llywodraethwr, Carwyn. Sut mae'r trefniadau trosglwyddo plant o'r cynradd i'r uwchradd yn gweithio efo chi yn Ysgol y Chwiorydd Davies?' gofynnodd Daf, fel petaen nhw mewn sesiwn hyfforddiant.

'Reit dda, diolch. Dwi'n gwybod yn iawn pa mor brysur ydech chi yn yr ysgol uwchradd ond 'sen i ddim yn meindio gweld yr athrawon uwchradd yn gwneud dipyn bach mwy, yn gynt ym mlwyddyn chwech.'

Wedi clywed rhywun yn dweud hynny oedd o, sylwodd Daf. A dyma fo, y poli parot.

'Mae hynny'n werth ei drafod. O ble mae hi'n dod, dy ffrind Daisy Davies? Nid lodes leol ydi hi?'

'Nage, nage. O Lanfihangel y Creuddyn yng Ngheredigion, yn wreiddiol. Dwi ddim wedi bod yna, ddim eto, ond mae o'n bentre sylweddol.'

Dechreuodd Daf ddychmygu p'un fyddai waetha: llafn y gyllell ynteu cael ei ddiflasu hyd syrffed gan draethu difywyd Carwyn.

'Un o'r pentrefi diolchgar ydi o, pentref na chollodd neb yn y rhyfeloedd byd, neb o gwbwl. Ydi hynny'n ei wneud o'n ddwbwl diolchgar sgwn i...'

'Mi welais rwbeth ar y teledu llynedd, dwi'n siŵr.'

Bu tawelwch. Byddai'n rhaid i Daf atgyfodi'r sgwrs.

'Faint o lefydd fel'na sydd, sy heb golli neb, tybed?'

'Un deg pedwar, dros Gymru a Lloegr.'

Roedd o fel tudalen o lyfr ysgol diflas.

'Taith ddiddorol i'w gweld nhw i gyd, 'sen i'n dweud.'

Heb rybudd, tynnodd Carwyn y llafn dros groen Daf gan agor clwyf hir, bas.

'Ti'n meddwl y cei di chwarae efo fi, Dafydd? Dy fod di'n ŵr clyfar a finne'n hen ffŵl? O bell ffordd. Hen bryd i ti wneud dy waith cartref. Mae 'na feiro fan'cw – coda hi a sgwenna, ar gefn y darn o bapur 'na.'

'Ydi o'n syniad da i mi ddefnyddio'r papur efo dy lawysgrifen di ar y cefn, Carwyn?'

'Ti'n iawn.'

'Falle fod darn o bapur yn y drôr 'ma.'

'Agora fo, felly.'

Yn chwilio i'r corneli efo'i fysedd, ceisiodd Daf gofio oedd rhywbeth yn y drôr y gallai ei ddefnyddio fel arf. Plygodd ei ben ryw fymryn i edrych i mewn i'r drôr a disgynnodd diferyn ar ôl diferyn o waed llachar dros ddeunydd ysgrifennu Bowen, dros y *gel pens*, y *post-it notes*, yr amlenni gwyn a brown. Tynnodd bad sgwennu A4 o'r drôr a chaeodd ei ddwrn am y pwysau papur bach pres, trwm. Â'i arf bach yn saff yn ei law dde, roedd yn rhaid iddo sgwennu â'i law chwith.

'Be wyt ti isie i mi sgwennu?'

'Dy enw i ddechre. Duwcs, ti'n sgwennu'n flêr!'

'Ges i ddamwain tra o'n i'n yn y coleg, rhyw lol ar noson allan. Mi wnes i anafu'r nerfau yn fy mysedd, felly fel hyn dwi'n sgwennu. Diolch byth am gyfrifiaduron.'

Doedd ganddo ddim syniad a dderbyniodd Carwyn y stori ai peidio.

'Wedyn, dwed bod Bowen wedi trefnu i gwrdd â ti yn fa'ma ond rŵan, ti'n gwybod ei fod o'n mynd i dy ladd di.'

'Pam hynny?'

'Am dy fod di wedi darganfod ei fod o wedi dwyn can cyfan o two-stroke gen i, ac wedi lladd Heulwen. Hefyd, sgwenna dy fod di'n gwybod bod Bowen yn ysu i shagio dy gariad di, betingalw, gwraig John Neuadd.'

'Ocê, ocê. Dwi wrthi rŵan.'

Tra oedd o'n brwydro i sgwennu, clywodd Daf gŵn bach yn cyfarth y tu allan, yn union fel roedd cŵn Belle wedi cyfarth yn safle'r drosedd bnawn dydd Mawrth, oedd yn ymddangos yn amser hir, hir yn ôl.

'Wedyn, sgwenna bod Bowen wedi troi ei gefen am eiliad a

dy fod di wedi cymryd dy siawns i ddweud y gwir. Roedd Heulwen ar fin cyhoeddi'r wybodaeth am yr holl bethe budur wnaeth Bowen, felly dyna pam y penderfynodd ei lladd hi.'

'... Yr holl bethe budur,' ailadroddodd Daf. 'Ti isie unrhyw beth mwy penodol yna?'

'Na, dwi'm yn meddwl. Wedyn, os oes gen ti unrhyw negeseuon i'r plant, sgwenna hynny hefyd: ffarwél a ballu. Mae'r gêm yma'n dod i ben rŵan.'

Tynhaodd Carwyn ei afael ar ysgwydd Daf, i baratoi am yr ergyd. Yr eiliad honno, roedd cnoc gref ar y ffenest a gwelodd Daf wyneb – wyneb cyfarwydd ond un hollol annisgwyl yn y cyd-destun. Siôn.

'Helô Mr Watkin,' galwodd Siôn, a dryswyd Carwyn am hanner eiliad. Cododd Daf ei law dde yn sydyn a tharodd ble tybiodd roedd garddwrn Carwyn. Gwaeddodd Carwyn fel ci bach ond daliodd ei afael yn y gyllell. Ciciodd Daf yn ôl yn sydyn ond methodd, a theimlodd bwysau'r llafn yn drwm ar ei groen, yn torri ei gnawd. Agorodd y drws â chlec uchel ac ymhen eiliad roedd y gyllell ar y llawr a Carwyn yn ei ddyblau mewn poen, yn udo fel blaidd. Cododd Belle ei throed eto ac anelodd gic arall bwerus i'w arddwrn arall. Sgrechiodd Carwyn fel ysbryd o uffern. Syllodd Belle arno.

'Mae torri dy arddwrn yn uffernol, ffycar,' dywedodd mewn llais isel, llawn bygythiad, 'ond mae dau yn llawer mwy poenus. Wancar!'

Anelodd gic arall i'w gwd.

'Diolch Belle,' ebychodd Daf, gan sylwi ar Siôn yn sefyll yn y drws, ei lygaid yn disgleirio fel plentyn oedd wedi llwyddo i wylio ffilm arswyd heb ganiatâd ei fam.

'Aeth popeth yn iawn, yn y pen draw,' meddai Belle, gan gamu draw at Siôn. 'Da iawn ti – mi wnest ti'n union fel deudis i. Ti 'di bod yn hogyn da, yn hogyn da iawn.'

Cododd law Siôn a'i rhoi ar ei bron, fel petai wedi anghofio'n llwyr am bresenoldeb Daf.

Tynnodd Daf efynnau llaw o'i boced ond pan blygodd dros

Carwyn, gwelodd ganlyniad gwaith Belle: roedd ei ddwylo'n hongian fel darnau o frethyn, ei ddau arddwrn yn rhacs. Roedd o'n crio'n dawel ac wedi gwlychu ei hun. Nid gefynnau oedd Carwyn eu hangen ond sblint.

'Dwi'n falch 'mod i'n ffrind i ti, Belle, wir,' meddai Daf, ond roedd hi'n rhy brysur yn cusanu Siôn i gymryd smic o sylw. Tynnodd yn ôl oddi wrtho am eiliad a gwelodd Daf fod ei llygaid yn llosgi â chwant a chyffro, fel petai'r cymysgedd o ryw a thrais yn feddwol.

Daeth tri o wynebau bach cyfarwydd i'r golwg yn y drws: DJ, Saunders a Valentine.

'Sut hwyl, ffrindiau?' cyfarchodd Daf, a dyna welodd Nev pan gerddodd i mewn i swyddfa Rhys Bowen: llofrudd yn rholio'n druenus ar y llawr, cwpwl yn lapswchan yn y drws a'r bòs, fel petai wedi colli'r plot yn llwyr, yn waed i gyd, yn sgwrsio efo'r cŵn.

Deialodd Daf rif Gaenor.

'Sori 'mod i wedi sbwylio'r te parti.'

'Wnest ti ddim! Mae mwy o westeion newydd gyrraedd ac mae Tom Francis ar fin herwgipio Mali. Wyt ti'n iawn?'

'Ydw, ond dwi 'di chwalu'r crys 'ma. Ddaeth Belle a Siôn i fy achub, ond wn i ddim sut oedden nhw'n gwybod lle o'n i.'

'Pan oeddet ti'n hwyr, mi ffonies yr orsaf. Roedden nhw'n meddwl dy fod di yma efo ni. Ro'n i'n trafod y peth efo Belle a Siôn, yn 'sidro lle allet ti fod, pan gofiodd Rhodri am yr ap sy gen ti ar dy ffôn: Find Me. Aethon nhw lawr ar dy ôl di.'

'Mi fydda i'n ôl toc. Caru ti, Gae.'

Tu allan, roedd ambiwlans a thri char heddlu wedi cyrraedd. Blaenoriaeth y parafeddygon oedd Carwyn, a chlywodd Daf un yn dweud wrth y llall:

'Never seen an injury like it, his wrists were crushed. Must have been some hell of a kick.'

Wrth aros i gael ei drin, yn dal pad ar y clwyf ar ei wddf, roedd Daf yn mwynhau'r pethau syml o'i amgylch: sŵn y trên yn clicio draw i Aberystwyth, boncath yn crio uwch ei ben, cusan yr awel ffres ar ei foch. Cofiodd boster welodd yn stafell rhyw ferch yn y coleg: 'Bydd popeth yn dda ac fe fydd popeth yn dda a bydd pob math o bethau'n dda.' Safodd yn llonydd, gan feddwl am yr holl bethau allai fod yn dda. Efallai byddai Gruff a Felicity yn picio i Gonwy i weld Cai, gan warchod eu hufen iâ oddi wrth y gwylanod ar y cei. Efallai fod Phil wedi dod o hyd i'r blodau perffaith i lenwi'r basgedi crog, gan boeni dim am y cleisiau ar ei wyneb wrth eu gosod yng nghwmni Basia. Efallai fod Nansi wedi teimlo cic gynta'r babi yn ei chroth a Seth wedi ailystyried y swydd yn y Drenewydd. Efallai fod Daisy Davies wedi cytuno i geisio rhoi chydig o drefn ar Rhys Bowen AC. Efallai fod Gaenor wedi cael cyfle i wneud cacen Lemon Drizzle a bod Fflwsi Lewis wedi gwrando ar Carys. Efallai, ar eu ffordd yn ôl o gael tro ar gefn eu ceffylau, fod Haf wedi perswadio Mostyn Gwydyr-Gwynne i bleidleisio yn erbyn y toriadau i fudd-daliadau teuluoedd tlawd. Efallai fod Jac wedi cynnig yr helm i Margaret Tanyrallt, iddi hi gael dod i Ddolfadog o'r diwedd, ac i wneud lle i Gruff a Felicity yn Nhanyrallt. Efallai, meddyliodd Daf, y byddai pob math o bethau'n dda – ond fel yr hysbyseb Mastercard hwnnw, ar gyfer popeth arall, byddai Heddlu Dyfed Powys yno.